Е. ПРУДНИКОВА
А. КОЛПАКИДИ

Тайны сталинских репрессий

ОЛМА
МЕДИАГРУПП

Москва
2007

ББК 84 (2Рос-Рус)6
    П85

Прудникова Е.

П85   Двойной заговор. Тайны сталинских репрессий: – М.: ЗАО «ОЛМА Медиа Групп», 2007. – 640 с.

ISBN 978-5-373-00352-0

Почему Сталин, в высшей степени прагматичный и трезвый глава государства, накануне войны обезглавил армию? В чем подлинные причины чисток 1937 года? За что был расстрелян Михаил Тухачевский? И какое отношение ко всему этому имеет Адольф Гитлер? На эти и другие «неудобные» вопросы нашей истории ищут ответы журналист Елена Прудникова и петербургский историк Александр Колпакиди. Их версия событий хотя и не бесспорна, но оригинальна и отвечает на многие вопросы...

ББК 84 (2Рос-Рус)6

ISBN 978-5-373-00352-0

ВВЕДЕНИЕ

«Репрессии» – одно из тех понятий, которые в последнее время незаметно изменили свое значение. Строго говоря, репрессии – это *любая* карательная деятельность государства. Например, знаменитое «вор должен сидеть в тюрьме»... И милиция является репрессивным аппаратом точно так же, как и КГБ, а три года за кражу – точно такой же репрессивной мерой, как и пресловутое «десять лет без права переписки».

Но в последнее время в общественном сознании закрепилось иное понимание этого слова. Репрессии – это *внезаконная* карательная деятельность государства в политической сфере (или такая, когда наказание явно неадекватно преступлению) – скажем, повальная «посадка» политических противников, или тюремный срок за болтовню в сталинском СССР.

Строго говоря, последнюю меру нельзя назвать внезаконной. В 30-е годы в СССР существовала статья 58[10], «контрреволюционная агитация и пропаганда», по которой за антиправительственные разговоры полагался конкретный срок. Можно, конечно, этим фактом возмущаться, а можно вздохнуть и утешиться любимой фразой древних римлян, которую так часто приводят сторонники концепции «правового государства»: «Закон суров, но это закон». А можно и вспомнить, к каким страшным для государства и народа результатам привела в 80-е годы свобода такой вот неконтролируемой болтовни. Это как управление автомобилем в нетрезвом виде: само деяние вроде бы и невеликое преступление – но последствия!

Пойдем и мы не за словарем, а за обществом, и подкорректируем термин ему в угоду: репрессии – это *политическая карательная деятельность государства, внезаконная или неадекватная совершенному преступлению*. Немножко коряво, но смысл вроде бы отражает, не так ли? И с этой точки зрения и подойдем к тому процессу, который принято называть «сталинскими репрессиями».

При внимательном рассмотрении видно, что это не один сплошной процесс, а, как минимум, четыре переплетающихся потока, трагическим образом совпавшие во времени и пространстве. Оттого-то так трудно и понять происходившее, что *целиком* процесс не вписывается ни в одну разумную концепцию – разве что в теорию сталинского безумия (в медицинском смысле). Но если разделить его «по фракциям», то все очень даже вписывается, и без особого напряжения понимается. Другое дело, что иной раз события закладывают такие виражи... и тогда приходится вспомнить старый принцип мисс Марпл: «Когда отброшены все не выдержавшие критику объяснения, надо принимать оставшееся, каким бы оно ни казалось невероятным». Но что делать: если кусочки головоломки складываются в сюрреалистическую картину – приходится признавать именно ее...

Тут что любопытно – Сталин незадолго до «тридцать седьмого года» начал целенаправленно строить в СССР *правовое государство*. А в правовом государстве репрессии (в народном понимании), равно как и пресловутое «очищение», невозможны в принципе. Вот и вопрос: какой смысл накануне расправы с политическими противниками укреплять законность? Куда удобнее разобраться с ними «по-революционному», а потом посетовать на «головокружение от борьбы», сделать несколько горьких выводов и заняться правовой стороной советской жизни. Так ведь нет: законность стали укреплять непосредственно перед событиями 1937 года. Неувязочка, однако... И, более того, такая неувязочка, которая заставляет искать совершенно иное объяснение вообще всему, что тогда было.

В процессе репрессий можно выделить два магистральных потока: «рациональный» и «иррациональный». Эта книга посвящена первому – рациональному, а именно – борьбе режима с политическими противниками, с которой все началось. Эта борьба идет во все времена и во всех государствах. Не везде она приводит к таким последствиям – но иногда бывает и хуже. Как, например, случилось в гитлеровской Германии. Или в Испании, где слабое демократическое правительство не смогло выполнить эту задачу, и в итоге ручеек крови, не пролитый на эшафоте, отозвался кровавым хаосом, затопившим страну. Или в современной Чечне, события в которой показали, что сталинское решение чеченской проблемы было наиболее *гуманным* из всех возможных.

Демократия – реальная демократия – на самом деле куда более тоталитарна, чем почти любая диктатура. В свободном демократическом обществе существует такой идеологический террор, который никаким диктаторам и не снился. За примерами далеко ходить не надо. В современной Европе, например, можно получить вполне реальный тюремный срок за утверждение (сколь угодно доказательное), что в гитлеровских концлагерях не существовало газовых камер. Да-да, вы не ослышались: именно за то, что технология массового умерщвления людей не содержала такого технического средства, как газовые камеры. «Бред, – скажете вы. – При чем тут?»

Да, конечно, бред. Но люди-то – сидят!

Или, например, США – оплот свободного мира. Не знаем, что уж там их правительство проделывает со своими гражданами, но надо было видеть, как *испугался* здоровенный белый мужик, руководитель американского хора, когда у него спросили, почему в его коллективе нет черных. И не зря, кстати, именно в США так развит мрачный жанр антиутопии.

Все правильно: тотальное соблюдение прав человека требует тотального контроля над мыслями человека. Это единственный бескровный способ защиты этих самых прав. Все остальные требуют очень большой крови.

К сожалению, в *реальном* обществе равная забота о правах волков и овец неизменно оборачивается геноцидом овец. А соблюдение прав овец требует охоты на волков. Если общество не заморачивается демократическими принципами, оно довольно быстро решает эту проблему самым простым способом. Может быть, это и ужасно... Но тем, кто считает, что это *неправильно*, остается лишь порекомендовать экскурсию в Чечню.

В 30-е годы все тоже начиналось с охоты на волков – и еще каких! Это уже потом, чтобы оправдать, их объявили овечками.

Да, но кому придет в голову оправдывать волков?

А вот это – самое интересное!

Но это уже совсем другая история...

Мятеж не может кончиться удачей –
В противном случае зовется он иначе.

Часть первая

ТАЙНОЕ СОТРУДНИЧЕСТВО ГЕРМАНИИ И РОССИИ

...Летом 1921 года на перрон Киевского вокзала в Москве из относительно чистого и комфортабельного по тем временам международного вагона вышли два человека, резко выделявшиеся своим явно заграничным видом из вокзальной толпы. Одного приставленный наблюдать за ними сотрудник ВЧК знал хорошо – с очередным визитом на Родину приехал советский представитель в Берлине Виктор Копп. Другого он обрисовал в донесении так: «На вид лет 35–40. Волосы темные, короткие, лицо круглое, брюзгливое, бритое. Одет: серое кепи, серый костюм, длинные зеленоватые чулки, коричневые полуботинки». Фамилия гостя была Нейман.

Не знаем, что было у сотрудника ВЧК по геометрии, и изучал ли он ее вообще, если эту длинную, типично прусскую физиономию посчитал круглой. Брюзгливое выражение лица служило хорошей маскировкой для зорких, умных глаз. И фамилия гостя была совсем не Нейман. Год назад он уже приезжал в Москву, и тогда звался Зибертом, хотя был Зибертом не более, чем Нейманом. Агент ВЧК не мог знать настоящего имени гостя, но его начальство было прекрасно осведомлено, кто он такой. Под именем Неймана Москву посетил человек примечательный и загадочный. Сейчас его имя почти забыто, а тогда он был широко известен в узких кругах как «немецкий Лоуренс» и, несмотря на молодость, считался асом разведки. В Советскую Россию с важнейшей миссией налаживания германо-советских контактов прибыл Оскар фон Нидермайер.

...Тем же летом 1921 года комфронта Тухачевский переступил порог Академии Генерального штаба, сделав очередной зигзаг своей сюрреалистической карьеры. Подпоручик царской армии, почти всю Первую мировую войну благополучно пробывший в германском плену, в Гражданскую он взлетел до командарма, потом до командующего фронтом. Командовал то более, то менее успешно, провалил одну из крупнейших кампаний польской войны, но все равно был самым популярным военачальником Красной Армии. А теперь, имея за плечами двухлетнее военное училище, был назначен ни больше, ни меньше, как начальником Академии.

Пока что они не знакомы, эти два человека. Пройдет еще несколько лет, прежде чем они встретятся. Им предстоит еще подружиться, перейти на «ты», потом их снова разнесет в разные стороны. Возможно, именно эта встреча сыграет в судьбе маршала Тухачевского роковую роль. В любом случае, Германия – роковая для него страна.

Пройдет время, и эти двое едва не изменят мировую историю. Но пока еще идет 1921 год. Только что закончилась война. Они молоды. У них еще многое впереди...

Глава 1

ГОРЕ ПОБЕЖДЕННОМУ

Пылающая Германия

> Все войны, в сущности – драка из-за денег.
> *М. Митчелл*

Осень 1918 года. Четыре года длится война, равной которой еще не было в истории человечества. Одно за другим подходят к пределу прочности воюющие государства. Трещат троны, рушатся империи. Первой пала Российская империя, где война привела к революции, а революция обернулась чем-то совсем уж запредельным и никому не понятным, и это непонятное уже год пылает пожаром, рассыпая головни по Европе. На очереди проигрывающая войну сторона – Германия и Австро-Венгрия. Это крушение тоже чревато многими потрясениями, но союзники, увлеченно громящие побежденных, пока что этого не понимают. Они и Россию пока не понимают. Они ничего не понимают, кроме того, что и в той, и в другой стране под шумок можно очень хорошо грабануть. И грабят беззастенчиво в России, предвкушая хорошую поживу в Германии.

Осенью 1918 года войне приходит долгожданный конец. Войска Антанты переходят в наступление по всему германскому фронту. Не выдержав их натиска, измотанная немецкая армия отступает, проклиная тех, кто затеял эту войну. Над фронтом стоит крик, как год назад стоял в России: дайте мир! Любой, пусть самый похабный! Такой же крик стоит и над страной, в которой давным-давно угас патриотический пыл. Населению не до патриотизма – похоронки, голод, а ведь немцы, как и большинство европейцев, привыкли жить хорошо. Эта привычка населения Европы к сытой мирной жизни еще не раз роковым образом скажется на ее судьбах.

Средние классы, непривычные к лишениям, пребывают в жестокой депрессии, рабочие все громче протестуют, присоединяя к выступлениям против войны неизменные социальные и политические требования. Они смешно выглядели бы в агонизирующей державе, если бы не подкреплялись забастовками и стычками с полицией, которые еще больше дезорганизуют жизнь государства – хотя куда уж больше...

Все бы ничего, и катастрофы, и поражения уже не раз бывали в кровавой европейской истории, и совершенно точно известно, что даже если половина населения погибнет от голода и лишений, то ведь вторая-то половина останется! В самом крайнем случае, кто-нибудь еще заселит пустующие земли, и жизнь дальше пойдет своим чередом. Но теперь ситуация иная. Перед глазами немецкого пролетариата – вдохновляющий пример Советской России, где рабочие и солдатские толпы погнали хозяев и приличное демократическое правительство – и ничего, живут! Уже год живут! И этого нельзя было не учитывать, хотя союзники по Антанте этого, как уже говорилось, не понимают и еще пять лет не поймут, пока не встанет заревом на полнеба «германский красный октябрь».

Итак, победоносной войны не получилось. Дела на фронте все хуже, а выступления рабочих идут по нарастающей. Уже в 1917 году общее количество участников стачек в Германии достигло 1,5 млн человек. Экономические требования перемешивались с политическими: рабочие требовали улучшения снабжения хлебом и углем, мира без аннексий и контрибуций и создания Советов по русскому образцу – всего понемножку. Но прежде всего – мира. В начале 1918 года, когда населению показалось, что процесс мирных переговоров с Россией идет слишком медленно, то, чтобы подстегнуть его, 28 января разразилась колоссальная политическая стачка. Она охватила все крупные промышленные центры Германии, и участвовало в ней около 2 миллионов человек.

Впрочем, стачки стачками, а революционность немецких товарищей переоценивать не стоит. В отличие от русского с его анархическим менталитетом, германцы – народ, уважающий порядок, и неудивительно, что большинство революционно настроенных немецких рабочих находились под влиянием социал-демократической партии, которая была весьма «умеренной и аккуратной». Она оказалась слишком умеренной даже для таких отнюдь не радикальных товарищей, как Каутский и Гаазе, которые в апреле 1917 года откололись от СДПГ и создали свою собственную партию, получившую название Независимой социал-демократической партии Германии. В социал-демократии они занимали позицию «левее правых, но правее левых». А левыми, немецким аналогом большевиков, был появившийся в январе 1916 года «Союз Спартака» во главе с Карлом Либкнехтом и Розой Люксембург. В начале октября 1918 года спартаковцы, ощутив нарастающее в обществе недовольство, провозгласили курс на революцию. К счастью для Запада, они были относительно маленькой группой, пользовавшейся небольшим, по сравнению с социал-демократами, влиянием в массах – несмотря на всемерную помощь из Советской России. Впрочем, Германия держала курс на революцию и без спартаковских призывов.

...Тем временем кризис в верхах продолжал нарастать. Ясно было, что война проиграна, причем проиграна позорно. Однако немцам было уже все равно – им нужен был мир, мир любой ценой! И 5 октября 1918 года пришедшее к власти правительство принца Макса Баденского попросило страны Антанты о перемирии. 11 ноября 1918 года в Компьенском лесу перемирие было подписано. Фактически Первая мировая война завершилась. Теперь оставалось завершить ее де-юре, то есть ограбить побежденных и закрепить результаты мирным договором.

Дележка пирога началась 18 января в Париже, на мирной конференции. Формально в ней участвовало 27 государств, но на самом деле все решали представители США, Англии, Франции и Японии. Представителей России, одной из основных участниц войны, на конференцию попросту не пригласили, по причине сепаратного мира. То, что три года она честно выполняла союзнические обязательства в ненужной ей войне, никого не интересовало.

Борьба интересов была нешуточной, и вокруг предполагаемого мирного договора разгорелся крупный торг. Самые жесткие требования выдвинула Франция, старинный соперник Германии на европейском континенте: побежденные должны полностью возместить победителям ущерб, нанесенный войной. В этом случае сумма репараций составила бы 800 миллиардов золотых марок, из которых Франция должна была получить больше половины. Кроме собственно денег и утраченных в 1871 году Эльзаса с Лотарингией, французы требовали Саарский угольный бассейн и еще кое-что, по мелочам. То, что эти условия означали полное разорение Германии, их более чем устраивало, они того и хотели, они добивались для себя гегемонии в Европе. Однако могучая Франция без соперников не устраивала Англию и США, которые хотели сохранить хотя бы относительно сильную Германию как противовес, с одной стороны, Франции, а с другой – России. В общем, торг шел отчаянный, не интересовало участников лишь мнение самих немцев. Горе побежденному!

28 июня в Зеркальном зале Большого Версальского дворца был подписан мирный договор. Германия лишилась всех заморских колоний и потеряла около восьмой части собственной территории. Франция вернула себе постоянно переходящие из рук в руки Эльзас и Лотарингию. Саарская область была объявлена территорией под управлением Лиги Наций, но то, чего Франция так упорно добивалась – угольные копи, – она получила. Небольшие кусочки территории отошли Бельгии, Дании и Чехословакии. Независимость и часть спорных земель получила только что появившаяся на карте Европы Польша, хотя и меньше, чем ей бы хотелось – впрочем, поляков, как известно, удовлетворить невозможно. Данциг был объявлен «вольным городом», Мемель (Клайпеда) отошел Литве. Левый берег Рейна, где немецкая территория граничила с Францией, Бельгией и Голландией, а также полоса шириной в 50 километров на правом берегу, были объявлены демилитаризованной зоной, где запрещалось строить военные сооружения и держать войска. Также должны были быть уничтожены все укрепления на германских границах. Сумма репараций к тому времени еще не была установлена, однако никто не сомневался, что она будет большой. Германия должна быть поставлена на колени не только политически, но и экономически, чтобы мысль о реванше даже и не возникала.

Однако отчаянное экономическое положение страны влекло за собой новую опасность. Правда, чтобы понять это, странам-победительницам понадобилось пять лет.

...Итак, **5 октября 1918 года** пришедшее к власти правительство принца Макса Баденского попросило страны Антанты о перемирии. Однако долгожданное окончание войны уже не могло спасти положение. Поздно! Страна была пороховой бочкой, и оставалось лишь поднести спичку...

3 ноября в портовом городе Киле вспыхнуло восстание матросов, к которым тут же присоединились солдаты и рабочие. Первым делом восставшие взяли арсенал, и через несколько часов у них уже было 20 тысяч вооруженных бойцов. Они захватили город и, по русскому образцу, создали Совет. Пример оказался очень кстати: восстание тут же перекинулось на другие города и пошло гулять по стране. 5 ноября Совет появился в Гамбурге, 6-го – в Бремене, затем в Ганновере, Лейпциге, Штутгарте, Мюнхене... **9 ноября** восстание добралось до Берлина. Рабочие и солдаты захватили рейхстаг, ратушу, вокзалы. Кайзер Вильгельм отрекся от престола и бежал в Голландию, принц Баденский ушел в отставку.

Так пала германская монархия.

По сравнению с обстановкой в Берлине Петроград октября 1917 года мог считаться образцом порядка. **8 ноября,** при известии об отречении кайзера, социал-демократы собрались в здании рейхстага и стали думать, что им делать дальше. Среди их лидеров был некий Фридрих Эберт, шорник по профессии. Он сильно не любил революцию, ратовал за конституционную монархию английского типа и видел на престоле одного из сыновей кайзера.

В нескольких кварталах от них, в императорском дворце, заседали спартаковцы, которые собирались провозгласить Германию советской республикой. Когда об этом узнали в здании рейхстага, социал-демократы пришли в ужас. Еще один их лидер, Филипп Шейдеман, высунулся в окно и, обращаясь к собравшейся под окнами немаленькой толпе, объявил республику. На следующий день то же самое сделали и спартаковцы. Но то ли толпа перед рейхстагом была больше, чем перед императорским дворцом, то ли день опоздания сыграл свою роль, однако социалистической революции в Германии не получилось. К власти пришел так называемый Совет народных уполномоченных. Партий в Германии было много, но в Совете оказались представители только двух социал-демократических партий – СДПГ и «независимых», а во главе государства оказался Эберт. Социал-демократом он был правым, но возглавляемое им правительство все равно было левым, революционным, и как он примирял этот факт со своими монархическими симпатиями, знал только он один.

Впрочем, едва эсдеки получили власть, всю левизну с них как ветром сдуло. И неудивительно: правительство Эберта оказалось в положении, которому не позавидуешь. С одной стороны, надо было как-то завершать войну, договариваться с противником об условиях мира, который, как все понимали, будет очень тяжелым. С другой, перед глазами неотступно маячил призрак коммунистической революции, тем более что рядом была Советская Россия, откровенно рассматривавшая Германию как плацдарм для будущего мирового пожара. Рабочие требовали национализации заводов, обыватели требовали порядка, военные страдали от поражения и мрачно хмурились из-под касок. И все без исключения хотели есть...

Балансируя между противоборствующими силами, правительство, с одной стороны, отменило осадное положение, объявило свободу слова, собраний, союзов, ввело 8-часовой рабочий день. С другой, предвидя не-

14

минуемые последствия дарованных народу свобод, дать которые, как видно было хотя бы из русского опыта, что бензинчику в костер плеснуть, оно начало искать, кто бы навел в стране порядок. Ну а кто может его навести? Уже **11 ноября** Эберт обратился за помощью к Гинденбургу, исполнявшему в то время обязанности главнокомандующего вместо бежавшего кайзера, и Гренеру, фактическому начальнику генштаба. Они договорились, что офицерский корпус поддержит правительство, если возникнет необходимость пустить в ход войска. А то, что такая необходимость возникнет, видно было невооруженным глазом, потому что активность масс, несмотря на победу революции, и не думала идти на спад.

Конец ноября. Бастуют рабочие Берлина, Верхней Силезии, Рурской области. Они требуют повышения зарплаты, что все равно от правительства не зависит, и социализации крупной промышленности, что от правительства зависит, но очень не хочется.

6 декабря. В ответ на забастовку, выполняя договоренность с правительством, офицеры предпринимают попытку разогнать Берлинский Совет. Социал-демократы, пожалуй что, и проглотили бы произвол, однако спартаковцы не дремлют. Они тут же поднимают рабочих, и из «замирения», кроме большой драки, ничего не получается.

16 декабря. В Берлине открывается съезд Советов. Помня, чем год назад закончилось подобное мероприятие в России, вся страна в напряжении. «Союз Спартака», само собой, тут же выкинул лозунг «Вся власть Советам», однако приличное социал-демократическое большинство съезда его не поддержало. В итоге принято решение о выборах в Национальное Учредительное собрание.

30 декабря. Ответный ход спартаковцев – они создают Коммунистическую партию Германии. Учитывая русский опыт, который всем известен, расстановка сил теперь предельно ясна. Члены новорожденной партии горят желанием поучаствовать в чем-нибудь эдаком, революционном, и случай не замедлил представиться.

Собственно, развлекаться начали еще спартаковцы. **23 декабря** народная морская дивизия, находившаяся под их контролем, рассердившись по поводу невыплаты жалованья и подняла мятеж, который выражался в том, что они захватили комендатуру и побили коменданта Берлина Отто Вельса, будущего лидера СДПГ. Впрочем, как только требования «народных моряков» были удовлетворены, дивизия тут же вернулась в свои казармы на территории императорского дворца. Так что первый революционный блин вышел комом, зато второй привел к серьезному несварению желудка.

4 января. Уволен полицай-президент Берлина Эйхгорн, «независимый» социал-демократ, популярный среди рабочих. Народу это не понравилось, и на следующий день товарищи Эйхгорна по партии организовали ма-аленькую такую демонстрацию протеста, всего-то на 150 тысяч человек. Естественно, демонстрация увенчалась традиционными столкновениями между рабочими и полицией. «Независимые» создали Военно-революционный комитет – и тут к восстанию радостно примкнули коммунисты.

Первым делом они попытались перехватить руководство и приступить к революции, в то время как заварившие всю эту кашу «независимые», действуя по своему плану, начали переговоры с правительством – в общем, родственные партии явно друг друга не поняли. Пока прежние и новые руководители восстания разбирались между собой, Эберт оперативно передал власть военному министру Носке.

По крайней мере, этому человеку в решительности отказать было нельзя. Заявив: «Кто-нибудь из нас должен же, наконец, взять на себя роль кровавой собаки»[1] – он ввел в Берлин войска и к 15 января навел там относительный порядок. Под шумок, не затрудняя себя юридическими тонкостями, военные расправились с лидерами коммунистов Карлом Либкнехтом и Розой Люксембург, попросту шлепнув их в какой-то подворотне.

Дальше события развивались по двум параллельным сценариям. С одной стороны все было прилично-демократично: **19 января** прошли выборы в Национальное учредительное собрание, Центральный Совет рабочих и солдатских депутатов торжественно передал ему свои полномочия, Учредительное собрание избрало Эберта президентом республики, а новое коалиционное правительство возглавил Шейдеман.

Но у коммунистов-то были свои планы! Не обращая внимания на какие-то там выборы, они еще **10 января** подняли на восстание рабочих Бремена. Рабочие отряды выгнали из своей земли войска и провозгласили Бременскую советскую республику. Республика продержалась до 4 февраля, что, в общем-то, совсем неплохо.

---

[1] Кстати, «кровавая собака» – всего лишь название породы (бладхаунд). Правда, породы серьезной – бладхаундов употребляли для преследования преступников. В средневековой Англии они назывались «гроза бунтовщика», «усмиритель восставших».

16

А дальше пошел форменный кабак. Едва власти разобрались с Бременом, как в середине февраля началась всеобщая забастовка в Рурской области, перекинувшаяся на Среднюю Германию, Баварию и Вюртемберг. В начале марта снова поднялся Берлин: рабочие захватывали полицейские участки, начали строить баррикады. В город опять ввели войска и «замирили» восставших. Все вроде бы стало утихать – и тут вдруг советскую республику объявили в Баварии, причем на сей раз сделали это резко полевевшие «независимые». Управление смутой у них тут же перехватили коммунисты и стали «делать революцию»: ввели рабочий контроль, национализировали банки и железные дороги, начали формирование Красной Армии. Лишь 1 мая республику удалось ликвидировать, для чего потребовался воинский контингент в 100 тысяч человек.

На этом первая серия германской революции закончилась, если не считать того, что продолжались постоянные забастовки, но по сравнению с тем, что было – да и с тем, что будет, – это такие мелочи...

В общем, германскому правительству не позавидуешь...

...Пока власти разбирались с красными, появилась новая угроза, совсем с другой стороны. Военным ведь тоже не нравилось происходящее! Кроме оскорбленной национальной гордости, у них был и мощный интерес: условия подписанного летом 1918 года мирного договора резко ограничивали численность немецкой армии. В начале 1920-го, в соответствии с договором, правительство, во главе которого в то время стоял правый социал-демократ Бауэр, приступило к ее сокращению. Военные, не питавшие ни малейшего уважения к демократии вообще и к социал-демократам в частности, тут же вскинулись на дыбы. Генерал Лютвиц, командующий Берлинским военным округом, предъявил правительству Бауэра ультиматум, потребовав прекратить сокращение армии и распустить Национальное собрание. Условия перемирия, говорите? Да в гробу они видели эти условия!

Получив отказ, Лютвиц не стал действовать парламентским путем, а повел одну из добровольческих бригад на Берлин. Правительство попыталось было вывести навстречу войска – однако в войсках Лютвица уважали куда больше, чем какого-то там Бауэра, так что военные послали власти очень далеко и остались в казармах. **13 марта 1920 года** мятежники беспрепятственно вступили в германскую столицу и тут же объявили о создании нового правительства, во главе которого встал крупный помещик Капп. В то же время такой же путч произошел и в Мюнхене.

Правительству оставалось лишь бессильно ручками разводить, если бы не рабочие, которые решили, что с военной диктатурой им совершенно не по пути. Уже 13 марта в Берлине началась забастовка, которая, распространяясь по стране, тут же стала всеобщей. Оперативно сформированные отряды Красной гвардии разоружили армейские части и с оружием в руках выступили против путчистов, так что через четыре дня, **17 марта**, те бежали из Берлина. В столице и особых боев-то не было.

Однако рабочим показалось обидно так скоро все закончить – ведь как хорошо началось! И все пошло по новой. Всеобщая забастовка в Руре переросла в вооруженное восстание. **19 марта** рабочие захватили Эссен, где сформировали теперь уже не Красную гвардию, а Красную армию, численностью в 100 тысяч человек – ровно столько, сколько, по условиям перемирия, Германии позволялось иметь солдат в рейхсвере. И снова пришлось вводить войска.

...По правде сказать, это постоянное балансирование правительства между правыми и левыми изрядно всем надоело. В июне 1920 года состоялись выборы в рейхстаг, на которых большинство получили буржуазные партии, а главой правительства стал один из лидеров католической партии «Центра» Ференбах. Однако легче все равно не стало, поскольку дело было отнюдь не в политике.

В марте 1921 года произошло обострение старого вялотекущего восстания в Средней Германии. Полиция и части рейхсвера были изгнаны оттуда еще год назад, во время капповского путча, и с тех пор ни старое, ни новое правительство так и не смогли вернуть их обратно. **18 марта** обер-президент Саксонии Гёрзинг, правый социал-демократ, не придумал ничего лучше, чем приказать ввести наряды полиции на крупные предприятия. Рабочие, естественно, возмутились, и все пошло по знакомому пути: забастовка, вооруженные столкновения, Красная гвардия, войска...

В конце 1922 года к власти пришло еще одно правительство, во главе с Куно. Экономика страны находилась на грани катастрофы, и новое правительство отказалось платить репарационные платежи. В ответ французы тут же оккупировали Рур, который давно хотели прибавить к уже захваченному Саару. Начиная с 1921 года они при каждом возникающем осложнении между Германией и союзниками угрожали оккупацией Рура, где было сосредоточено 90% немецкой добычи угля и 70% выплавки чугуна, – и вот, наконец, дождались момента. Однако толку от этого не вышло никакого и никому. Немецкое правительство призвало шахтеров не давать французам угля, так что уголек не получил никто[1]. Более того, нерасчетливая алчность французов аукнулась так, что державы-победительницы притихли всерьез и надолго.

Лишенная топлива, экономика Германии вошла в тяжелейший кризис. По всей стране закрывались заводы, количество безработных выросло до 5 миллионов человек, инфляция приняла невероятные размеры. В августе 1923 года курс золотой марки составлял 1 млн, в сентябре – 23,5 млн, в октябре – 6 млрд, а в ноябре – 522 млрд бумажных марок. Население голодало. Мясо, молоко, жиры для большинства немцев были давно уже недоступны, а теперь не хватало даже хлеба и картофеля. Землевладельцы отказывались продавать продукты, торговцы придерживали товары, еще больше провоцируя инфляцию. По всей стране начались голодные бунты. Рабочие и безработные сбивались в продотряды, которые откровенно грабили деревню, выкапывали на полях картофель и собирали зерно. В сентябре, когда урожай был собран, а энергия недовольства масс по-прежнему требовала выхода, начались забастовки. Как оно обычно бывает в подобных ситуациях, рабочие «полевели» – не зря же Ленин в качестве одного из условий революционной ситуации ставит возросшие нужду и бедствия трудящихся масс. Резко выросло влияние коммунистов.

И тут в действие вступила Советская Россия, которая никогда не упускала из виду обстановку в Германии. Точнее, не совсем Советская Россия, а гнездившаяся в Москве совершенно замечательная организация – Коммунистический интернационал, или, сокращенно, Коминтерн, сборище профессиональных поджигателей мирового пожара. Сбывались самые смелые мечты марксистских теоретиков – вот она, долгожданная немецкая революция! Надо лишь немножко помочь, подтолкнуть...

Кого только не было в августе – сентябре 1923 года в здании советского посольства! В Германию отправилась группа эмиссаров ЦК – Пятаков, Рудзутак, Радек, Крестинский – и военных, в числе которых были такие

---

[1] С этой историей связан один любопытный момент. В ходе оккупации французы расстреляли некоего Шлагеттера, немецкого националиста, занимавшегося диверсиями против захватчиков. Впоследствии немецкий драматург Ханс Йост написал пьесу «Шлагеттер», которая была в Германии популярна примерно так же, как в Советском Союзе роман «Как закалялась сталь». Именно Шлагеттеру из пьесы принадлежит знаменитая фраза: «Когда я слышу слово "культура", я хватаюсь за пистолет».

знаменитые «красные генералы», как Якир и Уборевич. Наконец, туда послали – и от них, пожалуй, оказалось больше всех толку – группу специалистов по тайным операциям. Это были люди чрезвычайно серьезные. Например, «главный диверсант Разведупра»[1] Христофор Салнынь, который занимался созданием боевых отрядов компартии Германии и оборудованием тайных складов с оружием. Вольдемар Розе, известный под псевдонимом Скоблевский, стал организатором «немецкой ЧК» и «немецкой Красной армии». Вместе с Артуром Сташевским он разработал план проведения восстаний в промышленных центрах Германии. Семен Фирин, военный агент полпредства СССР, организовал на советские деньги закупку оружия, предназначенного якобы для Красной Армии, а на самом деле – для восставших.

Советские инструкторы располагались открыто, без всякой конспирации, в здании советского представительства в Берлине. Их группу называли «аппарат на Унтер-дер-Линден» или «группа Алоиза». (Под этим именем был известен в Германии еще один видный деятель Коминтерна и, по совместительству, советской разведки Стефан Жбиковский). Несмотря на разную ведомственную принадлежность, публика эта была почти сплошь коминтерновская. В то время вообще трудно было понять, кто к какому ведомству принадлежит: военная и политическая разведка имели общих резидентов и вовсю использовали иностранных коммунистов, так что опознавательный знак был один: наши – не наши...

Помещение советского посольства больше всего напоминало Смольный в октябрьские дни. Приемные были полны народу, повсюду звучала русская и немецкая речь. В разных комнатах проходили какие-то таинственные совещания, туда-сюда бегали люди с разнообразными пакетами, свертками, гранками...

Планы у организаторов восстания были колоссальными. Волей судьбы в сентябрьские дни 1923 года в германское посольство занесло нашего разведчика Бориса Лаго, которого посвятили в предполагаемый расклад дальнейших событий, о чем он позднее написал в мемуарах. «Не позже, как через месяц во всей Германии вспыхнет революция. Начнется она одновременно из Гамбурга и Дрездена. Сигналом послужит крупное вооруженное столкновение на улицах Берлина. Потом оно разольется по всей Германии. Есть полное основание думать, что Франция отправит свои войска

---

[1] Разведупр, или Разведывательное управление РККА – советская военная разведка.

для подавления революции. При первом же появлении хотя бы одного французского солдата в Германии – будут ли они отправлены по собственному почину Франции или же по приглашению одной из реакционных групп – Красная Армия, в частности, красная кавалерия, прорвется в Германию. Уже заключено соглашение с Литвой о пропуске советских войск. В случае, если Польша заколеблется, она будет раздавлена...» Ну, и так далее. Особенно умиляет это «Польша будет раздавлена» – ведь совсем недавно Красная Армия позорно проиграла польский поход.

В России тоже готовились. Троцкий отменил демобилизацию в РККА. Началась переброска конницы к польской границе. В Петроградский порт стягивали сухогрузы, загружая их продовольствием для германских товарищей, готовили эшелоны. По стране прошла мобилизация тех, кто свободно владел немецким языком. 4 октября 1923 года Политбюро утвердило дату начала вооруженного выступления: германская революция должна была стартовать 9 ноября.

Однако при проверке готовности оказалось, что все развивается совсем не по Марксу. Во-первых, страны Антанты каким-то образом оказались в курсе секретных планов большевиков (что совсем неудивительно, учитывая, что в том же советском посольстве их выбалтывали первому встречному). Французы на Рейне и поляки на советской границе привели войска в боевую готовность. Впрочем, это едва ли остановило бы деятелей из Коминтерна – их вообще можно было остановить только пулей! – но тут выяснилось, что и в Германии воевать, собственно, некому и нечем. Оружия приобрели гораздо меньше, чем потратили денег, двенадцать готовых к выступлению дивизий, как оказалось, существовали только на бумаге – и прочая... Как водится, в последний момент предали социал-демократы, имевшие большой вес в рабочем движении, – по сути, рабочее движение накануне выступления раскололось, и не в пользу коммунистов. Узнав обо всем этом, советские руководители отменили восстание.

Однако входивший в ультралевую фракцию КПГ Эрнст Тельман не согласился с этим решением и поднял собственную революцию в Гамбурге. 22 октября забастовали рабочие верфей, к ним присоединились портовики, рабочие пакгаузов и угольных складов, начались массовые демонстрации безработных, погромы хлебных лавок, столкновения с полицией. В предместьях города появились баррикады. Однако изолированное восстание было изначально обречено на провал – и его быстро подавили.

Весь этот базар получил название «Германского Красного Октября». Кстати, по мрачной иронии судьбы в день, назначенный Политбюро для начала германской революции, состоялся «пивной путч» Адольфа Гитлера и его наци. С теми же последствиями, что и восстание в Гамбурге. Впрочем, есть версия, что «ирония судьбы» здесь ни при чем и что нацисты и коммунисты собирались выступить вместе. Коминтерн свое восстание отменил, а наци предупредить забыл. Может, с этого и началась столь горячая нелюбовь «коричневых» к «красным»?

А вот кто вынес из этих событий урок, так это страны-победители, едва не получившие на свою голову, в дополнение к России, еще одно коммунистическое государство в Европе. В свое время Англия и Франция чрезвычайно боялись союза Российской и Германской *империй* – приличных монархических государств. А тут они едва не получили союз *красной* России и *красной* Германии – неуправляемый, непредсказуемый и непобедимый, да еще взявший на вооружение стратегию «революционной войны». Поняв, что могло произойти, страны-победительницы резко дали по тормозам и принялись всеми силами вытягивать Германию из кризиса. В августе 1924 года на Лондонской конференции был принят новый репарационный план, так называемый «план Дауэса». Францию все-таки заставили очистить Рурскую область, был определен щадящий порядок выплаты репараций. Начался приток иностранного капитала в германскую промышленность (в основном, американского), за ним последовала модернизация промышленности. В 1925 году был создан Стальной трест, который контролировал более 40% производства железа и стали. В 1926 году появился химический гигант «И. Г. Фарбениндустри».

Немцы ответили пониманием. В феврале 1924 года было отменено осадное положение и даже легализована запрещенная компартия. К власти пришла коалиция буржуазных партий, в которой ведущую роль играли католическая и Немецкая народная партии. Все вроде бы успокоилось.

В 1927–1928 годах Германия превзошла довоенный уровень промышленности и внешней торговли, обогнав Францию и Англию, а также заняла второе место в мире по вывозу машин. Подъем продолжался до 1929 года, когда западный мир охватил колоссальный экономический кризис, известный под названием «великой депрессии». Снова возросли «нужда и бедствия трудящихся масс», но теперь на волне недовольства к власти пришли уже не красные, а коричневые...

«Сфинкс» действует тайно

А теперь вернемся немного назад, в то горячее лето 1919 года, когда подписывался Версальский мир. Условия мирного договора, которые победители составили без ведома немцев и предъявили побежденным как ультиматум, были опубликованы в Берлине 7 мая. Условия были жесточайшие и вызвали взрыв негодования. Уже 8 мая Эберт и члены его правительства назвали их «неосуществимыми и невыносимыми». Кроме жесточайших экономических требований, союзники настаивали на выдаче кайзера Вильгельма и еще 800 человек, которых они объявили военными преступниками, и, что было важнее всего, полностью разоружали страну. Эти условия ставили Германию на колени не только на ближайшие, но и на будущие времена.

Союзники брали под контроль практически всю немецкую промышленность, наложив жесточайшие ограничения на производство вооружений. Германия лишалась права иметь танковые части, авиацию, некоторые виды артиллерии, подводный флот. Численность рейхсвера ограничивалась 100 тысячами человек, при этом воинская повинность отменялась, армия должна была комплектоваться по вольному найму. Запрещалось также проводить военную подготовку в учебных заведениях, спортивных и туристских организациях. Такая армия кое-как годилась только на то, чтобы поддерживать порядок внутри страны (и то весьма условно – вспомним, что в 1920 году численность «Красной армии» Рура тоже составляла 100 тысяч человек), ни о каком выходе за ее пределы с этими силами не могло быть и речи. И даже эта куцая армия была обезглавлена, ибо генеральный штаб тоже попал под запрет. Германия лишалась права иметь военные миссии и военных атташе в других государствах. Для традиционно воинственной страны это был не только жестокий удар, но и не менее жестокое унижение.

Союзники торопили. 16 июня они поставили немцам ультиматум: либо условия договора будут приняты к 24 июня, либо соглашение о перемирии теряет силу. Эберт обратился к Гинденбургу и Гренеру: может ли немецкая армия противостоять нападению с Запада? Гренер ответил: «Нет». И приписал: «Однако, как солдат, я не могу не заметить, что лучше с честью погибнуть, чем принять подобный мир».

Но выхода им не оставили.

В день подписания Версальского договора исполнять обязанности начальника генштаба вплоть до «полной его ликвидации» было поручено генералу **Гансу фон Секту**. Это было серьезной ошибкой победителей, хотя и простительной – ну кто мог ожидать, что немолодой военный с не слишком-то блистательной карьерой окажется тем самым человеком «на нужном месте в нужное время».

В кругу знакомых и сослуживцев фон Сект имел прозвище «Сфинкс» – за замкнутый, холодный, расчетливый характер, сочетавшийся, однако, с изысканными манерами, тактом и высокой культурой. Потомственный военный, он родился в 1866 году в Силезии, в семье генерала. В 19 лет поступил в 1-й гренадерский полк, которым командовал его отец. Однако дальше карьера не задалась. К 1914 году он был всего лишь подполковником, хотя и закончил Военную академию еще в 1899 году, и лишь в январе 1915 года был произведен в полковники. Служил начальником штаба сначала 4-й, потом 11-й армии, а затем – группы войск, действовавших против Сербии, Румынии и России. В июне 1916 года стал начальником штаба при австрийском герцоге. Наконец, с декабря 1917 года и до конца войны фон Сект был начальником генштаба турецкой армии, что дало ему необходимый опыт работы, в том числе и в критических условиях.

Однако у генерала было одно неоценимое достоинство – стойкость. Побежденный, он не предавался унынию. Он любил повторять своим коллегам: «Пути Господни неисповедимы. Даже проигранные войны могут привести к победе».

Назначенный начальником обреченной структуры, он пишет Гинденбургу, что будет сохранять «не форму, а дух Большого Генштаба», и 7 июля 1919 года становится начальником «Всеобщего военного бюро», под вывеской которого скрывался формально распущенный генеральный штаб, имеющий почти столетнюю традицию мозг армии, залог ее будущей мощи. В марте 1920 года он был назначен главнокомандующим рейхсвером и оставался на этом посту до октября 1926 года.

Под руководством фон Секта предпринимались титанические усилия для спасения остатков подлежащей ликвидации военной машины. В первую очередь, он создал Имперский архив для изучения опыта войны, для построения новой военной теории и разработки современной военной доктрины. Глубоко не прав тот, кто пренебрегает теорией, Вторая мировая война доказала это со всей убедительностью!

Практика же заключалась в том, чтобы уберечь от зорких взоров победителей все, что только можно было уберечь. Прятали оружие. Как вспоминал один из офицеров, «под склады оружия использовались вентиляционные шахты административных зданий, дома высшего и низшего офицерства... Здания, бывшие собственностью армии, сдавались частным лицам и превращались в склады оружия. Была организована широко разветвленная разведка. В какой-нибудь тихой гавани крупные плоты нагружались винтовками под руководством военных в гражданской одежде...»

Правительство не могло и не хотело давать деньги на восстановление армии, однако некоторые средства все же удавалось изыскивать. Поскольку стотысячная армия не способна была справиться с мало-мальски серьезными беспорядками, командование военных округов получило деньги для найма штатских лиц, которые должны были составить «добровольческие формирования» для поддержания порядка. Эти формирования создавались из бывших фронтовиков и получили красноречивое название: «черный рейхсвер». Войска «черного рейхсвера» дислоцировались на польской границе и насчитывали около 20 тысяч человек. Курировали деятельность этой организации три молодых офицера, доверенные люди фон Секта, – капитаны **Курт фон Шлейхер**, **Курт фон Хаммерштейн-Экворд** и **Ойген Отт.** Запомним эти имена.

«Черный рейхсвер» не ограничился тем, что охранял порядок на границе. Вскоре у этой организации проявились типичные черты тайного общества. Она, например, возродила практику тайных судов. Версальский договор имел своих достаточно многочисленных сторонников на территории Германии – либералов, которые, в полном соответствии с предательской сущностью этой публики, работали на врага. Они внимательно следили за армией, выявляя нарушения условий мира, и либо сообщали о них контрольной комиссии союзников, либо публично выступали на митингах и в печати. Этим-то людям и выносили смертные приговоры тайные суды «черного рейхсвера». Достоверно неизвестно, повлияли суды на число доносов или нет, но, учитывая, что в характере господ либералов склонность к доносам сочетается с острым дефицитом личного мужества...

«Черный рейхсвер» закончил свое существование горячей осенью 1923 года. Видя, что творится в стране, они не выдержали и попытались перехватить инициативу. В планах заговорщиков было взятие Берлина и свержение ненавистного республиканского правительства, а пока что в ночь на 30 сентября войска «черного рейхсвера» захватили три форта восточнее Берлина.

Однако фон Сект решил иначе. Когда президент Эберт попытался выяснить, какую позицию во всеобщем хаосе этой осени занимает армия, командующий ответил предельно откровенно: «Армия поддерживает меня». «Сфинкс» не поддержал заговорщиков, силы регулярной армии окружили форты, и после двухдневного сопротивления те сдались. «Черный рейхсвер» был распущен. Впрочем, кадры его без дела не остались...

...Оказавшись во главе рейхсвера, фон Сект занялся созданием армии особого рода. Войско, комплектуемое по вольному найму – к этому принципу во второй половине XX века придут многие государства, – его вполне устраивало. Германская армия должна была состоять из небольших мобильных частей, где служат отборные, высококвалифицированные командиры. Когда ограничения будут сняты – а фон Сект ни на мгновение не усомнился в том, что рано или поздно они будут сняты! – на этой основе можно будет в кратчайший срок сформировать и обучить настоящую, мощную и многочисленную армию. Кадры нового рейхсвера должны были составить офицеры-фронтовики, и штаб в первую очередь занялся их спасением и подготовкой.

По всей Германии, как грибы после дождя, вдруг в одночасье выросли всевозможные клубы – военные и спортивные, автолюбительские и авиационные. Там, под видом инструкторов, тренеров и судей, укрывались тысячи офицеров разбитой армии. От рейхсвера они получали материальную поддержку и оружие. В этих клубах молодежь под видом спортивной проходила допризывную подготовку, а сами инструктора при необходимости могли мгновенно стать в ряды армии, многократно усилив ее. (О масштабах предполагаемого усиления косвенно говорит существовавший в 1930 году секретный план «А», предусматривавший быстрое превращение семи пехотных дивизий официальной армии в двадцать одну).

Кроме того, по всей Германии, как бы сами собой, расплодились так называемые «добровольческие корпуса» («фрайкоры»), численность которых во много раз превосходила армию. Если «черный рейхсвер», был организацией полуофициальной, то фрайкоры представляли собой что-то вроде отрядов самообороны, ни под какие условия не подходили и никаким ограничениям не подлежали. Состоявшие в основном из бывших участников войны, а также молодых людей, не успевших на нее попасть, они служили не только подспорьем рейхсверу, но и неисчерпаемым резервуаром для поддерживавших рейхсвер политических партий.

Нет, Германия есть Германия – с кадрами для будущей армии там все всегда в порядке. Куда труднее оказалось с вооружением. О том, чтобы развивать военную промышленность на территории Германии, не приходилось и думать – контроль победителей был слишком пристальным и всеобъемлющим. Тогда немцы придумали обходной путь – они стали вывозить капитал в другие страны, создавать там военные заводы. Заключались соглашения с испанскими, японскими, шведскими, швейцарскими фирмами, которые должны были производить и поставлять автоматическое оружие. В Голландии разместили заказ на производство подводных лодок.

Но все это не решало проблемы. Танк без танкиста – кусок железа. Танки с танкистами без стратегии и тактики – железный скот на бойне. Нужны были школы, нужны были полигоны – обучать кадры, разрабатывать стратегию и тактику новых родов войск, испытывать новейшую технику. Разместить все это в маленьких, насквозь просматриваемых европейских странах нечего было и думать. Надо искать что-то другое. Нужен мощный, неподконтрольный Антанте и заинтересованный в сотрудничестве союзник. И такой союзник нашелся на удивление легко.

Досье: короли и тузы шпионской колоды. Фигура умолчания: Оскар фон Нидермайер

Родился будущий «немецкий Лоуренс» в небольшом баварском городке Фрейзинг в семье архитектора, не то в 1885-м, не то в 1887 году. Дальше – типичный путь немецкого офицера, прямой, как ствол ружья. В 1912 году он командует взводом, одновременно изучая в Мюнхенском университете географию и геологию, – не правда ли, странное пристрастие для артиллериста? В то же время активно учит иностранные языки (в его досье значится, что он владел шестью языками). Очень скоро все объясняется – в 1913 году, еще будучи студентом, Нидермайер отправляется в «научную» экспедицию на Восток – в Иран, Аравию, Египет, Палестину, Сирию. Финансировала экспедицию Академия наук, а плодами ее пользовалось военное ведомство. Теперь стало ясно, к какой карьере готовил себя Оскар – это была карьера «человека в штатском».

В 1914 году Нидермайер появляется в Стамбуле, где к тому времени уже полно немцев. А в начале 1915 года под его руководством отправляется военно-дипломатическая миссия в Кабул. Отряд имел при себе двенадцать лошадей, нагруженных золотыми и серебряными монетами, и щедрый запас оружия. Главной задачей его было склонить на сторону Германии афганского эмира Хабибуллу.

Миссия удалась частично. Война активизировала и без того активную бандитскую жизнь Востока. Отряд потерял на границе золото, а вместе с ним и рычаги влияния на Хабибуллу, и своего нейтралитета эмир так и не нарушил. Однако немцам все же удалось поднять против англичан пуштунские племена — они сковали до 80 тысяч британских солдат, так и не попавших на основные фронты мировой войны.

Окончив работу в Афганистане, глава миссии вернулся домой, где был принят кайзером Вильгельмом, «кажется, чего-то удостоен, награжден и назван молодцом». И зачислен на работу в генеральный штаб. Потом было поражение в войне, ликвидация генштаба, сокращение армии. Однако Нидермайер удержался на плаву. В 1920 году он становится адъютантом тогдашнего военного министра Гесслера. Но его ждет и другая работа — не зря он тратил силы на изучение этого немыслимого русского языка. Вскоре, по указанию самого генерала Ганса фон Секта, с которым они познакомились еще в Турции и чьим личным порученцем капитан одно время был, Нидермайер, как доверенное лицо генерала, вплотную занялся реализацией советско-германских договоренностей о сотрудничестве.

...Итак, летом 1921 года в советской миссии в Берлине появился новый сотрудник по фамилии Нейман. Чем он занимался, никто не знал, да и вообще мало кто знал о его существовании. Это никого не удивляло — уже тогда советские представительства за границей вовсю использовались в целях, никакого отношения к дипломатии не имеющих, и лучше было не задавать лишних вопросов по поводу людей, время от времени появляющихся в представительских коридорах. Вскоре он отправляется в Москву, где, после недолгого отдыха, сразу попадает на прием не к кому-нибудь, а к самому народному комиссару по военным и морским делам, председателю РВС республики товарищу Троцкому.

В начале 1922 года Нейман снова наносит визит в Москву, потом еще и еще, в компании с самыми разными людьми, офицерами и штатскими специалистами. Он занимается размещением военных заказов, созданием военных школ, не брезгует и разведкой, достаточно успешно поставляя в Берлин информацию о положении в партии и стране, об РККА и нашей оборонной промышленности. Вскоре его назначают начальником службы генштаба по русским вопросам. Незаметный военный чиновник, всего-то в чине капитана, он держит в руках все нити сотрудничества двух государств-изгоев послевоенной Европы.

Кроме выполнения своих прямых обязанностей, Нидермайер поддерживает тесные связи и с советской разведкой. Настолько тесные, что кое-кто напрямую считает его советским агентом. Формирующаяся разведка РККА не пропускала ни одного человека из тех, что могли бы стать потенциальными источниками ценных сведений. Самым естественным образом попал в поле зрения этого ведомства и Оскар фон Нидермайер. Тем более, что вскоре по приезде в столицу он лично познакомился с Яном Карловичем Берзиным, руководителем Разведуправления Штаба РККА, как тогда называлась военная разведка.

Взаимоотношения спецслужб — отдельная и очень интересная тема. У них своя корпоративная солидарность, своя этика, свои интересы. Нидермайер охотно согласился сотрудничать с нашей разведкой, предложив снабжать Москву информацией — правда, не о работе германского генерального штаба и, тем более, абвера, а почему-то о политике Англии на Ближнем Востоке. Ну да ладно, Англия так Англия, и то хорошо... Позднее он повторил свое предложение уже лично Ворошилову.

Что-то у них тогда, по-видимому, не срослось, потому что в 1936 году, по приказу того же наркома Ворошилова, 4-е управление Генштаба (все та же военная разведка, просто название другое) дало задание советнику советского посольства в Германии Александру Гиршфельду... завербовать Нидермайера. Вербовка прошла просто на удивление гладко. Немец согласился информировать Москву, и даже презрительно отказался от предложенных ему 20 тысяч марок. Он получил кличку «Нибелунген» и впоследствии исправно снабжал наших сведениями о настроениях в германских «верхах». Но с ростом русофобии в Германии от встреч стал уклоняться и вскоре совсем пропал из поля зрения нашей разведки до 1939 года, когда оказался в числе гостей на приеме в посольстве СССР. Его снова попытались завербовать, однако на сей раз тщетно, «профессор Берлинского университета по военным наукам», как он значился в списке гостей, отделался парой вежливых фраз, однако ни на какие контакты не пошел. (Насчет профессора — это не камуфляж. Действительно, после отъезда из СССР Нидермайер занимается преподавательской деятельностью.)

Итак, от сотрудничества с нашей разведкой он не уклонялся, но и толку от него было мало. Зато мы то и дело натыкаемся на это имя в материалах судебных процессов и во множестве следственных дел того времени. Судя по ним, Нидермайер был одним из основных резидентов германской разведки в России. Именно он, как значится в этих делах, «вовлек в шпионскую работу» Тухачевского и Артузова, Бухарина и Рыкова, Крестинского и Радека.

О том, что именно прикрывало в этих делах обвинение в «шпионаже» — речь впереди. Но если уж говорить о разведке, то лучше фигуры и не найти. Оскар фон Нидермайер и вправду являлся немецким резидентом. И биография у него подходящая, и должность самая для разведработы удобная.

Так на кого на самом деле работал Нидермайер? Кто он был: немецкий Филби или немецкий Штирлиц? Или это был двойной агент, карта-перевертыш? Какие сведения давал нашим в 30-е годы этот высокопоставленный германец, опытный разведчик? Асы разведки нередко работают на нескольких хозяев или ведут собственную игру, цели и правила которой ведомы только им. Мы знаем, что в том же 1936 году, когда Нидермайера вербовал Гиршфельд, ему было предъявлено обвинение в измене, — но старый волк сумел выкрутиться. Известно, что в его поддержку выступили бывшие известные (а потому ныне опальные) русофилы фельдмаршал Бломберг и генерал фон Сект. Обвинения с него не сняли, однако... в 1938 году присвоили звание полковника.

Война сделала эту странную фигуру еще более странной. Для начала Нидермайеру предложили принять дивизию. Он отказался. В 1942 году последовало новое предложение — заняться обучением «добровольцев» из числа русских военнопленных, в основном уроженцев Кавказа и Средней Азии. Снова отказ. Потом ему предложили еще один пост, который при ближайшем рассмотрении оказался аналогичным — все те же «добровольцы». На этот раз полковник согласился. На фронт он, несмотря на состав своей дивизии, не попал, служил в Силезии. Участвовал в заговоре против Гитлера, даже составил план использования своей дивизии в случае успеха. Заговор был разоблачен, однако генерал опять вышел сухим из воды. В Германии о заговоре написаны десятки книг, в большинстве которых имя Нидермайера даже не упоминается.

В конце 1944 года нацисты его наконец-то арестовали и судили. 1945 год застал Нидермайера в тюрьме в Торгау. Когда в апреле городок был захвачен русскими и американцами одновременно (поскольку находился он на Эльбе) под шумок он сумел бежать. Однако на сей раз бывшему разведчику не повезло, убежал он недалеко и вскоре снова был арестован, теперь уже русскими. Наши спецслужбы не выпустили свою добычу. Особым совещанием при МГБ СССР Нидермайер был обвинен в шпионаже и 10 июля 1948 года осужден на 25 лет тюрьмы. В то время генералу было уже за 60 лет. Дождаться освобождения у него шансов не было. Впрочем, дожидаться он и не стал – умер через два месяца во Владимирской тюрьме.

Странно, что суд над Нидермайером состоялся через три года после ареста. Три года следствия. О чем его столько времени допрашивали? В чем он признавался, какие имена называл? Неизвестно... Оскар фон Нидермайер продолжает оставаться фигурой умолчания...

Таково одно из действующих лиц российско-германского сотрудничества, человек, который непосредственно занимался его осуществлением. Красноречивый персонаж, мягко говоря... Нет, никто не ждет, что сотрудничество между государствами, любого рода, будет обходиться без внимания разведки. Но чтобы так весомо, грубо, зримо...

Глава 2

СОЮЗНИКИ ПОНЕВОЛЕ

Германофилы и «восточники» находят друг друга

Советская Россия находилась в похожем положении. Из войны она вышла униженной и обескровленной. Она тоже была во внешнеполитической изоляции. Тоже подписала унизительный мир, по условиям которого были отторгнуты большие куски территории. Полный развал экономики, голод, одичавшее население. Да, мир достигнут – но никто не обольщался мнимым «миролюбием» европейских соседей. А Красная Армия в ту пору находилась в состоянии абсолютного развала, что вполне официально констатировала комиссия ЦК партии в 1924 году. Еще хуже обстояло дело с вооружением.

И тогда случилось то, к чему тщетно призывали многие дальновидные политики еще перед Первой мировой войной. Россия и Германия наконец-то повернулись друг к другу лицом. Их интересы великолепным образом дополняли друг друга. Германия сумела сохранить научный и промышленный потенциал, но была лишена возможности создавать, испытывать и производить современное вооружение. Россия не имела по этой части никаких ограничений, на ее просторах можно было не только испытывать все, что угодно, но и обеспечить секретность этих испытаний. Можно было разрабатывать и производить вооружение, никаких запретов – но «некем взять». Гражданская война выбила и вымела из страны ученых и промышленников. Перед тем как что-то делать, надо было восстанавливать заводы и воссоздавать научные и технические школы. Военные секреты стран Антанты если и продавались, то стоили огромных денег, а у Германии не было иного выхода, кроме как довериться восточному соседу.

Более того, общие политические интересы подкреплялись еще и теоретически. Творцы революции в России изначально, еще на основе Маркса, рассчитывали, что в Германии вот-вот произойдет революция и строительство социализма будет совместным. Что к нам приедут высококвалифицированные немецкие специалисты, что будет идти активный обмен: оттуда – «ноу-хау» и готовая продукция, туда – сырье. Поэтому-то в работе Коминтерна придавалось огромное, ни с чем не сравнимое значение именно германскому направлению.

Порой эта роковая любовь оказывалась чревата крупными неприятностями. Именно с ней был связан разрыв дипломатических отношений между Россией и Германией – буквально за несколько дней до окончания войны. Отношения эти были установлены после подписания Брестского мира, в апреле 1918 года, и продержались всего полгода исключительно по причине резвости деятелей из Коминтерна. Советские представители, пользуясь дипломатическим иммунитетом, настолько активно занимались подготовкой революции в Германии, что в конце концов это надоело даже правительству Макса Баденского, у которого хватало других забот. 4 ноября 1918 года дипломатические отношения были разорваны, и 6 ноября советские представители покинули Берлин. Это стало одним из последних телодвижений агонизирующих кайзеровских властей – в Германии уже вовсю бушевала революция.

Однако революционные восстания 1918–1923 годов так и не закончились сменой власти. Приходилось налаживать отношения не с гипотетической Германской советской республикой, а с той Германией, которая имелась в наличии. Равно как и Германии приходилось принимать ту Россию, какая была...

Прогерманская группировка существовала в России всегда (правда, почти никогда не определяла внешней политики). Несмотря на только что окончившуюся войну, несмотря на участие немцев в интервенции, и в Советской России находились влиятельные силы, заинтересованные в сближении с Германией. Германофилы имелись и в партийной, и в военной верхушке.

Впервые о пользе сотрудничества Советской России и Германии заговорил еще в 1919 году Карл Радек, находившийся тогда в Берлине в качестве уполномоченного Коминтерна. Персонаж это был в высшей степени колоритный даже для тогдашней большевистской верхушки, где тусклых личностей попросту не водилось. Известный диссидент и историк Абдурахман Авторханов назвал этого уродливого, но невероятно обаятельного коротышку «гениальным авантюристом в большой политике». Он все время занимался какими-то темными делами, якшался со множеством таких же непонятных, как он сам, личностей во множестве стран, его постоянно подозревали в сотрудничестве со всеми разведками Вселенной, и тем не менее доверяли дела большой важности. И действительно, то, что он смог проделать в Берлине, не сделал бы никто другой.

Как уже говорилось, в декабре 1918 года в Берлине состоялся I Всегерманский съезд Советов. Исполком Берлинского Совета пригласил на него и советскую делегацию, однако правительство не разрешило ей въехать в страну – и неудивительно, ибо только-только были разорваны дипломатические отношения, аннулирован Брестский мир. Да и просто по жизни – только поджигателей «мирового пожара» из Коминтерна там в это время и не хватало! Тем не менее, один человек, под видом пленного австрийца, по подложным документам сумел добраться до Берлина. Это и был Карл Радек, уроженец Галиции, подданный Австро-Венгрии, член СДПГ и РСДРП и один из большевистской верхушки.

Полтора месяца провел он в Германии с пользой и удовольствием, участвуя в организации КПГ и не пропустив, надо понимать, ни одной заварушки. 2 февраля его все-таки арестовали и препроводили в тюрьму Моабит.

А дальше начались странности. Как только в военном министерстве Германии узнали об аресте Радека, условия его содержания тут же были улучшены. По некоторым данным, его вообще изъяли из тюрьмы, поместив на комфортабельной квартире, куда к нему тут же зачастили гости – журналисты, промышленники, коммунисты, даже члены правительства. Были среди них и офицеры рейхсвера, в том числе достаточно высокопоставленные. Его явно рассматривали как представителя Советской России – за неимением официального полпреда, и все, у кого были дела и интересы в России, шли к Радеку. Но предоставим слово биографу Троцкого Исааку Дойчеру.

«Там, когда Берлин был во власти белого террора и его жизнь висела на волоске, он совершил чудеса политической виртуозности: он сумел установить контакты с ведущими германскими дипломатами, промышленниками и генералами; он их принимал в своей тюремной камере». Оттуда же, из «камеры», советский представитель заодно помогал организовывать Коммунистическую партию Германии, с каковой миссией, собственно, и был послан.

...Итак, неофициальный представитель Советской России вступил в контакт с официальными лицами Германии, в том числе с военными. Так начались их переговоры – тоже сугубо неофициальные. Германскому правительству лучше было про них не знать, да и обе договаривающиеся стороны относились к Веймарским деятелям с изрядной долей презрения. Большевики – как к соглашателям, немецкие генералы – как к предателям, и те и другие – как к социал-демократам. Парадоксальным образом, у прусских юнкеров было куда больше общего с российскими коммунистами, чем с собственными эсдеками.

Впрочем, один человек из немецкого правительства не просто знал про эти переговоры, но и стоял у истоков сотрудничества. С немецкой стороны партнером Радека был персонаж столь же колоритный – эти двое друг друга стоили...

В 1940 году известнейший германский геополитик и по совместительству военный разведчик, генерал-майор Карл Хаусхофер в своей книге «Континентальный блок: Центральная Европа – Евразия – Япония» написал: «И когда после войны один из наших наиболее значительных и страстных политических умов, Брокдорф-Ранцау, захотел вновь ухватиться за нить контактов, и я был причастен к этому, то с русской стороны такую линию распознали две личности, с которыми мы и пытались готовить для нее почву».

«Личностями с русской стороны» были Карл Радек и нарком по иностранным делам Советской России Г. В. Чичерин. А с германской – первый министр иностранных дел Веймарской республики Ульрих Карл Христиан фон Брокдорф-Ранцау. Это был типичнейший представитель эпохи декаданса: дипломатия, «голубизна», алкоголизм, психические сдвиги и политический талант. Убежденный противник Версальского мира, Брокдорф-Ранцау подал в отставку за восемь дней до окончания мирной конференции, но свое дело на посту министра сделать успел, положив начало германо-советским контактам.

Вернувшись в Москву, Радек всячески развивал и пропагандировал идею сотрудничества России и Германии. Из правительства на его сторону стал наркоминдел Чичерин. Что касается военного ведомства, то там Радека поддержали чрезвычайно серьезные люди: наркомвоен и председатель РВС Лев Троцкий, зам. председателя РВС Эфраим Склянский, начальник Управления Военно-Воздушных Сил РККА Аркадий Розенгольц, составлявшие прогерманскую группировку в советских верхах. Они – в равной мере – питали старую слабость к Германии как «поджигатели мирового пожара» и видели немалые выгоды от сотрудничества с рейхсвером как военные.

С другой, германской, стороны тоже существовали разные группировки. Одну из них, «западническую», возглавлял бывший в годы Первой мировой войны начальником штаба Восточного фронта генерал Макс Гофман. Впрочем, большей частью в число «западников» входили не военные, а промышленники – военным любить Запад было не за что.

Что же касается «восточников» – то нельзя сказать, чтобы они любили Россию, но... В марте 1920 года советник президента Германии Александр Парвус в своем журнале «Колокол» формулирует предлагаемые им принципы сотрудничества с Советской Россией. Он считает, что Германия *не может позволить себе* присоединиться к прочим европейским странам и объявить России бойкот. Принципами политики Германии на Востоке отныне должны стать кооперация, хозяйственная помощь, торговля, техническое сотрудничество.

Уж на что не любил большевиков фон Сект, но и тот был сторонником сближения, более того, самым твердым и решительным его сторонником. 4 февраля 1920 года в статье «Германия и Россия» он заявляет: «Только в твердой связке с Великороссией Германия сохраняет шансы на восстановление своего положения великой державы... Англия и Франция боятся союза обеих континентальных держав и пытаются предотвратить его всеми средствами, таким образом, мы должны стремиться к нему всеми силами... Наша политика как по отношению к царской России, так и по отношению к государству во главе с Колчаком и Деникиным была бы неизменной. Теперь придется мириться с Советской Россией – иного выхода у нас нет». А в июле 1920 года он писал: «Если Германия примет сторону России, то она сама станет непобедимой, ибо остальные державы будут вынуждены тогда считаться с Германией, потому что они не смогут не принимать в расчет Россию. Сотрудничество с Россией позволит Германии осуществить "подрыв" Версальского мирного договора». Золотые слова. Находясь в союзе, эти две державы были бы непобедимы. Вот только с союзом им в XX веке роковым образом не везло...

По большому счету Сект не был ни «восточником», ни «западником». Его интересовала Германия, и только Германия, а в самой Германии – армия, и только армия, и в этом свете он и рассматривал все происходящее. «Я отклоняю поддержку Польши, – писал он в январе 1920 года, – даже в случае опасности ее поглощения Россией. Наоборот, я рассчитываю на это, и если мы в настоящее время не можем помочь России в восстановлении ее старых имперских границ, то мы не должны ей, во всяком случае, мешать... Сказанное относится также к Литве и Латвии. Если же большевизм не откажется от мировой революции, то ему следует дать отпор на наших собственных границах... Мы готовы в собственных интересах, которые в данном случае совпадают с интересами Антанты, создать вал против большевизма. Для этого она должна предоставить нам необходимое оружие». То есть, как видим, интересы фон Секта были в укреплении армии и получении оружия, и все остальное рассматривалось им исключительно в этом ракурсе.

Он был категорически против совместного с Антантой выступления против Советской России. Сект не питал относительно западных союзников никаких иллюзий: идеальным для них было бы вновь стравить Германию с Россией и отсидеться в сторонке. Относительно Польши его позиция тоже была однозначной. Он прекрасно понимал цель восстановления независимости этой страны, обладающей совершенно потрясающим умением плодить вокруг себя врагов. Впрочем, чтобы понять, чем руководствовались победители, большого ума было не нужно: Польша должна разделять Россию и Германию, создавая угрозу для обоих государств, мешая их союзу, нейтрализуя большевиков и отвлекая внимание немцев от Запада, в первую очередь от Франции. «Ни один немец не должен пошевелить и рукой ради спасения от большевизма Польши, этого смертельного врага Германии, творения и союзника Франции, разрушителя немецкой культуры, и если бы черт побрал Польшу, нам бы следовало ему помочь», – пишет фон Сект. То же самое в 1939 году если не словом, то делом повторил Сталин.

Впрочем, договоренность о новом разделе Польши существовала уже в 1920 году: предвидя победу в польской кампании, советское правительство через своего представителя в Берлине сообщило немцам, что готово признать границы 1914 года – то есть в случае победы вернуть Германии отошедшие к Польше в результате войны территории. Взамен Берлин обещал помогать Красной Армии вооружением, а при необходимости и организацией восстаний в польском тылу. Переговоры шли на полном серьезе – кто же знал, что Тухачевский провалит столь победоносно начатую кампанию...

...Как же развивались эти негласные, но весьма активные контакты?

Из своей тюремной камеры Радек поддерживал устойчивую связь с Москвой, и предложения о сотрудничестве были переданы достаточно оперативно. Кроме того, в Германии с середины 1919 года находился Виктор Копп, бывший меньшевик, близкий друг и соратник Троцкого. Формально он прибыл в Берлин для работы в миссии по делам военнопленных, а фактически являлся представителем Советской России, с которым, за неимением дипломатических отношений, и обсуждались негласно все дела. Он и начал предварительные переговоры.

Однако Копп был не настолько уполномоченным лицом, чтобы договариваться самостоятельно, а необходимость согласовывать каждый шаг с Москвой делало механизм переговоров громоздким и неповоротливым. 24 октября 1919 года Чичерин пишет Ленину: «Пусть эти люди приедут сюда для выработки деталей». Хорошо бы, конечно, но на территории России все еще продолжается война. Если германские эмиссары попадут в руки белых, это еще полбеды, а если к их иностранным союзникам? Тогда советский наркоминдел предлагает перелет на аэроплане. И в том же октябре в Москву отправляется старый друг Секта, бывший военный министр Турции Энвер-паша, который с конца войны жил в Берлине.

Однако миссия Энвера-паши завершилась провалом. Случилось худшее, что могло случиться: самолет потерпел аварию возле Ковно (Каунаса), занятого англичанами, и пассажиры попали к ним в руки. У пилота было обнаружено письмо руководства фирмы «Юнкерс» с предложением о строительстве в России авиационного завода – впрочем, ничего криминального в этом не было, «Юнкерс» мог строить, где хочет. А вот другая бумага оказалась куда серьезнее – карта, подготовленная в штабе рейхсвера, на которой было нанесено расположение войск Антанты на фронте против большевиков.

Трудно сказать, как Энвер-паша выпутался из этого сложного положения – но он все же сумел добраться до Москвы, хотя и почти год спустя, прибыв в советскую столицу 11 августа 1920 года. В письме Секту от 26 августа он сообщил, что в советских верхах существует влиятельная группировка вокруг наркомвоенмора Троцкого, которая выступает за сотрудничество с Германией и готова признать немецкую восточную границу 1914 года.

Но к тому времени в Москву уже вернулся Радек, выпущенный из тюрьмы в январе 1920 года. В Берлине он времени даром не терял, и весной процесс сдвинулся с места, хотя и чрезвычайно медленно. Переговоры шли через Коппа. 15 апреля советский представитель встречается с заведующим восточным отделом МИД Германии фон Мальцаном и, помимо прочего, обсуждает вопрос о налаживании контактов между РККА

38

и рейхсвером. В июле он, уже более предметно, беседует на эту тему с Сектом, который, очень кстати, 5 июня 1920 года становится командующим рейхсвером.

А в ноябре 1920 года о необходимости русско-германского сотрудничества уже открытым текстом заявляет Радек, добавляя: «вне зависимости от того, как будут развиваться события – на контрреволюционных или на революционных рельсах». Вот вам и пример реального соотношения идеалов и интересов! Потому большевики и удержали власть, что, как только доходило до дела, классовый подход тут же заменялся здравым смыслом.

Первые контакты

Поначалу стороны внимательно изучают друг друга – дело рисковое, впопыхах такое не делается. Слишком уж большим скандалом стало бы нарушение Версальского договора сразу же после его подписания. Большевикам, впрочем, бояться было нечего, они выиграли Гражданскую войну, выкинув со своей территории войска тогдашнего «мирового сообщества», и теперь откровенно и цинично плевали на любые международные условности. Однако для Германии последствия могли быть непредсказуемыми. Так что приходилось балансировать на лезвии бритвы: шаг влево, шаг вправо – грандиозный международный скандал. Сближаются медленно и осторожно.

Итак, в июле 1920 года Копп встречается с фон Сектом для предварительного разговора. Начало положено успешное. Теперь договаривающимся сторонам надо бы познакомиться поближе – рейхсвер, он и есть рейхсвер, а вот что такое Красная Армия, немцам было совершенно непонятно. Но как это сделать? В России идет война, причем в ней самым активным образом участвует Польша – общий враг, разделяющий потенциальных союзников. Но ведь существует еще кусок Германии, оторванный от основной ее территории и находящийся в непосредственной близости к России – Восточная Пруссия! И тогда 7 августа министерство иностранных дел Германии поручает майору Вильгельму Шуберту, который до 1914 года был военным представителем кайзеровской Германии в Москве и Петрограде, «установить контакт из Восточной Пруссии с русской армией и поддерживать его».

Красная Армия Шуберту понравилась. Даже позорный проигрыш польской кампании не изменил его резюме – он считал, что причиной поражения красных под Варшавой была не слабость советских войск, а, скорее, слишком быстрый темп продвижения армии, вину за который он возложил на молодого и тщеславного командующего Тухачевского, как оно на самом деле и было.

Однако польская кампании провалилась, горько разочаровав немцев, мечтавших о победе над Польшей, военном союзе с Советской Россией – а там, может быть, даже совместном выступлении против Франции. Но после поражения, а особенно после подписания унизительного для России мира акценты сместились: на первый план вышла идея военно-промышленного сотрудничества, призванного обмануть Версальский договор. 7 апреля 1921 года Копп докладывает Троцкому о существовании в немецком военном министерстве группы Секта, которая размышляет над переводом части немецкой военной промышленности в Россию.

Немцы выделяли три сферы, в которых были особенно заинтересованы: ВВС, подводный флот, производство вооружений. Один из членов группы Секта, Оскар фон Нидермайер, должен был приехать в Москву, чтобы составить себе полное представление о российской тяжелой промышленности. Нидермайер и Копп вместе посетили ряд немецких предприятий, предполагавшихся для сотрудничества, а летом Нидермайер под псевдонимом «Нейман» отправился в Россию, где побывал на петроградских верфях и других предприятиях оборонной промышленности. По правде сказать, впечатление от посещения наших заводов он вынес мрачное. Но выбора все равно не было.

В конце сентября в Берлине, на квартире офицера подпольного генштаба Курта фон Шлейхера, доверенного человека Секта и будущего рейхс-канцлера Германии, начинаются тайные переговоры. С советской стороны их ведут представители наркомата внешней торговли и все тот же Копп, с немецкой – спецгруппа Секта в составе полковника Хассе, Нидермайера, майоров Чунке и Шуберта. Сам Сект пока остается в тени. Почти три месяца неуполномоченные стороны пережевывают мелкие вопросы, пока 7 декабря не встречаются боссы: Сект и полпред Николай Крестинский.

Теперь советская сторона спешит, и тому есть серьезные причины. С осени идет разговор о созыве большой международной экономической конференции, где европейские державы намерены обсудить все взаимные претензии и заключить, наконец, всеобщий мир. Страны Антанты все настойчивее требуют от Советской России признания царских долгов, обещая взамен то помощь голодающим Поволжья, то долю репараций с Германии. И было бы очень неплохо к началу конференции иметь парочку хороших советско-германских соглашений – европейские демократии сразу стали бы сговорчивее. Да и в Генуе под шумок можно пообщаться с немцами, не привлекая излишнего внимания.

17 января в Берлин приезжает Радек, вместе с которым из России возвращается Нидермайер. 25 января начались переговоры. Кроме политических и экономических вопросов, на них обсуждаются и вопросы военного сотрудничества. Радек общается сначала с майором Фишером, а 10 февраля состоялась встреча с самим Сектом. Тут уже разговор шел напрямую.

Полковник Отто Хассе так пишет об этой встрече в своем дневнике: «Сект описывает его (Радека. – *Авт.*) как очень умного и хитрого еврея, который хочет поднять русскую военную промышленность с немецкой помощью. Он также хочет организовать консультации генеральных штабов по возможному военно-стратегическому положению и передачу немецких уставов и другой военной литературы для обучения русского офицерского корпуса». Совершенно точная характеристика – именно этого Радек и добивался.

После этих встреч дело пошло на лад. Практически сразу же полковник Хассе получил 150 миллионов бумажных марок (около 3 миллионов золотом) на начало работ. Тогда же в игру вступили предприятия «Юнкерса». Знаменитая фирма выразила готовность делать по 100 самолетов и 260 моторов в месяц. 19 апреля 1922 года подписывается договор концессии, осенью заключаются еще три договора, согласно которым «Юнкерс» будет производить самолеты на бывшем заводе «Руссо-Балт». Наш старый знакомый, майор Вильгельм Шуберт, на время оставив армию, переходит на работу в фирму. Он и принимает первое предприятие немецкой послевоенной оборонной промышленности.

10 апреля 1922 года открылась Генуэзская конференция, а буквально за считанные дни до нее в Берлине состоялись еще одни переговоры. Они меньше касались военного сотрудничества, а больше политики. 16 апреля, вызвав у представителей других держав ощутимый холодок между лопаток, Россия и Германия подписали в Рапалло советско-германский договор, по которому между ними восстанавливались дипломатические отношения. Россия отказывалась от репараций, а Германия снимала все претензии, касавшиеся национализированной немецкой собственности. В договоре была статья об экономическом сотрудничестве, где, правда, не говорилось ни слова о военном и военно-промышленном союзе – но

ведь об этом можно и в другой раз поговорить! Действительно, 29 июля 1922 года в Берлине был подписан предварительный договор о военно-техническом сотрудничестве. Уже осенью первые немецкие офицеры приехали в Советскую Россию, а советские – в Германию.

Немецкие правительства менялись, как в калейдоскопе, и у каждого была своя внешняя политика. Зато Сект был неизменен, как сфинкс у пирамиды. Кончилось дело тем, что военные обеих стран общались друг с другом, вообще минуя министерство иностранных дел – напрямую, через так называемую «Зондергруппу Р», или «Вогру».

«Зондергруппа Р» появилась в военном министерстве Германии еще в начале 1921 года, по личному указанию Секта. Инициатором ее создания был Шлейхер, а Нидермайер стал ее первым уполномоченным в России. В русской терминологии это подразделение называлось «Вогру», или «военная группа». Она-то непосредственно и занималась организацией военного сотрудничества, и Сект отнюдь не горел желанием посвящать в эти дела постоянно меняющиеся разномастные правительства. Отчасти поэтому (но лишь отчасти!) «Зондергруппа Р» входила в состав развед-отдела, самой засекреченной структуры немецкого штаба. Об основной причине, по которой «Вогру» была включена в состав разведотдела, говорит имя одного из тех, кто входил в ее руководство. Это был легендарный Вальтер Николаи, начальник контрразведки кайзеровской армии и специалист по России. Военное сотрудничество было нашпиговано разведчиками – впрочем, с обеих сторон...

Но военное министерство не могло напрямую заниматься промышленными делами. И тогда в 1923 году оно основало промежуточную структуру – так называемое «Общество содействия промышленным предприятиям», или «ГЕФУ». Под прикрытием этого расплывчатого названия пряталась организация, назначением которой были финансирование и координация работы совместных германо-советских предприятий на территории СССР, – естественно, гражданские предприятия ее не интересовали. Общество было попросту «крышей», под которой германские военные прятали дела, не совместимые с условиями Версальского договора. Руководителем «ГЕФУ» стал еще один член спецгруппы Секта, майор германского генштаба Чунке. Кстати, на время работы в Москве он был формально уволен с военной службы – для конспирации. Такая в то время была практика. Никого эти хитрости, конечно, обмануть не могли – однако формально все было чисто, не придерешься.

Тогда же и Нидермайер получил повышение, став начальником службы генштаба по русским вопросам. Он информировал Секта и начальника генштаба Хассе о ходе работ, поддерживал контакты с советскими организациями и высокопоставленными деятелями не только армии и промышленности, но и политиками, и чекистами. Именно в его руках сосредоточились все нити сотрудничества и... еще некоторые ниточки.

Однако один Оскар не мог заменить всего аппарата военного атташе. А таковых Германии, по условиям все того же Версальского договора, иметь не полагалось. И тогда в Москве появилась еще одна контора. Называлась она постоянной комиссией по контролю за хозяйственной деятельностью немецких концессий в СССР. А на самом деле это было тайное представительство немецкого генерального штаба. В секретных документах оно именовалось «Центр-Москва» («Ц-МО»). Под пару ей в германском генштабе был создан отдел «Ц-Б» («Центр-Берлин»). «Ц-МО» возглавил полковник Лит-Томсен, а его заместителем и фактическим руководителем стал все тот же Оскар фон Нидермайер. В 1927 году Лит-Томсена отозвали в Германию, и Нидермайер остался во главе общества до 1931 года. Общество должно было не только курировать все вопросы советско-германского военного сотрудничества, но и информировать генштаб по всем доступным ему военным вопросам. В просторечии этот вид деятельности называется разведкой.

Досье: короли и тузы шпионской колоды.
Вальтер Николаи, знаменитый и загадочный

Об этом выдающемся персонаже мировой шпионской сцены в мировом шпионоведении сложились не менее невероятные мифы и легенды, чем о Мата Хари, Лоуренсе или Рихарде Зорге. В частности, на Западе многие считают его едва ли не основным агентом-информатором и агентом влияния ГРУ в 20—30-е годы, а часть наших историков — человеком, который привел Ленина к власти. Все эти мифы так же далеки от реальности, как байки о всесилии Гришки Распутина или о сталинской паранойе. История Николаи куда менее романтична и куда более загадочна, чем любые сказки о нем.

Вальтер Николаи родился в 1873 году в Брауншвейге, в семье прусского офицера. Он происходил из той самой прусской военщины, которая являлась основой, консолидирующим ядром сначала сотрудничества рейхсвера с РККА, а затем антигитлеровского заговора. Когда Николаи было четыре года, отец его умер, так и не сумев оправиться от тяжелого ранения, полученного в ходе франко-прусской войны. Недолго проучившись в гимназии, Вальтер в 1887 году поступил в кадетский корпус, после окончания которого, в 1893 году, в звании лейтенанта был определен в 82-й прусский пехотный полк. В 1900 году лейтенант Николаи поступил в прусскую кайзеровскую Военную академию, где изучал английский, французский, а также русский языки. Во время учебы он показал отличные способности, прилежание и аккуратность и после ее окончания в 1904 году был направлен на работу в Большой Генеральный штаб, в подотдел «3-Б» (агентурную разведку).

Там его поначалу решили использовать для работы в Японии. В течение двух лет Николаи изучал японский язык, однако после окончания русско-японской войны эта тема стала неактуальной для немецкого командования. Тогда его переориентировали на работу против России. С 1906 по 1910 год он служит в Кенигсберге, руководит немецким разведывательным бюро, работавшим в приграничных районах Российской империи. С 1910 по 1912 год капитан Николаи проходит обязательный для немецких офицеров «строевой ценз» — командует ротой в 71-м пехотном полку. К моменту окончания «строевой службы» Николаи, начальник подотдела «3-Б» майор Вильгельм Хайе тоже вынужден уйти командовать солдатами, и рекомендует его вместо себя на должность начальника агентурной разведки. Таким образом, в 1912 году Николаи, вскоре получивший звание майора, становится во главе немецкой военной разведки. Впрочем, не стоит переоценивать сей карьерный успех — в то время организация эта была весьма слабая и малобюджетная. До тех пор, пока за нее не взялся Николаи.

Прежде всего новый начальник активизирует работу против Франции — едет туда сам, организует новые резидентуры в Эльзасе и Лотарингии. Начальник оперативного отдела Большого Генерального штаба Эрих фон Людендорф также ценит деятельность «невидимого фронта», и при его поддержке Николаи добивается новых ассигнований на разведывательную службу.

С началом Первой мировой войны генеральный штаб делится на две части. Сам Николаи и большая часть его сотрудников из подотдела «3-Б» в составе генерального штаба полевой армии находятся в Ставке. А в Берлине остается замещающий генеральный штаб, и в его составе – тыловой филиал подотдела «3-Б». Но Николаи этого мало. В структуре замещающего генерального штаба есть управление военной прессы. По рекомендации Николаи его руководителем ставят майора Дейтельмозера. Теперь это управление фактически находится в подчинении военной разведки и постепенно, помимо отслеживания газетных публикаций, превращается в орган политической разведки и контроля внутри страны.

В декабре 1914 года начальником генерального штаба полевой армии становится генерал Эрих фон Фалькенгайн, бывший военный министр Германии. Этот человек оказал огромное влияние на Николаи, был его, если можно так сказать, идеологическим кумиром. Генерал Фалькенгайн, как и сам Николаи, очень быстро пришел к выводу, что главная причина неудач и поражений Германии в войне заключается в несогласованности и отсутствии взаимопонимания между военным и политическим руководством. А еще он убедился, что в стране существует, особенно в аристократических слоях общества, мощное профранцузское и проанглийское лобби, стремящееся направить Германию против ее естественного союзника на Востоке и договориться с западными плутократами.

Из этих наблюдений Фалькенгайн сделал два вывода, которые разделял и Николаи. Во-первых, необходимо сосредоточить в одних руках все военно-политическое руководство Германии. Но не так, как это впоследствии реализовал Гитлер, а с точностью до наоборот – в виде тотального военного руководства. И во-вторых, – главный враг Германии находится на Западе, и только разгромив его, можно добиться величия Германской империи. В то время как Россию ни в коем случае нельзя трогать, ибо это чревато для Германии огромными неприятностями и бедами.

В то же время Николаи продолжает упорно работать на своем посту. В 1915 году он фактически перестраивает всю немецкую разведывательную и контрразведывательную службу, заново создает периферийный оперативный аппарат, резидентуры связи, представительства при фронтовых штабах. В этом же году, в мае, подотдел «3-Б», по приказу Фалькенгайна, становится самостоятельным отделом. Ему также поручается и руководство прессой, – а учитывая метаморфозу управления военной прессой, теперь Николаи руководит и политическим сыском внутри страны, став одной из влиятельнейших (хотя и негласных) фигур германской армии. А за месяц до того в генштабе создается политический отдел.

Все это говорит о том, что Фалькенгайн явно стремится расширить влияние армии внутри страны, чтобы в перспективе стать во главе системы тотального военного руководства. Однако ему не везет: в 1916 году, после провала под Верденом, Фалькенгайна снимают с поста начальника штаба и отправляют в Турцию, где под его руководством оказываются Сект, Нидермайер и многие другие будущие активные сторонники и участники тайного немецко-российского военного сотрудничества. Так что подлинным идеологом альянса РККА и рейхсвера можно считать генерала Эриха фон Фалькенгайна.

На смену Фалькенгайну приходят генерал Гинденбург и его «мозг» Людендорф. Впрочем, на карьере Вальтера Николаи эта замена никак не отразилась. Гинденбург не обращал на него внимания, а Людендорф ему покровительствовал, как и до войны. (Их дружба сохранится вплоть до самой смерти генерала.) Николаи продолжает заниматься своим прямым делом — организацией и укреплением резидентур немецкой разведки. В течение войны его можно увидеть в Вене, Стокгольме, Осло, Будапеште, Софии, Константинополе, Варшаве, Вильно... Особенно тесные контакты у него складываются с руководителем турецкой разведки подполковником Сейфи-беем, а также с военным министром Турции Энвер-пашой, который, с другой стороны, является личным другом Секта. Все они связаны, все — одна компания....

Жестоким ударом для Николаи явилась ноябрьская революция 1918 года, которая застала и его самого, и его службу врасплох. После поражения Германия лишается своей разведки. Николаи находится не у дел. С марта 1919 по февраль 1920 года он служит в 71-м пехотном полку, а в феврале 1920 года уходит в отставку с почетным присвоением звания полковника, чтобы уже в 1921 году объявиться в «Зондергруппе Р» военного министерства.

Разведчики «бывшими» не бывают, — но чем занимался Вальтер Николаи потом, так до сих пор толком и не известно. После недолгой службы в «Зондергруппе Р» полковник исчезает из поля зрения. Но на протяжении 20-х, 30-х и 40-х годов каждые три-четыре года его имя появляется на страницах газет. То пишут, что он по-прежнему возглавляет немецкую разведку — абвер. То утверждают, что он стоит во главе разведки нацистской партии и является «серым кардиналом» Гитлера. То объявляют его советским шпионом. То возводят в ранг руководителя института по изучению «еврейской проблемы».

Достоверно из этого нагромождения сплетен, слухов и фантазий можно вычленить следующие серьезные моменты. В 1925 году Николаи занимается реорганизацией турецкой разведслужбы. Затем его имя всплывает во время загадочной попытки государственного переворота, якобы имевшей место летом 1926 года. Об этих событиях толком ничего не известно — существовала ли эта попытка вообще, стоял ли за ней генерал фон Сект, и не связана ли его отставка с этим мнимым или настоящим заговором — можно только гадать. Однако факт, что в мае 1926 года полиция дважды производила обыск в берлинской квартире полковника Николаи, а полиция — это уже не журналисты, которые могут выдумать все, что угодно, тут нужны хотя бы какие-то основания. А в 1928 году берлинские газеты со ссылкой на Форейн Оффис (английское министерство иностранных дел) сообщают, что Николаи тайно посещает Москву... Он никогда не занимал не только видных, но даже сколько-нибудь заметных постов ни в Веймарской республике, ни в Третьем рейхе. Его многочисленные просьбы о возвращении на работу в разведку оставались без удовлетворения. То, что Николаи являлся руководителем института по изучению «еврейского вопроса» — чистой воды блеф. Он действительно какое-то время работал, уже после прихода Гитлера к власти, в военном институте, занимаясь изучением опыта Первой мировой войны, однако отнюдь не на руководящей должности. Чем он занимался все остальное время — совершенно неизвестно...

Казалось бы, чем мог быть интересен пожилой отставной разведчик? Тем не менее, сразу после окончания Второй мировой войны советская спецгруппа находит Николаи (судя по всему, наша разведка уже давно за ним следила) и вывозит его в Москву. Здесь на протяжении нескольких лет, вплоть до самой смерти, его постоянно допрашивают, меняя режим содержания. Его держат то в тюрьме, то на «спецобъекте» (служебная дача), то есть применяют методы «кнута и пряника». Чего добивались чекисты от Николаи? И умер ли он своей смертью, как это записано в его деле? Сомнения в этом, пусть и косвенные, но есть. Напомним, что точно такой же конец был и у другого нашего героя, также вывезенного из Германии и умершего в Москве, — Нидермайера.

И наконец, еще одно обстоятельство: в 1943 году Гитлер отдал приказ о проведении расследования деятельности Николаи. Именно в этом году гестапо впервые вышло на некоторых немецких заговорщиков, арестовало их и начало расследование. Не был ли «знаменитый и загадочный» в их числе?

Глава 3

«В ГЛУХОМ ЛИПЕЦКЕ, В КАЗАНИ И ПОД СИМБИРСКОМ...»

Среди множества мифов о том времени есть и такой: в 20-е – 30-е годы Советский Союз обучал у себя немецких офицеров, тех самых, которые потом гнали наши доблестные армии до самой Москвы. В качестве примера приводят даже немецкого «танкового гения» Гудериана и некоторых других крупных немецких военачальников. Короче говоря, «фашистский меч ковался в СССР». При этом творцы данной легенды даже не дают себе труда подумать – а чему и у кого могли немецкие танкисты и летчики обучаться в СССР, где в то время не было ни танковых войск, ни авиации?

Но это, действительно, было так. Немецкие летчики обучались в СССР, немецкие танкисты – тоже. Позже они составили костяк авиации и танковых частей Третьего рейха. Немецкие химики работали в советских лабораториях. Это было так, и это было не так. Потому что и танковая, и авиационная школы, и химические лаборатории были немецкими.

Учитывая крайнюю разруху в советской промышленности и крайнюю нищету германского военного бюджета, сотрудничество не могло быть широкомасштабным. Поэтому из многих возможных направлений выбрали несколько наиважнейших, без которых построение современной армии было немыслимо.

Подробно, со множеством приведенных цифр и имен, этот аспект рассмотрен в монографии С. А. Горлова «Совершенно секретно: Москва – Берлин. Военно-политические отношения между СССР и Германией», к которой авторы и отсылают всех желающих подробно ознакомиться с темой. А здесь – очень кратко...

ДВОЙНОЙ ЗАГОВОР. ТАЙНЫ СТАЛИНСКИХ РЕПРЕССИЙ

На двух стульях

Если попытаться одним словом определить основную движущую силу политической жизни послевоенной Европы, то это будет слово «страх». Маленькие европейские государства боялись того неведомого, что появилось на одной шестой части суши за восточной границей цивилизованной Европы. Сколько Европа себя помнила, она имела дело с неагрессивной Россией – кроме некоторых счетов с Польшей, с которой счеты имелись у всех. Русский медведь был в ошейнике и наморднике, его можно было потрогать за нос и даже шлепнуть по заду, и он ничего, не обижался. Но нынешняя Россия оказалась совсем другой – агрессивной и непредсказуемой. Правившее ею безумное правительство готово было нести дальше, по всему миру, свои безумные идеи, и лишь разруха и развал всего, что только можно, сдерживали его. И Европа вдруг стала какой-то маленькой, игрушечной рядом с тем, что дышало за линией восточной границы.

Страх увеличивался по мере продвижения на восток. Если Великобритания, окопавшаяся на своих островах, могла позволить себе пускаться на опасные провокации в отношении СССР, то германское правительство очень боялось вызвать неудовольствие русских и, с другой стороны, не менее боялось вызвать неудовольствие держав-победительниц. А хуже всего приходилось полякам, жителям государства, само появление на свет которого было вызвано необходимостью создать буфер между Россией и «цивилизованной» Европой. Будущее этого государства, зажатого между Россией и Германией, у каждой из которых имелись к нему исторические счеты и территориальные претензии, было предельно ясно: при первом же удобном случае соседи договорятся и снова разделят его. Как оно в итоге и случилось.

Германия тоже была буфером – между Россией и Европой. По крайней мере, и Англия, и Франция хотели видеть ее в этом качестве. Достаточно хорошо контролируя государственную жизнь побежденной страны, они, казалось бы, могли не опасаться, что та договорится с Россией. Однако даже они не учли возможность сепаратной договоренности между советским правительством и германской военной верхушкой, которой большевики были все-таки ближе, чем опереточное республиканское правительство. Поэтому-то Европа и содрогнулась, когда был подписан договор в Рапалло.

Но все это были еще цветочки. События 1923 года, «германский красный октябрь» показал, что опасность грозит и с другой стороны. Если бы карты в ту осень легли чуть-чуть иначе, если бы Германия стала советской, то о французской гегемонии, английской гегемонии и любой другой гегемонии, кроме коммунистической, европейский континент мог бы забыть. Именно после 1923 года страны-победительницы как-то вдруг помягчели. Выплата репараций была отложена, Германия получила займы. С другой стороны, началась и политическая работа, с тем, чтобы вернуть Германию в лоно Европы. И постепенно побежденная страна стала разворачиваться к западу. Вступил в действие американский «план Дауэса» по оздоровлению немецкой экономики, и одновременно союзники заговорили о вступлении Германии в Лигу Наций.

Лига Наций была организацией откровенно антисоветской, собственно, она и существовала-то во многом, чтобы противостоять советской угрозе, и нашему правительству эти инициативы очень не понравились. Министром иностранных дел Германии в то время был «западник» Штреземан, но даже он, при всем своем тяготении к Западу, отлично понимал, что альянс надо заключать осторожно: в случае войны Европы с Советами первый удар достанется Германии с ее стотысячным войском. И Штреземан отчаянно старается усидеть на двух стульях. Разворачивая страну к западу, он одновременно пытается всячески уверить СССР в самых наилучших намерениях, вплоть до того, что Германия-де, будучи в составе Лиги Наций, сможет быть полезной и России, поскольку будет иметь возможность наложить вето на любые антисоветские инициативы.

В октябре 1925 года начала работу международная конференция в Локарно, посвященная очередным планам послевоенного устройства Европы. Россия снова была тут ни при чем. А самая отчаянная торговля развернулась вокруг обязательств Германии участвовать в общих санкциях против «агрессора» – под которым подразумевался ясно кто. Штреземан изо всех сил пытается отвертеться, объясняя, что «русские войска могут наводнить Германию, и большевизм может распространиться вплоть до Эльбы». Армии-то у немцев по-прежнему нет...

Впрочем, попытка усидеть на двух стульях до поры до времени была удачной. Продолжая заигрывать с Западом, в то же время Германия в 1926 году подписала Берлинский договор с СССР, продолжение рапалльского. Чтобы продемонстрировать лояльность страшному соседу, ее правительство пошло даже на такой довольно унизительный шаг, как помилование и обмен Скоблевского.

Это был еще один типичный персонаж эпохи. Вольдемар Розе, известный в Германии под псевдонимом Скоблевский, во время событий

1923 года был организатором «немецкой ЧК» и «немецкой Красной армии». Он разрабатывал планы проведения восстаний в промышленных центрах Германии, занимался и непосредственно политическими убийствами. (Кстати, в числе прочих терактов «германская ЧК» планировала убийство фон Секта – Коминтерн в очередной раз, как обычно, плевал на государственные интересы.) Скоблевскому не повезло, он был арестован и 22 апреля 1926 года приговорен к смертной казни. Затем этот приговор был заменен пожизненным заключением.

Впрочем, советские власти ничем не смущались, и ответ последовал незамедлительно. По обвинению в шпионаже чекисты арестовали четверых немецких студентов. В июне, спустя всего два месяца после суда над Скоблевским, их также приговорили к смертной казни. Русские нимало не скрывали, что между германским и советским процессами существует причинно-следственная связь. А затем, тем же летом 1926 года, для устранения «политических инцидентов», мешающих нормализации отношений между государствами, и так далее... с советской стороны последовало предложение: обменять Скоблевского и еще троих, осужденных в Германии за шпионаж в пользу СССР, на 14 немцев, арестованных в Союзе по политическим обвинениям, в том числе и пресловутых студентов. Несмотря на противодействие военного министерства Германии, воспринявшего как оскорбление помилование такого человека, как Скоблевский, договоренность была достигнута. А что еще, спрашивается, немцам оставалось?

В такой вот милой обстановке и разворачивалось советско-германское военное сотрудничество.

«Юнкерс» меж двух жерновов

Бизнесмен, играющий в азартные игры с государством, всегда рискует. А если не с одним, а с двумя государствами? А если одно из этих государств – Советская Россия образца 20-х годов?

...Начиналась эта история еще в 1922 году, когда в Германии все, от министров до домохозяек, люто ненавидели победителей, а германские военные были полны радужных мечтаний: за несколько лет с помощью СССР накопить достаточный военный потенциал и взять реванш. Ну... если не поставить на колени Францию, то хотя бы расправиться с Польшей – именно аннексия Силезии и «польский коридор» к Балтийскому морю были наиболее унизительны для немецкого духа. Можно было ударить, вместе с Советской Россией, с двух сторон и разом за все сквитаться. Но для возмездия нужно было иметь достаточно оружия. И «ГЕФУ», реализуя эти идеи, начало искать фирмы, заинтересованные в подписании концессий.

«Юнкерс» был одной из первых фирм, предложивших свои услуги большевикам. Еще Энвер-паша в 1919 году вез в СССР ее предложения о строительстве в России авиационного завода. И вот, наконец, 26 ноября 1922 года свершилось! В этот день были подписаны три концессионных договора: о производстве самолетов и моторов к ним, об организации транзитного воздушного сообщения из Швеции в Персию и об аэрофотосъемке в РСФСР. Лучше б германцы этого не делали, право слово!

«Юнкерс» получил в аренду завод «Руссо-Балт» в Филях. Проектная мощность, на которую завод должен был выйти к февралю 1925 года, – 300 самолетов и 450 моторов в год. Фирма должна была перевести в Россию 60% своего производства. Достаточно быстро был налажен технологический процесс и обучен персонал. И тут начались заморочки.

Дело в том, что три стороны сделки – «Вогру»[1], «Юнкерс» и РВС – имели совершенно разные интересы. «Вогру» видела в концессии в первую очередь военно-политическую сделку, демонстрировавшую добрые намерения, а экономическая сторона дела ее не интересовала вообще. Какая генеральному штабу разница, сколько «Юнкерс» получит прибыли? У советской стороны тоже были собственные интересы, но процветание фирмы «Юнкерс» среди них не значилось. Так что фирма не знала, во что ввязалась.

Завод «Руссо-Балт», как и остальные предприятия Страны Советов, находился в ужасающем состоянии, с кадрами тоже были проблемы. Тем не менее, советская сторона настаивала на скорейшем запуске завода на полную мощность, вместе с тем взяв на себя обязательства покупать лишь 20% производимых там самолетов: мол, большего не позволяет бюджет. А куда девать остальные? И зачем, раз нет гарантированного сбыта, гнать лошадей?

Но это было только начало, потому что вскоре «Юнкерсу» подложила хорошую свинью родная «Вогру». На средства некоего созданного в Германии «Рурского фонда» она закупила в Голландии сто самолетов «фоккер». Наши сразу же насторожились: что же это получается – продукция

---

[1] Напоминаем, что так в русской транскрипции называлась «Зондергруппа Р», входившая в состав разведотдела немецкого генштаба.

«Юнкерса» зависает, а немцы покупают «фоккеры»? Выходит, что голландские самолеты лучше? И уже 20 декабря 1923 года наши, в свою очередь, заказали «Фоккеру» 200 самолетов. Теперь уже обиделись немцы: значит, деньги у русских все-таки есть? И не стали выводить завод на запланированную мощность.

Практически сразу «Вогру» подставила партнера еще раз. В ноябре 1923 года военное министерство Германии заказало «Юнкерсу» 100 самолетов, а весной наполовину сократило заказ. Но самолеты-то уже изготовлены! Куда их прикажете девать? Вдобавок ко всему нэп в СССР и инфляция в Германии съели всю намечавшуюся прибыль – на что русские заявили, что самолеты были проданы по заранее оговоренной цене, и нечего тут... Они продолжали настаивать на таких ценах, которые немцы ну никак не могли принять, потому что им пришлось бы делать самолеты себе в убыток. В результате даже обещанный заранее заказ так и не был дан.

Советская сторона была недовольна партнером и еще по одной причине – голландские-то самолеты все-таки оказались лучше. Кредит, который ранее обещала фирме «Вогру», так и не был предоставлен, обещания об участии государства в деле тоже оказались пустым звуком. Международная обстановка изменилась, воевать оказалось вроде бы и не с кем, а по условиям Версальского договора Германия вообще не имела права содержать военную авиацию. В общем, совместные действия двух государств поставили «Юнкерс» на грань банкротства. В 1924 году он начал свертывать производство в Филях и к 1925 году прекратил его.

Оказавшись перед угрозой разорения, фирма обратилась к правительству, которое предприняло ее «санацию», в результате чего 60% акций завода в Филях в конечном итоге перешли к «Зондергруппе Р». После долгой возни вокруг всего этого дела в 1927 году договор был окончательно расторгнут.

Трудно сказать, насколько вся эта неразбериха была обусловлена экономикой, а насколько спровоцирована. Внешнеполитический курс германского государства менялся, как шляпки у модницы, о бессовестности капиталистов уже тогда книги писали, а бессовестность в экономических делах советского правительства, особенно в отношении западных концессионеров, превосходила все мыслимые и немыслимые пределы, и многим отважным западникам, решившимся взять в концессию что-либо на советской территории, приходилось сталкиваться с сюрпризами, о которых они и помыслить не могли.

Эксперимент с сотрудничеством в области производства самолетов принято считать неудачным. При этом забывают об одной «мелочи» – завод-то остался Советской России. С современным оборудованием, обученным персоналом, технологическими процессами и «ноу-хау». Что, собственно, и являлось целью военно-промышленного сотрудничества, как заметил еще Сект в разговоре с Радеком.

Еще пикантней была история с производством отравляющих веществ. Достаточно начать с того, что в 1907 году Гаагской конвенцией было запрещено применение химического оружия. Однако не успела начаться Первая мировая война, как запрет был нарушен и отравляющие вещества стали применяться на фронте. Сначала его нарушила Германия, и первыми жертвами стали русские солдаты. Потом нарушила Россия – против немецких солдат. Что не помешало пятнадцать лет спустя Советской России любезно предоставить Германии все возможности для разработки и испытания отравляющих и удушающих веществ.

Уже в 1923 году, с самого основания «ГЕФУ», одним из партнеров этого общества выступает наше предприятие «Метахим». В сентябре этого года обе конторы организовывают совместное общество «Берсоль», цель которого совершенно белая и пушистая – производство удобрений. Но интереснейший человек возглавлял правление сей крайне полезной для сельского хозяйства фирмы! Это был некто Стефан Иосифович Мрочковский.

В официальной биографии он значится русским – но позвольте не поверить, что человек с такими фамилией и именем, да еще родившийся в украинском городе Елисаветграде, был русским – очень уж тут вылезают польские корни. Выходец из рабочей семьи, он окончил юридический факультет, владел тремя основными европейскими языками, не считая родных – сколько их там было? Воевал в Гражданскую, потом работал агитатором-пропагандистом, сотрудником органов народного образования. Затем вдруг стал председателем правления означенных обществ. Но самое интересное начинается дальше – с 1927 года он возглавляет фирму «Воствар», одно из коммерческих предприятий советской военной разведки. И такой человек занимался в СССР производством удобрений?

Сельское хозяйство, конечно, использовалось тут чисто для прикрытия. На самом деле речь шла о совместном производстве отравляющих газов. Фосген, иприт, горчичный газ – а может быть, даже наверное, «сумрачный германский гений» придумает и что-нибудь новенькое по этой части.

14 мая 1923 года в Москве был подписан договор о строительстве химического завода по производству отравляющих веществ. Немцы ассигновали на его создание 35 млн марок. Немецким партнером стал химик Хуго Штольценберг, один из крупнейших в Германии специалистов по ОВ, который к тому времени уже построил завод в Гамбурге. По договору, Штольценберг должен был модернизировать химический завод в поселке Иващенково, что под Самарой. Предполагаемая производительность (не считая удобрений) – 60 тысяч пудов фосгена и 75 тысяч пудов иприта в год, а также жидкий хлор. Параллельно Штольценберг должен был построить такой же завод в Германии. Затем начались те же развлечения. Когда в 1925 году монтаж оборудования был завершен, советская сторона начала выставлять претензии. Суть их сводилась к тому, что производительность у завода мала, безопасность производства низкая, оборудование никуда не годится, персонал подготовлен слабо. Немцы возражали, наши настаивали. Дело в том, что советские представители очень хотели попасть в Гамбург – там находился немецкий аналог завода в Иващенкове, – для сравнения двух производств. По-видимому, это и было целью всего базара. Однако в Гамбург их так и не пустили – надо понимать, что советское и немецкое производства все-таки отличались. История с «Юнкерсом» к тому времени была уже широко известна, и немецкие химики не имели ни малейшего желания дарить Советам оборудованный по последнему слову техники химический завод. И кто их за это упрекнет?

Военно-промышленное сотрудничество в других областях было еще менее успешным. Тем более что к тому времени экономическая политика внутри СССР изменилась, началось планомерное вытеснение концессионеров из советской экономики, причем совершенно охотнорядскими методами. Одна из любимых фишек здесь была профсоюзная. Сначала заключался договор на длительный срок, а потом «внезапно» советский персонал начинал бастовать, требуя повышения зарплаты в несколько раз. В итоге договор расторгался, а оборудование концессионеров и обученный персонал оставались советской экономике в качестве трофея.

Попытка иметь дело с Советской Россией кончилась для Штольценберга плохо. Увязнув в бесконечных разборках как с советским правительством, так и с родным военным министерством, он обратился в арбитраж. Обращение к правосудию оказалось неудачным: в 1926 году он был признан банкротом и лишился не только завода в Иващенково, но и предприятий в Гамбурге и Испании.

Несколько более успешным было сотрудничество по линии закупок вооружения за рубежом. Для этой цели еще в 1922 году при непосредственном участии военной разведки и лично самого Дзержинского было создано специальное акционерное торговое общество «Воствага»[1]. Подлинными задачами «Воствага» были ведение военно-экономической и технологической разведки за рубежом, а также содействие развитию оборонной промышленности СССР и оснащению РККА современной военной техникой путем свободной коммерческой деятельности – проще говоря, занималось это общество закупками военных материалов, оружия и стратегического сырья, а также элементарным шпионажем. Которым, впрочем, занимались в то время все торговые представительства Советской России.

Главная зарубежная контора общества находилась сначала в Берлине, а затем была перенесена в Париж, где действовала под прикрытием торговой фирмы «Спакомер». Филиалы его имелись также в Нью-Йорке, Улан-Баторе, Кантоне, Тяньцзине и других городах. Рядовые сотрудники «Воствага» не знали о подлинной и главной цели фирмы, в которой они работали – для прикрытия туда приглашались на работу только лица, имеющие у местной полиции репутацию благонамеренных, позднее – даже члены нацистской партии.

В 1927 году к работе «Воствага» был подключен Наркомторг СССР, и общество уже всерьез занялось торговлей оружием. В том же 1927 году его руководителем стал все тот «производитель удобрений» Стефан Мрочковский. А с 1928 года он руководит уже целой сетью коммерческих предприятий советской военной разведки за рубежом, в которую в качестве одного из звеньев входит эта фирма. Целевым распределением средств занимался сам Ворошилов, и средства были внушительными. К концу 1933 года капитал «Воствага» составлял 3 миллиона 100 тысяч долларов США, из них в Германии – 500 тысяч.

Более полезным (точнее, взаимополезным) было сотрудничество России и Германии в чисто военных областях. Тут и обоюдная нужда была больше, и поле для жульничества меньше.

---

[1] Некоторые сведения о нем содержатся в диссертации В. В. Захарова «Политика советского государства по отношению к Германии в военной области и ее влияние на обороноспособность СССР».

ДВОЙНОЙ ЗАГОВОР. ТАЙНЫ СТАЛИНСКИХ РЕПРЕССИЙ

Неотдельный «Вифуласт»

...Рассказывают, что липецкий аэродром родился следующим образом. В сентябре 1919 года над городом пролетели четыре самолета. Тяжелые четырехмоторные бомбардировщики «Илья Муромец», загнанные в уездный Липецк тактической необходимостью, не найдя лучшего места, приземлились на старом ипподроме неподалеку от вокзала. Самолеты вскоре улетели, а ипподром с тех пор получил громкое название аэродрома. Собственным аэродромом в то время не то что уездный – не всякий губернский город мог похвастаться. Так было положено начало развитию авиации в Липецке.

Возможно, громкая слава «города с аэродромом» послужила причиной тому, что в 1923 году здесь была создана Высшая школа красных военных летчиков. Просуществовала она всего год, а затем ее расформировали «из-за недостаточной материально-технической базы». На самом-то деле ее закрыли не поэтому. Тихий провинциальный город, откуда, точно по Гоголю, «три дня скачи – ни до какой границы не доскачешься», в самом центре России, с удобным континентальным климатом, был избран для выполнения особой задачи.

В Липецке разместился 4-й учебный неотдельный отряд, предназначенный для выполнения «особых заданий по подготовке летных советских и иностранных кадров». Слова «неотдельный» и «иностранные» служили маскировкой. На самом деле отряд был особым и секретным, а иностранцами – не разноплеменные коминтерновцы, как логично было бы подумать, а немцы, и только немцы. В соответствии с секретным соглашением, подписанным в Москве 15 апреля 1925 года между управлением военно-воздушных сил РККА и «особой группой» рейхсвера, Липецк стал базой немецкой военно-воздушной концессии. У нас, как уже было сказано, школа называлась 4-м учебным неотдельным отрядом. В Берлине ее называли научно-испытательной станцией «Вифуласт». Между собой стороны говорили: «Объект "Липецк"».

Школа была частью единого плана подготовки немецких летчиков, разработанного в Берлине. Первоначальное обучение проводилось в гражданских и спортивных школах в Германии. Однако главное, что им надо было дать – военная летная подготовка? – в Германии было пока недостижимо. Для этого-то и предназначалась школа в Липецке.

По соглашению от 15 апреля 1925 года немцев в школе работало всего семеро: руководитель, летчик-инструктор, четыре мастера и завскладом.

Русского персонала – человек двадцать, в основном обслуга – механики, сварщик, кузнец и пр. Все они говорили и понимали по-немецки. На каждом курсе должны были обучаться 6–7 человек. Насколько большое значение придавали немцы липецкой школе, говорит ее бюджет: всего на подготовку летчиков рейхсвер выделял 10 млн марок, из них 2 млн шли на липецкую школу.

Первые самолеты прибыли в конце 1925 года. Везли их из Штеттина в Ленинград морем. Это был единственный возможный путь – напрямую, из страну в страну. Везти самолеты сухим путем было нельзя. Русско-германской границы тогда не существовало, она появилась только в 1939 году. А если бы чужие таможенники обнаружили грузы, скандал был бы грандиозный, нарушение Версальского договора грозило очень крупными неприятностями.

Летчики, направляемые на обучение, прибывали в Россию, как спустя двенадцать лет советские военные в Испанию? – в штатском, под вымышленными именами. Цели поездок назывались самые разные, но всегда мирные. Более того, все прибывающие на время «командировки» исключались из списков армии и восстанавливались в ней только по возвращении. Конспирация была успешной. Еще в начале 1927 года руководитель ведомства войск Ветцель, упоминая в письме о липецкой школе, называл ее «неизвестным объектом сотрудничества». Вот как засекретились – даже от своих высоких чинов! Если во время обучения кто-либо из курсантов погибал, тело отправляли все через тот же Ленинградский порт – в контейнере с надписью «Детали машин». Родственники так и не узнавали о том, где и при каких обстоятельствах это случилось.

Руководителем школы с момента ее основания был майор Вальтер Штар. Что любопытно: согласно сведениям агентов ОГПУ, которыми, естественно, школа была буквально наводнена, Штар терпеть не мог советскую власть и вообще не переваривал русских. Так же были настроены и другие работники школы-полигона, ибо липецкий объект выполнял двоякие функции. В первую очередь здесь обучались будущие асы немецких ВВС. Вторая функция была не менее важной – школа стала испытательным полигоном рейхсвера.

В Липецк было доставлено около восьмидесяти самолетов. 59 голландских «фоккеров» (Д-XIII), семь немецких «хейнкелей» (ХД-40, 17), шесть «альбатросов» (Л-76), три «юнкерса» (А-20/35, Ф-13, К-47), один «Дорнье Меркур», один «Ромбах Роланд» и аэросани. Самолеты были по тем временам самые современные. Истребители «фоккер» – одна из лучших моделей. (Позже, в 1930 году, они были признаны лучшими истребителями мира. Кстати, второе место тогда занял «Юнкерс» К-47.) Немецкие авиаконструкторы Гуго Юнкерс и Клауде Дорнье уверенно повышали бомбовую нагрузку своих самолетов. Эрнст Хейнкель создавал скоростные машины. Но для всех этих замечательных замыслов петлей на шее был Версальский договор, а отдушиной – липецкая станция. Там испытывались новые самолеты, чтобы к тому моменту, когда Германия сможет сбросить с себя ограничения Версальского договора, все было готово для серийного производства новых моделей. Здесь также испытывалось оружие: воздушные пулеметы «Максим», патроны, авиабомбы, стрелковое оружие, отрабатывалась тактика бомбометания и воздушного боя.

Именно здесь, в Липецке, проходил испытания «Юнкерс» К-47. Вначале этот самолет был разработан как истребитель. Затем, впервые в истории военной авиации, на нем установили спаренные пулеметы с вращающимся лафетом. Вскоре решили попытаться использовать истребитель для бомбометания, и в результате появился новый тип самолета – пикирующий бомбардировщик. После, в 30-х годах, на базе К-47 был разработан знаменитый Ю-87 – самый популярный пикировщик Третьего рейха, отличавшийся исключительной точностью бомбометания.

Если сравнивать немецкие самолеты 1918 года с самолетами кануна Второй мировой войны, то результаты выглядят следующим образом. Скорость истребителя возросла в три раза (с 200 до 600 км/час). Потолок высоты с 6 тысяч до 11 тысяч метров. Вооруженность увеличилась в три раза. Скорость бомбардировщиков возросла со 150 км/час почти втрое. Потолок – с 3 тысяч до 9 тысяч метров, бомбовая нагрузка – в 2,5 раза, количество пулеметов – с двух до восьми. Можно смело сказать: не было бы липецкой станции, не было бы и таких успехов.

На окраине города, как раз там, где теперь Липецкий аэропорт, находился испытательный полигон. Ни о каких испытаниях бомб в Германии, которая просматривалась и прослушивалась насквозь, не могло быть и речи. А здесь можно взрывать все что угодно – кто проверит? Именно в Липецке разрабатывалось появившееся в 1934 году первое секретное наставление германских ВВС по основам бомбометания. Потом результаты липецких полигонных экспериментов почувствовали на себе и советские города...

Обучение слушателей школы не было длительным. Оно состояло из четырех курсов по две-три недели каждый. Летная подготовка, основы ведения воздушного боя, учебные стрельбы, прицельное бомбометание. Летчики-бомбардировщики, летчики-истребители, специалисты воздушной разведки. Немцы имели право беспрепятственно летать над нашей территорией, куда хотели. Они этим своим правом вовсю пользовались, добираясь до самой Казани и еще дальше. Большой был смысл после засекречивать топографические карты!

Липецкая школа просуществовала восемь лет. За это время, по разным данным, в ней было подготовлено от 300 до 700 летчиков, не считая наземного персонала. Вроде бы немного, но выпускники школы составили костяк люфтваффе Третьего рейха.

Чем расплачивались с нами немцы за предоставленные возможности? В Липецке обучались и наши летчики. Так, к концу 1926 года там прошли подготовку 16 военлетов и 45 авиамехаников. В конце декабря 1926 года заместитель председателя РВС И. С. Уншлихт писал Сталину:

«По отзывам наших компетентных товарищей, школа своей работой дает нам:

1) капитальное оборудование культурного авиагородка;

2) возможность в 1927 г. поставить совместную работу со строевыми частями;

3) кадр хороших специалистов, механиков и рабочих;

4) учит новейшим тактическим приемам различных видов авиации;

5) испытанием вооружения самолетов, фото, радио и др. вспомогательных служб дает возможность путем участия наших представителей быть в курсе новейших технических усовершенствований;

6) дает возможность подготовить наш летный состав к полетам на истребителях;

7) и, наконец, дает возможность путем временного пребывания в школе наших летчиков пройти курс усовершенствования».

...Естественно, в процессе обучения завязывались деловые и дружеские связи, и кто возьмется утверждать, что после того, как летчики возвращались в свои части, эти связи прерывались, а вновь прибывшие не передавали приветы от старых друзей?

«Броня крепка, и танки наши быстры»

Если вспомнить хронику времен Первой мировой войны, жуткие ползающие «консервные банки», именуемые танками (tank по-английски значит – резервуар, цистерна. Попросту говоря, и вправду банка)... Так вот, если вспомнить хронику, можно понять тех германских теоретиков, которые отрицали вообще какое бы то ни было будущее у танковых войск. Когда Гейнц Гудериан, будущий знаменитый танковый генерал, а тогда еще простой офицер инспекции министерства рейхсвера, заикнулся о необходимости создания на базе автомобильных частей танковых войск, ему ответили коротко и ясно: «К черту боевые войска! Пусть возят муку!»

Однако со временем даже твердолобые германские военные чиновники поняли, что без танков не обойтись. Убедил их не только Гудериан, успевший обзавестись к тому времени единомышленниками, но и опыт Англии и Франции. Уже в 1925 году генерал фон Сект заявил: «Танки станут особым родом войск, наряду с пехотой, кавалерией и артиллерией...» В 1926 году Секта, которого немецкие власти всегда подозревали в бонапартистских замашках, под благовидным предлогом убирают из армии. Сменивший его на посту командующего сухопутными войсками Вильгельм Хайе издает приказ о создании танковых войск. Оставались сущие мелочи – разработать и испытать машины, обучить танкистов, и все это в обход Версальского договора.

В 1926 году на окраине Казани появились так называемые «Технические курсы Осоавиахима» (для негласного употребления – «Объект "Кама"»). Железный конь сменил живого: под школу, кроме казарм, отошли бывшие конюшни Казанского гарнизона и огромный пустырь для конных учений.

В танковой школе также обучались как немецкие, так и наши танкисты, а управляли совместно начальник школы – немец и его помощник – представитель РККА. «Помощником» он назывался чисто номинально, для конспирации и субординации, а руководили они школой на равных правах, но с разной сферой ответственности. Наш представитель решал в основном административные вопросы – все, связанное с русским персоналом и пр. Учебная программа курсов была составлена оборонным управлением рейхсвера. К тому времени в Германии уже устоялся взгляд на танковые части: быстрота движения, огневая мощь и неуязвимость. Надо было подгонять под эти требования качества боевых машин.

Как немецкая, так и советская танковая промышленность в те годы только начинала развиваться, при этом об изготовлении танков для Германии на русских заводах и речи не шло. Надо было откуда-то их брать и тайно доставлять в СССР. Задача была очень сложной. Теоретически можно тайно изготавливать танки на германских заводах, но такой род деятельности почти невозможно скрыть от посторонних глаз. Закупка за рубежом и транспортировка были делом не менее опасным. Снова в ленинградский порт пошли огромные контейнеры с «промышленным оборудованием», но их было слишком мало, а руководству РККА не терпелось скорей получить танки и первых «красных танкистов». Нарком обороны нервничал, намекал на какие-то санкции правительства. Выручила сельскохозяйственная концессия Круппа: танки попали в Россию под видом тракторов.

Пока в Казани мучительно готовили материальную базу, Гудериан в нейтральной Швеции отрабатывал тактику танкового боя. К тому времени постепенно ослаб и контроль за военной промышленностью Германии. Гудериан получил в свое распоряжение автомобильный батальон и стал заниматься испытаниями танков и отработкой приемов ведения боя на территории рейха.

Только в июне 1929 года в казанской школе состоялся первый выпуск инструкторов и началась подготовка слушателей. Учебная программа включала теоретический курс, прикладную часть и технические занятия. Слушатели изучали типы танков, их устройство, конструкцию моторов, виды оружия, тактику боевых действий, особенности материально-технического обеспечения. Прикладная часть включала обучение вождению в самых разнообразных условиях: по ровной местности и пересеченной, днем и ночью, с фарами и без фар... Обучение стрельбе, отработка действий в составе подразделений, учебные стрельбы и пр. довершали курс.

В школе был установлен строгий режим секретности. Все ее работники и курсанты носили красноармейскую форму. Немцам категорически запрещалось без крайней необходимости выходить за территорию. Даже телеграммы отправлялись на русском языке, а затем переводились и шли дальше уже на языке оригинала. Режим помог – осложнений не возникало.

Полноценно школа работала всего три года. За эти три года для рейхсвера она подготовила около тридцати человек, для РККА – около шестидесяти. Немного. Однако качество подготовки было очень высоким. Именно выпускники школы составили то ядро, вокруг которого в гитлеровской Германии развернулась крупномасштабная подготовка танкистов.

Наши получили от школы меньшую выгоду, чем рассчитывали. Планы-то были большие. В сентябре 1929 года нарком обороны Ворошилов изложил начальнику немецкого генштаба Хаммерштейну-Экворду, чего, собственно, русские от немцев ждут. Тут было и создание КБ под руководством немецких специалистов, и учеба наших инженеров в Германии, и то, что немцы помогут нам наладить серийное производство танков, и даже, может быть, постройка у нас немецких танковых заводов. В общем, чтобы немцы помогли нам создать наше собственное танкостроение, ни больше, ни меньше. Хаммерштейн не отказывался. По его словам, в планы германской стороны входила разработка в Казани нового танка, лучшего из существующих. Не встретили возражений и другие идеи, высказанные Ворошиловым. Однако с реализацией возникли заминки – отчасти по объективным причинам, а отчасти потому, что даже у «восточника» Хаммерштейна русофильство все-таки так далеко не заходило.

Но не следует думать, что мы, во всем полагаясь на немцев, расслабились. В СССР полным ходом развивалось собственное танкостроение. И, жалуясь на то, что немцы не показывают нам новейшие разработки, наши тоже не спешили знакомить их со своими достижениями. А когда испытания все-таки начались, они были небесполезными не только для немцев, но и для нас. Многие элементы немецких танков нашли применение в нашем танкостроении. Многие наработки, опробованные в Казани, позже реализовались, когда немецкие танки пересекли советскую границу, не только с их, но и с нашей стороны.

Наблюдавшие за испытаниями танков русские работники курсов рассказывали, например, как танк загоняли в озеро, пытаясь проверить, может ли специально облегченная машина держаться на плаву, передвигаться по дну на небольшой глубине – а в 1941 году танки Гудериана форсируют Буг по дну. Впрочем, и наши по части тактики и теории многое приобрели. Так, например, немецкая методика обучения легла в основу «Руководства по стрелковой подготовке танковых частей РККА».

Танковая школа в Казани закрылась одновременно с Липецкой 6 сентября 1933 года, после того, как в Германии к власти пришел Гитлер.

Химия и смерть

Но самыми засекреченными из всех были химические объекты. И тому имелось наисерьезнейшее основание. Летом 1925 года состоялось подписание Женевского протокола о запрещении военного применения удушающих и отравляющих газов и бактериологического оружия. В числе прочих подписантов была и Германия. В 1927 году к протоколу присоединяется СССР.

В том же 1927 году у нас началась первая пятилетка, согласно которой на химическую промышленность выделялось 614 миллионов рублей, и 500 миллионов из них шло на военную химию. А в следующую пятилетку эта сумма составила уже три миллиарда. Не следует забывать, что даже самая неудачная совместная работа с немцами оставляла в руках советских ученых и промышленников определенное количество «ноу-хау», которые внесли свою лепту в колоссальный рывок, сделанный советской военной промышленностью перед Второй мировой войной.

Еще в 1926 году Россия и Германия договорились о совместном испытании газов. Работы над ОВ были настолько секретными, что точное количество полигонов неизвестно до сих пор. Есть точные сведения только о двух объектах. Это «Подосинки», расположенные в поселке Шиханы, что неподалеку от Саратова, и «Томка» возле населенного пункта Тоцкое Оренбургской области. Испытания, как уже было сказано, совместные, расходы – пополам. И снова техническое руководство испытаниями – немецкое, административное – наше. Обе стороны за отдельную плату могли получить образцы всех применявшихся и разработанных приборов. Все протоколы испытаний, фотоснимки, чертежи выполнялись в двух экземплярах – для каждого из партнеров. Мы предоставляли немцам полигоны, персонал и условия для работы. В ответ они брали на себя обязательство обучать специалистов по всем отраслям, по которым будут проводиться опыты, и давать им возможность принимать практическое участие в работе.

Обе стороны были обязаны сохранять полную секретность. Более того, в договоре специально оговаривалось, что если немцы не будут выполнять требования режима, то советская сторона «принимает меры», вплоть до расторжения договора. На объектах устанавливался режим не просто секретности – сверхсекретности. Немецкий персонал должен был находиться в полной изоляции, никаких знакомств с русским персоналом, а тем более – с местным населением. Разговоры – только в пределах служебной необходимости. Запрещены выход за территорию объекта, фотографирование, нахождение на предприятии без ведома руководства и т. п.

Начали с иприта. Уже в 1926 году провели первые опыты – разбрызгивание иприта с самолетов, испытания нового прицельного приспособления. Одновременно проверялась надежность средств химической защиты, разрабатывались способы дегазации местности. На этих полигонах исследовали все: химические бомбы, химические фугасы, цистерны для заражения местности, установки для выливания ОВ, приборы дегазации, защитные костюмы – все, что имело хоть какое-то отношение к ведению химической войны. Посетивший осенью 1928 года объект генерал Бломберг дал высокую оценку «Томке».

На этом, раннем этапе руководство РККА также высоко оценило работу объектов. Почти сразу же был разработан способ применения ОВ с помощью авиации, а советские специалисты, работая бок о бок с гораздо более квалифицированными немцами, многому научились. Да и при номинально равном финансировании на деле затраты советской стороны были в несколько раз меньше.

С самого начала Ворошилов не скрывал особого интереса РККА именно к военной химии. В обмен на расширение экспериментов правительство было готово пойти на увеличение финансирования, на уступки по спорным вопросам, касающимся других объектов. На «Томке» начал создаваться институт. Должен был прибыть первый химбатальон РККА для проведения испытаний.

Проблемы начались в 1929 году. Год оказался неудачным. По этому поводу Ворошилов писал генералу Хаммерштейну: «В течение года "Томка" не дала того, что мы, согласно договору, ожидали. Ряд технических дефектов в приборах, присланных немцами, в частности, взрыватель газовой бомбы, сделал их негодными. Бедность технических средств, которые немцы представляют на этот полигон, не оправдывает существование института... Это наводит на мысль, что здесь или недоразумение, или же нежелание вводить нас в курс новых и старых химических средств борьбы, которые рейхсвер имеет».

Похоже, немцы действительно не спешили допускать русских к своим секретам. Доступ в институт для наших был ограничен. Не собирались они и расширять базу испытаний. Что-то странное творилось на объекте. Советские специалисты, посещавшие Германию, посылали руководству отчеты, говорившие о высокой технической оснащенности немецких лабораторий. Под Саратовом все было проще, беднее, примитивнее. Откровенные во всем, что касалось прошлого применения ОВ, немцы замыкались, как только речь заходила о последних разработках. Представители рейхсвера обещали ознакомить партнеров со всем, всем, всем... Но время шло, а обещания оставались обещаниями. Немцы явно скрывали новейшие разработки, а наши спецслужбы не настолько качественно работали, чтобы получить их без ведома хозяев.

Немцев понять можно. К тому времени «восточная» ориентация внешней политики Германии начала уступать место прозападной. Они, естественно, не хотели делиться с нами разработками по тому виду оружия, по которому ушли далеко вперед, и в то же время не хотели терять полигон. Их поведение вполне вписывалось в новую психологию германского офицерства. Тот же Бломберг еще в двадцатые годы обронил фразу: «Честью прусского офицера было быть корректным, а честь немецкого офицера должна заключаться в том, чтобы быть коварным».

В 1931 году Ворошилов уже откровенно потребовал от начальника генштаба рейхсвера генерала Адама компенсацию за возможность вести испытания химического оружия. В ответ он услышал все ту же песню: успехи Германии в этой области ничтожны, интереса к ней нет. Еще полтора года шли вялые переговоры, пока летом 1933 года объект «Томка» не прекратил свое существование.

«Фоны» и краскомы за дружеским столом

Но для нас самый важный аспект сотрудничества – это личные контакты советских и германских военных. Естественно, они знакомились на всех совместных объектах, пили коньячок или водочку, болтали и заводили связи. И постепенно понимали, что у них немало общего. Немецкие военные презирали болтунов из Веймарского правительства, нашим тоже не прибавлял уважения к властям бардак, царивший в стране и в армии. Зато корпоративные связи крепли с каждым годом и с каждым визитом.

Что-что, а уж пить вместе и вести разговоры наши и немецкие офицеры имели все возможности. До самого прихода к власти Гитлера военные обеих стран активно ездили друг к другу.

Первые подобные контакты относятся еще к 1925 году. Тогда Тухачевский, бывший в ту пору заместителем начальника Штаба РККА, впервые был приглашен на маневры в Германию – естественно, не один, а с некоторым количеством подчиненных. В том же году группа офицеров рейхсвера присутствовала на маневрах РККА. Контакты были все еще негласными, ездили под чужими именами – что ж, так и интересней, и приятней. И те, и другие были в полном восторге от поездки и особенно от приема, который им оказали. В последующие годы посещения маневров стали основной формой военных контактов и проводились достаточно интенсивно.

Кроме того, широко распространен был еще так называемый «языковый обмен». С 1929 года рейхсвер финансировал изучение своими офицерами русского языка. Не задумываясь: а зачем это немцам надо? – Красная Армия организовала поездки офицеров рейхсвера, изучающих русский язык, в Москву, Ленинград и Белоруссию. В свою очередь, наши офицеры, и не из младших чинов, обучались в Германии.

В 1926 году состоялся почин: преподаватели академии им. Фрунзе Свечников и Красильников побывали на академических курсах в Германии. В ноябре 1927 года для уже более серьезной учебы – для изучения постановки военного дела – в Германию приехали командующий СКВО командарм 1 ранга Уборевич, начальник академии им. Фрунзе Эйдеман и начальник III управления штаба РККА Аппога. Последние двое пробыли в Германии 3,5 месяца, а Уборевич задержался больше чем на год. Они посещали занятия в академии Генштаба, бывали в воинских частях, знакомились с техническими новинками, организацией управления и снабжения армии.

В 1928–1929 годах пятеро советских военных высокого ранга – Иона Якир, Жан Зомберг, Василий Степанов, Ян Лацис и Роман Лонгва – обучались в Военной академии генерального штаба Германии. Первые трое – год, а двое последних – полгода. Особенно понравился немцам Якир: по завершении учебы советский военачальник получил от президента Гинденбурга подарок – книгу Альфреда фон Шлифена «Канны» с дарственной надписью.

В качестве ответного визита генерал-майор Ганс Хальм почти год был гостем Штаба Красной Армии. В апреле 1930 года трое советских командиров (Эдуард Лепин, Михаил Дрейер и Эдуард Агмин) посещают курсы школы сухопутных войск рейхсвера. В аналогичных мероприятиях в 1931 году участвовали Александр Егоров, Павел Дыбенко и Иван Белов. Последняя группа советских офицеров из четырех человек в составе Михаила Левандовского, Виталия Примакова, Ивана Дубового и Семена Урицкого обучалась с осени 1931 года на двухлетних командных курсах рейхсвера. Кстати, сотрудничество продолжали тщательно скрывать. Советские офицеры, которые посещали Берлин, обычно приезжали под псевдонимами, проживали на специальных конспиративных квартирах.

Связи рейхсвера и РККА были шире, чем кажется на первый взгляд – ведь ездили не рядовые, а командиры, занимающие генеральские должности. Причем контакты, естественно, не ограничивались официальными мероприятиями. Личное общение, приемы и ужины, прогулки и дружеские попойки, во время которых за долгими разговорами на полупьяную, а чаще совсем пьяную голову добывалась информация, прощупывалась почва, устанавливались связи.

В то время рейхсвер активно пытался проводить политику так называемого «идейного сотрудничества» с РККА. Заключалась она в том, чтобы создать единую, общую для обеих армий идеологию, подобно тому, как это позднее было у стран Варшавского договора. Германцы (а вернее, пруссаки), пытались «воспитывать» русских коллег в соответствии с национальным духом прусской аристократической военщины. До начала Первой мировой войны кайзеровская Германия была не просто чрезвычайно милитаризованным государством. Армия, как писал Карл Либкнехт, была «не только государством в государстве, а прямо-таки государством над государством». Офицерский корпус германской императорской армии представлял из себя замкнутую касту и традиционно комплектовался почти исключительно из прусского юнкерства. Идеологию единого военно-политического государственного режима в свое время сформулировал фон Сект, и с самого начала сотрудничества немцы усиленно импортировали ее в Россию. Как писал полковник Фишер руководителю «Ц-МО» Лит-Томсену, «мы (т. е. рейхсвер. – *Авт.*) более всего заинтересованы в том, чтобы приобрести еще большее влияние на русскую армию, воздушный флот и флот».

Семена падали на благодатную почву. Еще бы – с незначительными поправками идеология германской армии в точности совпадала со взглядами Тухачевского и той группы советских военных, которых называли «красными милитаристами». Зато с ней было категорически не согласно штатское руководство СССР, и подобная политика рейхсвера решительно пресекалась. Тем не менее не мытьем, так катаньем, не через дверь, так через окно немцы продолжали гнуть свою линию. Вполне естественно, что наши офицеры, учившиеся у немецких теоретиков и инструкторов, вместе со специальными знаниями незаметно для себя впитывали и идеологию прусского офицерства. Этим усилиям подыгрывали и наши идеологические службы. Потому что при том культе армии, который существовал в СССР в 30-е годы, мудрено было не переборщить с восхвалениями.

Негласные контакты особого рода

Было бы странно, если бы представительство армии в чужой стране пренебрегало разведкой. Было бы странно, если бы разведка пренебрегала промышленными контактами. Вспомним, как английские спецслужбы, чтобы негласно присутствовать в Азии, не только использовали, но даже финансировали научные и археологические экспедиции. И какой-нибудь археолог с глазами, горящими от гениальных идей, шел искать спонсора в «Интеллидженс Сервис». Ниже нам придется встретиться с деятельностью представительств иностранных компаний в СССР, где работа тесно переплеталась с промышленным шпионажем, а промышленный шпионаж – со шпионажем как таковым. Ну, а любое наше представительство за границей было по самую крышу нашпиговано разведчиками ОГПУ и разведчиками РККА. Странно, если бы это было иначе.

Уже один подбор кадров для работы в России достаточно красноречив. Как уже говорилось, у истоков сотрудничества стоял не просто разведчик, а суперразведчик, легендарный полковник Вальтер Николаи. Майор Чунке, руководитель «ГЕФУ», до того имел немаленький пост в абвере. Техническим директором общества «Юнкерс» стал Шуберт, во время войны бывший начальником разведотдела командования Восточной армии. А сам Нидермайер после его азиатских вояжей в досье спецслужб всего мира, и наших в том числе, значился как специалист по разведке экстра-класса. Неизвестно, в какой степени их деятельность можно отнести к сотрудничеству, а в какой – к банальному шпионажу. Все переплелось и все смешалось...

В начале 20-х годов сбор информации любого рода в СССР не представлял особых трудностей. Можно сколь угодно громко смеяться над сталинской шпиономанией и сверхбдительностью, над плакатиками типа: «Молчи, тебя слушает враг!» и «Болтун – находка для шпиона!», но подобное «промывание мозгов» было совершенно необходимо. Куда убежишь от такого рода фактов...

Во время Гражданской войны сообщения агентов побудили руководство Региструпра (тогдашней военной разведки) обратиться к высшему командованию РККА. В донесении говорилось: «... в поездах и на станциях жел. дор. Великороссии красноармейцами и лицами низшего командного состава очень открыто высказываются сведения военного характера о местонахождениях штабов, частей войск на фронте и в тылу; называются участки фронта, кои занимаются теми или иными частями. Агентами во многих случаях указывается на явное злоупотребление своей осведомленностью чинов действующей армии и тыловых частей. В последнее время на Курском вокзале в Москве один из агентов... часто замечал спорящие группы красноармейцев в присутствии штатской публики, из состава которой некоторые лица задавали вопросы спорящим группам с явной целью детального выяснения частей войск и их местонахождения».

Командование отреагировало незамедлительно, последовал секретный приказ главкома о недопустимости подобных вещей, однако вряд ли этот приказ сильно повлиял на положение дел. Вольница Гражданской войны была трудноискоренима, и если к концу войны бойцов и командиров кое-как удалось отучить обсуждать дислокацию частей в залах ожидания, то это нисколько не значит, что они молчали в более интимной обстановке, да еще «при распитии». Чтобы более-менее приучить страну к режиму секретности, понадобились годы массированного промывания мозгов, множество фильмов, газетных статей и статей Уголовного кодекса, плакатов на каждом углу и шпионских процессов. Двадцатые годы были годами большой откровенности.

Едва ли кого-то смущало и присутствие коллег из дружественной Германии, которая вместе с нами противостоит всему миру и в которой вот-вот вспыхнет революция. Кроме того, еще со времен Гражданской войны, особенно с незабвенного восемнадцатого года, когда многие жители безвластной страны легко соглашались сотрудничать с кем угодно, у немцев в России сохранилось множество агентов (впрочем, как и у англичан, поляков, французов и прочей Лиги Наций). А многочисленные немецкие специалисты, работавшие в СССР, легко осуществляли с этими агентами связь.

Естественно, ОГПУ не могло не заметить создания «Ц-МО» и отреагировало на него циркулярным письмом, в котором говорилось, что в последнее время в Советской России появилось огромное количество немецких промышленников, коммерсантов, всевозможных обществ и концессий. «...Личный состав этих предприятий, – отмечалось в циркуляре, – подбирается в большинстве своем из бывших офицеров германской армии и, отчасти, из офицеров бывшего германского генерального штаба. Во главе этих предприятий очень часто мы видим лиц, живших ранее в России, которые до и во время революции привлекались к ответственности по подозрению в шпионаже. По имеющимся и проверенным нами закордонным сведениям, в штабе фашистских организаций Германии имеются точные сведения о состоянии, вооружении, расположении и настроении нашей Красной Армии». В письме перечисляется около десятка бывших разведчиков, в том числе и Нидермайер.

Чекистам вторит бывший германский посол в Москве Брокдорф-Ранцау (тот самый). Он вспоминает: «По меньшей мере пять тысяч немецких специалистов работали на промышленных предприятиях, рассеянных по всей огромной стране Советов... Эти инженеры были ценным источником информации. Наиболее крупные из них поддерживали тесный контакт с посольством и консульствами. Благодаря им мы были хорошо информированы не только об экономическом развитии страны, но и по другим вопросам, например, о настроении населения и внутренних событиях. Я не думаю, чтобы когда-нибудь любая другая страна располагала столь обширным информационным материалом, как Германия в те годы»[1].

Сам Нидермайер тоже регулярно общался с видными работниками РККА. По службе он поддерживал контакты с начальником управления ВВС Петром Барановым, его замом Яковом Алкснисом, начальником военно-химического управления Яковом Фишманом. Часто встречался с Тухачевским, Уборевичем, Якиром, Корком, Блюхером, а также с начальником Разведупра Арвидом Зейботом и особенно с его преемником Яном Берзиным. Имея изрядный опыт работы, Нидермайер мог без труда получать достаточно много полезных сведений. А когда фигурантов процессов конца 30-х годов начинали спрашивать о шпионаже, то они часто называли своим вербовщиком Нидермайера. Что, в общем-то, совершенно не исключено – на то он и разведчик.

Александр Зданович в одной из своих работ приводит такую историю. В 1926 году ОГПУ по своим каналам получило копию одного из докладов Нидермайера, направленного, кроме положенного адреса, и в разведывательный отдел. Там, помимо прочего, приводились достаточно секретные данные о Красной Армии, полученные от некоего Готфрида, немца, служившего в РККА. Готфрида вычислили быстро. Оказалось, что на маневрах он познакомился с офицером немецкого генштаба по фамилии Штраус. Завязалась дружба, встречи продолжались и после маневров. Поначалу отношения их были довольно невинными, просто сидели, пили кофе с коньячком, разговаривали... но Готфрид и оглянуться не успел, как стал агентом немецкой разведки. Надо полагать, что такой Готфрид был у Нидермайера-Штрауса-Ноймана-Зиберта и т. д. не один. Много с кем он встречался за кофе с коньяком, много с кем общались и его коллеги по «Ц-МО» и «ГЕФУ», а также офицеры, участвовавшие в совместных советско-германских проектах. Не всегда контакты были шпионскими, сплошь и рядом они были просто дружескими, без какого бы то ни было подтекста. Постепенно завязывалась дружба офицеров двух армий, в первую очередь наших германофилов и немецких русофилов из окружения генерала фон Секта.

С другой стороны, ОГПУ достаточно быстро отреагировало на новые обстоятельства. В 1924 году в его структуре было организовано немец-

---

[1] Цит. по «Колесников В. Тайная миссия Нидермайера». // Служба безопасности. 1993. № 3–4.

кое отделение. А в 1925 году из-за границы отозвали опытного резидента, 33-летнего Отто Штейнбрюка. Это был австриец, соратник Бела Куна, бывший капитан австро-венгерской армии, который, как и многие другие, стал революционером в русском плену. Он и возглавил вновь созданное немецкое отделение. Заместителем его стал Карл Силли, тоже австриец, 1893 года рождения, тоже бывший военнослужащий австро-венгерской армии, военнопленный, член партии большевиков с 1918 года и сотрудник ВЧК с 1920 года. (Позднее, в 30-е годы, эти двое продолжили свою работу по Германии, однако уже в органах военной разведки.)

Задачу немецкое отделение имело двоякую. С одной стороны, оградить тайну советско-германских взаимоотношений от чужих разведок, прежде всего английской, французской и польской, с другой стороны, охранять наши военные секреты теперь уже от поползновений разведки новоявленных союзников. Думаем, не ошибемся, если присовокупим сюда и третью миссию: вербовать агентов среди немцев, работавших в СССР, и всеми силами выведывать их военные секреты.

Впрочем, довольно долго к угрозе немецкого шпионажа у нас относились, все-таки, непростительно легкомысленно. Готфрида, конечно, обезвредили – но это уже случай вопиющий, и улов сам в руки шел. А так...

«Те сведения, которые смогут собрать о нас и нашей армии, – писал в декабре 1928 года Сталину полпред в Берлине Крестинский, – немецкие офицеры, живущие в глухом Липецке, в Казани и под Симбирском, настолько элементарны, что они все равно имеются у немецкого военного атташе и поступают в немецкий разведупр от других гражданских разведчиков, не учащихся в этих школах. Более же серьезные и опасные для нас сведения можно получить лишь при длительной работе у нас в Реввоенсовете. Немцы, по всей вероятности, будут стараться получить разрешение командировать к нам в Реввоенсовет несколько своих штабных офицеров, но это для них менее осуществимо...»

Едва ли разделял мнение посланника профессиональный разведчик Отто Штейнбрюк, но что он мог поделать с заблуждениями властей? И только после прихода к власти фашистов, после «дела Тухачевского», с холодом в сердце сообразив, сколько среди советских офицеров выходцев из того же Липецка и Симбирска, обучавшихся в немецких академиях и пивших с ними коньяк на маневрах, стали лихорадочно составлять списки тех, кто когда-либо имел дело с немцами, проверять и перепроверять. И, судя по некоторым событиям Великой Отечественной войны, едва ли списки эти были полными, а проверка надежной.

Досье: сотрудничество
В ГОСТИ ПО-СОСЕДСКИ

Составим хронологию визитов советских военных в Германию и немецких в СССР (к сожалению, весьма неполную, ибо организовывались и проводились они в обстановке полной секретности).

В сентябре 1926 года к нам прибыли два офицера рейхсвера — обер-лейтенант Гельмут Вильберг и ритмейстер Пауль Ешоннек. В том же году СССР посетил шеф ветеринарной инспекции рейхсвера доктор Пец. Затем восемь офицеров Красной Армии поехали к немцам на маневры в Дёберице и Мекленбурге.

Шесть человек во главе с полковником Хансом Хальмом в августе — сентябре 1927 года посетили маневры в западных военных округах. После их завершения Тухачевский и командующий Киевским военным округом Якир дали прием в честь немецких гостей. (Кстати, немецкие офицеры, несмотря на количество выпитого, потом скрупулезно записывали в своих отчетах каждое слово.) В ответ в августе 1927 года восемь высокопоставленных советских офицеров побывали в Германии. Среди них были начальник штаба Северо-Кавказского военного округа Иван Федько, начальник командного управления в военном комиссариате Николай Куйбышев, корпусной командир Иван Дубовой и специалисты в области газовой войны и кавалерии Ян Жигур и Михаил Баторский. (Все они в 1937—1938 годах были репрессированы.) В том же году гостем рейхсвера стал начальник транспортного отдела штаба РККА Борис Барский. Общее количество немецких офицеров, посетивших Советский Союз за 1927 год, составило 25 человек, а в Германии побывали 27 советских командиров.

В 1928 году в СССР приехал полковник Хильмар фон Миттельбергер. Он побывал в Военной академии им. Фрунзе, военных училищах в Ленинграде и в Первой пролетарской дивизии в Москве. Советскими гостями Германии в 1928 году стали командующие ВВС четырех западных военных округов Петр Межерауп, Александр Кожевников, Феликс Ингаунис и Иван Павлов. В 1929 году, по плану, четырнадцать немецких офицеров должны были посетить различные маневры в СССР. Первая группа приехала в июле и побывала на маневрах под Харьковом и Новочеркасском. В сентябре группа подполковника Германа Гейера посетила Ленинград, где встретилась с командующим военным округом Михаилом Тухачевским и начальником его штаба Борисом Фельдманом. В 1929 году в Германии на маневрах рейхсвера присутствовали командующий Белорусским военным округом Александр Егоров, корпусной командир Михаил Калмыков, командир 24-й дивизии Евгений Даненберг и начальник Ленинградской артиллерийской школы Алексей Федотов.

А поздним летом 1928 года Советскую Россию удостоил посещением сам генерал-майор Вернер фон Бломберг, начальник войскового отдела. По своему положению эта должность равна должности начальника Генштаба. Был в СССР и его преемник Курт фон Хаммерштейн (летом 1929 года), и следующий начальник войскового отдела, генерал-майор Вильгельм Адам (осень 1931 года). Все трое — Бломберг, Хаммерштейн и Адам — являлись ревностными сторонниками сотрудничества двух армий.

1930—1932 годы принесли новые формы хождения в гости. Теперь немцы посещали уже не только маневры, но и отдельные подразделения. Так, генерал-майор Хальм в течение 1930 года неоднократно приезжал в 24-ю дивизию Украинского военного округа — как в зимний городок, так и в летние лагеря. Он же побывал в 10-й летной бригаде Московского военного округа, а капитан Генрих Ашенбреннер — в 20-й летной бригаде в Харькове. В 1930 году старший лейтенант кавалерии Лео Гейер фон Швеппенбург, майор Вальтер Бешнитт и капитан артиллерии Курт Крузе побывали в танковой школе в Казани. В свою очередь, командующий Северо-Кавказским округом Иван Белов присутствовал на маневрах 1-й дивизии в Восточной Пруссии. Но основным событием года стала поездка такого высокопоставленного лица, как Вильгельм Адам. Этому визиту предшествовала сентябрьская поездка трех руководителей отделений его ведомства полковников Ганса Файге, Вильгельма Кейтеля и Вальтера фон Браухича. В то же время референт военной техники в отделении фон Браухича майор Вальтер Модель провел несколько недель в частях Красной Армии, в том числе в 9-й дивизии в Ростове-на-Дону. Тогда же в Германии побывали шеф советских ВВС Алкснис и начальник штаба ВВС Меженинов. В поездке их сопровождал генерал-майор Миттельбергер. Корпусные командиры Борис Горбачев, Семен Тимошенко и начальник курсов «Выстрел» Борис Ушинский посетили школы рейхсвера.

В 1932 году обмены продолжались не менее интенсивно. Весной в Советском Союзе побывали генерал-лейтенант Миттельбергер, капитан Ешоннек и полковник Фишер, обсуждавшие технические проблемы. Той же теме был посвящен визит в Германию инспектора советских ВВС Василия Хрипина и начальника управления механизации и моторизации РККА Иннокентия Халепского. В сентябре 8 немецких офицеров, среди которых были полковники Вальтер Хейц (комендант Кенигсберга), Вальтер Шрот (пехотная школа в Дрездене) и подполковник Эрих фон Манштейн, посетили войска Северо-Кавказского военного округа. Вместе с итальянской военной миссией они наблюдали высадку парашютистов в горах возле Тбилиси. В том же году Германию посетила советская военная делегация в составе начальника вооружений РККА, все того же Тухачевского (это была третья должность, в которой он встречался с немецкими друзьями), начальника Главного управления наркомата обороны Бориса Фельдмана, руководителя управления боевой подготовки Александра Седякина. Они, вместе с военным атташе СССР в Германии Яковом Зюзь-Яковенко, присутствовали на сентябрьских маневрах рейхсвера в районе Франкфурта-на-Одере. Тогда же состоялась и встреча советских военных с президентом Гинденбургом. После манёвров Тухачевский и Фельдман посетили предприятия немецкой индустрии, а Седякин — пехотную школу в Дрездене. Общее пребывание Тухачевского в Германии составляло почти 4 недели — с 18 сентября по 12 октября 1932 года. Хорошо погостил!

В конце ноября состоялся последний серьезный визит советских военных в Германию. Это были начальник отдела ПВО Генштаба Михаил Медведев и комбриг Сергей Чернобровкин, побывавшие в гостях у немецких летчиков. С приходом Гитлера к власти эти контакты были свернуты. Последним стал визит в СССР в мае 1933 года генерал-лейтенанта Воларда-Бокельберга.

Таков далеко не полный перечень визитов, приведенных в работе Манфреда Цейдлера «Рейхсвер и Красная Армия. 1920—1933 гг.», вышедшей в Мюнхене в 1993 году.

Глава 4

НЕБЛАГОТВОРНЫЕ ПЕРЕМЕНЫ

За что Сталин не любил социал-демократов?

Несмотря на все выгоды сотрудничества двух стран, Россия и Германия почему-то, что в начале века, что в 30-е годы, никак не могли долго удержаться в русле этого сотрудничества. Словно какая-то роковая сила все время разводила по разные стороны линии фронта эти две державы, которые дружба сделала бы непобедимыми. Несмотря на все заклинания генерала фон Секта, после недолгой дружбы с Россией Германия снова стала медленно, но неуклонно разворачиваться лицом на запад.

Первая трещина в сотрудничестве относится еще к 1926 году, когда действия защищающих свое дело промышленников и политическая подлость некоторых немецких парламентариев послужили причиной большого международного скандала.

Как мы уже знаем, в 1926 году у фирмы «Юнкерс» возникли проблемы с деньгами. И тогда «кинутое» обоими партнерами руководство фирмы обратилось за помощью не куда-нибудь, а в рейхстаг, да еще в качестве обоснования предоставив парламентариям описание некоторых своих сделок с СССР. Естественно, в парламенте сразу же произошла утечка информации. Германские социал-демократы тут же выступили с обвинениями в адрес СССР и рейхсвера, кое-какие сведения, касающиеся военных поставок из СССР в Германию, просочились в немецкую, а потом и в английскую прессу.

Скандал был большой. В рейхстаге выступил с громоподобными разоблачениями депутат от СДПГ, бывший премьер-министр Шейдеман. Одной речью он ухитрился напакостить обоим заклятым врагам германских социал-демократов: правым и левым, военным и коммунистам. Речи были социал-демократические, знакомые нам по собственным 90-м годам XX века, ибо публика их произносит все та же самая.

Шейдеман заявил, что рейхсвер стал государством в государстве, что он проводит собственную политику, что нужна реформа рейхсвера – немецкая армия должна быть «демократически-республиканской» (интересно, что это такое?) «Это нечестные и нечистые отношения, – говорил он, – когда Россия проповедует мировую революцию и вооружает рейхсвер, когда одновременно обмениваются братскими поцелуями и с коммунистами, и с офицерами рейхсвера. Кто это делает, подозрителен тем, что он из двоих обманывает, как минимум, одного...»[1]

Впрочем, тем, кого имел в виду Шейдеман, его негодование было, как слону дробина – советское правительство с самых разных европейских трибун еще и не так поливали. Рейхсвер тоже был депутатам не по зубам. В конечном итоге, крайним оказалось правительство. Шейдеман использовал поднявшийся шум, чтобы потребовать его отставки, и в голосовании за это предложение трогательно объединились социал-демократы, коммунисты, националисты и фашисты, показав тем самым изначальную сущность депутата: пользоваться любым предлогом, чтобы продемонстрировать собственную «крутизну».

...Интересная это тема – Сталин и социал-демократы. Считается, что одна из самых больших ошибок Сталина – то, что он бил и травил социалистов, называл их, бедненьких, социал-фашистами, клеймил как предателей рабочего класса, как врагов СССР. Уже во времена Хрущева появилась, а в годы пресловутой «перестройки» окончательно укрепилась простая на первый взгляд идейка: что западные социал-демократы были большими друзьями СССР, что они являлись благородными защитниками трудового народа, что они только и мечтали объединиться с коммунистами в едином фронте борьбы против фашизма. Понять российских либералов образца 90-х годов нетрудно: социал-демократы им идейно и духовно близки, а свой своему поневоле брат.

На самом же деле все обстояло как раз наоборот. Уже история с «Юнкерсом» кое-что проясняет – подумайте сами: немецкие консерваторы, прусские аристократы, пусть даже из чисто прагматических соображе-

---

[1] Цит по Горлов С. А. Совершенно секретно: Москва – Берлин. 1920–1933. М. 1994. С. 192.

ний, выступают на стороне Советской России, а «братья по Марксу» идей-но закладывают тех и других. Что же касается пресловутого «единого фронта против фашизма», то именно социал-демократы сделали все от них зависящее, чтобы его сорвать.

В 1923 году именно они отказались поддержать всеобщую забастов-ку и тем самым окончательно сорвали рабочую революцию в Германии. Они гнали и травили коммунистов, работающих в профсоюзах. В 1929 году социал-демократические власти Берлина расстреляли первомайскую де-монстрацию – до такого не доходили даже британские консерваторы. Ничего себе, наследнички Августа Бебеля и Вильгельма Либкнехта!

Именно при поддержке социал-демократов была запрещена боевая организация немецкого рабочего класса – «Союз красных фронтовиков», единственная сила, способная противостоять штурмовикам на улицах и в пивных, где до 1933 года делалась германская политика. Германские социал-демократы под угрозой исключения запрещали членам своих партий состоять в массовой антигитлеровской организации «Антифаши-стская акция», в то время как в нее вступали даже бывшие нацисты из «Черного фронта».

А как подло повела себя французская соцпартия во главе с основопо-ложником «этического социализма» – слово-то какое! – Леоном Блюмом во время гражданской войны в Испании! Вместе с английскими консер-ваторами они объявили пресловутую «политику невмешательства», от-дав тем самым правительство Народного фронта, главной силой которо-го являлись их же братья по социал-демократическому лагерю, во власть европейских фашистов.

И вообще, поведение социал-демократов в годы гитлеровского побе-доносного марша по Европе просто умиляет. Практически во всех окку-пированных странах именно они становились едва ли не главной опорой марионеточных режимов. Достаточно вспомнить Марселя Деа во Фран-ции, Анри Де Мана в Бельгии, Хокона Мейера в Норвегии – всех и не сосчитаешь.

Да чего далеко ходить! Вот вам свежий пример. Когда, впервые в пос-левоенной Европе, подверглось бомбардировке суверенное государство – страны НАТО бросали бомбы на Сербию, – там у власти стояли социали-сты. Во всех четырех ключевых странах Европы, членах НАТО – в Гер-мании, Англии, Франции и Италии – у власти стояли тоже социалисты. Да и в США президентом был не консервативный республиканец Рейган, а либерал из либералов, демократ Клинтон (кстати, в свое время, будучи студентом, «закосивший» службу во Вьетнаме). Стоит ли удивляться? Нисколько! В этом вся их социалистическая, либеральная сущность.

Что же касается того, что социал-демократы являлись естественными союзниками коммунистов – то это не более чем очередная хрущевская «утка», менее опасная, чем «разоблачение культа личности», но куда более опасная, чем увлечение кукурузой и стучание ботинком по трибуне ООН.

Различие между ними существовало уже на уровне основной идеи. Исходная идея коммунистов нам хорошо известна. Она родилась из ненависти рабочих, прикованных к фабричной каторге, солдат, брошенных в окопы ради чужих прибылей, и хорошо укладывается в строчки Интернационала: «Весь мир насилья мы разрушим...» – и далее по тексту.

Что же касается социал-демократов, то они всегда видели себя в доходной и выгодной роли посредников между капиталистами и рабочими, цель которых – примирить и сгладить противоречия, существующие между трудом и капиталом. Когда же ситуация обострялась и, чтобы не оказаться между молотом и наковальней, надо было выбрать одну сторону, они всегда выбирали капиталистов.

С этими, что ли, следовало объединяться Сталину? Перефразируя известную загадку сфинкса, они могли бы спросить: «Предам ли я тебя, как предаю всех?»

Впрочем, было одно исключение. В 1935 году Коминтерн объявил политику Народного фронта – объединение в один блок коммунистов, социалистов и буржуазных демократов для прихода к власти. Однако эта политика преследовала только одну, вполне конкретную цель: поставить во Франции правительство, готовое подписать с СССР договор о военном союзе, поскольку после прихода Гитлера к власти был нарушен баланс сил и Советский Союз оказался в полной изоляции. И то ничего не вышло: хитроватый и подленький «этический социалист» Блюм политический договор подписал, а от военного отказался, аргументировав это тем, что «руководители советского генштаба поддерживают подозрительные связи с Германией». Но к этому заявлению Блюма мы еще вернемся.

...А скандал в Германии продолжался. Газета СДПГ «Форвертс», радуясь возможности напакостить сразу двум противникам, все никак не унималась. В первом квартале 1927 года она восемнадцать раз возвращалась к теме военного сотрудничества. Кончилось все тем, что 23 февраля военный министр Гесслер сделал в рейхстаге официальное заявление, в котором рассказал историю сотрудничества с СССР – не всю, конечно, только ту часть, которую можно было без особого ущерба предать огласке. После чего все продолжалось по-прежнему.

Между тем в Советском Союзе тоже начали задумываться: а стоит ли овчинка выделки? Менялся внешнеполитический курс Германии, менялся и курс СССР. Постепенно уходили из власти люди, стоявшие у истоков сотрудничества. Умер Ленин, был снят со всех постов Троцкий. С другой стороны, и в Германии уже не было Секта. Сотрудничество все более теряло свой политический смысл, оставаясь чисто военным мероприятием. Сгоряча Политбюро даже постановило все ликвидировать. Однако потом страсти поостыли, и контакты остались – как легальные, так и нелегальные. Но уже без прежнего воодушевления.

«Восточники» и «западники» в меняющемся мире

Как в российских, так и в германских верхах все время боролись две группировки: одна была нацелена на сотрудничество России и Германии, а другая искала союзников в иных точках планеты. Время близости, когда политику определяли немецкие русофилы и наши германофилы, постепенно, но неуклонно сменялось похолоданием.

До сих пор толком неизвестно, кто в советском политическом и военном руководстве являлся сторонником, а кто противником сотрудничества с Германией. Что мы знаем точно – так это то, что среди политиков и дипломатов на начальном этапе явными германофилами были Троцкий, Склянский, Розенгольц, Радек, Чичерин и Крестинский. Интерес у них был двоякий: с одной стороны – чисто прагматический, с другой – раздувание будущей мировой революции, в которой ключевое место отводилось Германии. Причем интересы мировой революции Троцкий и его команда ставили на первое место, а «презренной пользой», если что, могли и пренебречь.

Однако в 1924 году произошла смена армейского, а потом и политического руководства. Троцкий перестал быть наркомвоеном и председателем РВСР, а Склянский – его заместителем. На их место пришли совсем другие люди. Судя по последующей политике Сталина и его команды, эти люди были сугубыми патриотами и проводили, как позднее выразился Черчилль, «холодную политику собственных интересов». (Или, как по тому же поводу сказал Сталин: «Русские интересы важнее всех других».) И теперь сторонникам сотрудничества приходилось уже не идеологически обосновывать его необходимость, а с точки зрения «презренной пользы». Это всегда труднее, чем говорить о «цивилизованности» или «мировой революции».

Но к тому времени две армии уже установили между собой достаточно прочные контакты. У «красных милитаристов» из РККА и пруссаков (по духу!) из рейхсвера было куда больше общего между собой, чем с собственными властями. Относились они к этому факту по-разному, но корпоративная солидарность – страшная сила!

Естественно, больше всех тянулись друг к другу советские «германофилы» и немецкие «восточники». О наших мы уже писали. Теперь поговорим о немцах.

Кто были носителями идей сотрудничества на германской стороне? Полпред СССР в Германии Крестинский в июле 1929 года писал Ворошилову: «Наши отношения с рейхсвером основываются, в значительной степени, на личных связях с его руководством». И дальше рассказывал, к каким выводам его привели эти личные связи. Фон Секта и Хассе он оценивает как «наших друзей», заложивших основы кооперации, несмотря на антисоветские настроения тогдашнего шефа вооружений рейхсвера Вюрцбахера. Просоветски настроенными он считает генералов Грёнера и Хайе, а также Бломберга, который, правда, к тому времени ушел из штаба войск, отчего возможность влиять на события у него резко уменьшилась. Но и его преемник Хаммерштейн тоже «находится под влиянием людей, которые настроены к нам доброжелательно».

У немцев основным оплотом сотрудничества был войсковой отдел, выполнявший функции генштаба рейхсвера. С 1923 по 1933 год все его пять начальников – Отто Хассе, Георг Ветцель, Вернер фон Бломберг, Курт фон Хаммерштейн-Экворд, Вильгельм Адам – были сторонниками сотрудничества, и все они, кроме Ветцеля, нанесли визит РККА. Большое влияние «русофилы» имели и в ведомстве вооружений – на стороне сотрудничества выступали Макс Людвиг, Альфред фон Воллард-Боккельберг, а также шеф вооружений Вольфганг Менцель.

Вне армии влиятельных союзников идея сотрудничества имела в Восточном отделе министерства иностранных дел (Оскар Траутманн) и в посольстве в Москве (послы Ульрих фон Брокдорф-Ранцау и Герберт фон Дирксен, советники посольства Зигфрид Хей и Фриц фон Твардовский). Также большой вклад в развитие идей сотрудничества внесли госсекретарь МИД Карл фон Шуберт и его преемники Юлиус Куртиус и Бернгард фон Бюлов. В Министерстве рейхсвера для налаживания контактов много сделал Вильгельм Гренер – прежде всего это касалось посещений войск и маневров. В отличие от Гренера, его преемник Отто Гесслер летом 1926 года вообще был готов прекратить сотрудничество, но на смену ему очень вовремя пришел Курт фон Шлейхер, – тот самый Шлейхер, на квартире которого еще в самом начале контактов проходили секретные переговоры. Влиятельным сторонником кооперации двух держав был также рейхспрезидент Гинденбург, всегда, в отличие от своего предшественника Эберта (социал-демократа, кстати!), выступавший за взаимодействие.

Итак, в обеих странах за сотрудничество были примерно одни и те же круги: офицеры генштаба, руководители военной промышленности и дипломаты. Мотивы у них были тоже примерно одни и те же: технические специалисты заинтересованы в реализации оборонных проектов, предприниматели – в военных заказах, технической и сырьевой кооперации, дипломаты – в поддержании двухсторонних отношений, генеральные штабы – в преодолении международной изоляции своих армий, хотя бы путем двухсторонних контактов.

Теперь о противниках. На немецкой стороне они были сосредоточены прежде всего в военно-морском флоте. Еще в декабре 1926 года военный атташе СССР в Германии Сергей Петренко-Лунев сообщал Уншлихту, что руководители флота (при этом были названы Ценкер, Редер и Канарис) противятся сотрудничеству с СССР, опасаясь усиления советского военно-морского флота и его выхода из Финского залива. Нашим они предпочитали англичан и финнов.

Русофобия была широко распространена среди праворадикально настроенных офицеров, сторонников отставного генерала Макса Гофмана, фактически возглавлявшего Восточный фронт во время Первой мировой войны. «Идеей фикс» Гофмана был «крестовый поход против большевизма», который дал бы Германии возможность реабилитировать себя среди «цивилизованных» народов. Поменьше бы таких идеологов с высокими мотивами – может быть, и не лежала бы Германия в 1945 году в пыли с переломленным хребтом.

У нас противники сотрудничества тоже имелись с самого начала, но активизировались они после 1927 года. В это время даже была создана специальная комиссия, и Крестинскому, основному «германофилу», едва удалось убедить Политбюро в необходимости продолжения совместных программ.

Одновременно над военным сотрудничеством нависла угроза «классового подхода». Обострение международной обстановки, которое произошло в 1927 году, сказалось на отношении к иностранным специалистам. Старых, «буржуазных» концессионеров всеми правдами и неправдами выживали из СССР. Их заменяли новые предприниматели и специалисты, приезжавшие в страну по линии Коминтерна. Ну, а кто мог приехать по линии Коминтерна? Уровень нового пополнения был на порядок ниже, чем у неполитизированных концессионеров. Единственным «внеклассовым» островком оставалось пока что военное сотрудничество – стоит ли говорить, как оно бесило адептов «классового подхода»?

Зрело недовольство и в армии. Будешь тут недовольным, когда большая часть военного бюджета уходит неизвестно на что – какие-то летающие этажерки и ползающие консервные банки. Едва наметившееся противостояние «кавалеристов» и «технарей» углублялось с каждым днем. При этом «кавалеристы» ссылались, в числе прочих, и на фон Секта, который в то время активно агитировал за подвижные конные формирования. И только когда в 1929 году немецкие последователи генерала удосужились собрать его высказывания воедино, стало ясно, что генерал просто законспирировался и под подвижными конными формированиями подразумевал танковые войска.

Плоды технического сотрудничества тоже были кисловаты. Фирма «Юнкерс» обещала выпускать 300 аэропланов ежегодно – а выпускала менее полусотни, причем не лучшего качества – то пулеметы стреляли не туда, то еще что-нибудь подобное, а потом и вовсе прекратила сотрудничество. Штольценберг, обещавший наладить выпуск ОВ в Иващенково, ничего не сделал и вдобавок был уличен в валютных махинациях. А тут еще в 1927 году руководитель компартии Германии Эрнст Тельман пообещал прислать «красные бригады» – специалистов, «владеющих последними достижениями науки и техники». Никто не проверял, какие там у Тельмана кадры, но в ЦК была такая обстановка, что все как-то вдруг подумали, что они должны приехать взамен специалистов рейхсвера.

Даже комиссары, и те лезли в военные дела. Так, например, заместитель начальника Главполитуправления РККА Иосиф Славин в мае 1929 года выступил в газете «Красная Звезда» со статьей, в которой предлагал использовать прежде всего опыт французской армии. Не политический опыт, естественно, а военный. Опыт-то можно использовать любой – но почему он был так уверен, что французы станут этим опытом с нами делиться?

Кстати, по показаниям Нидермайера, именно в 1927 году он получил строжайшее указание из Берлина – прекратить какую бы то ни было разведывательную работу в СССР. Это косвенное подтверждение того, что все висело на волоске. Любое разоблачение в области разведки могло стать последней каплей, переполнившей чашу. Но гроза миновала, и вновь разведка заработала полным ходом, стремясь наверстать упущенное.

Роковой разворот

В начале 30-х годов из Германии пошли тревожные вести. Наши разведчики доносили, что в германском руководстве, возможно, вот-вот придут к власти «западники», которые пересмотрят внешнюю политику и окончательно возьмут курс на сближение с Англией и Францией.

Победители по-прежнему держали Германию в долговой петле репараций. Когда в 1929 году мир охватил сильнейший экономический кризис, она оказалась в отчаянном положении. Сначала «план Дауэса» сменился «планом Юнга», по которому размеры ежегодных взносов по репарациям были снижены на 20%. Но уже в 1931 году президент Германии Гинденбург обратился к президенту США Гуверу с очередной просьбой о помощи: Германия не могла платить даже сниженные взносы. Нажав на прочих союзников, Гувер добился годичного моратория, а в июне 1932 года репарации были и вовсе аннулированы. Обиженные таким решением, все европейские страны отказались выплачивать США свои военные долги. Так что экономически пострадали все, кроме Германии, зато политически западные страны выигрывали: после отмены репараций климат резко потеплел.

В 1931 году президентом Франции стал Лаваль, который начал планомерно добиваться улучшения отношений с Германией, попутно стараясь, елико возможно, испортить германо-советские отношения. Поступила и еще более тревожная информация о том, что французы обещают предоставить немцам заем в размере 2–3 миллиардов золотых франков. Заем был бы очень кстати, так как экономическое положение Германии в то время было тяжелейшим, а платой за помощь должно было стать «политическое перемирие».

А после того, как в 1932 году канцлером Германии стал фон Папен, а министром иностранных дел – фон Нейрат, в Москве не на шутку напряглись. Оба являлись не просто убежденными западниками, но сторонниками совместной со странами Антанты борьбы против СССР. Советская разведка в июне 1932 года получила из непосредственного окружения фон Папена информацию о том, что канцлер ведет в Париже переговоры о создании военного союза между Францией, Германией и Польшей – против кого, наверное, можно не комментировать. Первой целью этого союза был совместный поход на Украину – «за салом». При этом предполагалось, что одновременно, под флагом «освобождения Грузии», Англия захватит нефтяные источники Кавказа. А вскоре из Берлина поступила еще более тревожная информация – о том, что фон Папен и его окружение, в связи с сильными продовольственными трудностями в СССР, считают момент для нападения чрезвычайно удачным и что немецкий канцлер рассчитывает убедить Англию и других европейских союзников начать поход. Как сообщала разведка: «Папен считает, что "мягкотелость германского правительства в отношении Восточной Европы должна быть резко изменена"».

Но, верная своей неверности, Франция вела дела и с СССР. 20 апреля 1931 года французы предложили заключить пакт о ненападении, выставив условие, что аналогичный пакт будет подписан и с Польшей. Второй договор был подписан 25 июля 1932 года, а первый, советско-французский, – 29 ноября 1932 года. Таким образом, Советский Союз оказался связанным договорами о ненападении с двумя злейшими европейскими врагами Германии. Ладно еще Франция, с ней и немцы заигрывали – но Польша! Отношения между двумя странами ощутимо похолодали. С другой стороны, Польша в то время представляла для СССР большую угрозу, чем Германия, так что глупо было упускать момент.

...Однако правительства в Германии менялись чуть ли не каждые полгода. На декабрь 1932 года приходится последний всплеск дружбы, и связан он с назначением на пост рейхсканцлера убежденного русофила, генерала Курта фон Шлейхера. 19 декабря 1932 года нарком иностранных дел СССР Литвинов посещает нового рейхсканцлера. Шлейхер открывает встречу заявлением о «приверженности германо-российской дружбе в политической и, особенно, военной сфере». Литвинов, в свою очередь, комментируя недавно заключенный советско-польский пакт о ненападении, делает замечательное заявление: «Если будет жесткое противостояние, то жизненная необходимость государства проявится сильнее, чем подобные пакты. Эта жизненная необходимость для России приведет ее на сторону Германии».

Вообще встреча изобиловала замечательными высказываниями нашего наркома. Шлейхер пожаловался на антимилитаристскую агитацию немецких коммунистов, на что тот ответил, что подобные вещи не должны влиять на взаимоотношения держав, поскольку правительства в своей внутренней политике свободны, и он «считал бы вполне естественным, если бы к коммунистам в Германии относились так же, как в России относятся к врагам народа». Слышали бы его коминтерновцы!

Однако надежды на укрепление отношений рухнули с назначением 30 января 1933 года на пост рейхсканцлера Адольфа Гитлера. Правда, поначалу советские руководители восприняли это назначение даже с облегчением, как отсрочку. Они считали, что Гитлер имеет гораздо меньше шансов и стремления договориться с Антантой о совместном походе против СССР, чем Папен, – как оно в конце концов и получилось. И недаром во время Великой Отечественной войны Сталин отменил подготовленное было покушение на Гитлера, но санкционировал покушение на давно уже никому не нужного Папена, который в то время был послом в Турции.

...В первые же два месяца пребывания у власти нацисты расправились со своими политическими противниками – СДПГ и КПГ. После знаменитого поджога рейхстага, состоявшегося 27 февраля 1933 года, начались репрессии против коммунистов. 5 марта, правда, состоялись выборы в рейхстаг, на которых НСДАП получила 17,2 млн голосов (288 мандатов), СДПГ – 7,1 млн (120 мандатов) и КПГ – 4,9 млн (82 мандата). Однако уже 15 марта мандаты коммунистов были объявлены недействительными, а 24 марта был принят закон о наделении Гитлера чрезвычайными полномочиями. Германия де-факто снова становилась монархией.

Впрочем, преследуя коммунистов внутри страны, Гитлер пока что старательно демонстрировал дружеские чувства по отношению к «метрополии коммунизма» – СССР. Ещё 23 марта в рейхстаге, комментируя итоги выборов, Гитлер держал речь ну прямо по Крестинскому: «Борьба против коммунизма внутри Германии – наше внутреннее дело, в которое мы не потерпим вмешательства извне. Но государственные отношения с другими странами, с которыми нас связывают совместные интересы, этой борьбой затронуты не будут». Однако усилившиеся нападения полиции и штурмовиков на советских граждан и советские учреждения показали, что слово – не есть дело. А когда 1 апреля 1933 года заведующим внешнеполитическим отделом НСДАП был назначен прибалтийский немец и яростный русофоб Альфред Розенберг и сразу же резко усилилась антисоветская риторика – отношения еще охладились. Потом еще и еще, они становились все холоднее буквально день ото дня. Естественно, изменение политики повлекло за собой и пересмотр военных отношений. СССР было как-то совсем ни к чему помогать развитию армии столь враждебно настроенного государства.

...Но для военных политики словно бы и не существовало. Три недели, с 8 по 25 мая, провела в СССР с визитом делегация рейхсвера во главе с генерал-лейтенантом Боккельбергом. Они встречались с Ворошиловым, Егоровым и Тухачевским. 13 мая, во время обеда в немецком посольстве, Ворошилов говорил о своем дружественном отношении к Германии. Делегации показали военные заводы. Боккельберг в своем отчете написал: совместная работа с Красной Армией, учитывая грандиозность советских планов, крайне желательна. Они даже договорились о возобновлении работ на полигоне «Томка».

28 мая Боккельберг и его делегация выехали в Берлин. Вернувшись туда, они узнали, что советские военные все же следят за политикой. Красная Армия потребовала, чтобы рейхсвер ликвидировал свои предприятия в России. Крестинский долго объяснял послу Германии Дирксену, что это решение вызвано общей международной обстановкой, а не враждебностью между странами. Едва ли кто-либо в обеих столицах этому поверил.

16 июня 1933 года министр экономики Германии Гугенберг вручил председателю Международной экономической конференции в Лондоне Коллину меморандум, где требовал для преодоления экономического кризиса вернуть Германии старые колонии и предоставить новые – в СССР. Впрочем, ничего нового в этих требованиях не содержалось. Все это уже было изложено в «Майн кампф» – а этот труд Сталин наверняка читал...

Итак, с официальными контактами РККА и рейхсвера было покончено. Однако негласные отношения между ними продолжались. Но это уже совсем другая история...

Часть вторая

НЕПАРЛАМЕНТСКАЯ ОППОЗИЦИЯ

...всякое царство, разделившееся само в себе, опустеет,
и всякий город или дом, разделившийся сам в себе, не устоит.
Матф. 12,25.

Пойдешь налево, все равно придешь направо, и наоборот,
если пойдешь направо – все равно придешь налево.
Сталин

До сих пор у нас много спорят о том, существовал ли в реальности заговор, положивший начало так называемым репрессиям. Сейчас уже прошли времена розовых очков (точнее, красных), когда все, ну буквально все пострадавшие были абсолютно ни в чем не виновны, пламенные большевики и верные ленинцы. То есть насчет «большевиков» и «ленинцев» сказано во многом верно – но, если вдуматься, такую ли уж симпатию вызывает образ кристально честного большевика? Страстный идеалист – один из самых жутких типов мировой истории. Именно эта публика ради своих идей готова залить землю кровью, не смущаясь глубиной потока, так что жалеть их следовало бы с разбором... Но не в этом дело. Нет, просто истерическое время «перестройки» миновало, и теперь многие склоняются к мнению: что-то там такое было.

Но давайте попробуем подойти к делу с другой стороны. А могло ли случиться так, что заговора *не было*? И тут никак не обойтись без краткого очерка политических течений в послеленинской Советской России и их взаимоотношений. И были эти течения весьма далеки от безобидных парламентариев, а взаимоотношения куда как далеки от дружественного обмена мнениями...

...Говорят, что Сталин, мол, расправился с оппозицией. Ну, по правде сказать, не совсем Сталин – и без него товарищи по партии ели друг друга с волчьим аппетитом. И не совсем расправился – там такие дела творились, что это еще вопрос, кто нападал, а кто защищался. Но надо бы прояснить еще один вопрос: **с кем** расправились? **Кто такие** эти самые оппозиционеры?

Нам с этой парламентской демократией совсем голову задурили. После шквала публикаций и телепередач наш человек, на чистом автомате, воспринимает «оппозицию» как кучку шумных, но довольно безвредных парламентских болтунов. Вроде голубей: оно, конечно, и шум от них, и грязь – но какой же город без голубей? Между тем налицо типичная игра терминов, ибо оппозиционеры 20–30-х годов были далеко не голубки. Пожалуй, еще более не голубки, чем власть имущие.

В точном переводе с английского «opposition» значит «сопротивление», «противодействие». О целях и методах словарь умалчивает. Между тем даже простой здравый смысл говорит, что в этой области между нынешними квелыми политиками и тогдашними, прошедшими Гражданскую войну, «умытыми кровью» отморозками должна быть некоторая разница. Так она и вправду была.

И еще: что бы у нас ни писали и ни говорили о всяких там «ледоколах», но 30-е и 40-е годы были годами контрреволюции. То есть во время Сталина имело место быть свертывание революционных тенденций и установление крепкой государственности. С соответствующими последствиями для революционеров – тех, кто не смирился и не поумнел. А после смерти Сталина произошла еще одна революция. И тогда публика, отодвинутая в 30-е годы от власти, но не добитая, взяла реванш. Львиная доля того, что писалось о сталинском времени в 60-е и 90-е годы, – это писали они, их дети, их внуки. Ясно, что никакой симпатии к гнобившему их режиму они не испытывали. Но нам что до того? Почему все 150 миллионов российских граждан должны смотреть на мир глазами кучки озлобленных интеллигентов?!

Глава 5

«НАСЛЕДНИКИ ИЛЬИЧА»

Когда партия находится в оппозиции правящему режиму, само положение «против» ее консолидирует. Правда, российские социал-демократы и тогда ухитрялись переругаться, варьируя методы от полемических газетных статей до банального мордобоя. Но что началось, когда они взяли власть, а уж тем более когда сумели отбиться от всяческих противников и интервентов и настала пора строить на месте разрушенного «до основания» мира! Вот тогда-то все и началось...

Как легли карты

В 1922 году во владивостокской газете «Бандит» некий Ло-ло напечатал стихи:

> *Я твердо знаю, что мы у цели,*
> *Что неизменны судеб законы,*
> *Что якобинцы друг друга съели,*
> *Как скорпионы.*
> *Безумный Ленин болезнью свален,*
> *Из жизни выбыл, ушел из круга.*
> *Бухарин, Троцкий, Зиновьев, Сталин,*
> *Вали друг друга!*

Сейчас, говоря о взаимоотношениях в партийных «верхах» после болезни и смерти Ленина, большинство авторов словно бы руководствуется этим незамысловатым стишком. Шла, мол, банальная грызня за власть: кто кого. Между тем все было куда сложнее... или же проще – это как посмотреть...

...В чем было преимущество партии большевиков – так это в практичности ее руководства, практичности неожиданной и нежданной. В октябре семнадцатого взять власть труда не стоило, подбирай с полу да держи, сколько сможешь. Не хитро было брать, хитро удержать, оттого-то более трезвомыслящие политики о том и думать боялись. А эти словно в компьютерную стрелялку играли, не пугаясь и не комплексуя. Оттого-то и сделали невозможное, не только взяв, но и удержав власть.

Сразу же после Октября, 29 ноября 1917 года, ЦК РСДРП(б), понимая, что демократическими методами управлять страной невозможно, создает «четверку» для решения самых важных, не терпящих отлагательства вопросов. Это и была верховная власть Страны Советов. (Во время Великой Отечественной войны аналогичный орган назывался Государственный комитет обороны). Посмотрим же, кто персонально входил в эту верховную власть.

Имена троих из них впоследствии все время на слуху: это Ленин, Троцкий и Сталин. С ними вроде бы все понятно, хотя и не до конца. Ленин – это Ленин, тут много говорить не приходится, и так ясно. Он, может быть, довольно путаный теоретик и довольно экзотичный практик, но он – «мотор» партии большевиков и новой власти и мастер экстраординарных решений. Сталин – тоже очень крупная фигура, по разным причинам все время недооцениваемая. В построении теорий он не силен, но подобного практика двадцатое столетие, пожалуй что, и не знало. Несколько непонятно, как в четверку руководителей государства попал Троцкий – впрочем, этот человек умел себя подать, как никто другой. Открыл ногой дверь и вошел, как будто так и надо.

Но без четвертой карты расклад будет неверен. А четвертый – фигура загадочная, этакий «пиковый король», и не понять, то ли простая это масть, то ли козырная. Роль его в революции не то что до конца не ясна, а и вообще непонятна. Это человек, известный в партии как Андрей Уральский, а в историю вошедший под своим собственным именем – Яков Свердлов. После победы революции он стал председателем ВЦИК – то есть формальным главой государства. Прославился террором (впрочем, тут большинство тогдашней верхушки не без греха), ведал в партии кадрами, отдал приказ о расстреле царской семьи. И, кроме прочего, это был человек, стоявший рядом с Лениным, и стоявший очень близко.

Даже в «четверке» существовала своя иерархия. Сначала вторым после Ленина был Сталин. А потом вдруг что-то произошло. Весной 1918 года он почему-то получает назначение в Царицын и так с тех пор и мотается по фронтам, время от времени появляясь в Москве, чтобы посмотреть, как идут дела в двух его наркоматах (по делам национальностей и государственного контроля). В чем тут дело – на первый взгляд непонятно, но только на первый. Свердлов рано умер, и о нем забыли – а зря... Даже в официальной, насквозь социалистической биографии этого человека проскальзывает упоминание о негласном договоре между Лениным и Свердловым: если с одним что-нибудь случится, второй принимает на себя всю полноту власти. Не факт, что это правда – но написано такое было, а подобные вещи просто так не пишутся...

Не слишком много значивший в октябре Свердлов постепенно становится вторым после Ленина (или первым наравне с ним). А между Свердловым и Сталиным была давняя острая неприязнь, еще со времен Туруханской ссылки, когда они не сумели ужиться в одном доме и дело кончилось открытым разрывом. И стоит ли удивляться, что коль скоро среди членов «четверки» двое – Троцкий и Свердлов – Сталина терпеть не могли, он не засиживался подолгу в столице, а до окончания Гражданской войны фактически занимался разовыми поручениями – то хлеб вывозил, то с инспекциями ездил, то по фронтам мотался.

Итак, в первые послереволюционные годы у партии и, соответственно, у страны было два лидера, два кита, на которых держалось все, – Ленин и Свердлов. Роль Ленина известна слишком широко, чтобы о ней говорить. Свердлов же, как для социалистических историков, так и для современных, как уже говорилось – «темная лошадка». О нем упоминают вскользь или не упоминают вовсе. Между тем это был человек колоссальный. До революции он был всего лишь лидером «уральской группы», хоть и влиятельной в партии, однако все-таки провинциальной, а потом как-то сразу выдвинулся, причем выдвинулся особым образом, взяв на себя всю оргработу в ЦК. Он отвечал за расстановку кадров, которые, как известно, решают все.

Это был подлинный «человек-оркестр». После его смерти для выполнения работы, с которой справлялся один Свердлов, пришлось ввести должности трех секретарей ЦК с помощниками. Когда Сталин позже, став генеральным секретарем, снова объединил эти функции в одном лице, Ленин заметил, что он сосредоточил в своих руках необъятную власть. Необъятная власть в руках Свердлова Ильича устраивала...

Эти двое держали ситуацию под контролем, на их фоне другие были незаметны. Но положение изменилось, причем изменилось внезапно. В 1919 году умирает Свердлов. Этого никто не ждал – такой молодой!

Расстановка сил сразу меняется. А в начале двадцатых тяжело заболевает Ленин. Уже к 1923 году становится ясно, что Ильич к работе больше не вернется. При должном уходе и лечении он, пожалуй, мог бы прожить еще несколько лет, но человек в таком состоянии – не работник. Оставшиеся «наверху» могли теперь рассчитывать только на себя.

В 1921 году Политбюро состояло из пяти человек. Поименно: Ленин, Сталин, Троцкий, Зиновьев и Каменев. Орган власти был тот еще, точно по Крылову: лебедь, рак и щука. Троцкий все рвался в облака – делать мировую революцию, еще какие-то проекты... Сталин пятился назад, к утраченному государственному порядку, а Зиновьев и Каменев тянули в ту воду, что толклась в ступе теоретических дискуссий. Только железная воля и авторитет Ленина могли привести эту компанию к хотя бы приблизительно единому знаменателю. И, когда Ленин заболел и отошел от дел, противоречия сразу стали антагонизмом, ибо, вдобавок ко всему, трое из четверых еще и претендовали на роль «наследника Ильича»: Зиновьев, Троцкий и Сталин.

Если подходить к делу формально-теоретически, то Зиновьев мог считаться «наследником номер один». Он играл ведущую роль в мировом коммунистическом движении, будучи председателем Коминтерна. Именно при нем эта безумная организация особенно активно занималась террором и подрывной деятельностью по всему миру. Не его стараниями это делалось, но простым смертным и даже рядовым коминтерновцам этого было знать не положено.

Кроме того, Зиновьев ближе других стоял к вождю. В течение десяти лет он сопровождал Ленина, даже жил вместе с ним в шалаше в Разливе. То есть это был как бы российский «Энгельс» при российском «Марксе».

Но до роли первого лица Григорий Евсеевич явно недотягивал. В теории он был начетчиком, в жизни человеком слабым и даже внешне неприятным – толстый, с бабьим лицом, визгливым голосом и истеричным характером. Кроме того, он слишком запятнал себя предательством в 1917 году, о чем все помнили, как помнили и о том, что Ленин тогда назвал их с Каменевым проститутками.

Правда, Зиновьев был как бы един в двух лицах: за его спиной стоял Каменев, действительно крупный интеллектуал. Но одного интеллекта для управления государством мало. Каменев тоже был слаб как человек и плох как организатор, да он и не стремился к власти, предпочитая позицию за спиной Зиновьева. А за ними обоими маячила тень ленинградской партийной организации. Образ рабочего-большевика, кочующий из фильма в фильм, был на самом деле списан как раз с ленинградца – этого кадрового питерского рабочего, золотого фонда партии. С ними носились, как курица с золотым яйцом, на них делали ставку, о них говорили, хотя на самом деле их было всего несколько сот человек. Это не был, как можно было бы подумать, костяк партии – это был миф, легенда, окончательно перешедшая в область преданий, когда сталинская мышка – Киров – разбил золотое яичко, возглавив в 1926 году ленинградскую парторганизацию и быстро приведя ее к общему знаменателю.

Очень колоритно о них вспоминал Молотов. Так, о Зиновьеве: «Он часто выступал. Любил выступать и умел это делать, срывая аплодисменты. В таких случаях они кажутся оратору большим фактором. А оказалось, что он не такой глубокий человек, как, скажем, Сталин или даже Каменев. Так сложилось, что в литературе имена Зиновьева и Каменева идут рядом. Но это совершенно разные люди, хотя Каменев идеологически накачивал Зиновьева. Зиновьев – писучий, говорливый, язык у него, как говорится, без костей. Каменев посолиднее, поглубже и оппортунист последовательный. Зиновьев пел, так сказать, на Каменева, пооораторствует, бывало, очень революционно, а потом уже Каменев вступает в бой. Зиновьев был трусоват. Каменев – тот с характером. Он руководил фактически Зиновьевым. Но Зиновьев считался над Каменевым – тот его помощник, советчик. Зиновьев главный...»

Все ж таки едва ли как Зиновьев, так и Каменев действительно хотели быть на первых ролях в стране. Свое отношение к власти они уже достаточно хорошо показали в октябре 1917-го, перепугавшись насмерть, едва на горизонте замаячила тень возможности того, что большевики возьмут власть. Это были последовательные оппозиционеры, критики – зачем же им отказываться от такой удобной позиции, брать на себя ответственность и подставлять себя под огонь? Другое дело иметь почет, хорошее место, возможность сколько угодно печатать свои писания, участвовать в дискуссиях, наслаждаясь собственной гениальностью – и, упаси Марксе, никакой серьезной работы! Ну, и сидели бы себе тихо – кто бы их тронул! Но их подвела страсть к партийным интригам и дискуссиям.

Другая крупная сила в партии – московские большевики – группировалась вокруг Бухарина. Они перезнакомились и подружились еще в ходе революции 1905 года. Были бухаринцы, кстати, в основном, сугубо непролетарского происхождения, родом из довольно богатых семей – дети

купцов, чиновников и так далее. В основном были они русскими, но юдо-
филы и русофобы – такой странный тип русского интеллигента нередок
и сейчас.

Социальное происхождение москвичей определяло и их политические симпатии – неистребимую левизну, свойственную выходцам из обес-
печенных классов. Именно они составили основу левого коммунизма и
военной оппозиции в 1918–1919 годах. Они выступали за срыв Брестского мира – не из каких-либо шкурных соображений, а потому, что хотели
развязать мировую войну и устроить из нее мировую революцию. Это
было самое радикальное крыло в партии, и, как и любых радикалов, их
было немного. А кроме того, у них не было лидера. Бухарин не в счет –
он был очень слабовольным человеком и всегда состоял при ком-то, а
когда жизнь требовала от него принятия самостоятельного решения, впа-
дал в панику, начинал метаться из стороны в сторону и предавать своих
более стойких соратников. (Позднее эти свойства он великолепно проявил в конце 20-х – начале 30-х годов). Этим отчасти, возможно, объясняется тот факт, что Сталин так и не привлек Бухарина к серьезной работе, хотя мог бы, и «любимец партии» состоял бы при Сталине, как при
любой другой сильной фигуре. И говорлив, говорлив невероятно. Не зря
язвительный Троцкий прозвал его «Коля Балаболкин», ох не зря....

Бухарин долгое время был в оппозиции к Ленину, в отличие от Зиновьева. Зиновьев выступил против Ленина только один раз в жизни – но
какой это был раз! В канун Октября он вместе с Каменевым в левомень-
шевистской газете «Новая жизнь» осудил ленинский план вооруженного
восстания – по существу, написав печатный донос на собственную партию.
Это его и погубило. Единичное предательство Зиновьева в глазах партии
стоило всей многолетней оппозиционности Бухарина.

Реально самой сильной фигурой, кроме Сталина, был Троцкий. Однако имелись в его положении и существенные недостатки. Главным недо-
статком в положении Льва Давидовича был он сам, неповторимые особенности его светлой личности. Невероятно склочный по натуре, он умуд-
рялся оскорбить, обидеть всех, с кем имел дело. Самовлюбленный эго-
центрист, он работал только на себя. Волкогонов писал о нем: «Я не знаю
ни одного русского революционера, который бы так много, подробно, кра-
сочно говорил о себе...» Наконец, была у него еще одна милая черта – он
все время предавал: людей, которые были рядом, дело, которому вроде
бы служил...

Еще будучи совсем молодым, он бежит из ссылки, бросив на произвол судьбы последовавшую за ним туда жену с двумя крохотными дочерьми. В конечном итоге, кормить их пришлось отцу Левы, который не мог допустить, чтобы его внучки жили в нищете. И так с тех пор и пошло. В Брест-Литовске, где он должен был, как нарком иностранных дел, подписать мир с немцами, он делал все для того, чтобы этот мир сорвать. Отдавая провокационные приказы, нарушавшие договоренности с чехословацким корпусом, фактически спровоцировал чехов на восстание. Внезапными репрессиями оттолкнул от Советов Махно и его армию. И т. д., и т. п.

Кстати, то, что Троцкий был леваком – чистой воды миф. Он происходил из меньшевиков, до 1917 года все время выступал против Ленина и его команды с правых, умеренных позиций. К большевикам Троцкий попал почти случайно, войдя в партию в составе группы «межрайонцев» в августе 1917 года и, оказавшись в их среде, начал поддерживать Ленина. Потом каким-то загадочным образом стал считаться «левее левых» – но лишь потому, что основным его занятием была критика всего, что исходило от власти, а критиковать Политбюро в 20-е годы выгоднее всего было слева, с позиций «за что боролись?!».

По какой-то загадочной причине Троцкий считается основным конкурентом Сталина в качестве главы государства. Ну да, если решать задачу подсчетом, за кого из партийной верхушки громче кричали, так оно и есть. Но давайте взглянем на ситуацию с другой точки зрения.

Писатель Леонид Млечин Троцкого любит. Это видно. И вот что он, с откровенной симпатией к своему герою, пишет в книге «Русская армия между Троцким и Сталиным»: «Лев Давидович не знал, чем заняться. Пристрастился к охоте, положив начало этому повальному увлечению советских руководителей. 10 октября 1921 года появился приказ Реввоенсовета о создании Центральной комиссии охоты и рыболовства при Штабе РККА... Ленин тоже искал Троцкому занятие. 16 июля 1921-го Ленин предложил назначить его наркомом продовольствия Украины, где был голод. Троцкий не захотел... Ленин предлагал Льву Давидовичу пост своего заместителя в правительстве. Троцкий вновь отказался. Ему не хотелось быть заместителем...»

Повторяю, автор относится к Троцкому *с симпатией*. Правда, похоже, при этом не очень думает, что пишет. На дворе 1921 год. Только что окончилась тяжелейшая война. Страна лежит в развалинах, полная дезорганизация всего и вся. И в это время человек, которого называют вторым лицом в государстве, *не знает, чем заняться*. Охотой балуется. Ленин предлагает ему второстепенный пост наркома продовольствия Украины. Потом своего заместителя – может быть, хоть это порадует капризного сотоварища. Между тем Троцкий все еще остается наркомвоеном – армия же после войны находится в совершенно неописуемом состоянии. И этого человека называют претендентом на верховную власть?

Нет, главным его политическим убеждением, принципом, страстью была даже, пожалуй, не жажда власти, как принято думать, – Лев Давидович имел реальную возможность взять власть и мудро не воспользовался ею. В самом деле, ведь власть предполагает конкретную работу и конкретную ответственность, а по этой части «демон революции» был слабоват. Его стихия – митинги, «буча боевая, кипучая», но не каждодневная созидательная работа. Страшновато, тем более что не остыл еще в памяти печальный пример Временного правительства. Троцким руководила, скорее, жажда самоутверждения, в порядке которого он и мутил воду, шарахаясь от любого серьезного дела. Если он так уж хотел власти – то почему же дважды отказывался, когда Ленин предлагал ему стать заместителем председателя Совнаркома?

Но в массах авторитет у него был высоким. Говоря современным языком, пиар Лев Давидович себе делать умел. Участники революции помнили, что именно Троцкий склонил на их сторону петроградский гарнизон, и никогда не подсчитывали его реальный вклад в работу. (Феликс Чуев, автор книги «Сто сорок бесед с Молотовым», спросил своего именитого собеседника: «Троцкий большую роль сыграл?» «Большую, ответил Молотов, – но только агитационную роль. В организационных делах он мало принимал участия, его не приглашали, видимо...») Во время Гражданской войны он был наркомвоеном, стоял во главе армии и флота: как стоял – это другой вопрос. Подведомственная ему армия выиграла войну, а чьими усилиями – это опять же другой вопрос. Наконец, он был лучшим оратором в партии, да и вообще считался одним из лучших ораторов XX века и имел колоссальную митинговую популярность. Он не только на митингах делал с людьми что хотел, он останавливал словом бежавшие полки! (Впрочем, и угрозой децимации – расстрела каждого десятого – тоже.)

Так что неудивительно, что Троцкий быстро становится рупором и эмблемой партии. Например, на места рассылались два портрета вождей – Ленина и Троцкого. В популярнейшей песне тех времен пели: «Так пусть же Красная сжимает властно свой штык мозолистой рукой. С отрядом флотским товарищ Троцкий нас поведет в последний бой». Но партийная элита, знавшая Льва Давидовича лично, его терпеть не могла и за нрав, и за быструю карьеру – без году неделя большевик, а туда же... Еще во время Гражданской войны было сделано несколько попыток его «задвинуть» – попыток, в которых участвовали Зиновьев, Сталин и Дзержинский. Но тщетно. Позднее уже Ленин, которого Троцкий «достал», предложил собирать Политбюро, не ставя того в известность о заседаниях. Ясно, что мира под оливы это не принесло...

И опять слово Молотову: «Ленин понимал, что с точки зрения осложнения дел в партии и государстве очень разлагающе действовал Троцкий. Опасная фигура. Чувствовалось, что Ленин рад бы был от него избавиться, да не может. А у Троцкого хватало сильных, прямых сторонников, были также и ни то ни се, но признающие его большой авторитет. Троцкий – человек достаточно умный, способный и пользовался огромным влиянием. Даже Ленин, который вел с ним непримиримую борьбу, вынужден был опубликовать в "Правде", что у него нет разногласий с Троцким по крестьянскому вопросу. Помню, это возмутило Сталина как несоответствующее действительности, и он пришел к Ленину. Ленин отвечает: "А что я могу сделать? У Троцкого в руках армия, которая сплошь из крестьян. У нас в стране разруха, а мы покажем народу, что еще и наверху грыземся!"» Сталин не спорил с Ильичом, но, взяв власть, перестал заигрывать с Троцким, и результат превзошел все ожидания: Лев Давидович, бессильный справиться со своей неуемной страстью к борьбе, тут же наделал глупостей и, проигрывая бой за боем, в итоге оказался в Мексике на положении эмигранта.

И наконец, Сталин. Этот – работник, «пахарь». То и дело, в самых разных книгах, мелькают фразы типа: все Политбюро было на отдыхе, в Москве «на хозяйстве» оставался один Сталин. В самом деле – ведь кроме рассуждений о судьбах мировой революции Политбюро решало множество практических дел, руководя жизнью огромной страны. Кто, интересно, ими занимался? «Теоретики» Зиновьев и Каменев? Горлопан Троцкий? Кто?

И людей себе в команду Сталин отбирал вполне определенного склада – в первую очередь надежных и работоспособных. Кроме Молотова, Кагановича, Ворошилова, очень близок к Сталину в 20-е годы был Дзержинский. Сейчас его пытаются представить в основном руководителем ВЧК, как бы «отцом террора». На самом деле Дзержинский уделял ВЧК не так уж много внимания, возложив большую часть работы на плечи заместителей. Он возглавлял Всероссийский Совет Народного Хозяйства, он был наркомом путей сообщения – в начале 20-х в охваченной смутой стране эта была одна из наиважнейших должностей. Работал, само собой, как умел, но хозяйство все-таки существовало, и поезда ходили – значит, человеком был толковым.

«Железный Феликс» занимался очень большими проблемами, был человеком государственного масштаба, причем без всяких амбиций. Кто знает, как сложилась бы дальнейшая история, если бы у него оказалось более крепкое сердце. Ведь это была крупнейшая фигура не только среди сталинистов, но и во всей партии.

(Кстати, он был человеком исключительной храбрости. В самые смутные и страшные дни войн и мятежей он ходил по Москве один, ночью, без всякой охраны. Когда ему за это делали выволочку на Политбюро, он как-то ответил: «Не посмеют, пся крев!» И не посмели.)

В большей ли, меньшей степени, таковы были и остальные сталинисты – в первую очередь люди не амбиций, а дела.

«Революционеры» и «государственники»

> – Если бы сейчас была дискуссия, – начала женщина, волнуясь и загораясь румянцем, – я бы доказала Петру Александровичу...
> – Виноват, вы не сию минуту хотите открыть эту дискуссию? – вежливо спросил Филипп Филиппович.
> М. Булгаков. «Собачье сердце»

Итак, в 1923 году в партии формально было три лидера, претендующих на первую роль – Троцкий, Зиновьев и набирающий силу Сталин. Пока Ленин был работоспособен, он как-то ухитрялся привести эту разношерстную компанию к хотя бы относительному единению. Но в мае 1922 года он тяжело заболел и фактически отошел от руководства страной, ненадолго вернувшись лишь осенью – до следующего приступа.

По поводу ленинской болезни тоже ходит множество мифов. Главный из них – тот, что к концу 1923 года он вроде бы стал поправляться и даже приезжал в Кремль, попутно заметив исчезновение каких-то важных бумаг из своего кремлевского кабинета. Может статься, что бумаги и исчезли. Если Политбюро для работы нужен был какой-либо документ из рабочего стола Ильича, так его и взяли, в чем проблема-то? А что касается того, что Ленин будто бы мог поправиться... Да не мог он поправиться, не мог! Мог еще прожить некоторое время в Горках на положении инвалида, время от времени подавая советы, которые, по причине постоянно меняющейся ситуации, были бы все менее и менее актуальными. На самом деле уже с декабря 1922 года стало ясно, что впредь придется справляться без Ленина. И нельзя сказать, что кто-либо был этим так уж сильно напуган.

И все же пока вождь был жив и мог, хотя бы гипотетически, выздороветь, разбираться с дальнейшей судьбой власти было неприлично, и в Политбюро царила атмосфера ожидания: Ленина нет, но он как бы с нами. Откровеннее всех вел себя несдержанный Троцкий. Он фактически отошел от работы, даже присутствуя на заседаниях Политбюро, не участвовал в обсуждении, а демонстративно читал английский или французский роман, либо же выискивал ошибки и оговорки у товарищей по власти, чтобы затем обрушиться на них с язвительной критикой. Не самая лучшая позиция, право...

Впрочем, толку от всей демонстративности Троцкого было мало, потому что все большее влияние приобретал Сталин и его команда. Сын грузина-сапожника был абсолютно чужд интеллигентско-эмигрантскому братству, и вставать в позу перед ним обычно оказывалось себе дороже.

Между тем время на дворе стояло веселое. Война закончилась, исчезла внешняя вынуждающая сила, сплачивавшая большевиков против смертельной опасности. И сразу же с уменьшением давления проявились разногласия, отложенные «на потом». Собственно партия, или, пользуясь терминологией Оруэлла, «внутренняя партия», проявила отчетливую тенденцию по любому поводу вступать в бесконечные дискуссии, подавая дурной пример партии «внешней». То есть ничего нового-то не происходило, процесс этот шел с самого начала существования партии, в бесконечных дискуссиях проходила вся ее жизнь, не исключая и военного времени – но во время войны спорили как-то между делом и по не слишком глобальным поводам. А теперь словесная река вырвалась наконец из теснины и разлилась на просторе...

Первым вестником нового жизненного этапа – еще, кстати, до окончания Гражданской войны, стала «дискуссия о профсоюзах». Часть видных большевиков, размышляя о том, как организовать государство после победы в войне, выступила за передачу верховной власти профсоюзам. Троцкий тут же потребовал заодно их чистки и всеобщей милитаризации. (У него был свой интерес, он рассчитывал играть в этих милитаризованных профсоюзах ведущую роль.) Очередной теоретический спор, делов-то! – мало ли глупостей уже предлагали и еще будут предлагать. Охота в такое время заниматься такими проектами!

Но, как без труда догадается хоть немного продвинутый в реальной политике человек, дело-то было совсем не в профсоюзах. Вот ведь интересно – когда в наше время в верхах происходит какое-нибудь новое назначение или изменение, политическое ли, партийное или какое другое, то все правильно понимают происходящее и спрашивают, не кто что предлагает, а кто чью руку держит и в чьей команде шагает. А как речь заходит о двадцатых годах, так словно туман глаза застит. Кто бы об этом времени ни писал, сразу же начинает разбираться, кто что говорил, кто на каких позициях стоял, кто был не прав и в чем именно, и так там, в этом идеологическом болоте, и остается.

На самом деле все куда проще. Как писал эмигранту Илье Британу кто-то из видных большевиков (подозревали, что Бухарин): «Помните, когда пресловутая дискуссия о профсоюзах угрожала и расколом партии, и заменой Ленина Троцким (в этом была сущность дискуссии, скрытая от непосвященных тряпьем теоретического спора...)» Вот именно: тряпье теоретического спора – а суть-то совсем иная, самая банальная борьба за власть в партии была сутью как этой, так и последующих дискуссий. И партийные массы, кстати, прекрасно это понимали. Они могли быть малограмотными и не отличать Второго от Третьего Интернационала, но чего хочет оппозиция, знали четко, ибо это вопрос житейский, а в житейских вопросах излишняя грамотность только помехой.

Надо сказать, что время для верхушечных разборок было самое подходящее. Семь лет войн и революций отбросили Россию на добрых полстолетия назад. Сельское хозяйство давало 65% продукции от далеко не идеального для страны уровня 1913 года, промышленность – всего лишь 10%. Нэп оживил торговлю, но неспособен был поднять производство. Железнодорожный транспорт агонизировал. Недовольные продразверсткой крестьяне поднимали восстание за восстанием. Голод в Поволжье унес миллионы жизней. Положение было хуже некуда, но выходить из него предполагалось по-разному.

Трещины шли по поверхности – теория, идеология, политика, – но раскол-то шел гораздо глубже, до самой коренной породы, до природы человеческой. Психологически тогдашних большевиков можно поделить на «революционеров» и «государственников». Первые – нормальные, чистопородные смутьяны-радикалы – не видели для себя ни малейшего интереса в какой бы то ни было хозяйственной прозе. Возиться с промышленностью, сельским хозяйством и прочей экономической дребеденью им было смертельно скучно, как скучно было бы путешественнику-землепроходцу работать председателем колхоза. Это были по сути своей че гевары, горевшие желанием «раздувать мировой пожар на горе буржуям», нести знамя социалистической революции в Европу, которая почему-то задерживалась с выступлением. Поэтому их совершенно не интересовали никакие экономические проблемы, они хотели одного – продолжать делать мировую революцию. А не выйдет – так на что им эта страна?

«Государственники» же – некоторое количество случайно оказавшихся в этой лихой компании нормальных людей – собирались заняться приведением в порядок страны. «Мировая революция»? Ну ладно, может быть, но это когда-нибудь потом... Едва ли нашелся бы в то время среди большевиков человек, который не верил бы в мировую революцию, но эти верили в нее как в светлое будущее, а не в то, чем надо заняться срочно и немедленно.

Это не взгляды и не позиции, это психологические типы, они легко прослеживаются и в обычной жизни. Кто-то работает, а кто-то воду мутит. Беда в том, что к власти пришла сила, где первых, то есть «революционеров», было подавляющее большинство.

Чистопородным смутьяном оказался Троцкий, взгляды которого несколько позже вылились в теорию «перманентной революции», суть которой ясно видна из названия. «И вечный бой, покой нам только снится!» Победу большевиков в России он считал «недоразумением» и мог примириться с ней лишь как со ступенькой к долгожданной революции на Западе, которую он готов был приближать и разжигать любыми способами, вплоть до вооруженной интервенции. В середине 30-х годов троцкизм дошел до совершенно безумной теории о том, что в России вообще все «неправильно», что надо вернуть ее в капитализм, «дорастить» до состояния, соответствующего промышленно развитой державе по Марксу, и потом вместе с Западом вести к революции. Но это будет потом. А пока что Троцкий рассматривал мир как «передышку» перед «последним и решительным боем» и проявлял полное отсутствие интереса к какому бы то ни было мирному строительству, тем более что в принципе был не способен ни к какому созидательному труду, разваливая все, к чему прикасался.

Однако сплошь и рядом авторитет в массах добывается не созидательным трудом, а митинговыми талантами, и авторитет у Троцкого был чрезвычайно велик. Он опирался на «молодых» партийцев, вступивших в партию в годы Гражданской войны. Молодежь сама по себе не любит рутинной работы, зато легко находит «упоение в бою и бездны мрачной на краю», не задумываясь, что другие поколения, может быть, хотят совсем другого. Большинство молодых партийцев и не знали, что до 1917 года Троцкий был меньшевиком и главным противником Ленина. Для них он был прежде всего победоносным наркомом, портреты которого висели на каждом углу. Сам же Лев Давидович видел себя, конечно, только на первых ролях. «Я не гожусь для поручений, – писал он впоследствии в автобиографии. – Либо рядом с Лениным, если бы ему удалось поправиться, либо на его месте, если бы болезнь одолела его».

Основным «государственником» в большевистских верхах был Сталин, практический ум которого двигался не от теории к теории, а от задачи к задаче. Если же надо было что-нибудь теоретически обосновать, то он, вооруженный изобретенным им «творческим марксизмом» и семинарским образованием, мог без труда придумать обоснование «по Марксу» для всего, что бы ни происходило в стране. Уж на что Молотов – твердокаменный сталинист, и тот признавал, что Сталин в теории был не особенно силен, зато как практика равного ему не было. Но в той мере, в какой это было необходимо, он мог пристегнуть марксизм к текущему моменту и, главное, объяснить это массам простым и доходчивым языком. Попробуй-ка, пойми писания Троцкого, даже имея за плечами университет! А Сталина любой красноармеец с церковноприходской школой понимал превосходно...

Посередине же до 1922 года находился Ленин – странный персонаж, кажется, находивший одинаковое удовольствие как в теоретизировании, так и в решении конкретных задач. Он был чистый интеллектуал, мозг которого равно питался как воздушной сладостью идей, так и черным хлебом повседневности. Сей «абсолютный разум», не останавливавшийся ни перед чем ради реализации своих идей, чистопородный теоретик и такой же чистопородный авантюрист, был, однако, тоже малопригоден к практической работе, правда, по другой причине – умен, изворотлив и практичен, но недостаточно вынослив. Пять лет тяжелой работы по управлению государством уложили его в могилу (зато, правда, удовольствие он получил!). Сталин же выдержал тридцать пять лет – пять при Ленине и тридцать после него.

Людей, способных к практической работе, в партии было мало, ценились они на вес золота и пахали на них, как на волах. Убедившись, что Сталин справляется с работой в двух наркоматах, значение которых после войны намного выросло, и с кучей прочих дел, Ленин решил нагрузить его еще одним «маленьким порученьицем» – взвалить на его плечи партию. Пока шла война, до партийных дел у ЦК, что называется, руки не доходили, организационной работой, аппаратом занимался секретариат в меру своего секретарско-письмоводительского умения. Если бы это была просто политическая партия – так и пусть себе! Бардак болтать не мешает. Но беда в том, что РКП(б) была даже не правящей партией – она была самим государством! При полной дезорганизации государственного аппарата большевики сделали то единственное, что можно было сделать в тех условиях – стали использовать для управления то, что имели, то есть партию. Это был приводной ремень, ведущий ко всем начинаниям, он дублировал, а сплошь и рядом и подменял государственный, хозяйственный и прочие аппараты власти. То, в каком состоянии этот приводной ремень находился, – картинка не для слабонервных.

Собственно, то, что называлось РКП(б), вообще трудно было назвать партией. В верхах они все Маркса с Лениным читали, это точно, что же касается низов, то их теоретическую подкованность превосходно передает умилительная сцена из фильма «Чапаев». «Василий Иваныч, ты за большевиков или за коммунистов?» «Я – за Интернационал!» – «А за какой ты Интернационал, за второй или третий?» – «А за какой Ленин!» (С той только разницей, что кто-то скажет: «За какой Ленин», кто-то: «За какой Троцкий!», а кто-то назовет Бухарина, Зиновьева и пр., кому чей портрет больше нравится.) Если таков командир, каковы же были у него бойцы?!

Единство и сплоченность партии были под стать политической грамотности. Методы тоже не отличались разнообразием. Молотов вспоминал: когда он назвал книгу Зиновьева «Ленинизм» «не ленинской», Серго Орджоникидзе, не говоря худого слова, попросту на него кинулся. По счастью, рядом оказался Киров, мужик не из слабых, не то быть бы Вячеславу Михайловичу битым... Если даже «наверху» время от времени доходило до мордобоя – то что же творилось «внизу»?

Впрочем, Россия не являлась чем-то уникальным в Коминтерне. В то же время в Германии политические разногласия тоже выяснялись кулаками, а несколько позже во Франции, например, в таких случаях шли в ход велосипедные цепи, а горячие испанцы применяли револьверы... Культура дискуссии была та еще!

Пока шла война, рядовому партийцу достаточно было не путать красных и белых – большего от него не требовалось, все сложные дискуссии проходили в «верхах» и его не касались. Но в условиях мирного строительства этого становилось недостаточно, ибо любые спорщики прежде всего апеллировали к массам, совершенно задурив своими идеями голову рядовому составу.

Надо было хоть как-то организовывать ту странную субстанцию, которая именовалась партией большевиков, а как и кому эти авгиевы конюшни можно поручить? И вот в апреле 1922 года, по инициативе Ленина, в партии вводят должность генерального секретаря, на которую избирают Сталина. Кроме него, в секретариате работали Молотов и Куйбышев. Это уже были далеко не «письмоводители».

Сейчас много спорят, повысили этим избранием (точнее, назначением – не будем лукавить) статус Сталина или, наоборот, «задвинули» его на незначительную должность в угоду его противникам. Ну, во-первых, он по-прежнему был членом Политбюро, никто его оттуда не убирал, равно как не снимал и с двух его наркоматов. А во-вторых, организационный и технический руководитель партии при том, что партия руководила всем и контролировала все, при хорошей работе мог стать фактическим главой государства – и стал! Если бы он работал спустя рукава, то так и остался бы секретарем, как его предшественники, – но работать спустя рукава Сталин не умел.

Кстати, по замыслу Ленина этот пост был далеко не техническим. До Сталина секретариат возглавлял Молотов, и должность его называлась «ответственный секретарь». Молотов вспоминает: «Я встретился с Лениным. Мы с ним побеседовали по ряду вопросов, потом гуляли по Кремлю. Он говорит: "Только я вам советую: вы должны как Секретарь ЦК заниматься политической работой, всю техническую работу – на замов и помощников. Вот был у нас до сих пор Секретарем ЦК Крестинский, так он был управделами, а не Секретарь ЦК! Всякой ерундой занимался, а не политикой!"»

Сталин «ерундой» не занимался. Всем известна фраза, которую приписывают Ленину: «Товарищ Сталин, сделавшись генсеком, сосредоточил в своих руках необъятную власть». Сказана она была всего лишь через восемь месяцев после этого назначения. Однако этот пост, когда на него избирали Сталина, не предполагал никакой «необъятной» власти – ее не имел Крестинский, не имел Молотов. А Сталин вдруг взял и «сосредоточил»! Надо же, как это ему удалось!

А так же, как и все удавалось, – он просто начал работать. И, как только Ленин отошел от дел, естественным образом стал во главе Политбюро. Не захватил власть, не прорвался, а стал естественным образом! Просто потому, что остальная компания работать была не способна. Но воду мутить!

Чего хотела оппозиция?

Я думаю, что если хорошенько разобраться, то может оказаться, что известное изречение о Тит Титыче довольно близко подходит к Троцкому: «Кто тебя, Тит Титыч, обидит? Ты сам всякого обидишь».

Сталин

Первым начал Троцкий – сколько же можно на Политбюро романы читать! И, верный своей «иудушкиной»[1] привычке, время выбрал самое подходящее – когда Советская Россия, усилиями Коминтерна, намеревалась ввязаться еще в одну войну. Осенью 1923 года, в самый разгар германских событий, в момент, когда страна была на пороге войны, когда войска готовы были вторгнуться в Польшу, чтобы прорваться в Германию, его сторонники выступили с оппозиционной платформой под названием «Заявление 46-ти». Всем было ясно, что выступление это инспирировано Троцким. В тот момент такой шаг был воспринят партийной элитой как акт прямого предательства.

Сейчас много говорят и пишут о нашей храброй оппозиции, о том, как она отважно противопоставляла себя Сталину. Но почему-то не очень любят публиковать документы этой самой оппозиции. Почему бы это? Может быть, все прояснится, если прочесть хотя бы одно оппозиционное воззвание? Итак, вот оно, «Заявление 46-ти в Политбюро ЦК РКП(б)» от 15 октября 1923 года.

«Чрезвычайная серьезность положения заставляет нас (в интересах нашей партии, в интересах рабочего класса) сказать вам открыто, что продолжение политики большинства Политбюро грозит тяжелыми бедами для всей партии. Начавшийся с конца июля этого года хозяйственный и финансовый кризис, со всеми вытекающими из него политическими, в том числе и внутрипартийными последствиями, безжалостно

---

[1] «Иудушкой» как-то раз со злости назвал Троцкого Ленин.

вскрыл неудовлетворительность руководства партией, как в области хозяйства, так и особенно в области внутрипартийных отношений.

Случайность, необдуманность, бессистемность решений ЦК, не сводящего концов с концами в области хозяйства, привели к тому, что мы при наличии несомненных крупных успехов в области промышленности, сельского хозяйства, финансов и транспорта, успехов, достигнутых хозяйством страны стихийно, не благодаря, а несмотря на неудовлетворительное руководство или, вернее, на отсутствие всякого руководства, не только стоим перед перспективой приостановки этих успехов, но и перед тяжелым экономическим кризисом.

Мы стоим перед близящимся потрясением червонной валюты, которая стихийно превратилась в основную валюту до ликвидации бюджетного дефицита, перед кредитным кризисом, когда Госбанк без риска тяжкого потрясения не может финансировать не только промышленность и торговлю промышленными товарами, но и закупку хлеба для экспорта, перед остановкой сбыта промышленных товаров вследствие высоких цен, которые объясняются, с одной стороны, полным отсутствием планомерного организаторского руководства в промышленности, с другой стороны, неверной кредитной политикой; перед невозможностью осуществления хлебоэкспортной программы вследствие невозможности закупать хлеб; перед крайне низкими ценами на пищевые продукты, разорительными для крестьянства и грозящими массовым сокращением сельскохозяйственного производства; перед перебоями в выдаче зарплаты, вызывающими естественное недовольство рабочих; перед бюджетным хаосом, непосредственно создающим хаос в государственном аппарате; "революционные" приемы сокращений при выработке бюджета и новых явочных сокращений при его реализации стали из переходных мер постоянным явлением, которое непрерывно сотрясает госаппарат и вследствие отсутствия плана о сокращениях – сотрясает его случайно, стихийно.

Все это суть некоторые элементы уже начавшегося хозяйственного, кредитного и финансового кризиса. Если не будут немедленно приняты широкие, продуманные, планомерные и энергичные меры, если нынешнее отсутствие руководства будет продолжаться, мы стоим перед возможностью необычайно острого хозяйственного потрясения, неизбежно связанного с внутренними политическими осложнениями и с полным параличом нашей внешней активности и дееспособности. А последняя, как всякому понятно, нужна нам теперь больше, чем когда-либо, от нее зависят судьбы мировой революции и рабочего класса всех стран...»

Как видим, первая часть письма посвящена констатации того ну прямо-таки никому не ясного факта, что положение хреновое. С ума сойти, какое открытие! Впрочем – нет, не совсем хреновое, ибо были достигнуты некоторые успехи, и даже крупные – хотя руководство страны тут ни при чем, достигнуты они были совершенно стихийно, вот взяли и родились сами собой из хаоса. Но все равно много хренового, и надо принимать меры. И, по-видимому, сейчас мы познакомимся с планом этих самых широких, продуманных и прочих мер, разработанных партийной оппозицией.

Ан фиг вам, любезные! Все это, оказывается, была преамбула, и дело совсем не во всеохватывающем кризисе, который вот-вот грядет. Потому что дальше речь пойдет совсем о другом.

«Точно так же и в области внутрипартийных отношений мы видим ту же неправильность руководства, парализующую и разлагающую партию, что особенно ярко сказывается во время переживаемого кризиса.

Мы объясняем это не политической неспособностью нынешних руководителей партии; наоборот, как бы мы ни расходились с ними в оценке положения и в выборе мероприятий к его изменению – мы полагаем, что нынешние руководители при всяких условиях не могут не быть поставлены партией на передовые посты рабочей диктатуры (то есть речь о смене власти не идет. Кто пахал, те пусть и пашут. Тогда о чем вообще весь базар? – Авт.). Но мы объясняем это тем, что под внешней формой официального единства мы на деле имеем односторонний, приспособляемый к взглядам и симпатиям узкого кружка подбор людей и направление действий. В результате искаженного такими узкими расчетами партийного руководства партия в значительной степени перестает быть тем живым самодеятельным коллективом, который чутко улавливает живую действительность, будучи тысячами нитей связанным с этой действительностью. Вместо этого мы наблюдаем все более прогрессирующее, уже почти ничем не прикрытое разделение партии на секретарскую иерархию и "мирян", на профессиональных партийных функционеров, подбираемых сверху, и прочую партийную массу, не участвующую в общественной жизни...»

Что, интересно, имеют авторы в виду под «общественной жизнью»? Как сложившаяся иерархия может помешать устраивать субботники, организовывать кружки политграмоты и школы ликбеза, шефствовать над заводами и стройками? Оказывается, под общественной жизнью оппозиция имеет в виду нечто весьма специфическое.

«...Это факт, который известен каждому члену партии. Члены партии, недовольные тем или иным распоряжением ЦК или даже губкома, имеющие на душе те или иные сомнения, отмечающие "про себя" те или иные ошибки, неурядицы и непорядки, боятся об этом говорить на партийных собраниях, более того – боятся беседовать друг с другом, если только собеседник не является совершенно надежным человеком в смысле "неболтливости"; свободная дискуссия внутри партии фактически исчезла, партийное общественное мнение заглохло. В наше время не партия, не широкие ее массы выдвигают и выбирают губернские конференции и партийные съезды, которые в свою очередь выдвигают и выбирают губкомы и ЦК РКП. Наоборот, секретарская иерархия, иерархия партии все в большей степени подбирает состав конференций и съездов, которые все в большей степени становятся распорядительными совещаниями этой иерархии. Режим, установившийся внутри партии, совершенно нестерпим; он убивает самодеятельность партии, подменяя партию подобранным чиновничьим аппаратом, который действует без отказа в нормальное время, но который неизбежно даст осечки в момент кризисов и который грозит оказаться совершенно несамостоятельным перед лицом надвигающихся событий...»

Теперь мы видим, что под общественной жизнью понимаются дискуссии – как показала практика, бесконечные и по любому вопросу, ибо известно, что где соберутся два политика, там непременно присутствуют три мнения, а в отдалении маячит четвертое. Ну как же так: у них есть мнения, а высказать их не дают... Что же касается нормальной и ненормальной работы, то тем, кто согласен с авторами письма, предлагаю провести эксперимент: попробовать организовать на дискуссионно-демократических началах работу, например, бригады ремонтных рабочих из пяти человек и посмотреть, что они вам наремонтируют.

А дальше пошли уже совсем интересные вещи:

«Создавшееся положение объясняется тем, что объективно сложившийся после X-го съезда режим фракционной диктатуры внутри партии пережил сам себя. Многие из нас сознательно пошли на непротивление такому режиму. Поворот 21-го года (нэп. – Авт.), а затем болезнь т. Ленина требовали, по мнению некоторых из нас, в качестве временной меры, диктатуры внутри партии. Другие товарищи с самого начала относились к ней скептически или отрицательно. Как бы то ни было, к XII съезду партии этот режим изжил себя. Он стал поворачиваться своей оборотной стороной. Внутрипартийные сцепы стали ослабляться.

Партия стала замирать. Крайне оппозиционные, уже явно болезненные течения внутри партии стали приобретать антипартийный характер, ибо внутрипартийного товарищеского обсуждения наболевших вопросов не было. А такое обсуждение без труда вскрыло бы болезненный характер этих течений как партийной массе, так и большинству их участников. В результате – нелегальные группировки, выводящие членов партии за пределы последней, и отрыв партии от рабочих масс...»

А мы-то думали, что этот процесс начался после 1927 года! А он, оказывается, уже в 1923-м шел полным ходом...

Дальше идет снова все та же риторика о кризисе и единстве – мы уж пожалеем себя и читателя, не станем ее приводить. И вот, наконец, резюме.

«В партии ведется борьба тем более ожесточенная, чем более глухо и тайно она идет. Если мы ставим перед ЦК этот вопрос, то именно для того, чтобы дать скорейший и наименее болезненный выход раздирающим партию противоречиям и немедленно поставить партию на здоровую основу... Фракционный режим должен быть устранен – и это должны сделать в первую очередь его насадители, он должен быть заменен режимом товарищеского единства и внутрипартийной демократии».

Одним словом, ЦК и Политбюро поставили перед фактом: либо они возрождают в партии свободу дискуссии без конца и без края, либо она распадается на нелегальные группировки. Перспективочка, однако...

И это все. Вот оно, знаменитое «заявление 46-ти», о котором столько говорили, но которое почему-то не публиковали – теперь, надеемся, ясно, почему? Ничего иного, кроме как требования свободы бесконечной болтовни, в этом письме не содержится. Видно, уж очень приперло, если этот вопрос сочли столь актуальным, что подняли его в такое время. Впрочем, одно радует: это письмо сыграло свою роль в принятии решения по «германскому вопросу», и Красная Армия не сунулась в Польшу. И таковы все подобные документы – много слов и никакой конкретики. И требование свободы дискуссий, дискуссий без конца!

Тем не менее шум был до неба. 27 декабря начальник политуправления Красной Армии В. Антонов-Овсеенко даже написал в Политбюро письмо с угрозами: если тронут Троцкого, то вся армия станет на его защиту. Обстановка была такой, что в начале 1924 года кое-кто всерьез ждал переворота. Однако Троцкий то ли был болен, то ли струсил – но «демон революции» отмолчался, а без него начинать никто не решился.

Ну, и что было делать с оппозиционерами? Они хотели дискуссии – они ее получили. Состоявшаяся в декабре 1923 – январе 1924 года парт-дискуссия закончилась полным поражением оппозиции. В партийных организациях ЦК поддержали 98,7% членов партии, а троцкистов – 1,3%, о чем и было торжественно объявлено на XIII партконференции. Пьедестал, который Троцкий столь старательно сколачивал для себя из тел своих сторонников, торжественно под ним развалился. Кстати, сам он на конференцию не явился – «лечился от простуды» в Сухуми. Еще одно предательство «демона революции»...

Не приехал Троцкий и на похороны Ленина, заявив, что его поздно известили и он не успевает в Москву – хотя самолеты в то время уже летали. Нельзя сказать, чтобы товарищи по Политбюро были этим так уж сильно расстроены – без него было как-то потише и поспокойней...

Левая, правая где сторона?

Поскольку мир, как выяснилось, круглый,
То даже если левый ты и бравый,
Не слишком влево забирай от левых,
А то недолго оказаться справа.

Из латиноамериканской поэзии

Итак, оппозиция проиграла этот бой, как будет проигрывать и все последующие. Причина тому крайне проста. Можно сколько угодно утверждать, что это интриган и тиран Сталин своей железной рукой всех зажал и всем заткнул рот, но на самом деле все проще: за ним всегда было большинство. Причем большинство подавляющее. Даже в партийной среде оппозиция никогда не набирала больше 4 % голосов, не говоря уже о беспартийной. Что, народ правды не чуял?

В том-то и дело, что чуял. Еще как чуял ту правду, что оппозиция всегда была кучкой болтающей интеллигенции. «Узок круг этих революционеров, страшно далеки они от народа». В милой полудетской книжечке «Как закалялась сталь» достаточно подробно описывается, как проходила партдискуссия в одной из низовых организаций. Когда, потерпев поражение, местные оппозиционеры заявили, что имеют право организовать фракцию меньшинства, зал взвыл: опять большевики и меньшевики! Сколько же можно? ДОСТАЛИ!!!

...Впрочем, потерпев поражение, оппозиция ничего не поняла и ничему не научилась. Не успел закончиться базар с «заявлением 49-ти», как подоспела история с пресловутым «ленинским завещанием». Содержание этого документа так широко растиражировано, что пересказывать его нет смысла. Достаточно сказать, что, когда читаешь его целиком, видно, что составлено это «завещание» явно в пользу Троцкого, чего от реального Ленина, который собирал Политбюро, не приглашая на него «демона революции», ждать не приходилось. Кроме того, из этого документа во все стороны торчат усы, зубы, уши и когти тех, кто к 1924 году понял, что терпеть не может Сталина. Кстати, и в ближайшем окружении Ленина такой человек имелся. Надежда Константиновна Крупская мало того, что не испытывала к Сталину ни малейшей симпатии (надо сказать, взаимно), но, как показали ее дальнейшие действия, и политически явно склонялась на сторону оппозиции.

Тут надо вспомнить, что собой представляло это самое «завещание Ленина». В мае 1924 года, за пять дней до открытия XIII съезда партии, Крупская передала в ЦК конверты со всеми работами Ильича, надиктованными в период болезни, сказав, что Ленин просил огласить «Письмо к съезду» после своей смерти, на съезде партии. Письмо представляло собой машинописный текст, Лениным он был не то что не написан собственноручно (писать он не мог), но даже не подписан. Документ просто кричал о своей сомнительности, как формой, так и содержанием. Тем не менее со вдовой вождя спорить не стали, документы приняли, разве что «Письмо» не стали читать с трибуны, а произвели оглашение по делегациям, в перерыве. Строго говоря, серьезно повредить «Письмо» могло только Сталину, однако предложение заменить генсека съезд не стал даже обсуждать, и все делегации без исключения высказались за него. Что любопытно, в его защиту горячо и страстно выступил Зиновьев. Тем и закончилась история с «завещанием», воскресшая в годы «перестройки» как сенсация и ни в коей мере не являвшаяся таковой в то время, когда она произошла.

А по большому счету, даже если бы Ленин на самом деле написал эту бумагу – ну и что? Это ведь не распоряжение о судьбе миллиона долларов, нажитых непосильным трудом. Партия не была собственностью Владимира Ильича, и он никому ее завещать не мог...

...Лето – время отпусков. Каждый проводит отпуск по-разному, а советское руководство любило ездить на юг.

Часть вторая. НЕПАРЛАМЕНТСКАЯ ОППОЗИЦИЯ

Еще летом 1923 года, на прогулке в горах, Зиновьев и Бухарин, забравшись в какую-то пещеру в компании с Лашевичем, Евдокимовым и Ворошиловым, стали обсуждать положение в партии, предаваясь извечному русскому вопросу: что делать? Родилась идея – создать новый партийный секретариат из Троцкого, Сталина и кого-нибудь третьего – Каменева, Зиновьева или Бухарина. Читай: Сталин будет работать, Троцкий саботировать, а «третий» заниматься демагогией. Ворошилов вроде бы покрутил пальцем у виска и отправился восвояси, остальные же принялись за реализацию своего плана всерьез.

Однако идея резко не понравилась как Сталину, которому хотелось хотя бы в секретариате обойтись без дискуссий, так и Троцкому, не желавшему делить необъятную власть секретаря ЦК ни с кем, даже с тем, кто эту власть создал. Сталин ответил со своим обычным юмором: «На вопрос, заданный мне в письменной форме из недр Кисловодска, я ответил отрицательно, заявив, что если товарищи настаивают, я готов очистить место без шума, без дискуссии...» Угроза отставки – то, что сразу же примиряло противников Сталина с его персоной. Демократия демократией, но и работать ведь кому-то надо!

Резюме Сталина было коротким: «С жиру беситесь, друзья мои!» И кто скажет, что он был не прав? Сталин-то сидел в Москве, пока они прохлаждались на юге, и, по его собственному выражению, «тянул лямку».

Сезон 1924 года вроде бы прошел спокойно. Но это только вроде бы... 19 июля Сталин пишет следующее письмо:

«В Пленум ЦК РКП(б). Полуторагодовая совместная работа в политбюро с т. Зиновьевым и Каменевым после ухода, а потом и смерти Ленина сделала для меня совершенно ясной невозможность честной и искренней совместной политической работы с этими товарищами в рамках одной узкой коллегии. Ввиду этого прошу считать меня выбывшим из состава Пол. Бюро ЦК.

Ввиду того, что ген. Секретарем не может быть не член Пол. Бюро, прошу считать меня выбывшим из состава Секретариата (и Оргбюро ЦК). Прошу дать отпуск для лечения месяца на два. По истечении срока прошу считать меня распределенным либо в Туруханский край, либо в Якутскую область, либо куда-нибудь за границу на какую-либо невидную работу.

Все эти вопросы просил бы Пленум разрешить в моем отсутствии и без объяснений с моей стороны, ибо считаю вредным для дела давать объяснения, кроме тех замечаний, которые уже даны в первом абзаце этого письма».

Интересно, чем именно Зиновьев и Каменев так уели Сталина, что он просится от них в Туруханский край? Но ведь чем-то же уели, это ясно... Это явно не взвешенное решение, а просто обида человека, который смертельно устал и которого все это достало...

Не отпустили. Снова и снова он просится в отставку с этого поста – в декабре 1926 года, в декабре 1927-го – и не отпускают, даже слышать не хотят. Тут надо понимать еще один момент: Сталин – человек достаточно сентиментальный. Не зря он всегда был миротворцем. Один из самых старых по стажу членов партии, он пока еще не может отрешиться от того, что оппозиционеры – это его вчерашние товарищи по борьбе, что Каменев – тот самый Лева Розенфельд, который в 1903 году укрывал его на конспиративной квартире после побега из ссылки. Гитлер через какой-то год после прихода к власти устроил «ночь длинных ножей». Сталин был на это не способен в принципе. В конечном итоге это дорого обошлось.

...Осень 1924 года принесла возобновление дискуссии. Троцкий, сей поверженный демон в галифе, не в силах смириться с поражением, выступил уже в открытую, напечатав статью «Уроки Октября». В ней он снова припомнил октябрьское предательство Каменева и Зиновьева и выступил против них с открытым обвинением в оппортунизме. Будоражить память о позорном и неудачном выступлении было что ткнуть в больной зуб. Оба, естественно, возмутились и потребовали исключить обидчика из партии. Спас его... Сталин, вечный миротворец, выступивший в защиту Троцкого, как в октябре семнадцатого дал Зиновьеву возможность высказать свое мнение в партийной газете, когда все были против него. Дело кончилось всего лишь отстранением Троцкого в январе 1925 года от руководства военными делами, что в любом случае следовало сделать, потому что бардак в армии он развел невообразимый.

Но политическая команда Троцкого осталась при нем. Кто же в нее входил?

В начале перестройки многочисленными публикациями пытались сформировать образ троцкиста как левого экстремиста, сторонника тотального обобществления, трудовых армий и мировой революции. На самом деле это устойчивый миф, который был создан самим Троцким еще в 20-е годы и сохранился до наших дней. Внешне его платформа, действительно, состояла из трех групп левых лозунгов. Это критика бюрократических порядков в партии, борьба за «соблюдение внутрипартийной демократии». Это критика слева политики нэпа и – сугубо теоретическая часть платформы – критика теории построения социализма в одной стране. На самом же деле так всего-навсего было удобнее критиковать правительство и вербовать сторонников. Когда правительство резко взяло влево, Троцкий тут же начал наскакивать на него уже с правой стороны.

Фактически же раскол шел не по идеологической, а совсем по иной плоскости. Если вынести за скобки лозунги – кто на самом деле поддержал Троцкого? Ну, во-первых, конечно, неспособные к работе горлопаны. Во-вторых, «обиженные» всех уровней, которых всегда много, охотно присоединились к дискуссии о «внутрипартийной демократии». В-третьих, на его стороне выступили всевозможные национал-уклонисты. Например, у Троцкого было очень много грузин – 10–15 процентов. Грузины почти поголовно в то время были националистами. Сделали ставку на Троцкого и сепаратисты-украинцы. В общем, прослеживалась закономерность – где сепаратизм был развит сильнее, там и троцкизм был развит сильнее. Затем его поддержали децисты, сторонники «демократического централизма», – а это уже сепаратисты в квадрате. На словах «децисты» были сторонниками ультралевого крыла в партии, а на деле – поборниками парада региональных суверенитетов, то есть полного развала государства. На его стороне было много иностранных коммунистов, осевших в СССР, вроде Раковского и Радека, – ну, это буревестники из Коминтерна, с ними все ясно. Кстати, что касается политики, то Радек по всем позициям был куда более правым и все время состоял при Ленине – а теперь вдруг оказался при Троцком, предпочтя роль «хвоста у Льва», как позднее сам писал в знаменитой эпиграмме на Ворошилова:

> *Ах, Клим, пустая голова,*
> *Навозом доверху завалена.*
> *Ведь лучше быть хвостом у Льва,*
> *Чем задницей у Сталина.*

Трудно сказать, чем лучше – что хвост, что задница, все одна сторона тела...

Если что и могло быть хуже, чем Политбюро образца 1921 года, – так это его состав в 1925 году. К прежним, уже притершимся друг к другу «закадычным врагам» добавились еще Бухарин, Рыков и Томский. Идейным вождем троих новых членов был Бухарин. Он почему-то считался вождем «правых» в партии, хотя его взгляды были куда левее сталинских. Впрочем, он постоянно менял свои теоретические позиции, одно лишь было неизменно – он видел Россию как плацдарм и резерв для будущей мировой революции. Правда, он был в то время еще и за укрепление крестьянского хозяйства, и даже бросил лозунг «Обогащайтесь!», который вскоре успешно сменил на противоположный. Может быть, поэтому и в правых ходил?

Казалось бы, Политбюро должно было разделиться на «правых», «триумвират» (Сталин, Зиновьев, Каменев) и героя-одиночку Троцкого, который будет гордо стоять над схваткой. Однако все вышло не так.

Осенью 1925 года Зиновьев осознал, что власть медленно, но верно ускользает из его рук. Коминтерн терял влияние, тем более что в капиталистических странах началась стабилизация, курс на мировую революцию явно проваливался. Ленинград все больше превращался в провинциальный город. Фундаментальный труд Григория Евсеевича под названием «Ленинизм» (тот самый, из-за которого Молотов с Орджоникидзе чуть не подрались), где он продолжал упорно настаивать на мировой революции, не произвел ожидаемого впечатления, более того, подвергся критике со всех сторон.

И в августе «ленинградцы» внезапно восстали против Сталина. На октябрьском Пленуме они выступили с «теоретическим» обоснованием своей позиции, однако присутствующие быстро разобрались в ситуации. Когда, после длиннейшей двухчасовой речи, Каменев сделал вывод, что «товарищ Сталин не может выполнить роли объединителя большевистского штаба. Мы против единоначалия, мы против того, чтобы создавать вождя!», в зале послышались выкрики: «Вот оно в чем дело!» «Раскрыли карты!» В общем, и эта атака провалилась.

В результате на XIV съезде партии в декабре 1925 года Зиновьев и Каменев выступили во главе новой оппозиции. Их поддержал крайне правый по своим взглядам наркомфин Сокольников, а в качестве «свадебного генерала» выступала Надежда Константиновна Крупская. Новая оппозиция отражала взгляды питерских рабочих, требовавших – а чего могут требовать рабочие? – повышения зарплаты. А также ограничения прав партийного и государственного аппарата, рабочего контроля над производством, обуздания нэпа. Требования не слишком умные, но популистские. Таким образом, Зиновьев и Каменев как бы выступали в качестве центристов при «левом» Троцком и «правом» Сталине, хотя на самом деле ни Троцкий не был левым, ни Сталин – правым, ни они центристами, да и вообще вся эта анатомия была тут совершенно ни при чем.

Масса партийцев отнюдь не являлась слепой толпой, замороченной марксизмом. Это были нормальные, практичные люди, которые понимали, что к чему, и прекрасно видели теоретический разнобой оппозиции, каждый из представителей которой говорил свое, да еще и чуть ли не каждый год меняя позицию. В 1925 году Сталин смеялся над этим их свойством: «Каменев говорил одно, тянул в одну сторону, Зиновьев говорил другое, тянул в другую сторону, Лашевич – третье, Сокольников · – четвертое. Но, несмотря на разнообразие, все они сходились на одном. На чем же они сошлись? В чем же состоит их платформа? Их платформа – реформа Секретариата ЦК. Единственное общее, что вполне объединяет их – вопрос о Секретариате. Это странно и смешно, но это факт».

Новая оппозиция была так же торжественно разгромлена, как и старая. В январе 1926 года первым секретарем Ленинградского обкома партии стал верный сталинец Киров. Из членов Политбюро Каменев был переведен в кандидаты и лишился поста председателя Совета труда и обороны, а Зиновьев – поста председателя Петросовета, оставаясь, правда, пока что главой Коминтерна. Сокольникова исключили из кандидатов в Политбюро и убрали с поста наркомфина. Причины для следующего выступления были налицо.

1926 год принес с собой новое в поведении оппозиции. Во-первых, она наконец объединилась. В апреле 1926 года был создан объединенный блок, к которому примкнули и суперлевые «децисты», и грузинские националисты, и прочие осколки всех ранее существовавших оппозиционных блоков и групп на платформе «левых». Получился союз весьма противоестественный, но жизнеспособный, поскольку объединялся бессмертным принципом: «Против кого дружить будем?» Даже рядовые партийцы поняли, что стоит за «принципиальностью» поверженных вождей.

Во-вторых, Троцкий стал разыгрывать провокационную карту – он поставил на Политбюро вопрос об антисемитизме, совершенно по классическому принципу, сформулированному в известном анекдоте: «Если Иванова посадили за воровство, то он просто вор, а если Рабиновича – то это антисемитизм». Поскольку подавляющее большинство видных оппозиционеров были евреями, то Лев Давидович представил дело так, что борьба с оппозицией была проявлением антисемитизма. Сталин стал его опровергать, заявив, что ЦК борется с оппозицией не потому, что они евреи, а потому, что оппозиционеры. По поводу чего мы имеем роскошный образчик провокационной логики Троцкого: «Каждому политически мыслящему человеку была совершенно ясна намеренная двусмысленность этого заявления... "Не забывайте, что руководители оппозиции – евреи", – вот настоящий смысл слов Сталина, опубликованный во всех центральных газетах». Трудно сказать, знали ли народные массы о национальности Зиновьева, Каменева, да и самого Троцкого, с их русскими псевдонимами, однако после этого заявления внимание масс к национальности партийных верхов было привлечено всерьез и надолго.

Третье новое, что появилось в поведении оппозиции, было только что забытым старым. Они начали нелегально печатать свои воззвания, на чем попало, вплоть до пишущих машинок. И это третье значило очень много. За тридцать лет до того российские социал-демократы тоже начинали свою деятельность именно с нелегальных прокламаций. Эти жалкие листочки означали, что отношения оппозиции с властью перешли в новую фазу – нелегальной борьбы.

И вот свершилось то, что рано или поздно должно было свершиться. Оппозиция «достала» партийцев. В самом деле – работы по горло, надо восстанавливать хозяйство, создавать армию, а тут в верхах черт знает что творится, свистопляска какая-то. На очередных обсуждениях в партийных ячейках Москвы и Ленинграда лидерам оппозиции просто не давали выступать. Впервые в жизни Троцкий, один из величайших ораторов XX века, провалился – его слова перекрывал рев толпы. Еще повезло, что не побили... Туда же, куда Троцкого, послали и остальных ораторов. Из 87 тысяч присутствовавших на собраниях в этих двух городах за оппозицию проголосовало 496 человек. И не надо искать здесь тоталитарную партийную дисциплину, все было куда проще. Потихоньку восстанавливалась промышленность, поднималось сельское хозяйство, все это прекрасно видели, и оппозиция выглядела просто кучкой крикунов, мешающей Сталину и его команде работать. Как оно на самом деле и было.

Они еще долго группировались друг с другом, сходились и расходились, меняли позиции и устраивали дискуссии. Все это перечисляется в десятках книг, и все это очень скучно. Какая, собственно, разница – когда Каменев объединился с Троцким, когда разошелся и когда к ним ко всем примкнул Рыков? Так или иначе, вскоре все, кто выступал против Сталина, оказались рядом, защитниками одной баррикады, и методично проигрывали схватку за схваткой – но не унимались. Не могли уняться. Чисто психологически не могли.

Но одной борьбой вокруг секретариата ЦК деятельность оппозиции не ограничивалась. Это была практическая сторона, а имелась и теоретическая, точнее, мировоззренческая подоплека. В 1926 году Сталин сформулировал принципиальное разногласие между «генеральной линией» и столь любимой нашими господами демократами оппозицией. «В чем состоит эта разница? В том, что партия рассматривает нашу революцию как революцию социалистическую, как революцию, представляющую некую самостоятельную силу, способную идти на борьбу против капиталистического мира, тогда как оппозиция рассматривает нашу революцию как бесплатное приложение к будущей, еще не победившей пролетарской революции на Западе, как "придаточное предложение" к будущей революции на Западе, как нечто, не имеющее самостоятельной силы». Неудивительно, что господа «перестроечные демократы» так возлюбили оппозиционеров – они ведь тоже не видят в России самостоятельной ценности, рассматривая ее как придаток западной экономики. Впрочем, привычка «задрав штаны, бежать за Западом» – это не Явлинские с Собчаками придумали, и не Троцкие с Каменевыми, это свойство старое, вековое свойство русских «верхов» – смотреть на Запад преданными собачьими глазами, повернувшись к родной стране, пардон, противоположной частью и ощущая себя по причине таких предпочтений элитой среди ничего не понимающего быдла.

И пусть хоть один человек, прочитавший изложенное в этой главе, скажет, что эту оппозицию не пытались убедить, подчинить партийной дисциплине, хоть как-то к делу приспособить. Пытались. Не вышло. И не могло выйти никогда по одной очень простой причине: деятели оппозиции были сплошь «революционеры», а «революционер» не может быть приспособлен к делу по причине абсолютной деструктивности всей своей деятельности. Ну не выйдет из пулемета нужная в хозяйстве вещь, на какой бок его ни положи! Из него можно только стрелять. Так и революционер – он может только делать революцию, ни на что иное он не пригоден.

Ну хорошо, допустим, дали бы Троцкому власть. И что? Чем бы все кончилось, вполне можно предугадать. Всенародным бунтом при попытке всеобщей милитаризации всего, либо войной при прорыве Красной Армии на помощь мировому пролетариату. А после неудачи по первому или второму типу Лев Давидович отправился бы в эмиграцию, побежденный, но не сломленный, и занялся разработкой теории мировой революции. Собственно, этим все и кончилось, только с меньшими потерями для Советской России и с большей рекламой для самого Троцкого, за спиной которого не было позорного поражения, ибо злодей Сталин не дал ему осуществить свои гениальные планы.

Досье: саботаж
ЭКОНОМИКА, ПЕРЕХОДЯЩАЯ В ПОЛИТИКУ, И НАОБОРОТ

У советской власти в 20-е годы существовала одна проблема, которая сейчас объявлена несуществующей по причине ее абсурдности. Проблема заключалась в том, что у национализированных заводов, фабрик, рудников и пр. существовали бывшие хозяева. А поводом для обвинения в абсурдности стал неудачный термин, смешное слово — «вредительство». Ходят, мол, в цехах, на шахтах какие-то люди и из чистой вредности вредят, вредят, вредят... Однако, когда начинаешь знакомиться с конкретным содержанием этого термина, оказывается, что в нем много до боли знакомого и совсем не смешного.

...Сразу после революции крупные деятели русской промышленности, оказавшиеся в эмиграции, создали в Париже так называемый «Торгово-промышленный центр» (сокращенно «Торгпром»). В 1922 году, когда стало ясно, что власть большевиков не намерена обрушиться в ближайшие дни, в «Торгпроме» появился секретный совет. Цель его была проста и откровенна — организация борьбы с Советской властью. В его состав вошли такие акулы бизнеса, как Густав Нобель, бывший владелец нефтяных предприятий, миллионеры братья Гукасовы, С. Г. Лионозов, С. Н. Третьяков и др. Все они сумели спасти свои капиталы от революции, поэтому в средствах «Торгпром» недостатка не испытывал.

Одним из видов деятельности секретного совета было прямое финансирование террора — одним, но не единственным. Ведь на территории Советской России оставалась колоссальная собственность...

В те годы никто не ожидал, что Советская власть продержится долго. В числе прочих надежд была и надежда на то, что она рухнет сама собой, не выдержав экономических трудностей. И этот процесс, безусловно, надо было подстегнуть. Это во-первых. Во-вторых, со дня на день эмигранты ждали иностранной интервенции и готовились к тому, чтобы оказать ей всемерную помощь. В-третьих, после введения нэпа появились новые возможности — получить свои предприятия в концессию или в порядке денационализации, если таковая будет проводиться.

Ожидая и надеясь на то, что реализуется какой-либо из этих трех вариантов, бывшие хозяева пристально следили из-за границы за своими предприятиями — как они эксплуатируются, старались поддерживать их в приличном состоянии, чтобы к тому времени, как они вернут себе свою собственность, в нее не надо было вкладывать значительные средства. В этом им помогали старые служащие компаний, фабрик, заводов, рудников — в обмен на денежные «пособия» из-за границы. Ну, и, конечно, приторговывали сведениями о состоянии промышленности Советской России.

...Еще в ноябре 1918 года член правления акционерного общества нефтяных предприятий в России «Нобель» Густав Нобель перед отъездом за границу собрал в Петрограде группу ответственных служащих фирмы и наказал им в его отсутствие заботиться о сохранении имущества и сырья предприятий впредь до ликвидации Советской власти и возвращения их прежним владельцам. Дал он также указание быть готовыми к тому, чтобы при необходимости — например, с началом интервенции — дезорганизовать работу нефтяных предприятий в России.

В 1919 году в Финляндии появилась входящая в «Торгпром» отраслевая нобелевская организация, во главе с полковником Н. Н. Булнаковым. Организация, помимо прочего, занималась экономическим шпионажем. Она пересылала в Россию деньги для раздачи бывшим служащим «Нобеля» (200 миллионов рублей ежемесячно) и получала от них сведения о добыче нефти и о состоянии предприятий. В России организацией руководили профессор Тихвинский и бывший голландский подданный В. В. Гармсен, управляющий Петроградским районным нефтяным комитетом.

Экономический шпионаж и получение нобелевских пособий выплыли на свет в середине 1921 года, в ходе ликвидации «Петроградской боевой организации» — крупного разветвленного контрреволюционного подполья, занимавшегося как пропагандой, организацией террора, так и экономическим саботажем. Глава организации В. Н. Таганцев, например, совместно с князем Шаховским занимался созданием подпольных банковских контор. Членами организации, как выяснилось, были и профессор Тихвинский, и Гармсен, который передавал Таганцеву сведения о состоянии нефтяной промышленности России. Члены «боевой» части организации были расстреляны, с профессором Тихвинским и его «коллегами» поступили мягче. 26 июля 1922 года Московский ревтрибунал приговорил девять подсудимых, проходивших по этому делу, к различным срокам лишения свободы.

...В 1923 году Московское ГПУ всерьез занялось делами Серпуховского государственного текстильного треста, который работать-то вроде бы и работал, а толку от него было мало.

Серпуховской текстильный трест объединял в основном фабрики «Товарищества мануфактуры Коншина». Заправляли там бывшие высокопоставленные служащие «Товарищества». Председатель треста В. И. Чердынцев до революции был директором Богородско-Глуховской мануфактуры, зав. торгово-производственным отделом Н. М. Калинин — членом правления «Товарищества» и т. д. При обысках чекисты нашли «черную бухгалтерию», которая неоспоримо доказывала, что часть руководителей треста были совладельцами московских частных фирм. Стоит ли продолжать? Любой читатель может нынче сам прочесть лекцию о том, как по этим каналам перекачивались средства от государственного к частным предприятиям, как продавали продукцию по заниженным ценам, а сырье покупали по завышенным, какие прибыли получали...

Но была и другая сторона этой деятельности. Бывшие владельцы «Товарищества», братья Кнооп, эмигрировав за границу, образовали в Германии совместно с другими текстильными фабрикантами так называемое «Висбаденское соглашение» и открыли в Берлине контору, во главе которой поставили бывшего директора-распорядителя «Товарищества» А. А. Ценкера. Члены «соглашения» живо интересовались положением на своих бывших предприятиях. Они сумели установить связь со старыми специалистами, которые снабжали их необходимой информацией и выполняли их указания (какой информацией и какие указания — это мы рассмотрим, когда перейдем к «шахтинскому делу».) За свои услуги работники треста получали от бывших хозяев деньги, хоть и небольшие, зато в твердой валюте. В марте 1923 года пятеро работников Серпуховского треста получили 42 фунта стерлингов. Через несколько недель на те же цели было направлено еще 30 фунтов.

Дело треста рассматривалось в Московском ревтрибунале. Чердынцев и Калинин были приговорены к расстрелу (первого потом помиловали), ряд работников треста получили по 10 лет — и кто скажет, что они безвинно пострадали?

...До революции Платинопромышленная компания владела приисками на Урале. В 1922–1923 годах французские капиталисты, члены правления компании, учредили фирму «Эндюстриель де платин» и стали добиваться передачи им прежних рудников в концессию. Однако представитель компании, профессор Дюпарк, в докладе, представленном Советскому правительству, несколько перестарался. Его доклад содержал массу сведений о состоянии советской платиновой промышленности. Легальным путем они не могли быть получены. Тогда кто информировал французов?

ГПУ достаточно быстро раскрыло информатора. Это был заведующий геологоразведочной частью треста «Уралплатина» профессор Модест Клер. Швейцарский подданный Клер предложил французской компании свои услуги. Французы их с благодарностью приняли. Связь поддерживалась через полковника Жильбера Сютель-Дюлонга, бывшего зав. коммерческой частью приисков, в то время работавшего директором французской миссии Красного Креста по оказанию помощи голодающим. Доказательства были бесспорны: ГПУ удалось получить переписку Сютель-Дюлонга с хозяевами, где прямым текстом говорилось о роли Клера. За свои услуги профессор получил от компании 200 франков.

Естественно, в концессии французам отказали, а Модест Клер был арестован и осужден на 10 лет лишения свободы.

...В 1919 году правление Южно-Русского металлургического общества эвакуировалось в Польшу. Своим уполномоченным бывшие владельцы оставили инженера Жарновского, который должен был сохранить завод до возвращения хозяев. Жарновский собрал особо доверенных служащих, довел до их сведения свое назначение и предложил выполнять указания не новой власти, а бывших хозяев. Естественно, не «за так», а за жалованье.

С 1920 года правление наладило связь с Жарновским и его помощниками. Они стали получать обещанное жалованье, которое в 1921 году было увеличено (так, Жарновский имел 1000 франков, а его помощники — от 500 до 850 франков в месяц). Перед ними была поставлена задача — «содействовать правлению по получению завода в концессию», то есть работать не по государственной программе, а по указаниям бывших хозяев. Так, на заводе производились крупные ремонтные работы, деньги на которые брались из фонда заработной платы; ремонт не соответствовал производственной программе завода; скрывались от учета имевшиеся в наличии материалы. Кстати, что интересно, назначенное жалованье не выплачивалось полностью. Хозяева обещали произвести со своими помощниками полный расчет в течение года с момента передачи завода в концессию.

3 июня 1925 года в Екатеринославе выездная сессия Верховного суда УССР начала рассмотрение дела металлургического завода «Югосталь». Перед судом предстало 19 человек — инженеров, техников и бухгалтеров завода (Жарновский к тому времени эмигрировал в Польшу). Руководитель группы, заведующий прокатным отделением А. В. Шихов, главный бухгалтер завода Н. Простаков и заведующий технической бухгалтерией Д. Ф. Храповицкий были приговорены к расстрелу, однако приговор им заменили 5—6 годами лишения свободы. Пятеро подсудимых получили меньшие сроки лишения свободы, восемь были оправданы.

...Но самым громким делом о «вредительстве» было так называемое «шахтинское дело», которое сегодня объявлено, естественно, насквозь фальсифицированным, причем совершенно голословно. Ни в одной из многочисленных публикаций на эту тему не приводится практически никаких фактов — что это за дело, каковы обстоятельства, в чем обвиняют арестованных. Одни эмоции, и неудивительно, что это так. Потому что как только узнаешь, что там на самом деле происходило, то с самых первых страниц попадаешь на до боли знакомые сюжеты...

...Весной 1928 года в советской печати появились сообщения о разоблачении «крупной вредительской организации» в Шахтинском районе Донбасса. Как говорилось в официальном сообщении прокурора Верховного Суда СССР, «раскрыта контрреволюционная организация, поставившая себе целью дезорганизацию и разрушение каменноугольной промышленности района». На скамье подсудимых оказались 53 человека, в основном из числа местных специалистов. Государственное обвинение поддерживал прокурор Н. В. Крыленко. Обвинение состоит как бы из двух блоков: производственного и политического. Крыленко выделяет три формы собственно «вредительства» — неправильную постановку эксплуатации шахт, порчу машин и оборудования, неправильный выбор места для новых разработок. Кроме того, «шахтинцам» вменялось в вину создание подпольной организации, поддерживавшей связь с «московскими вредителями» и с зарубежными антисоветскими центрами. На первый взгляд, обвинения кажутся полной чушью по причине отсутствия мотивации. Зачем им все это было надо — неправильно эксплуатировать, портить машины? Все несколько проясняется, когда узнаешь, что началась эта история не в 1928 году, а значительно раньше.

...Все началось в незабвенном 1919-м, когда члены правления Днепровского южно-русского металлургического общества бежали в Польшу. Перед отъездом они поручили доверенным служащим сохранить предприятие и постоянно информировать их о положении дел. Из-за границы прежние хозяева связались со своими агентами. Связь велась через бывшего совладельца рудников Ружицкого, назначенного экономическим советником польского консульства в Харькове (он же, кстати, осуществлял связь и с группой на Днепровском металлургическом заводе). В течение 1921—1923 годов главный инженер Кадиевского рудоуправления в Донбассе Гуляков передавал через Ружицкого сведения о состоянии шахт и получал указания бывших хозяев. Указания были следующими: создавать видимость работы шахт, но при этом всячески препятствовать разработкам, не вывозить угольные запасы, сохранять ценные участки, имея в виду скорое возвращение хозяев. Их выдала бывшая жена Гулякова, которая 15 декабря 1923 года сообщила в ГПУ о том, что ее муж занимается экономическим шпионажем. Дело расследовал экономический отдел ГПУ УССР. Верховный суд УССР приговорил шестерых изобличенных «вредителей» к различным срокам лишения свободы — от двух до десяти лет.

Тогда-то органы ГПУ и взяли под пристальное наблюдение все шахты. Выяснилось, что подобные отношения с прежними хозяевами широко распространены среди старых специалистов. И только проведя колоссальную подготовительную работу, ГПУ арестовало группу специалистов угольной промышленности, открыв дело, которое потом и было названо «шахтинским».

И снова все нити ведут в 1919 год. Как показал на следствии инженер Н. Н. Березовский, «в случае занятия рудников красными войсками мы должны работать в пользу старых хозяев по сохранению рудников и оборудования в целости, чтобы их не обесценивать, чтобы при переходе рудников обратно к белым они не были взорваны или повреждены красными войсками». Впрочем, что можно иметь против заботы о сохранении предприятий, которые в любом случае будут работать на благо России? Но дальше пошли другие дела.

В 1923 году в Париже образовалось «Объединение бывших горнопромышленников Юга России», в Польше — «Польское объединение бывших директоров и владельцев горнопромышленных предприятий в Донбассе». Их задача была — добиться возвращения принадлежавших им предприятий — в концессию ли, или иным путем. Многие из них имели связь со старыми служащими в России. Теперь уже интересы бывших владельцев и интересы державы не совпадали.

Согласно материалам процесса, в 1923 году образовался «Харьковский центр», состоявший в основном из инженеров объединения «Донуголь». Один из руководителей «центра», Ю. Н. Матов, так формулирует его основные задачи: «Информация бывших владельцев о происходившем в Донбассе, добыче, состоянии работ и перспективах планов развития рудников и шахт. Проведение вредительской работы при производстве добычи, замедление темпов нового строительства. Вредительство при импортной механизации и рационализации. Общая установка в задачах и деталях организации сводилась к общей дезорганизации каменноугольной промышленности».

Работник «Донугля» С. Б. Братановский конкретизировал эти задачи, на первый взгляд кажущиеся бессмысленным саботажем:

«1) сохранение в неприкосновенном виде более ценных недр и машин для эксплуатации в дальнейшем прежними владельцами или концессиями;

2) доведение рудничного хозяйства до такого состояния, при котором Советское правительство было бы вынуждено сдать рудники в концессию иностранцам или вообще капитулировать перед иностранным капиталом;

3) в случае войны помогать врагам СССР расстройством тыла, прекращая добычу или разрушая или затопляя рудники Донбасса;

4) пропаганда против Советской власти».

Еще более конкретен инженер А. И. Казаринов: «В задачи организации входило, как основная цель ее, – возвращение каменноугольных рудников и горных предприятий прежним их владельцам на тех или иных основаниях, будь то концессия или другое... В осуществление этой задачи прилагались усилия к тому, чтобы на рудниках накапливалось большое количество механического оборудования, но так, чтобы оно до определенного момента не могло использоваться; в первую очередь восстанавливались и переоборудовались такие шахты, восстановление которых стоило дорого, вместо того, чтобы на новом месте проходить более дешевые шахты; в то же время разработка новых выгодных участков тормозилась искусственно путем задержки разведок и закладки новых шахт на малоценных участках. В результате всех этих мероприятий должны были выявиться невыгодность и нерентабельность эксплуатации для "Донугля" и, как естественный выход отсюда, денационализация и сдача шахт в аренду, в концессию».

По данным следствия, организацию финансировали Объединение бывших углепромышленников Юга России, французское объединение бывших владельцев предприятий в России, аналогичное польское объединение и ряд германских фирм (АЕГ, Эйкгоф, Кестер, Симменс-Шуккерт и др.)., а также иностранные разведки. Тесное взаимодействие иностранных фирм с разведками своих государств в то время было обыкновенным делом. Некоторые крупные германские концерны даже создавали у себя так называемые «русские отделы», которые помимо промышленной вовсю занимались и разведывательной деятельностью. В частности, например, «русский отдел» был у фирмы АЕГ (Всеобщая компания электричества). Представители этих организаций нередко были не только инженерами, не только организаторами промышленного шпионажа, но и связными между иностранными разведками и их русскими агентами. Камня в них за это не бросим — люди выполняли свой патриотический долг. В отличие от их русских контрагентов...

Во втором блоке обвинений, в частности, говорится, что в 1926 году «шахтинцы» создали группу в Москве. В нее вошли председатель научно-технического совета каменноугольной промышленности (бывший акционер и директор Ирининского каменноугольного общества) Л. Г. Рабинович и другие работники наркомата, плановых органов и т. д. Это уже был выход на всесоюзный масштаб.

...К тому времени положение в стране изменилось. Расчеты на денационализацию, концессии, аренду проваливались. Оставался один шанс — государственный переворот и, может быть, военная интервенция. Тем более что положение СССР на международной арене резко ухудшилось. Одновременно начались и трудности с хлебом. Как бы повели себя вы на месте «торгпромовцев» — когда вот-вот начнется интервенция против ненавистного режима? А деньги у них были, и очень большие...

Согласно материалам дела, в 1926—1927 годах группа перешла к подрывной деятельности. Участились случаи взрывов и затоплений шахт, порчи дорогостоящего оборудования или закупки негодных машин, занижения зарплаты рабочим, нарушений КЗОТа и правил техники безопасности и пр. — чтобы подорвать каменноугольную промышленность и вызвать недовольство Советской властью. При том, что наверняка, воспользовавшись случаем, с больной совнаркомовской головы на кстати подвернувшихся козлов отпущения перевалили как можно больше последствий экономических трудностей, разгильдяйства, бесхозяйственности, сами обвинения ни в коей мере не кажутся невозможными. Равно как и «всесоюзный масштаб». Все зависит от того, как «Торгпром» оценивал ситуацию и сколько денег ему было не жаль потратить на борьбу за возвращение утраченной собственности.

Дело это слишком большое и конкретное, чтобы быть «липовым». По нему проходят 53 обвиняемых и огромное количество свидетелей. Только по Шахтинскому рудоуправлению было проведено около 1000 очных ставок и допросов — можно ли полностью сфальсифицировать такой огромный труд?

В 1928 году состоялся судебный процесс. Из 53 подсудимых 20 полностью признали себя виновными, 10 — частично, 23 человека виновными себя не признали. Четверо были оправданы, одиннадцать человек приговорены к расстрелу (шестерым из них Президиум ЦИК СССР заменил расстрел десятью годами лишения свободы), остальные получили различные сроки наказания. 9 июля 1928 г. инженеры Н. Н. Горлецкий, Н. К. Кржижановский, А. Я. Юсевич, Н. А. Бояринов и служащий С. З. Будный были расстреляны.

Кстати, штрих к портрету Н. И. Бухарина, кумира современных «реабилитаторов». Спустя несколько месяцев после дела Бухарин, рассказывая Каменеву о разногласиях «тройки» со Сталиным, утверждал, что в некоторых вопросах Сталин «ведет правую политику». Оказывается, генсек предложил не расстреливать подсудимых по «шахтинскому делу», и тогда «мы голоснули против этого предложения» и добились расстрела. А глаза добрые-добрые...

...С 25 ноября по 7 декабря 1930 года Верховный суд СССР рассматривал процесс так называемого Инженерного центра, или «Промпартии». На скамье подсудимых — 8 человек. Профессор МВТУ, директор Теплотехнического института Л. К. Рамзин, заместитель председателя сектора Госплана, профессор И. А. Иконников, заместитель председателя производственного сектора Госплана В. А. Ларичев, председатель Научно-технического совета ВСНХ профессор Н. Ф. Чарновский и еще четверо специалистов достаточно высокого уровня. Подсудимые по делу «Промпартии» обвинялись в том, что создали разветвленную сеть ячеек в наркоматах и местных органах многих городов, установили связь с правительствами империалистических стран и военными и финансовыми центрами белой эмиграции, вели советскую экономику к развалу, готовили с помощью интервенции свержение советской власти и реставрацию капитализма.

Большая часть нитей вела во Францию. Отношения с этой страной тогда были сложными, разведка доносила о подготовке интервенции. Кроме того, во Франции был «Торгпром». По данным следствия, работа делилась на два направления. Во-первых, подрывные действия, с тем чтобы ослабить экономику страны, а если удастся, то вызвать экономический кризис. Во-вторых, подготовить серию крупных диверсий на тот случай, если интервенция все-таки состоится.

И зарубежные центры, финансирующие подрывную деятельность, и сама деятельность, и ставка на интервенцию и подготовка к ней — все это дело по тем временам обычное. Что интересно: подсудимые по делу «Промпартии» полностью признали свою вину (хотя до «ежовых рукавиц» было еще очень далеко и пытки в те времена не применялись). Пятерых приговорили к расстрелу, однако высшая мера была им заменена десятью годами лишения свободы. Бухарина, чтобы «голоснуть» и расстрелять ценных специалистов, к тому времени в Политбюро уже не было.

Кстати, судьба самого Рамзина весьма примечательна. Через несколько лет он, действительно очень талантливый инженер, вернулся к работе. Репрессии 1937 года его, по уши замазанного не в вымышленной, а в самой что ни на есть конкретной антисоветчине, обошли стороной, а в 1943 году он получил самую престижную награду страны — Сталинскую премию.

Не прошло и трех месяцев после дела «Промпартии», как в Москве начался процесс над членами «Союзного бюро меньшевиков» (1—9 марта 1931 года). Четырнадцать человек на скамье подсудимых. Среди них — член президиума Госплана В. Г. Громан, член правления Госбанка СССР В. В. Шер, известный экономист и литератор Н. Н. Суханов, экономист А. М. Гинзбург и другие, в основном имеющие отношение к финансам. Они тоже признали себя виновными и получили каждый от трех до десяти лет.

К тому же времени относится и дело «Трудовой крестьянской партии», по которому привлекались видные аграрники, работавшие в Наркомфине и Наркомземе — А. В. Чаянов, Н. Д. Кондратьев, Л. Н. Юровский, Н. П. Макаров. Кстати, название взято из утопической повести Чаянова «Путешествие моего брата Алексея в страну крестьянской утопии». В книге описывалась Россия будущего, где у власти находится трудовая крестьянская партия, сохраняющая общинное устройство русской деревни.

В отличие от первых двух процессов, ни один из обвиняемых виновным себя не признал. Это косвенно говорит о том, что можно было и противостоять ОГПУ, а значит, признания подсудимых на процессах кое-что значили. Да и дело это скорее идеологическое, чем «вредительское». Кондратьев, например, обвинялся в попытках направить страну по капиталистическому пути, потому что считал приоритетным не промышленность, а сельское хозяйство, основным в котором он видел индивидуальное крупное хозяйство.

А вот образовывали ли они эту самую «Трудовую крестьянскую партию»?

То есть ТКП-то существовала, в чем самая пикантность ситуации и состоит. По эмигрантским источникам, это была вполне реальная организация с центром в Праге и достаточно разветвленной структурой внутри Союза. Около 1930–1931 годов большая часть ее деятелей внутри СССР были арестованы, после чего организация захирела. Так-то вот...

Пик «вредительских» дел пришелся на 1928–1931 годы. Только в 1931 году на Особом совещании ОГПУ и его коллегии были рассмотрены дела 2490 человек. В их числе было 85 профессоров, 1152 инженерно-технических работника, 249 экономистов, 310 агрономов, 22 ветврача и пр. Обвинения были самые разнообразные — от откровенно смехотворных до заслуживающих серьезного внимания. Тогда, впрочем, как и всегда и везде, кто-то в органах работал, а кто-то выслуживался...

Многие «экономические» дела очень тесно увязаны со шпионажем, как промышленным, так и традиционным. В этом отношении европейские спецслужбы ничем не отличались от наших, нашпиговывая агентами любую допущенную к работе в СССР контору.

11 марта 1933 года ГПУ арестовало большую группу британских и советских инженеров фирмы «Метрополитен-Виккерс». Двое из англичан — Монкхаус и Торнтон — сразу же «раскололись». Первый рассказал все, что знал, «заложив» также одного из директоров компании, Ричардса, который не стал дожидаться ареста и быстренько пересек границу в обратном направлении. Что любопытно, оба — и Монкхаус, и Ричардс — еще в 1918 году были офицерами разведки британского экспедиционного корпуса в Архангельске. Торнтон, хотя и отказался на суде от своих показаний, тем не менее незадолго до этого тоже всех «сдал». Вот отрывки из его показаний на следствии:

«Все наши операции по шпионажу на территории СССР велись под руководством Интеллидженс Сервис, через ее агента С. С. Ричардса, который является управляющим директором "Метрополитен-Виккерс Электрикал Экспорт Компани Лимитед". ...Согласно инструкциям Ричардса, новые члены были включены в состав разведсети, всего 27 шпионов: Монкхаус, Кокс, Торнтон, Тизл, Шаттерс,

Бурк, Риддл, Макдоналд, А. Аннис, Г. Аннис, Шипли, Поллит, Уотерс, Нордуолл и Кларк занимались военным и политическим шпионажем, тогда как Джул, Джолли, Корнелл, Маккараккен, Кашни, Грегори, А. Смит, Фэллоуз, Ноуелл, Чарнок, Уотмауф — занимались шпионажем политэкономическим». Куда там нашим посольствам того времени с жалкой парой—тройкой разведчиков!

Однако наказания тогда были очень мягкими! Пятеро завербованных советских инженеров получили от 5 до 10 лет. Двое сознавшихся англичан — два и три года, остальных просто выставили за пределы СССР.

Рассказывая о деле «Виккерса» в своем двухтомном труде «Всемирная история шпионажа», два милых француза, Роже Фалиго и Реми Коффер, пишут: «Процесс "Виккерса" останется в истории как первый большой шпионский процесс, инсценированный в стране строящегося коммунизма». А затем добросовестно информируют озадаченного их логикой читателя, что "Виккерс" был постоянным прикрытием для английской разведки, что раскрытая ГПУ организация была частью операции, проводимой в СССР Стюартом Мензисом, будущим шефом разведки, что с 1918 по 1943 год в СССР не было сети британской разведки (признаться, верится с трудом) и поэтому разведке приходилось работать под экономическим прикрытием. Кстати, директор «Виккерса», Теренс Максвелл, имел чин полковника, военные чины имели также некоторые другие руководители фирмы. Но если все так обстояло, то в чем же «инсценированность» процесса?

Кстати, процесс «Виккерса» освещал молодой репортер агентства Рейтер Ян Флеминг. Бесценный московский опыт пригодится ему для будущих похождений «Агента 007» Джеймса Бонда.

Глава 6

ОППОЗИЦИЯ УХОДИТ ПОД ЗЕМЛЮ

> Мы пойдем другим путем!
> *В. Ульянов (Ленин)*

Потерпев столь сокрушительное поражение, оппозиционеры вроде бы должны были смириться, тем более, этого недвусмысленно требовала партийная дисциплина. Однако они и не думали складывать оружие. Оппозиционеры, как истинные большевики, пошли по конспиративному пути. Дело это было привычным – до революции только такой работой и занимались! Начали проводить подпольные сходки – в лесу, на кладбищах, на конспиративных квартирах, выставляя патрули для охраны, создавали подпольные типографии. Вскоре появилась настоящая «параллельная партия», имевшая свои ячейки, райкомы, обкомы. Отделения этой партии имелись в Москве, Ленинграде, Харькове, Одессе, в Грузии, на Урале, в Сибири. Они явно решили поступить, как в том анекдоте: «Уехал в Женеву. Начинаю все сначала».

«Народ здесь все больше душевный...»

Впрочем, началось это не в 1926 году, а гораздо раньше. В брошюре, посвященной своему сыну Льву Седову, Троцкий писал: «В 1923 году Лев с головой ушел в оппозиционную деятельность. Он быстро постиг искусство заговорщической деятельности, нелегальных собраний и тайного печатания и распространения оппозиционных документов».

О нелегальных группах внутри партии упоминается и в «заявлении 46-ти». Но и это не было началом. Уже осенью 1923 года были арестованы члены двух конспиративных групп: «Рабочая группа» и «Рабочая правда» – рабочие-большевики с солидным дореволюционным стажем. Чем они, интересно, занимались, что с ними так круто поступили – ведь в то время за инакомыслие даже из партии не исключали?

Уже начиная с 1923 года, если не раньше, процесс пошел проторенным путем российских социал-демократических «дискуссий», сразу в двух направлениях. С одной стороны, сторонники «линии ЦК» были властью, против которой оппозиционеры знали, как бороться, – двадцать лет учились. С другой, они все-таки были товарищами по партии, а с товарищами споры традиционно решались мелкими пакостями и митингами, плавно переходящими в мордобой.

В Ленинграде, вотчине оппозиции, царил культ Зиновьева. Посланный ему на смену Киров не мог поначалу даже подыскать помещение для собраний сторонников линии ЦК. В конце концов, его выручил Б. М. Шапошников, командующий Ленинградским военным округом – беспартийный, бывший царский полковник. Его мало интересовали партдискуссии, он был попросту лояльным человеком и, кстати, высочайшим профессионалом. (Между прочим, только двоих военных Сталин называл по имени и отчеству – Шапошникова и Рокоссовского.) Мы еще не раз встретимся с ним.

Неожиданно Кирову помогли... троцкисты. Не то чтобы они были сторонниками Сталина, но они были противниками зиновьевцев и воспользовались ситуацией для того, чтобы решить старые свары и, по возможности, напакостить. Начальник Высшей кавалерийской школы Туровский с револьвером разгонял митинги сторонников Зиновьева. (Что не помешало боссам в апреле 1926 года заключить союз.)

Но Киров долго еще получал нежные письма, вроде следующего: «Посмотри на свою рожу, которую за три дня не обсерешь. Ты имеешь три автомобиля, питаешься так, как цари не жрали, а нас, несчастных, когда нет ни войн, ни эпидемий, ни стихийных бедствий, держишь в голоде. Сволочь ты несчастная, и место тебе на виселице...»

...Надо сказать, что противники Сталина предвидели события и неплохо подготовились к непарламентским методам борьбы. Еще в конце весны 1926 года «объединенная оппозиция» организовала свой конспиративный центр. (Об этом, в частности, писал венгерский историк, сын Бела Куна, Миклош Кун). Во главе центра стояли сами лидеры – Троцкий и Зиновьев. Подпольные заседания проходили на квартире Ивара Смилги.

Работа была поставлена серьезно. Центр имел свою агентуру в ЦК и ОГПУ, специальную группу, которая вела работу среди военных (туда входили Примаков и Путна, будущие «герои» процесса генералов). Такие же центры имелись в Ленинграде, Киеве, Харькове, Свердловске и других городах. Для связи с оппозиционными группами в других компартиях использовали единомышленников, работавших в Наркоминделе и Наркомвнешторге. Одно время материалы оппозиции вывозила за границу Александра Коллонтай – пока очень своевременно не перешла на сталинские позиции. Как известно, заигрывания с троцкистами благополучно сошли ей с рук.

По старой большевистской привычке оппозиционеры пошли в народ. В Москве и Ленинграде они устраивали тайные собрания на квартирах рабочих. По возможностям квартир, туда приходило от нескольких десятков до полутора–двух сотен человек. Собрания были полуконспиративными, однако представители ЦКК и ОГПУ прекрасно знали о сходках, нередко даже являлись туда с требованием разойтись. Обычно их посылали подальше, с мордобоем или без оного, и продолжали работу. На подобных собраниях перебывало около 20 тысяч человек.

Что с ними поделаешь? Пока что руководители страны не в силах были переступить через себя и начать арестовывать старых товарищей по борьбе. Тогда ЦК, в свою очередь, тоже обратился к рабочим, призвав разгонять собрания силой. Обстановка стала как-то уж очень напоминать 1905 год в Грузии. Вот воспоминания одного из участников событий тех незабываемых дней: «Маленков... организовал многочисленные шайки из партийно-комсомольского хулиганья. Специально натасканные Маленковым и снабженные палками, камнями, старыми галошами, тухлыми яйцами и т. д., эти шайки, именуя себя "рабочими дружинами", срывали дискуссионные собрания, забрасывали выступавших оппозиционеров камнями, галошами и т. д., разгоняли их собрания, орудуя палками...» Маленковские отряды получили кличку «СББ» – «Сталинские батальоны башибузуков» (в них, кстати, начинали свою карьеру многие будущие чекисты). Оппозиционеры, естественно, не оставались в долгу у «рабочих дружин» и, когда оппозиция организовывала свои демонстрации, стычки превращались в настоящие побоища.

Так что партдискуссия была веселой.

Ноябрьские праздники 1927 года тоже прошли, мягко говоря, активно. Ленинград посетили Зиновьев и Радек. Результатом их визита стало то, что пришлось задействовать конную милицию. Миклош Кун вспоминал: «Конные милиционеры крупами лошадей сталкивали старых питерских рабочих в Лебяжью канавку, а на Марсовом поле притаившиеся в подворотнях хулиганы забрасывали демонстрантов камнями». Ну, на самом деле не так уж это и страшно, воды в оной канавке аккурат по колено, в ней можно утонуть разве что очень спьяну. Да и камень – не пулемет.

Да и оппозиционеры, само собой, также в долгу не оставались.

В Москве тоже было не скучно. 9 ноября 1927 года Троцкий жаловался в ЦК: «Налет был организован на балкон гостиницы "Париж". На этом балконе помещались т. т. Смилга, Преображенский, Грюнштейн, Альский и др. Налетчики после бомбардировки балкона картофелем, льдинами и пр. ворвались в комнату, путем побоев и толчков вытеснили названных товарищей с балкона... Ряд оппозиционеров был избит. Тов. Троцкая была сбита с ног. Побои сопровождались тем более гнусными ругательствами, что среди налетчиков были пьяные».

«Рабочие дружины» Маленкова успешно разогнали целую колонну троцкистов. Дружинникам Рютина повезло меньше: они попытались вытолкать Троцкого и Каменева из приемной Калинина, куда те отправились после митинга, но очень хорошо получили сами. (Через несколько лет Рютин тоже станет оппозиционером, и еще каким!).

В общем, праздничек вышел такой, что Шапошников, ставший к тому времени командующим Московским военным округом, вывел на улицы броневики – лишь это чуть-чуть отрезвило участников политических дебатов.

Ничего особо выдающегося в таком стиле политических взаимоотношений не было. В куда более воспитанной и флегматичной Западной Европе разборки коммунистов с социал-демократами и фашистами часто принимали форму потасовок, где с обеих сторон бывали и раненые, и убитые. У нас все-таки не убивали...

Но это было еще только начало...

Партскандалисты уходят в подполье

К концу 20-х годов положение в стране обострилось. Нэп явно захлебывался, поскольку чтобы чем-то торговать, надо что-то производить. Для того чтобы поднять промышленность, нужны были деньги – много денег, и люди – много людей. Ни того, ни другого не было. Отсталое сельское хозяйство связывало 80 % населения – а толку от него было чуть. Крестьяне едва-едва кормили себя сами, да еще и отказывались сдавать хлеб по государственным расценкам, а платить им по рыночным было нечем. Промышленных товаров почти не производилось, все – от лопат до тракторов – ввозили из-за границы.

В довершение радости, в 1927 году прошла серия английских провокаций против СССР – налеты китайской полиции на советское посольство, а английской – на торговое представительство в Лондоне (китайский налет тоже был инспирирован англичанами). У Англии всегда были свои интересы, но отчасти тут и Коминтерн подсобил – ну зачем было так уж откровенно поддерживать стачку английских шахтеров? Однако войной запахло всерьез. Ворошилов объявил призыв миллиона резервистов. В ответ население, готовясь к войне, опустошило и без того скудные магазинные полки, а крестьяне окончательно отказались сдавать хлеб. К перспективе войны прибавилась еще и перспектива голода. Самое время для выступления оппозиции. И она, конечно, не замедлила...

В 1927 году объединенная оппозиция выступила со своим манифестом. «Площадь опоры», по сравнению с 1923 годом, увеличилась почти вдвое – теперь это была «платформа 83-х». Нечего делать, ЦК снова объявил общепартийную дискуссию, которая закончилась с тем же результатом: около 730 тысяч членов партии проголосовали за ЦК и только 4 тысячи – за оппозиционеров. Воздержалось 2600 человек.

Нельзя сказать, что эти цифры точно отражают соотношение сил, потому что голосование проводилось на основе так называемых «императивных мандатов». Если в первичной парторганизации сторонники ЦК оказывались в большинстве, то все голоса ее членов автоматически отдавались ЦК, и наоборот. Поэтому число троцкистов явно было больше, чем четыре тысячи, но в любом случае большинство было слишком сокрушающим, чтобы сомневаться в правильности окончательного результата. Ну, не полпроцента было за оппозицию, ну даже если в десять раз больше – пять процентов, разница-то...

Теперь сторонники ЦК рассердились всерьез – достали! Сколько же можно? XV съезд ВКП(б) дал жестокий бой оппозиции и фактически выдал Сталину мандат на расправу с ней. За неполные два года, прошедшие от XIV до XV съезда, из партии было исключено 970 оппозиционеров. За последующие два с половиной месяца – 2288 человек. 36,4% исключенных были рабочими, еще 10,5% – рабочими по происхождению. Исключали, кстати, не всех троцкистов, а «с разбором» – за активную деятельность, и большая часть исключенных была тут же сослана в дальние районы, чтобы воду не мутили. Оппозиция была сильна в больших городах, где имелось много традиционных носителей смуты – интеллигенции и учащейся молодежи. В российских тьмутараканях бузить было куда труднее. Пока труднее.

Троцкого выслали в Алма-Ату. Выходить из дома своими ногами он отказывался, тогда сотрудники ОГПУ вынесли его на руках и отвезли на вокзал. Провожать «демона революции» отправилось около трех тысяч человек. Проводы вылились в демонстрацию, завершившуюся уже традиционными столкновениями с милицией, 19 человек было задержано.

Оппозиционеры тоже начали понимать, что время шуток прошло. Со времени XIV съезда 3381 человек подали заявление об отходе от оппозиции. Причем 37% заявлений было подано в период между съездами, а 63% – все в те же два с половиной месяца. В феврале заявления об отходе подписали еще 614 человек. Но далеко не все делали это искренне – за время, прошедшее с 1923 года, они успели вспомнить волшебное слово «конспирация».

После XV съезда троцкизм был поставлен в партии «вне закона». В 1928 году режим в стране был еще не так суров, чтобы не только расстреливать, но даже арестовывать оппозиционеров. Максимальная мера, которую применяли к нераскаявшимся, и то к самым зловредным и активным, – ссылка. Привычные к такой жизни старые большевики, будучи сосланными, привычно объединялись в политические кружки, вербовали сторонников из числа местных жителей, вели активнейшую переписку с другими колониями. Для наиболее важных сообщений организовали секретную почту.

Их оставшиеся на свободе единомышленники привычно занялись созданием подпольных групп – наконец-то появилось дело по душе! В эти группы принимались только коммунисты, как не подписавшие, так и подписавшие «отречение»: все понимали, что многие из «отрекшихся», старые революционеры и опытные конспираторы, заявляли о разрыве с оппозицией чисто формально, чтобы иметь больше возможностей тайно на свободе продолжать борьбу. Троцкий призывал держаться насмерть, отказов не подписывать – но кто его слушал? Трещина расколола партию сверху донизу – тайные оппозиционеры были во всех органах государственной власти, вплоть до верхушки партаппарата и ОГПУ.

Подпольщики печатали и распространяли среди рабочих прокламации с обращениями и статьями лидеров оппозиции. Широчайшее хождение, частично в среде рабочих, а в основном, конечно, среди интеллигенции, имел троцкистский «самиздат». Троцкистов можно найти во главе забастовок, которыми в то время часто завершался процесс заключения коллективных договоров на заводах. Они создали свой собственный «Красный Крест», собирали средства для помощи уволенным и высланным товарищам.

Во главе этого сопротивления стоял сам партийный скандалист номер один – Троцкий. Начиная с апреля 1928 года он за семь месяцев отправил из Алма-Аты 550 телеграмм и 800 писем, получил около тысячи писем и 700 телеграмм (большая часть их была коллективными). Деятельность троцкистов все более становилась уже не политической, а откровенно антиправительственной. С ними надо было что-то делать, и в первую очередь нейтрализовать их вождя.

«Левые» сами это понимали. В 1928 году, отчасти опасаясь за жизнь вождя, а еще больше, пожалуй, в рекламных целях, они выпустили листовку: «Если товарища Троцкого попытаются убить, за него отомстят... Возлагаем личную ответственность за его безопасность на всех членов Политбюро...»

Героического самопожертвования не понадобилось. Троцкого никто не собирался убивать и даже арестовывать. К нему применили другую меру пресечения – выслали за пределы СССР, за «железный занавес». Это был непростой шаг – не потому, что советские власти опасались мести троцкистов, а потому, что ни одна страна не соглашалась принять Троцкого. Наконец согласилась Турция. Высылка, состоявшаяся в конце января 1929 года, действительно, затруднила Льву Давидовичу руководство оппозицией. Многие группы ушли в «свободное плавание», отчего стало еще веселей. Другие все же ухитрялись поддерживать связь со своим патроном, который, впрочем, и не думал успокаиваться, о чем открыто заявил в интервью немецкому писателю Эмилю Людвигу.

«**Людвиг**: Когда вы рассчитываете снова выступить открыто?

Троцкий: Когда представится благоприятный случай извне. Может быть, война или новая европейская интервенция, тогда слабость правительства явится стимулирующим средством».

Запомним эти слова – на будущее. Может быть, это объяснит, почему одной из мер подготовки к войне с Германией было убийство Троцкого...

А сразу же после высылки «демона революции» по всей стране начались массовые аресты «подпольщиков». 24 января 1929 года «Правда» сообщала: «Несколько дней назад ОГПУ была арестована за антисоветскую деятельность нелегальная троцкистская организация. Арестовано всего 150 человек... при обыске конфискована антисоветская нелегальная литература».

Новая волна арестов прошла весной 1929 года. Тогда впервые за оппозиционную деятельность начали приговаривать к заключению в концлагеря (хотя это был еще далеко не тот многократно описанный ГУЛАГ). В одной из листовок троцкистов говорится, что только в Москве арестовано 200 человек. В других листовках сообщалось то, чего не писали в газетах, – назывались имена арестованных рабочих, сообщалось о смертельной голодовке заключенных в Тобольской тюрьме. Требования оппозиции были поддержаны на рабочих собраниях некоторых заводов Москвы и Московской области. Секрет поддержки не хитер – в их число, кроме чисто политических условий, входили и требования, близкие нуждам рабочего класса: публикация данных о движении реальной зарплаты, требование сокращения расходов на аппарат, понижение ставок высокооплачиваемых категорий, прекращение продажи водки в рабочих центрах (!), прекращение выпуска бумажных денег... Заодно рабочие голосовали и «за политику».

А самое главное не называется, а угадывается. Троцкисты об этом молчат насмерть, но догадаться нетрудно. Где в то время был «фронт № 1» Советской России? Конечно, в деревне – коллективизация в самом разгаре! И, естественно, взоры троцкистов были обращены – не могли не быть – именно туда. Кто может сказать, сколько загубленных жизней, сожженных амбаров, зарезанного скота было на совести оппозиционеров? Скольких восстаний не было бы, если бы их не подталкивала оппозиция? Какова роль их листовок в голоде, охватившем в 1933 году один из оплотов троцкизма – Украину?

Подполье

Уже к 1930 году деятельность оппозиции далеко не ограничивалась дебатами вождей на съездах – это были так, ритуальные мелочи, что-то вроде участия дореволюционных большевиков в Госдуме. К тому времени центр тяжести их работы давно уже находился в подполье – отсюда и суровость применяемых к ним мер. А то у нас пишут, что Сталин, мол, совсем озверел – стал сажать старых товарищей по партии. Не надо обольщаться – эти товарищи сами были то еще зверье!

Благодаря появившимся в стране в 90-е годы материалам из зарубежных архивов Троцкого больше всего мы знаем о деятельности троцкистского подполья. Оно было многочисленно (для подполья), хорошо организовано и неуловимо, во главе стояли старые революционеры с огромным опытом подпольной работы. Правда, в основном занимались они болтовней – то есть агитацией и пропагандой, но хорошая листовочка, брошенная в доведенную до точки кипения деревню, да с объяснением того, что надо делать, стоила кавалерийского эскадрона.

Кстати, именно существование подполья во многом объясняло тот факт, что многие подвергались репрессиям за прошлую принадлежность к троцкистской оппозиции, даже при условии раскаяния и последующей честной работы. Сколько среди них было невиновных, а сколько подпольщиков, мы не узнаем, наверное, никогда – после XX съезда невиновными стали все.

Впрочем, троцкистскими организациями оппозиционное подполье не ограничивалось. Существовали и другие. Например, «децисты». В теории они были сторонниками парада региональных суверенитетов и неограниченной демократии в руководстве. А по жизни – еще в 1928 году они уже выступали против сбора подписей под документами оппозиции и призывали своих сторонников переходить на нелегальное положение. Их вожди Т. В. Сапронов и В. М. Смирнов были из тех, кто не каялся ни при каких обстоятельствах. 20 декабря 1928 года Смирнов послал из ссылки заявление в «Правду» и ЦКК, где говорилось: «...Теперешние вожди ВКП(б) изменили пролетариату... нынешнее правительство, действующее под вывеской Советской власти, которую оно на деле уничтожило, является враждебным рабочему классу».

Предусмотрительно созданные заранее подпольные организации «децистов» действовали в Москве, Ленинграде, Харькове, Орехове-Зуеве и других городах. По данным ОГПУ, только ленинградская группа насчитывала до 300 человек. Уже в начале 1928 года эти организации распространяли листовки, где призывали к «устранению руководства, которое способно на все, только не на большевистскую политику».

Столь же непримирим был и уже упоминавшийся Мартемьян Рютин. Кстати, по отношению к оппозиции он проделал «обратную эволюцию». В 1927 году, будучи секретарем райкома партии в Москве, он создал «рабочую дружину», которая активно занималась драками с оппозицией, а уже в 1928 году пересмотрел свои позиции и столь же активно выступил против правительства. (Кстати, именно Рютин назвал Сталина «поваром, который будет готовить очень острые блюда»). Сначала ему не понравилась кампания против Бухарина – именно тогда за «примиренческую позицию» по отношению к правому уклону тот был снят с секретарей. А посетив в 1928 году родную Сибирь, где вовсю шла коллективизация, крестьянский сын Рютин окончательно перешел на сторону оппозиции.

Что было дальше, не совсем ясно, но стоит отметить нехарактерную реакцию Сталина на этого человека. В августе 1930 года генсек пригласил его в Сочи. О чем они там два дня разговаривали, так и осталось неизвестным, но 13 сентября Сталин называет Рютина «контрреволюционной нечистью», санкционируя исключение из партии и высылку из Москвы. К тому времени Рютин уже вовсю вел со старыми большевиками беседы о том, что руководство ведет страну к краху. В том же 1930 году он был исключен из партии и арестован – однако коллегия ОГПУ признала обвинение недоказанным и освободила его из-под стражи.

После этого Рютин открыто выступил против власти. Весной 1932 года он вместе с В. Н. Каюровым создал собственную организацию – «Союз марксистов-ленинцев» и разработал так называемую «рютинскую платформу», которую Сталин охарактеризовал как прямой призыв к восстанию.

Что же такого крамольного содержалось в «рютинской платформе», что даже знакомство с ней считалось преступлением? В начале 90-х на эту тему писал Б. А. Старков, который и привел в своей статье основные пункты рютинского манифеста... Вы будете смеяться – нет, вы будете очень смеяться!

«В области внутрипартийных отношений:

1. ликвидация диктатуры Сталина и его клики;

2. немедленный слом всей головки партийного аппарата. Назначение новых выборов партийных органов на основе подлинной внутрипартийной демократии и создание твердых организационных гарантий против узурпации прав партии партаппаратом;

3. немедленный чрезвычайный съезд партии;

4. решительное и немедленное возвращение партии по всем вопросам на почву ленинских принципов (Интересно, каких именно? – *Авт.*)

В государственной области:

1. немедленные новые выборы Советов и решительное действительное устранение назначенчества;

2. смену судебного аппарата. Введение строгой революционной законности. (Это что – снова ЧК, классовый подход и пр.? – *Авт.*);

3. смену и решительную чистку аппарата ГПУ. (От кого их чистить и на кого менять? Там же полно троцкистов! – *Авт.*)

В области индустриализации:

1. немедленное прекращение антиленинских методов индустриализации и игры в ленинизм за счет ограбления рабочего класса и крестьян в деревне, за счет прямых и косвенных, откровенных и замаскированных налогов и штрафов. Проведение индустриализации на основе действительного и неуклонного роста благосостояния масс. (Интересно, каким образом он собирался этого благосостояния достигнуть с разваленной промышленностью и допотопным сельским хозяйством? – *Авт.*);

2. приведение вложений в капитальное строительство в соответствие с общим состоянием всех наличных ресурсов страны. (То есть полное свертывание индустриализации, потому что денег нет, а надо еще и благосостояние масс обеспечивать. – *Авт.*);

3. в платформе определялись также задачи сельского хозяйства, торговли, финансов и социально-экономической политики. (Жаль, что не приведены подробно. Автору Рютин нравится – должно быть, постеснялся все показывать... – *Авт.*)»

Вам это ничего не напоминает? Это же перефразированное и изложенное другим языком «заявление 46-ти» образца 1923 года. Десять лет прошло, а ничего не изменилось, ровным счетом ничего, разве что прибавилось популистских пунктов по поводу народного хозяйства.

«Члены партии призывались не ждать начала борьбы сверху, начинать ее снизу... – продолжает Б. А. Старков. – Можно считать, что политические и теоретические взгляды М. Н. Рютина в отдельных случаях носили спорный, дискуссионный характер, но нигде и никогда в его высказываниях не содержалось призывов к свержению, подрыву или ослаблению Советской власти».

В самом деле?

Впрочем, кое-что все-таки за десять лет изменилось – лексика. «*Ненависть, злоба и возмущение масс, наглухо завинченные крышкой террора, кипят и клокочут... Политбюро, Президиум ЦК, секретари областных комитетов... превратились в банду беспринципных, изолгавшихся и трусливых политиканов, а Сталин – в неограниченного, несменяемого диктатора, проявляющего в десятки раз больше тупого произвола, самодурства и насилия над массами, чем любой самодержавный монарх...*

От товарища к товарищу, от группы к группе, от города к городу должен передаваться наш основной лозунг: долой диктатуру Сталина и его клику, долой банду беспринципных политиканов и политических

*обманщиков! Долой узурпатора прав партии! Да здравствует ВКП(б)!
Да здравствует ленинизм!»*

При ближайшем рассмотрении видно, что вся эта «платформа» – глупость невероятная. Но в числе потомков Адама всегда было немало людей, как написано в повести о Ходже Насреддине, «с избытком наделенных благородством, но немного обиженных умом». Да и чего тут думать. В семнадцатом долго не думали, скинули Временное правительство и сели сами. Также и теперь, главное – скинуть Сталина, а там видно будет. В конце концов, можно ручками развести и сказать: «Ну что ж, не вышло...» А потом уехать если не в Женеву, то куда-нибудь в Мексику и строить там партию – в изгнании, но зато с совершенным соблюдением внутрипартийной демократии. Ибо, как сказал другой человек и по другому поводу, «цель – ничто, движение – все!»

Хотя, по большому счету, и это была болтовня, не нашедшая широкой поддержки, но меры были суровыми. Оппозиционеров надо было проучить, и их проучили. 2 октября 1932 года Объединенный пленум ЦК и ЦКК, рассматривавший дело «Союза», принял решение об исключении из партии его членов и всех, знавших о его существовании (!) и не сообщивших о нем в ЦК или ЦКК. 11 октября без суда, решением коллегии ОГПУ, всем 24 человекам, проходившим по делу «Союза», вынесли приговор. Сталин потребовал расстрела Рютина – а ведь в то время он отнюдь не бросался смертными приговорами направо и налево (так, например, он был против смертного приговора обвиняемым по «шахтинскому делу», где были не призывы, а конкретный саботаж). Одним из аргументов Сталина стали сводки ОГПУ о том, что среди молодежи усиливаются террористические настроения.

Однако приговор не прошел. При голосовании на Политбюро против высказались Киров, Орджоникидзе, Куйбышев. Воздержались даже Молотов и Каганович. Рютина приговорили к десятилетнему одиночному тюремному заключению. Остальные тоже получили срок тюрьмы или ссылки, в том числе Зиновьев и Каменев. Всего по делу «Союза марксистов-ленинцев» было привлечено к партийной и уголовной ответственности в 1932–1933 годах тридцать человек. Впоследствии всем им приговоры были ужесточены, а в 1937 году большинство «рютинцев» приговорили к расстрелу.

Сталин придавал исключительное значение возникновению «Союза». На процессах 1936–1938 годов большинство подпольных «центров» признавалось выросшими из «Союза», а тот факт, что коммунист читал «рютинскую платформу», уже сам по себе был тяжелым государственным преступлением. Рютина, и его товарищей не реабилитировали ни в 1956, ни в 1963, ни даже в 1986 году. В ответ на очередную просьбу о реабилитации В. Н. Каюрова Прокуратура СССР ответила: «К уголовной ответственности за участие в контрреволюционной деятельности и проведение антисоветской агитации был привлечен обоснованно». Только в 1988 году, когда оправдывали всех, Верховный Суд реабилитировал всех участников «рютинского дела».

Несмотря на то, что многие оппозиционеры в 1930–1931 годах заявили о прекращении фракционной деятельности, ОГПУ, на всякий случай, за ними присматривало. В январе 1933 года Сталину донесли о существовании глубоко законспирированной организации во главе с И. Н. Смирновым, включавшей более 200 бывших активных троцкистов. Организация имела филиалы в Ленинграде, Харькове, Горьком, Киеве, Ростове-на-Дону и в других городах, группы в Госплане, Наркомтяжпроме и других учреждениях. Это было уже очень серьезно. И дело тут не в том, что обнаружили очередную троцкистскую группу, дело в личности ее руководителя.

Иван Никитич Смирнов был привычен к нелегальной работе. В партию он вступил в 1898 году, прошел через аресты и ссылки, участвовал в московском вооруженном восстании в декабре 1905 года. В 1917 году был в числе руководителей военной организации большевиков в Сибири. Во время Гражданской войны, будучи членом Реввоенсовета при Тухачевском, он обеспечивал «предварительное» взятие сибирских городов красными партизанами, причем обеспечивал так хорошо, что иногда город, как перезрелый плод, сам падал в руки Красной Армии. Его (а не Тухачевского) называли «победителем Колчака». Упорный и последовательный троцкист, он был в конфликте с большинством в партии еще со времен войны. (Так, в 1921 году Ленин был против избрания Смирнова в состав ЦК.) В 1923 году его из военного ведомства убрали, сделав наркомом почт и телеграфа. С самого начала И. Н. Смирнов входил в состав руководства троцкистской оппозиции, за что был отправлен в ссылку и «покаялся» в 1930 году. После восстановления в партии сразу же занялся созданием антисталинской группировки.

Провалилась группа случайно. Один из ее членов в 1932 году был арестован и выдал остальных. (Смирнов имел своего человека в ОГПУ и потому обо всем этом знал.) Всего взяли 89 человек – почти все в свое время исключались из партии за фракционную деятельность, 35 человек из них потом восстановились, «покаявшись». Среди арестованных были известные оппозиционеры, такие, как сам Смирнов, Тер-Ваганян, Преображенский. Особое совещание при коллегии ОГПУ осудило 41 человека на лишение свободы сроком от 3 до 5 лет, а 45 человек были отправлены в ссылку. Смирнов получил десять лет.

...И все-таки к старым большевикам относились пока что более-менее лояльно. В августе 1933 года Преображенский был освобожден из ссылки, в октябре восстановлен в партии. На XVII съезде он выступил с покаянной речью. Тер-Ваганян тоже в 1934 году был восстановлен, но в мае 1935 года снова исключен – в третий раз! – и отправлен в ссылку. Большая часть членов группы не пережила 1937 года.

Ни о каком покаянии самого Смирнова не было даже и речи. Он был осужден в 1936 году, на процессе Зиновьева и Каменева. Его жена, А. Н. Сафонова, видная оппозиционерка, сотрудничала с НКВД и была отпущена на свободу. Уже после XX съезда она обратилась к Хрущеву с письмом, в котором утверждала, что многое из того, в чем обвинялся ее муж, на самом деле правда. Но он все равно, как и другие, до самого последнего времени числился «невинно пострадавшим».

В довершение прочих радостей, подняли голову (точнее, они никогда ее и не опускали) националисты. При Сталине их называли «буржуазными» – но на самом деле эта порода находится вне классов. Тем, в чьей памяти еще живет 1991 год, толпы на улицах Вильнюса и Тбилиси, требующие отделения от России, странно думать, что в двадцатые – тридцатые годы не было национальных движений. Были, конечно. Прибалтика кушала свою независимость, но в состав СССР входила Украина, входил Кавказ со своей извечной тягой к смуте и «самостийности».

На XVII съезде ВКП(б) Ярославский сообщил, что со времени предыдущего съезда только в 13 республиканских, краевых и областных организациях было исключено из партии за «националистические уклоны» 799 человек. Большей частью на Украине. Там, как сказал Сталин, националистический уклон стал государственной опасностью и «сомкнулся с интервенционистами». Однако не только там.

Одним из первых дел «буржуазных националистов» стало дело о «султан-галиевской контрреволюционной организации». Ее глава М. Х. Султан-Галиев в 1918–1920 годах работал председателем Центральной мусульманской военной коллегии при наркомвоенморе Троцком. В противовес великодержавной политике Сталина Султан-Галиев сначала предлагал поднять до уровня союзных статус некоторых автономных республик, затем выдвигал план создания четырех крупных национальных образований на равных правах с союзными республиками – федерация Урало-Волжских республик, Общекавказская федерация (республики Закавказья и Северного Кавказа), Туранская республика (четыре республики Средней Азии), Казахская республика. Все это, конечно, не просто так, и буквы правительственных постановлений бывают беременны большими бедами. За этими планами стояли усиление национальных и региональных суверенитетов, ограничение власти центра и, при продолжении этих тенденций, тот же 1991 год и развал России. И не в том странность, что дела «националистов» есть, а в том, что их так мало...

В 1928–1929годах за участие в «антипартийной группировке Султан-Галиева» был исключен из партии ряд работников Татарской и Крымской АССР. «Султан-галиевцев» обвиняли в связи с пантюркистским движением и с генеральными штабами нескольких зарубежных стран. Что весьма похоже на правду – достаточно посмотреть на нынешних сепаратистов. Среди них нет ни одного, кто не находился бы под патронажем заинтересованных иностранных государств.

В 1930 году коллегия ОГПУ осудила Султан-Галиева и еще 20 человек к высшей мере наказания, заменив ее впоследствии заключением на 10 лет. Однако в 1934 году Султан-Галиев был уже освобожден (!). В 1937 году его вновь арестовали и в декабре 1939 года расстреляли, равно как и большинство его соратников.

В 1930–1931 годах были арестованы один из секретарей ЦК, несколько наркомов и другие высокопоставленные работники Белоруссии. Их обвиняли в связи с организацией «Союз освобождения Белоруссии», по делу которой было осуждено 86 представителей науки и культуры республики. (Вспомним о тесной дружеской смычке партийных секретарей и интеллигенции, составлявшей основу антигосударственных «народных фронтов» в отделяющихся республиках времен «перестройки». Интеллигенция играла роль творца обеспечивающей идеологии и детонатора, а за ней стояли политические интересы матерых партбоссов, которые весьма неплохо финансировались – уж не из-за границы ли?)

Что же касается Украины, то там даже крестьянские восстания часто проходили под националистическими и сепаратистскими лозунгами. В начале 30-х годов появились подпольные националистические организации «Союз освобождения Украины», «Украинский национальный центр» и «Украинская войсковая организация». Это уже были подлинные антисоветчики.

Кроме откровенно националистических организаций, стремящихся к отделению Украины от России, в КП(б)У разглядели еще и некий «националистический уклон», возглавляемый заместителем председателя Совнаркома Украины Скрыпником.

В январе 1934 года в Москве арестовали заместителя председателя бюджетной комиссии ЦИК СССР М. Н. Полоза. Его обвинили в участии в «Украинской военной организации», подготовке вооруженного восстания и террористических актов и сначала осудили на 10 лет, а 9 октября 1934 года приговорили к расстрелу в числе 134 украинских «буржуазных националистов» – а ведь еще был жив Киров, и времена были совсем не такие суровые, тогда расстрельными приговорами просто так не бросались.

Можно, конечно, в порядке всеобщей реабилитации объявить необоснованно репрессированными всех – но как же все-таки быть с 1991 годом? И, право же, военные базы Гитлера под Киевом нужны были нам не более, чем военные базы НАТО в Севастополе, которые у нас все еще есть шанс заполучить.

Оппозиция объединяется

Официальное следствие по делу троцкистского подполья так и не сумело раскрыть истинную роль И. Н. Смирнова в работе нелегальной оппозиции – следователи ОГПУ не могли тягаться со старым подпольщиком. Однако из заграничного архива Троцкого, который сохранился и относительно доступен, стало известно, что И. Н. Смирнов был инициатором создания глубоко и надежно законспирированного широкого антисталинского блока.

В июле 1931 года Смирнов, тогда начальник строительства нижегородского автомобильного завода, ездил в командировку в Берлин. Во время поездки он несколько раз встречался с сыном Троцкого Львом Седовым, который был тогда главным помощником отца и редактором «Бюллетеня оппозиции». Прерванные на время контакты были налажены. Осенью 1932 года оппозиционер Э. Гольцман встретился в Берлине с Седовым и передал ему для Троцкого письмо Смирнова и статью «Хозяйственное положение СССР», которая вышла в «Бюллетене оппозиции». В статье, в частности, говорилось, что в результате «неспособности нынешнего руководства выбраться из хозяйственно-политического тупика в партии растет убеждение в необходимости смены партруководства».

Но, что еще более важно, Смирнов заявил, что бывшие оппозиционные группы в СССР объединились в единый блок и хотят наладить связь с Троцким. В письме он сообщает про переговоры между четырьмя группами о создании единого оппозиционного блока. Это были группы самого Смирнова, зиновьевцев, Ломинадзе – Стэна и Сафарова – Тарханова.

О создании блока также сообщил Седову старый большевик Ю. П. Гавен, входивший в группу «О». Кто такой «О», до сих пор неизвестно. (Троцкий тоже был старым конспиратором и прятал все, что только возможно.) Об этой группе вообще не известно ровно ничего, кроме названия и того, что она существовала.

Через Гольцмана и, возможно, через Гавена Смирнов и его товарищи узнавали мнение Троцкого о процессах, проходивших в СССР, а Лев Давидович, в свою очередь, получал через них подробную информацию о том, что там на самом деле происходит.

Из архива также видно, что в это время у Седова были многочисленные связи в СССР и в некоторых советских миссиях за рубежом. Большинство его корреспондентов скрыто под псевдонимами. Троцкий и Седов называли между собой Смирнова «Ко», Гольцмана – «Орлов», Гавена – «Сорокин». Неизвестный старый большевик, работавший в советской торговой миссии в Лондоне, фигурировал как «Свой», И. Н. Переверзев – «Петр». Кочерец, переводчик Арагона, посылал Троцкому секретные партийные документы. Слали информацию бывшая чекистка Н. Островская, бывший оппозиционер Рафаил и многие другие.

Зиновьев и Каменев тоже обменивались информацией с зарубежными единомышленниками, особенно с Рут Фишер и Масловым. Связным у них был старый большевик Г. Л. Шкловский и, возможно, советский посол в Праге Аросев, старый, еще гимназический друг Молотова, с которым они были товарищами по ученическому социал-демократическому кружку. Поэтому он был одним из наиболее информированных советских дипломатических представителей за рубежом.

С 1928 года Аросев возглавлял советскую дипломатическую миссию в Чехословакии. И вот представьте себе такой кульбит: в 1932 году уже немолодой заслуженный большевик вступает в брак с некоей Гертой Фрейнд, дочерью крупного пражского торговца. Девушка была известна широким образом жизни, состояла в «Союзе свободомыслящей молодежи», а ее брат, Гарри Фрейнд, был активнейшим троцкистом. Несмотря на попытки советской разведки вмешаться в сложившуюся скандальную ситуацию, ЦК ВКП(б) (не иначе как Молотов) взял Аросева под защиту и, вплоть до мая 1933 года, он по-прежнему возглавлял советское представительство в Праге. После возвращения в СССР Аросев получил еще более лакомый для Троцкого кусочек – возглавил ВОКС (Всесоюзное общество культурных связей за границей). Можно только догадываться, какой объем информации и какие денежные средства перекачивались через «сладкую парочку» к «демону революции».

В 1932 году блок, состоявший, как уже говорилось, из четырех групп, был организован. Но начать работу он не успел. В 1932–1933 годах большинство входивших в него оппозиционеров были арестованы по делам «своих» групп. Сначала за связь с рютинцами выслали Зиновьева, Каменева и Стэна, затем арестовали бухаринцев. Два месяца спустя были арестованы Смирнов и другие троцкисты. Уцелевшие зиновьевцы решили временно прервать работу своей группы.

Впрочем, аресты затронули далеко не всех подпольщиков. Многое сохранилось, сохранились и связи с рабочими, и, если бы не последующие события, этот мощный блок имел полную возможность вырасти и добиться успеха.

В конце 1933 года была арестована троцкистка А. П. Лифшиц. После долгих допросов она признала, что по поручению Раковского должна была объехать все места, куда были сосланы троцкисты, чтобы объединить оппозиционеров. У тех, кого она назвала, были при обысках изъяты статьи и письма Троцкого, а также листовка, написанная заключенными Верхнеуральского политизолятора. Так ОГПУ узнало о существовании единого троцкистского подполья, которое поддерживало более-менее регулярную связь со своим высланным из Советской России лидером. Нелегальный центр этой организации готовил побеги ссыльных оппозиционеров и перевод их на нелегальное положение.

Основу центра составляли исключенные в 1927–1930 гг. и сосланные троцкисты. Всего по делу «нелегального троцкистского центра» было привлечено 39 человек. Большинство из них приговорили к лишению свободы или ссылке. Почти все были репрессированы в конце 30-х годов.

...Итак, есть достаточное количество данных, говоривших о том, что к 1934 году в стране оформился мощнейший стан противников правительственного курса. Уже четыре года бунтовали недовольные коллективизацией крестьяне. В 1932 году в ряде городов прошли выступления рабочих – особенно внушительными они были, как и за пятьдесят лет до того, в Ивановской области. Рабочих мало интересовали вопросы ленинизма и внутрипартийной демократии – они протестовали против снижения норм снабжения по карточкам. Поднимали голос и руководители промышленности, заговорившие об обнищании рабочих. Недовольны были и мало понимающие в сути происходящего рядовые коммунисты. Это потом, в 1936, когда все получится, они будут за Сталина. А тогда...

А что опасней всего, программа оппозиции была очень привлекательна – куда привлекательней правительственной, в очередной раз требующей «напряжения всех сил». Конечно, призывы к снижению темпов индустриализации, возврату к нэпу и росту демократии всегда притягательны. А вот стоит ли верить, что если их выполнить, будет лучше – на этот вопрос читатель может ответить сам...

И в довершение всего существовало еще и мощное разветвленное подполье (точнее, даже несколько таковых). Их участники имели навыки пропагандистской и конспиративной работы, опыт Гражданской войны, были достаточно сильны и организованны. Имели они и знаковую фигуру на место Сталина – опального «демона революции». И готовы были действовать как легальными, так и нелегальными методами.

Мы почти не писали о той части оппозиции, о которой широко известно и о которой пишут все, о бесконечных блокировках и разблокировках вождей. Это малоинтересно и абсолютно ничего не объясняет, так что неудивительно, что в качестве мотивации репрессий потребовалась легенда о сталинской паранойе.

Что же касается «подводных» процессов, то в последние годы на поверхность выходит все больше информации о нелегальных политических группах – тех, что провалились и поэтому стали известны. А сколько их так и остались нераскрытыми? Среди противников Сталина имелись не только болтуны, но и люди чрезвычайно серьезные – а вот о них и об их глубоко законспирированных организациях мы почти ничего не знаем. Кроме, конечно, судебных процессов 30-х годов – но кто же верит судебным процессам? Ведь совершенно точно известно, что все подсудимые находились под гипнозом и сами не знали, что говорят! Или все-таки знали?

Но пока что до этих процессов еще далеко. На дворе 1934 год – странный, непонятный год. Это только внешне кажется, что все просто – сумасшедший Николаев убил Кирова, Сталин воспользовался этим и начал расправу с оппозицией, перешедшую в широкомасштабный террор. На самом деле вопросов тут куда больше, чем ответов...

«Неужели нет никого, кто мог бы его убрать?»

На достаточно мирного и безобидного царя Александра II было совершено восемь покушений, и его в конце концов убили. Сталин, капитан, у которого корабль давал такие виражи, что черпал бортом воду, остался в живых. Между тем его противниками были вовсе не парламентские сидельцы, а старые партийные бойцы. Неужели они не мечтали убить Сталина?

Мечтали, конечно, как же не мечтать? Рой Медведев в работе «О Сталине и сталинизме», ссылаясь на воспоминания жены деятеля Коминтерна Р. Г. Алихановой, упоминает, что Рютин не раз говорил ближайшим единомышленникам: единственный способ избавиться от Сталина – убить его. Рютин, по сути – такой же болтун, как и прочие, всего лишь более заметный. Но весь ход событий, вся логика происходящего говорят нам, что таких, лелеявших мечты о смерти Сталина, должно было быть великое множество.

В ноябре 1932 года два старых большевика – Н. Б. Эйсмонт (член партии с 1907 года) и В. Н. Толмачев (член партии с 1904 года, начальник Главдортранса СНК РСФСР) были вызваны на допрос в ЦКК и ОГПУ. Согласно информации, поступившей от некоего Никольского, члена партии, Эйсмонт вел активную работу, нацеленную на то, чтобы снять Сталина с поста генсека. Вождя он не любил, и сильно. Говорилось в письме Никольского и кое-что еще. Одна приписываемая Эйсмонту фраза звучала так: «Вот мы завтра поедем с Толмачевым к А. П. Смирнову[1] и я знаю, что первая фраза, которой он нас встретит, будет: "И как это во всей стране не найдется человека, который мог бы его убрать"».

Правда, на допросах Эйсмонт интерпретировал эту фразу следующим образом: «Неужели в партии нет человека, который мог бы заменить Сталина». Однако уже в 60-е годы Никольский, вызванный в парткомиссию при ЦК КПСС, несмотря на все усилия хрущевских «партследователей»,

---

[1] Член партии с 1896 года, кандидат в члены Оргбюро, снятый с 1930 году с поста секретаря ЦК и зампреда Совнаркома РСФСР как сочувствующий «правым».

твердо держался своей версии – была сказана именно эта фраза. Слово «убрать» врезалось ему в память.

Показательно отношение к угрозе Эйсмонта И. Н. Смирнова – того самого Смирнова, организатора красного подполья в Сибири и опытнейшего конспиратора. Его жена, тоже известная троцкистка А. Н. Сафонова вспоминает: «После получения сведений по делу Эйсмонта Смирнов по этому поводу сказал: "Эдак, пожалуй, Сталин будет убит"».

Когда шло следствие по делу группы Слепкова, один из ее членов, Астров, сообщил, что «правые» говорили о необходимости дворцового переворота, и кто-то даже выкрикнул: «Дайте мне револьвер, я застрелю Сталина!» Однако револьвер ему не дали, а сам взять не удосужился, так слова и остались словами...

Авторханов, которого уж точно нельзя считать сталинистом, вспоминал: еще в 1929 году один из группы «правых» говорил ему: «Государственный переворот не есть контрреволюция, это только чистка партии одним ударом от собственной подлости. Для этого не нужен и столичный гарнизон Бонапарта. Вполне достаточно одного кинжала советского Брута... Ни одна страна не богата такими Брутами, как наша. Только надо их разбудить».

Воспоминания Авторханова бесценны, потому что говорят о фактах, которые нигде не всплывали, и о людях, которых никто не знает. Так, он вспоминает о некоем «салоне» Королевой и кружке Сорокина. В этих дискуссионных клубах разрабатывалась идеология террора. «Самый острый вопрос, который ставили именно молодые коммунисты, – но участники Гражданской войны,– гласил: нужно ли ответить на массовый террор группы Сталина контртеррором против Сталина[1]? Сорокин отвечал на этот вопрос положительно и оправдывал террор историческими экскурсами, а идеологию террора разрабатывал его наиболее убежденный сторонник Миша, которого члены кружка шутя называли "Кибальчич". Эта кличка подходила к нему не меньше, чем к оригиналу».

Этот самый «Миша» был сыном старого большевика, из последнего класса гимназии ушел добровольцем в Красную Армию. В армии стал коммунистом. Работал в белых тылах, получил за это орден Красного

---

[1] Здесь необходимо отметить, что «массовый террор» ограничивался, в основном, ссылками и высылками, в крайнем случае заключением в лагерь, а под «контртеррором» понималось нечто совсем другое.

Знамени (орденоносцы тогда исчислялись десятками, не более). Окончил университет. В 1927 году участвовал в хлебозаготовках. Суровой реальности обостренной классовой борьбы «не вынесла душа поэта» – он примкнул к оппозиции и стал размышлять о терроре. Биография «Миши» чрезвычайно типична. Куда они делись, молодые и не очень молодые участники Гражданской войны, которые побывали на хлебозаготовках и стали по ту сторону баррикады?

Впрочем, все это несерьезно. Болтающая интеллигенция может призывать к убийству, но организовать его не способна, и наши местные бруты так и остались неразбуженными. Исключение могли бы составлять такие люди, как Смирнов, однако тот был противником террора.

Однако были и реальные попытки покушения. Первая произошла еще в те времена, когда Сталин, который был далеко не трус, еще ходил пешком по Москве в сопровождении одного лишь личного охранника.

Все-таки эпоха мало походила на наши представления о ней...

Вот какую записку направило ОГПУ Сталину в ноябре 1931 года.

«Записка ОГПУ И.Сталину номер 40919 от 18 ноября 1931г.

По полученным нами сведениям, на явочную квартиру к одному из наших агентов в ноябре м-це должно было явиться для установления связи и передачи лицо, направленное английской разведкой на нашу территорию.

12-го ноября на явку действительно, с соответствующим паролем, прибыл (по неизвестной нам переправе английской разведки), как вскоре выяснилось, белый офицер – секретный сотрудник английской разведки, работающий по линии РОВС и нефтяной секции «Торгпрома».

Указанное лицо было взято под тщательное наружное и внутреннее наблюдение.

16-го ноября, проходя с нашим агентом в 3 часа 35 мин дня по Ильинке около д.5\2 против Старо-Гостиного двора, агент английской разведки случайно встретил Вас и сделал попытку выхватить револьвер.

Как сообщает наш агент, ему удалось схватить за руку указанного англоразведчика и повлечь за собой, воспрепятствовав попытке. Тотчас же после этого названный агент англоразведки был нами секретно арестован.

О ходе следствия буду Вас своевременно информировать.

Фотокарточку арестованного, назвавшегося ОГАРЕВЫМ, прилагаю.

Зам. председателя ОГПУ Окулов».

На записке резолюция: *«Членам ПБ. Пешее хождение т.Сталину по Москве надо прекратить. В. Молотов».* И подписи Кагановича, Калинина, Куйбышева и Рыкова.

Следствием этого случая стало усиление личной охраны генсека – до совершенно «колоссальных» размеров. У него стало аж целых трое телохранителей да десять человек на даче в Кунцево – трое в самой даче, трое на ее территории и четверо снаружи.

Второй случай произошел летом 1933 года, когда Сталин отдыхал в Грузии, на берегу озера Рица. В Закавказье были свои порядки, и вождь ездил всегда в сопровождении целой свиты. В тот день в первом автомобиле ехала охрана, во втором – Сталин, в третьем – Первый секретарь ЦК республики Берия и нарком внутренних дел Грузии Гоглидзе, в четвертом – обслуга и в пятом – опять охранники. Вдруг на полдороге Берия попросил вождя пересесть из второй в четвертую машину, сославшись на некое «предчувствие» (правда, кроме мистического предощущения, имелось еще и донесение агента). И действительно, когда кортеж переезжал через горную речку, именно под второй машиной мост рухнул. Естественно, считается, что это происшествие было подстроено Берией – как же иначе, ведь врагов в стране не было...

Еще об одной попытке покушения стало известно по чистой случайности. В 1993 году доктор исторических наук Петр Черкасов участвовал в изучении документов из французского Особого архива, который немцы захватили во время оккупации Франции. После 1945 года архив оказался в Москве и теперь, в соответствии с договоренностью между Россией и Францией, подлежал возвращению на родину. Там, в одном из донесений французской разведки, Черкасов нашел сведения о неизвестном ранее покушении на Сталина.

11 марта 1938 года, во время вечерней прогулки генсека по территории Кремля, некий человек в форме офицера войск ГПУ попытался его убить. Как выяснилось потом, это был лейтенант Данилов, военнослужащий тульского гарнизона. В Кремль он попал по поддельным документам. На допросе Данилов показал, что его целью было отомстить за маршала Тухачевского и признался, что состоит в тайной террористической организации. Можно относиться к этому признанию как угодно, однако четыре человека, которых он назвал как своих сообщников, не дожидаясь ареста, покончили с собой. Это были инженер Астахов, штабной майор Войткевич, капитан Одивцев и капитан Пономарев. Запомним эту историю, пригодится...

Досье: террор
ПОРУЧИК ГОЛИЦЫН ВОЙНУ НЕ ЗАКОНЧИЛ

После Гражданской войны огромное число россиян оказалось рассеянными по всему миру. Многие из них были хорошими патриотами, непримиримыми врагами большевизма и не желали мириться с поражением. Другие любили деньги. Третьи были просто безумны. Их интересы сошлись воедино, когда они выбрали террор. Нашлось и достаточное количество «меценатов», щедро финансировавших любые действия против Советской России. В 20-е годы насчитывалось несколько довольно крупных организаций, избравших для себя путь террора.

Первой из эмигрантских террористических организаций – по времени и по известности – можно считать «Народный союз защиты родины и свободы» Савинкова. Он был создан в 1921 году в Варшаве и просуществовал более трех лет. Базируясь в Польше, «Союз» перебрасывал на советскую сторону небольшие боевые группы, в основном состоявшие из уцелевших бойцов войск Булак-Балаховича, воевавших на стороне Польши, и остатков сил белорусских буржуазных националистов из организации «Зеленый дуб». Деятельность «Союза» довольно «близко к тексту» показана в одной из серий фильма «Государственная граница».

Весной красноармейцы разгромили несколько крупных отрядов. Тогда-то и выяснилось, что их начальники были переброшены на советскую территорию «Народным союзом защиты родины и свободы». В мае ВЧК раскрыла в Гомеле областной комитет «Союза», имевший отделения в разных городах Белоруссии и России, арестовала несколько сот участников организации. Но заграничные корни остались.

Савинков решил превратить свой «Союз» во всероссийский антисоветский центр. Он заключил соглашения с эмигрантским петлюровским правительством, белорусскими националистами, казачьими антисоветскими группами. 13–16 июня 1921 года в Варшаве состоялся съезд «Народного союза защиты родины и свободы», на котором присутствовал 31 человек, в том числе иностранцы: офицер французской военной миссии майор Пакелье, офицеры английской, американской военных миссий в Варшаве и офицер службы связи между министерством иностранных дел и военным министерством

Польши Сологуб. В состав руководства «Союза» вошли братья Савинковы, а также деятель бывшего «Союза защиты родины и свободы» А. А. Диктоф-Деренталь, литератор профессор Д. В. Философов, штабс-ротмистр лейб-гвардии кирасирского полка Г. Е. Эльвенгрен, казачий полковник М. Н. Гнилорыбов и др.

Савинковцы занимались не только террором. Почти все их агенты работали и на польскую разведку. Сведения передавались в польский генштаб и французскую военную миссию, которые, в свою очередь, финансировали организацию. Внесли свой вклад и некоторые промышленники и капиталисты, которых склонил к спонсорству промышленник А. И. Путилов (не путать с Н. И. Путиловым, основателем одноименного завода, – тот давно умер).

На территории России и Белоруссии «Союз» создал целую сеть – областные комитеты, которые, в свою очередь, организовывали более мелкие подчиненные им комитеты и ячейки, в том числе и в некоторых советских учреждениях и в частях РККА. Они должны были подготовить вооруженное выступление против Советской власти. Однако организации не нашли социальной опоры на месте, и, кроме бандитских налетов, толком больше ничего савинковцам сделать не удалось. Весной 1921 года «Союз» пытался организовать покушения на Ленина, Чичерина и Раковского – не получилось. Затем его боевики были отправлены в Россию с заданием – по мере возможности проводить террористические акты в войсках. Несколько человек, каждый с двумя килограммами цианистого калия, купленного в варшавских аптеках и предназначенного для того, чтобы травить красноармейцев, были задержаны чекистами. В октябре 1921 года активистов «Союза» выслали из Польши, и деятельность организации была парализована. В 1922 году в результате операции ОГПУ под названием «Синдикат» Савинкова заманили в СССР и в 1924 году арестовали. Он был приговорен к 10 годам лишения свободы и спустя год покончил с собой в заключении. После его смерти организация распалась. Часть заграничных боевиков пополнила ряды РОВСа, часть занималась шпионажем, продавая свои услуги любому покупателю. Кому перешли по наследству агенты Савинкова внутри СССР, неизвестно.

...Как показал на допросе бывший штаб-ротмистр лейб-гвардии кирасирского полка террорист Эльвенгрен, в 1922 году представитель «Торгпрома» Павел Тикстон предложил ему создать антисоветскую группу. Вскоре он и Савинков встретились с Нобелем. На этом свидании последний говорил: «Мы люди коммерческие, нас интересует только активная борьба с большевизмом, и мы видим ее сейчас только в том, чтобы уничтожить всех главных руководителей этого движения. Внутри России мы бессильны что-либо совершить, но здесь мы можем при желании это сделать. Сделайте хоть одно дело, наш кредит к вам сразу вырастет и для дальнейшего... Сейчас, в связи с Генуэзской конференцией, нужно торопиться. Мы ассигновали на это дело пока 70—80 тысяч франков — только непосредственно на террористическую деятельность. Нас не интересуют мелкие служащие. Нас интересуют такие имена, как Красин, Чичерин».

В 1923 году в Лозанне М. Конради убил полпреда СССР в Италии Воровского. В 1927 году Б. Коверда застрелил в Варшаве полпреда Войкова. В том же году эмигрант П. Тройкович пытался убить временного поверенного в делах СССР в Польше Ульянова, а год спустя было совершено еще одно неудачное покушение на полпреда в Вильнюсе Богомолова. В мае 1928 года Ю. Войцеховский покушался на советского торгпреда в Варшаве Лизарева, в 30-е годы Ярохин — на советского полпреда в Японии Юренева. Логика покушений была простая: даже если представителей СССР не часто удавалось убить, то по крайней мере можно было заставить их бояться. Тем более что власти тех стран, где проходили теракты, относились к террористам чрезвычайно мягко. Конради и Ярохин, например, вообще были оправданы.

Вот перечень нескольких самых крупных актов индивидуального террора в СССР. В конце 1926 года готовилась попытка покушения на председателя ЦИК УССР Петровского и председателя СНК УССР Чубаря. Примерно в то же время состоялось покушение на председателя ленинградского ОГПУ Мессинга. Покушавшийся, сын петлюровского полковника Трубы, принадлежал к той же группе, что и организаторы «украинской» попытки. 12 марта 1927 года С. Н. Гуревич, журналист, сын купца, пытался убить Бухарина в Большом театре. Он же готовил покушения на Рыкова и Сталина.

10 мая 1927 года была арестована группа бывших колчаковских офицеров, связанная с заведующим консульской частью британской миссии в Москве Уайтом (!). Группа готовила взрывы в Кремле и Большом театре во время какого-нибудь крупного собрания. Вско-

ре заместитель уполномоченного ОГПУ Белорусского военного округа И. К. Опанский погиб в подстроенной железнодорожной катастрофе. В этом же году Г. Н. Шульц-Радкевич бросил бомбу в бюро пропусков ОГПУ в Москве. 16 августа 1928 года восемнадцатилетний Лев Любарский покушался на Бухарина. В 1931–1932 годах террористическая организации генерала Хоршевского в Чехословакии готовила покушение на Сталина, а организация генерала Туркула в Югославии покушалась на Горького и Литвинова.

Особняком стоит известное покушение на советских дипкурьеров, состоявшееся в Латвии 5 февраля 1926 года. При этом один дипкурьер, Теодор Нетте, был убит. Второй, Иоганн Махмасталь, сумел застрелить убийц, неких братьев Габриловичей, и отстоять диппочту. Как выяснилось только в наши дни, организаторами покушения были английский военный атташе в Риге Ллойд и офицер немецкой военно-морской разведки капитан-лейтенант Гаазе, что еще раз доказывает, что в серьезных делах национальность значения не имеет.

Очень серьезной организацией был «Русский Общевоинский союз» (РОВС), созданный бывшими белогвардейцами в 1924 году. Эта крупная организация объединяла около 30 тысяч бывших военных. Формальным главой РОВСа являлся главнокомандующий русской армии за границей барон Врангель, что придавало Союзу некоторый оттенок легитимности. Фактическим лидером организации был генерал А. П. Кутепов.

С самого начала деятельность Союза мыслилась как временный перерыв в Гражданской войне в ожидании нового похода. Фактически РОВС представлял собой армию, переведенную на гражданское положение, разбросанную по разным странам, но сохранившую структуру и иерархию подчиненности, дисциплину, традиции. Всевозможные учебные курсы, свои органы печати помогали держать наличный состав Союза в боевой готовности. Неофициальным органом РОВСа был журнал «Часовой», основанный в 1929 году и просуществовавший до 1989 года.

Отделения РОВСа охватывали весь мир. Первый отдел – Франция с колониями, Италия, Польша, Дания, Финляндия, Египет. Второй отдел – Германия, Венгрия, Австрия, Данциг, Литва, Латвия, Эстония, Англия, Испания, Швеция, Швейцария, Персия. Третий отдел – Болгария и Турция. Четвертый – Югославия, Греция и Румыния. Пятый – Бельгия, Люксембург. Шестой – Чехословакия. Были и отделы на Дальнем Востоке во главе с генералом Дитерихсом, в Северной и Южной Америке, отделение в Австралии.

Так как возобновление Гражданской войны затягивалось, генерал Кутепов сделал ставку на подпольную работу и террор, тем более что из СССР поступали сведения о мощной монархической организации, которая только и ждет помощи и руководства из-за границы. Генерал Врангель не поддержал подобные методы, опасаясь ГПУ – и его опасения оправдались. Опробовав метод создания подставной подпольной организации еще на Савинкове («Синдикат»), ГПУ начало игру против РОВСа. Самой известной из операций этой игры стал пресловутый «Трест». В 1927 году один из «трестовцев», агент ГПУ Э. Опперпут бежал за границу и разоблачил подставу. Для эмиграции это сообщение стало потрясением. До сих пор неясно, входило ли это разоблачение в планы ГПУ или нет, порвал Опперпут с чекистами или оставался их агентом и после побега.

Пока существовал «Трест», его люди всячески удерживали эмиграцию от активных террористических действий в России. После разоблачения при РОВСе тут же возникает Союз национальных террористов во главе с Марией Захарченко-Шульц, известной по фильму «Операция "Трест"». (Кстати, фильм очень корректный и снят близко к реальности.)

Внутри страны организация Кутепова действовала в двух направлениях. Первое – установление связей с офицерами Красной Армии (многие из них были кадровыми офицерами царской армии, однокашниками и однополчанами РОВСовцев) и подготовка военного переворота в Москве. Второе – так называемый «средний террор» (против советских и партийных учреждений.)

В союз РОВСовских террористов, по воспоминаниям его активистов, входило около трех десятков боевиков. (На самом деле их было гораздо больше, однако конспирация была поставлена неплохо.) Но даже три десятка – это немало, учитывая, что это были люди, прошедшие войну и спецподготовку в эмиграции, пользующиеся полной поддержкой «демократических» сопредельных с Россией государств и не стесненные в средствах, прекрасно ориентирующиеся на русской территории... По открытым источникам можно вычленить следующие «походы» РОВСовских боевиков в Россию:

162

7 июня 1927 года бывший капитан белой армии Виктор Ларионов, Дмитрий Мономахов и Сергей Соловьев бросили гранату в зале ленинградского партклуба на Мойке. В это время в партклубе некий Ширвиндт, представитель философской секции научно-исследовательского института, читал лекцию об американском неореализме. В результате взрыва было ранено 26 человек, из них 14 — тяжело. Все террористы благополучно вернулись назад. При чем тут американский неореализм, так никто и не понял.

4 июня 1927 года Мария Захарченко-Шульц, Эдуард Опперпут и Юрий Петерс пытались взорвать здание общежития ГПУ на Малой Лубянке — неудачно. Бежали к западной границе, по дороге убили шофера и ранили несколько человек, но и сами погибли.

14—22 августа 1927 года Александр Болмасов, тоже бывший капитан царской армии, и Александр Сольский прошли по маршруту Финляндия — Карелия по направлению к Киеву с целью совершить там несколько террористических актов. С начала 20-х годов Болмасов восемь раз нелегально переходил границу. Девятый стал для него роковым. Оба были арестованы и через месяц расстреляны в Ленинграде.

14—26 августа 1927 года. Александр Шорин и Сергей Соловьев шли по тому же маршруту. По дороге они убили лесника, но и сами чуть позже были убиты около Петрозаводска. Одновременно, в августе, с территории Латвии границу перешли бывший мичман Николай Строевой, Василий Самойлов и Александр фон Адеркас. Строевой четыре раза нелегально бывал в СССР, а Самойлов — дважды. Все трое были арестованы. Строевой и Самойлов по одному процессу с Болмасовым и Сольским приговорены к высшей мере и расстреляны. Адеркас получил десять лет. На суде выяснилось, что оружие и бомбы подсудимые получили от капитана финской армии Розенстрема, начальника разведки Второй дивизии. Он же обеспечил их и проводниками.

Как сообщала советская разведка, «в 1927 году Кутепов перед террористическими актами Болмасова, Петерса, Сольского, Захарченко-Шульц и др. был в Финляндии. Он руководил, фактически, их выходом на территорию СССР и давал последние указания у самой границы. По возвращении в Париж Кутепов разработал сеть террористических актов в СССР и представил свой план на рассмотрение штаба, который принял этот план с некоторыми изменениями.

Основное в плане было: а) убийство Сталина; б) взрыв военных заводов; в) убийство руководителей ОГПУ в Москве; г) одновременное убийство командующих военными округами – на юге, востоке, севере и западе СССР. План этот, принятый в 1927 году на совещании в Шуани, остается в силе. Таким образом, точка зрения Кутепова на террористические выступления в СССР не изменилась. По имеющимся сведениям, Кутепов ведет "горячую" вербовку добровольных агентов, готовых выехать в СССР для террористической работы».

4 июля 1928 года Георгий Радкевич и Дмитрий Мономахов прошли через Финляндию в Москву и 6 июля бросили бомбу в бюро пропусков ОГПУ. Обнаружены около Подольска. Радкевич застрелился, Мономахов сумел уйти. 31 мая – 25 июня 1928 года. «Бубнов» и «Могилевич» (настоящие имена неизвестны) совершили попытки покушения на Бухарина, Крыленко, взрыва здания МОПР. Все попытки неудачны. Оба террориста благополучно вернулись. Интересно, что одновременно на Бухарина вел охоту некий прибывший с территории Польши молодой человек. Столь усиленное внимание к персоне Николая Ивановича явно объясняется не его личными достоинствами, а тем, что он в это время возглавлял Коминтерн и считался крупным политическим деятелем. Не найдя Бухарина, юноша совершил-таки настоящий теракт: застрелил одного из руководящих работников Политуправления РККА.

В 1929 году несколько боевиков пытались пробраться на территорию СССР с территории Польши. Этими группами руководил генерал-майор В. Г. Харжевский. В октябре 1929 года в СССР проникли Александр Анисимов (трижды ходивший ранее), Владимир Волков и Сергей Воинов. В ходе рейда Анисимов застрелился, а Волков и Воинов вернулись в Польшу. Через месяц они вновь ходили в СССР. В декабре 1929 года перешел границу, был арестован и расстрелян бывший капитан Павел Трофимов.

Это лишь те случаи, которые стали известны – очень малая, надводная часть айсберга. Например, эмигрантский автор Николай Виноградов в газете «Перекличка» за 1963 год сообщил, что Захарченко-Шульц и К° убили в том же году «главу минского ОГПУ Опанского, Наимского в Петербурге, Турова-Гинзбурга под Москвой, Орлова в самой Москве». Нам не удалось найти следов Наинского и Орлова, однако Туров-Гинзбург оказался персоной весьма интересной. Длительное время он был агентом иностранного отдела ОГПУ в Германии, а также человеком, через которого на Запад переправлялись деньги и драгоценности для финансирования компартий. Что же касается Опанского, то странным образом его гибель пришлась на тот самый день, 7 июня 1927 года, когда произошел взрыв на Мойке и убийство в Варшаве советского полпреда Войкова. Может, у них в РОВСе был какой-нибудь праздник?

В 1924 году в Болгарии под руководством капитана Клавдия Фосса была сформирована тайная организация «Долг Родине», трансформировавшаяся в 1927 году в так называемую «внутреннюю линию» РОВСа. Эта организация также активно занималась засылкой людей в СССР, морем и через Румынию, и, похоже, гораздо более успешно, нежели это делалось на финском, прибалтийском и польском направлениях.

Чекисты относились к РОВСу очень серьезно и уделяли не в пример больше внимания, чем другим организациям. ОГПУ имело в окружении Кутепова своих людей. Узнав, что неудачи 1927—1928 годов не остановили неукротимого генерала, ОГПУ организовало похищение и убийство генерала Кутепова (по версии КГБ, опубликованной в открытой печати, он умер от сердечного приступа на судне во время транспортировки в Новороссийск).

Преемник Кутепова, генерал Миллер, поначалу свернувший террористическую и шпионскую работу РОВСа, постепенно снова возобновил ее. Объяснялось это достаточно просто: спонсоры куда более охотно давали деньги под террор, чем под прочие виды деятельности. Кроме того, РОВСовцы, не имея точных сведений о положении в СССР, рассматривали своих террористов как детонатор будущего взрыва, который должен смести большевистскую власть с лица земли. В секретных документах РОВСа, которые стали известными ИНО ОГПУ, организация ставила перед руководством террористов задачу подготовки кадров для ведения партизанской войны в тылу Красной Армии в случае войны с СССР.

Миллер не ограничивался одними словами. Под руководством генерала Н. Н. Головина в Париже и Белграде были созданы курсы по переподготовке офицеров РОВСа, своеобразная «Академия Генштаба в изгнании». На курсах также проходила обучение военно-диверсионному делу эмигрантская молодежь. В 1931—1934 годах ОГПУ удалось захватить и обезвредить 17 террористов, заброшенных в СССР, и вскрыть 11 явочных пунктов в Москве, Ленинграде и

Закавказье. Естественно, не все попытки проникнуть в страну приводили к арестам — часть людей, выполнив поставленную задачу, благополучно возвращалась.

В Белграде были созданы унтер-офицерские курсы для подготовки молодежи, а во Франции подготовкой диверсантов занималась сформированная Миллером в 1934 году организация «Белая идея». Она же организовывала переброску боевиков через финскую границу. Руководил ею капитан Ларионов, тот самый, что бросил гранату в помещении партк87луба. Чекисты предприняли ответные меры, и в 1937 году Миллер был похищен, вывезен в СССР и позднее расстрелян.

Подобных организаций было множество, с более или менее красивыми названиями: «Братство русской правды», «Национально-трудовой союз нового поколения» и пр. В начале 30-х годов стали появляться и фашистские группы.

Естественно, эмигрантские организации поставляли всем европейским и прочим спецслужбам информацию и агентов на территории СССР. Весьма характерное признание по этому поводу сделал летописец русской эмиграции Михаил Назаров, который сам некоторое время был активным членом НТС. В своей книге «Миссия русской эмиграции» он пишет: «Работа на Россию могла вестись только при помощи штабов приграничных государств-лимитрофов, подконтрольных Антанте, — что в какой-то мере было продолжением связей времен Гражданской войны». Стоит ли говорить, что штабы помогали русским не за просто так, а эмигрантам было не жалко и не трудно услужить покровителям.

Как писал в своих публикациях Борис Прянишников, в свое время руководивший нелегальной работой НТС, его организация и РОВС имели связь со штабами Финляндии, Польши, Прибалтики и Румынии, которые давали проводников для перехода границы, снабжали документами и оружием. Взамен от русских боевиков требовали передавать интересующую штабы информацию. Прянишников приводит пример сотрудничества НТС даже с японцами.

В 1938—1939 годах японский военный атташе обеспечил существование в Германии так называемой «Льдины» — засекреченной группы НТС. Группа слушала московское радио, анализировала советскую периодику и на основании этих сведений писала и сама же печатала листовки для распространения в СССР, а также статьи для газеты «За Россию». Попутно «Льдина» составляла для японцев «отчеты о событиях советской жизни». А распространение листовок в СССР происходило с помощью поляков. Прямо-таки шпионский Интернационал!

«Льдина» существовала 22 месяца в условиях строгой конспирации. Немецкая разведка прикрывала ее. После оккупации Польши немцы стали опасаться осложнений в отношениях с СССР, и «Льдина» перебазировалась в Бухарест, куда японцы взяли на службу и бежавших польских офицеров разведки. Наши простодушные читатели «Огонька» и «Московский новостей» смеялись, читая о том, что подсудимых на московских процессах обвиняли в связях с японской разведкой. А что тут, собственно говоря, смешного?

Но по-настоящему масштаб антисоветских настроений в среде эмиграции показала Вторая мировая война. Многие эмигранты участвовали в ней на стороне Германии. Разведывательно-диверсионную «Особую дивизию» возглавлял бывший капитан царской гвардии Б. А. Смысловский (фон Регенау, он же Хольмстон). В 1945 году она называлась «Первая русская национальная армия». В Югославии из эмигрантов был создан 16-тысячный «Русский корпус» под командованием сначала генерала М. Ф. Скородумова, а затем генерала Б. А. Штейфона. Русские эмигранты служили в так называемой «Русской национальной народной армии», сформированной в марте 1942 года в Белоруссии, в Русской освободительной народной армии (не путать с власовской РОА), действовавшей на Брянщине, в бригаде «Дружина». Существовали и другие сформированные из эмигрантов или ими руководимые подразделения, верой и правдой служившие немцам в годы войны.

Так что о том, что к 30-м годам с белогвардейским подпольем было покончено, говорить несколько преждевременно. Хотя, конечно, из всех угроз сталинскому режиму эта была самой, пожалуй, незначительной. Внутреннее сопротивление было куда более грозным.

Глава 7

УДАР МОЛНИИ

Душно. Густой тяжелый воздух. Весь мир притих и смотрит туда, где от края земли поднимается темно-сизая туча. Она растет, обнимая полнеба, наливаясь грозной тяжестью. Еще мгновение, и она расколется блистающей стрелой молнии. Древние считали, что молния разумна. Материалисты уверены, что она слепа.

Так слепа или разумна?

Напряжение в стране нарастало. Оппозиция консолидировалась, угрозы становились все решительнее, пропаганда все острее. Все пока что оставалось на уровне болтовни, однако ситуация должна была развиваться – либо вверх, либо вниз. Вниз – значит прекращать сопротивление и начинать наконец заниматься делом. Вверх – переходить к другим формам борьбы. Манифесты и подпольные типографии были уже пройденным этапом. Следующим, по логике борьбы, должен был стать террор.

Поэтому когда в Ленинграде убили Кирова, ни у кого и мысли не возникло, что это может быть чем-либо иным, кроме как происками врага. Да и враг казался очевидным – Ленинград, бывшая вотчина Зиновьева, где оставалось множество его сторонников, затаившихся, выжидающих своего часа.

Между тем с этим убийством до сих пор не ясно ничего. Где-то в России должно было произойти подобное преступление, и оно произошло. То, что должно было случиться, случилось, однако как-то не так, странно и нелепо...

Так слепа молния или разумна?

Этот вопрос, в применении к одному из самых громких преступлений в советской истории, не дает покоя исследователям вот уже семьдесят лет. Причем совершенно безрезультатно.

168

«Съезд победителей», он же «съезд расстрелянных»

Итак, противостояние нарастало. В то же время к 1934 году стало ясно, что политика властей оправдывает себя. Страна понемногу выбиралась из разрухи, не той, что, по выражению профессора Преображенского, «не в клозетах, а в головах», а той, что происходила по причине отсутствия клозетов. Равно как заводов, электростанций, урожаев и прочего. Политика власти оправдывала себя, авторитет ее рос, и страна понемногу сворачивала на путь, который носители русского имперского сознания узнали бы из тысяч путей. А носителем оного сознания был весь народ. Оттого-то и вспоминают те, кто жил в 30-е годы, это время как удивительно светлое. Не потому, что ели сладко, а потому, что жили сообразно менталитету.

В известном смысле, очередной вехой стал XVII съезд партии, который со временем стал носить двойное название. Его называли «съездом победителей» и «съездом расстрелянных». Самое любопытное – что так оно и было. Просто первое название имеет отношение к экономике и государственной жизни, а второе – к политике.

«Съездом победителей» XVII съезд называли, поскольку основным тоном на нем были рапорты об успехах и победах индустриализации – кстати, достаточно честные. Проблем было много, но и успехи налицо. Второе название ему было дано по той причине, что большинство его делегатов впоследствии были репрессированы. А еще XVII съезд может быть назван «днями восхваления». Не было ни одного выступления, в котором не говорилось бы о «величайшем», «гениальнейшем» и пр. Само собой, эпитеты адресовались Сталину. Что весьма забавно, поскольку Сталин восхвалений не любил и его отношение к собственному культу варьировалось от насмешки до презрения. Многие делегаты это знали, в силу своего положения в партии не могли не знать – и тем не менее...

Отвлечемся ненадолго от политики, оппозиции и поговорим о «культе личности». Безусловно, какой-то культ в государстве должен существовать и поддерживаться властями, по той же причине, по какой страна должна кормить свою армию – иначе ей придется кормить чужую. Точно так же обстоит дело и в области идеологии. У советского правительства большого выбора в этой области не было, а точнее, не было никакого. Надо было заставить работать классическую российскую триаду: «За Веру, Царя и Отечество». Судя по тому, как Сталин действовал, он это прекрасно понимал.

Отечество для населявших нашу шестую часть суши людей таковым и оставалось, веру худо-бедно, на некоторое время, могли заменить марксизм-ленинизм и мечты о построении справедливого общества. Что же касается второго члена триады, то и здесь тоже все было ясно. Попытки создать культ Ленина увенчались успехом, но на роль Царя тень Ильича не годилась. Так что Сталину пришлось смириться с неизбежным.

Тут ведь что интересно? Есть такой любопытный психологический казус: когда один человек говорит о другом, мы подчас мало узнаем о человеке, _о котором_ говорят, но почти все – _о том, кто_ говорит. Если, например, некто сексуально озабочен – ему кажется, что всем в мире движет секс. Если он одержим жаждой власти, он и другим приписывает те же побуждения. И так далее...

Так вот: большая часть расхожих представлений о Сталине, если проследить их до истока, исходит от Троцкого. А уж вот кто был озабочен собственным «я» и старательно трудился над созданием своего культа, так это Лев Давидович. Само собой, те же побуждения он приписывал и своему оппоненту и тиражировал их на правах «соратника по борьбе». Хотя какие они были соратники? До 1917 года Сталин и Троцкий и знакомы-то фактически не были, а после 1917 года все время собачились. Так что по-человечески узнать друг друга у них возможности не было, и все рассуждения Троцкого о личности Сталина в основном являются плодом его буйной фантазии.

Между тем воспоминания людей, которые _действительно_ знали Сталина, особенно знали его до 1917 года, когда у него не было необходимости заниматься собственным «имиджем», свидетельствуют о том, что это был очень скромный человек. До того, как он занял ведущее положение в государстве, эта скромность была исключительной, можно сказать, на грани патологии – достаточно хотя бы почитать его письма из сибирской ссылки. Проблемой самоутверждения до сорока лет он нисколько не страдал, и где у нас основания думать, что эта черта появилась у него после сорока? Другое дело, что в той ситуации, которая сложилась в 30-е годы, от его личных качеств ничего не зависело. У России должен был быть Царь, и человек, стоявший во главе государства, был обречен им стать.

Впрочем, по этому поводу мы имеем свидетельство человека, которому уж точно нет никакого смысла врать. Леон Фейхтвангер, посетивший в 30-е годы Советский Союз, немало строк уделил именно культу, даже не столько самому культу, сколько отношению к нему его предмета.

«Он не позволяет публично праздновать свой день рождения. Когда его приветствуют в публичных местах, он всегда стремится подчеркнуть, что эти приветствия относятся исключительно к проводимой им политике, а не лично к нему...»

«Сталину, очевидно, докучает такая степень обожания, и он иногда сам над этим смеется. Рассказывают, что на обеде в интимном дружеском кругу в первый день нового года Сталин поднял свой стакан и сказал: "Я пью за здоровье несравненного вождя народов великого, гениального товарища Сталина. Вот, друзья мои, это последний тост, который в этом году будет предложен здесь за меня"».

Кстати, и по поводу «всеобщей преданности» он не питал никаких иллюзий. «Я (Фейхтвангер. – *Авт.*) указываю ему на то, что даже люди, несомненно обладающие вкусом, выставляют его бюсты и портреты – да еще какие! – в места, к которым они не имеют никакого отношения, как, например, на выставке Рембрандта. Тут он становится серьезен. Он высказывает предположение, что это люди, которые довольно поздно признали существующий режим и теперь стараются доказать свою преданность с удвоенным усердием. Да, он считает возможным, что тут действует умысел вредителей, пытающихся таким образом дискредитировать его. "Подхалимствующий дурак, – сердито сказал Сталин, – приносит больше вреда, чем сотня врагов"».

Так что сам культ Сталина был идеологически обусловлен, а его особенности в какой-то мере происходили от излишнего усердия самих льстящих, сладострастно вылизывавших седалищное место главы государства, а в какой-то были порождением «черного юмора» тайных оппозиционеров. И то, и другое характеризует тогдашнюю верхушку партии далеко не самым лестным образом. Кстати, товарищам подхалимам можно от всей души посочувствовать – они попали в крайне неприятное положение. Ужасно льстить ничтожеству, но втройне ужаснее – умному человеку, который все понимает и относится к льстящим так, как они того заслуживают. Стоит еще подумать, чего не могли простить Сталину впоследствии разоблачители «культа» – самого культа или понимания их собственной подлости?

Но вернемся в зал съезда. Надо сказать, что «подхалимствующие дураки» отнюдь не ограничивались лестью в адрес Сталина – хватало и на долю местного начальства: «Блестящий доклад я позволю себе назвать поэмой пафоса социалистического строительства, поэмой величайших побед рабочих и трудящихся Таганрога. На фоне этих истори-

ческих побед ярко вырисовывается фигура Степана Христофоровича...
Я хотел бы – и это желание делегатов – доклад Степана Христофоровича издать брошюрой на хорошей бумаге и раздать каждому присутству-
ющему здесь делегату... и пусть этот доклад, эта героическая поэма,
симфония нашего строительства, будет понята каждым».

На главу государства те из льстецов, кто уцелел, осмелились поднять
хвост лишь после XX съезда. Очередь «Степанов Христофоровичей» придет куда раньше – через три-четыре года.

Особенно прогибались перед Сталиным бывшие лидеры оппозиции.
Те, которых Киров, со всем презрением победителя к капитулянтам, назвал «обозниками» (в том смысле, что до тех пор они были «в обозе»).
Исходя из того, что лидеры оппозиции вместе с прочими превозносили
гениальность вождя, многие наши публицисты от истории почему-то делают вывод, что все они не только пострадали безвинно, но даже и мыслей о сопротивлении режиму у них не возникало. Как будто слово – это
дело.

Впрочем, существует легенда, что именно на XVII съезде была предпринята последняя легальная попытка снять Сталина. Рассказывают о
некоем тайном совещании на квартире Орджоникидзе, участники которого всерьез говорили о замене Сталина Кировым. Киров их высмеял:
«Что вы глупости говорите! Какой я генеральный?» Кто-то рассказал
про это совещание Сталину – по некоторым данным, сам Киров – и Сталин, выслушав его, сказал: «Спасибо, я тебе этого не забуду!» И не забыл.

Такова легенда.

Может статься, впрочем, это совещание и было. Может быть, и нет –
не в этом суть. «Хотеть» и «обсуждать» может кто угодно, как угодно и
где угодно. Важно не кто *хочет*, а кто *решает*. А решался этот вопрос
голосованием. Тайным, между прочим...

Так что же решил съезд? Даже по самым «ужасным» оппозиционным
данным, которые, скорее всего, надо делить на десять, в результате *тайного* голосования против Сталина было подано 292 голоса из 1225 возможных. Эту цифру назвали три члена счетной комиссии, дожившие до
50-х годов – то есть, возникла она уже после XX съезда.

С другой стороны, есть ведь и архивные документы съезда. Там указа-
но, что против Сталина было подано 3 голоса, против Кирова – 4. Однако самих бюллетеней сохранилось всего 1054, хотя на съезд было выда-
но 1225 мандатов. Допустим, результаты голосования действительно

были сфальсифицированы, и бюллетени «против» уничтожили. В таком случае, недостает 171 голоса. Будем считать, что это и были те, кто проголосовал «против». Поверим, что так оно и было, что бюллетени не потеряли по разгильдяйству, что никто из делегатов съезда к моменту голосования не сидел с приятелями в буфете, не проспал решающий момент и не лежал пьяный где-нибудь в уголочке. И что у нас получается? Получается, что, по полностью непроверенным данным, в самый разгар оппозиционных настроений против Сталина было около 25 процентов партийной верхушки, а по данным, поддающимся хоть какой-то проверке, их было 13 процентов, и говорить о том, что на съезде оппозиция имела хотя бы какие-то шансы снять Сталина, сами понимаете...

Так что если и говорить, что XVII съезд был победой оппозиции, то лишь по интеллигентской логике времен «застоя», когда в качестве победы рассматривалось что-либо вроде: «А я ему руки не подал! Вот!» А на самом-то деле даже «нефальсифицированные» результаты голосования были сокрушительным поражением. Если в партийных верхах, где оппозиционные настроения были наиболее сильны, противники Сталина смогли набрать всего лишь 25% голосов – то как это назвать? А внизу сторонников оппозиции было значительно меньше. Так что большинство по-прежнему одобряло правительственный курс. Все попытки легального снятия Сталина, если они, конечно, были, провалились. Оппозиция проиграла и, проиграв, стала особенно опасна.

Все дальнейшие события объяснимы только с двух точек зрения. Одна – официальная: вождь был параноиком и устроил «охоту на ведьм» в соответствии со своими бредовыми галлюцинациями. Другая – альтернативная: он был психически нормален, зато в стране существовала нелегальная оппозиция, точный списочный состав которой был неизвестен (старые конспираторы!), однако весьма мощная, захватывающая верхушку партии и имеющая разветвленную сеть низовых групп. Сдаваться она не собиралась. А поскольку все легальные попытки снять главу государства провалились, культ его утверждался все прочнее, то естественно было ожидать, что оппозиция перейдет к «нелегальным» методам, то есть к террору либо к попытке государственного переворота. А может быть, и к тому, и к другому.

И тут, ну прямо как по заказу, это убийство!

ДВОЙНОЙ ЗАГОВОР. ТАЙНЫ СТАЛИНСКИХ РЕПРЕССИЙ

1 декабря 1934 года

Сейчас точно известно, что делал Киров в тот роковой день и чего он не делал. А также что делал его убийца. И, что бы ни писали про трассологическую экспертизу, сперму на кальсонах и пр., пока что подвергать эти данные сомнению нет оснований.

...На 1 декабря в Ленинграде было назначено собрание партийного актива, посвященное итогам ноябрьского Пленума ЦК ВКП(б). Время начала – **18 часов**, место проведения – Таврический дворец. Киров, который должен был выступать на этом собрании, в тот день в Смольный не поехал. Он остался дома и готовился к докладу. Курьер возила ему материалы. Приезжать в Смольный он не собирался, так что ждать его там было бессмысленно.

В тот же самый день Леонид Николаев, бывший служащий РКИ[1], а ныне безработный, пришел в Смольный с целью добыть билет на собрание партактива, на котором он намеревался убить Кирова. На допросе он показал, что пришел в Смольный примерно в **13.30** и пробыл там около часа. Достать билет ему не удалось. Один из старых знакомых, секретарь сельскохозяйственной группы Петрашевич, пообещал ему билет, если останется, и предложил зайти вечером. Николаев вышел на улицу, погулял и вернулся обратно в **16.30**.

Киров около **16 часов** позвонил в гараж, находившийся в том же доме, где он жил, и попросил подать машину. Он прошел пешком несколько кварталов, затем у Троицкого моста сел в автомобиль и поехал в Смольный, куда прибыл также около **16.30**.

Дальше рассказывает сам Николаев: «Поднявшись на третий этаж, я зашел в уборную, оправился и, выйдя из уборной, повернул налево (к выходу. – *Авт.*). Сделав два-три шага, я увидел, что навстречу мне по правой стене коридора идет Сергей Миронович Киров на расстоянии 15–20 шагов. Я, увидев Сергея Мироновича Кирова, остановился и отвернулся задом к нему, так что, когда он прошел мимо, я смотрел ему вслед в спину. Пропустив Кирова от себя на 10–15 шагов, я заметил, что на большом расстоянии от нас никого нет. Тогда я пошел за Кировым вслед, постепенно нагоняя его. Когда Киров завернул налево к своему кабинету, расположение которого мне было хорошо известно, вся половина кори-

---

[1] Рабоче-крестьянская инспекция.

дора была пуста – я подбежал шагов за пять, вынув на бегу наган из кармана, навел дуло на голову Кирова и сделал один выстрел в затылок. Киров мгновенно упал лицом вниз».

Затем Николаев попытался застрелиться, но неудачно. На шум выстрела тут же отовсюду выбежали люди. Коридор также не был пуст – там работали электрики. Один из них прямо со стремянки бросил в убийцу молоток – скорее всего, именно поэтому тот и не смог попасть в себя.

Точное время убийства – **16 часов 37 минут.**

Николаев никогда не отказывался от того, что убийство совершил он. В качестве мотивов он называл отчаянное моральное и материальное положение. Действительно, к тому времени он был безработным, исключенным из партии, на просьбы о материальной помощи никто не откликался. И тогда он нашел виновника всех своих бед.

С другой стороны, Николаев был уж очень примечательной личностью. По правде сказать, им давно следовало бы заняться психиатрам. Патологически скандальный и склочный, внешне уродливый, терзаемый жесточайшими комплексами. Вот кто был параноиком с манией преследования, а не Сталин! Если снимать фильм о том, как маньяк-одиночка совершает громкое политическое убийство, то героя особо искать не надо – бери Николаева и работай.

О подготовке преступления, о личности убийцы известно множество подробностей. Никаких несовпадений там нет. Человек полувменяемый, убийство готовил долго, ход подготовки записывал в дневник. После убийства впал в истерику, кричал то «Я отомстил!», то «Что я наделал!». Следов его участия в каких-либо оппозициях не обнаружено. Бывают такие преступления, бывают, кто же спорит...

Но есть в этом деле и некоторые странности. Во-первых, в нем имеется несколько совпадений. Совпадения эти, на первый взгляд, вполне возможные. На второй... тоже вполне возможные. Но если собрать их вместе – то уж что-то их многовато, этих самых совпадений.

Первое. Киров, как известно, не собирался приезжать в этот день в Смольный. Однако почему-то, неожиданно для всех, передумал и приехал.

Второе. Это совпадение поистине роковое. Именно в ту самую минуту, когда Киров входил в штаб революции, Николаев собирался из него уходить. Они столкнулись в коридоре третьего этажа, совершенно случайно. Если бы Киров пришел минутой раньше или Николаев вышел из туалета минутой позже, ничего бы не произошло.

Третье. В момент покушения Киров оказался в коридоре один. Его личный охранник Борисов отстал, причем отстал конкретно – находился за углом коридора. Разгильдяйство, конечно, но Советская Россия в то время была страной разгильдяев. Кто его знает, почему он отстал. Может, в туалет зашел, может, покурить захотелось, а может, и потому отстал, что Киров не любил, чтобы охрана за спиной маячила. Но факт тот, что человек, который по долгу службы должен был перехватить руку убийцы, который для того и был приставлен, находился за углом. Бывает. Но...

Четвертое. На следующий день, когда в Ленинград приехал Сталин, он почти сразу же потребовал, чтобы к нему привезли охранника Кирова. И вот как раз в то время, когда его везли к Сталину, Борисов погиб. Погиб нелепо – грузовик, в котором он ехал, врезался в стену. И удар-то был несильным, ни машина, ни те, кто в ней находились, почти не пострадали – кроме Борисова, который стукнулся так неудачно, что погиб на месте. Причем и акт о смерти, и описание происшествия выглядят крайне убедительно, комар носу не подточит. Просто совпадение.

Нет, как хотите, а в этой истории что-то многовато совпадений.

Четыре совпадения и два вопроса:

– Зачем Кирову понадобилось приезжать в Смольный?

– Что делал Николаев между двумя визитами в здание обкома?

Ответим сначала на второй: неизвестно. По его словам, гулял где-то неподалеку от Смольного.

А теперь вернемся к первому вопросу. Что могло заставить Кирова изменить свои планы?

Самыми первыми, естественно, успели дать ответ на этот вопрос сексуально озабоченные «желтые» журналисты. Мол, Киров приезжал в Смольный по вызову своей любовницы Мильды Драуле, жены Николаева. Не то проблему какую решить, не то просто ее трахнуть.

Ну, тут уж позвольте не поверить. Покажите мне крутого и серьезного мужика (а Киров был мужик крутой и серьезный), который, будучи по горло занятым, побежит разбираться с любовницей. «Дорогая, – скажет он, – все, что хочешь, но потом. Прочитаю свой доклад, и любую тебе камасутру предоставлю, а пока ко мне не лезь».

Впрочем, было одно ведомство, по вызову которого в той обстановке секретарь обкома сорвался бы с места и поехал, невзирая на расписание и погоду. Ведомство это называлось ОГПУ. Оно же вполне могло разобраться и с охранником. В его силах было организовать любое убийство.

Так вот: оказывается, Киров приехал в Смольный, чтобы встретиться с начальником ГПУ–УНКВД по Ленинграду и области Ф. Д. Медведем. Встреча была назначена на **16.30.** Очевидцы вспоминают: **минут через 10–15** после убийства появился Медведь, вид у него был растерянный. Странно другое: на встречу он опоздал. В 16.30, когда Киров входил в здание Смольного, главный чекист еще только вызвал машину. Может быть, такое опоздание при тогдашнем бардаке было и в порядке вещей. Кто их там знает, но все же как-то странновато: первое лицо в области, секретарь обкома, приезжает вовремя, а главный чекист так непунктуален.

Вот и еще одно, **пятое** странное совпадение: опоздание начальника УНКВД на встречу, которое повлекло за собой столь роковые последствия.

По отдельности все эти странности значат немного, но все вместе представляют дело в таком свете, что и теперь, несмотря на вроде бы убедительные доказательства того, что убийство Кирова было делом рук маньяка-одиночки, в это все равно не верится.

Стоит ли удивляться, что и Сталин не поверил?

«Дело Николаева» и его последствия

Итак, выстрел в Смольном был однозначно, всеми в стране расценен как начало террора со стороны оппозиции. Этим объясняется все то, что происходило в дальнейшем.

Более того, именно так оно было воспринято даже самой оппозицией. Эренбург, узнавший об убийстве от Бухарина, вспоминал: «На нем не было лица. Он едва выговорил: "Вы понимаете, что это значит? Ведь теперь он сможет сделать с нами все, что захочет. – И после паузы добавил: – И будет прав"».

Считается, что Сталин воспользовался убийством Кирова как предлогом, чтобы разобраться наконец с оппозицией. Считается так же однозначно, как то, что Земля круглая, а Волга впадает в Каспийское море. Сомневаться в этом неприлично. И все же усомнимся. Поскольку не та была ситуация, чтобы чем-то «пользоваться», искать какие-то «предлоги». Повторим: никакая другая версия, учитывая общую обстановку в стране и в партии, просто не могла прийти в голову. И не пришла.

Сразу же после убийства газеты подняли шум о терроре, и первое последствие было закономерным – ужесточение мер против террористов. Еще 1 декабря Президиум Верховного Совета принял постановление за подписью Калинина и Енукидзе, которым предписывалось: «...*вести дело обвиняемых в подготовке или свершении террористических актов ускоренным порядком; судебным органам – не задерживать исполнения приговоров о высшей мере наказания из-за ходатайства преступников данной категории о помиловании... Органам Наркомвнудела – приводить приговоры о высшей мере наказания в отношении преступников вышеуказанных категорий немедленно по вынесении судебных приговоров*». Текст постановления написан рукой Кагановича, но без Сталина тут, конечно же, не обошлось. Чрезвычайные меры – это было первое, что он предпринял, услышав об убийстве, а потом уже отправился в Ленинград.

Спустя несколько дней были даны и конкретные рекомендации.

«*1. Следствие по этим делам заканчивается в срок не более десяти дней.*

2. Обвинительное заключение вручать обвиняемым за одни сутки до рассмотрения в суде.

3. Дело слушать без участия сторон.

4. Кассационного обжалования приговоров, как и подачи ходатайств о помиловании, не допускать.

5. Приговор к высшей мере наказания приводить в исполнение по вынесении приговора».

Только не надо говорить тут о «невинных жертвах». Речь идет о подлинных террористах. Одни из них были заброшены из-за границы, где к тому времени имелось немало белогвардейских террористических организаций – хотя бы тот же РОВС. Другие выросли дома – например, коллективизация была ознаменована колоссальной вспышкой террора, его жертвы исчислялись тысячами.

Можно было бы подумать, что по этому постановлению были расстреляны тысячи людей. Между тем последствия «страшного» указа оказались невелики. «Правда» опубликовала сообщения о расстреле в Москве, Ленинграде, Киеве и Минске 94 человек по обвинению в подготовке терактов. Террористы, как говорилось, тайно проникли в СССР через Польшу, Румынию, Литву, Финляндию. То есть, судя по газетному сообщению, указ коснулся белогвардейских боевиков.

...А в Ленинграде набирало обороты «дело Николаева». Естественно, его сразу же стали «раскручивать» как члена террористической оппозиционной организации, выискивая в его окружении тайных и явных оппозиционеров.

178

Находясь в тюрьме, убийца переходил от депрессии к истерике и наоборот, совершил несколько попыток самоубийства, так что в камере с ним все время находился охранник. Первые дни он утверждал, что совершил все один. Следствие давило на него отчаянно, заместитель Ягоды Агранов самолично проводил допросы. 6 декабря его допрашивали семь раз – и дожали: он начал называть «подельников», а точнее, просто людей, с которыми был знаком, вплоть до друзей детства. В конце концов, он дал все нужные показания.

«Группа Котолынова подготовляла террористический акт над Кировым, причем непосредственное его осуществление было возложено лично на меня. Мне известно от Шатского, что такое же задание было дано и его группе, причем эта работа велась ею независимо от нашей подготовки террористического акта... Котолынов сказал, что... устранение Кирова ослабит руководство ВКП(б)... Котолынов проработал непосредственно со мной технику совершения акта, одобрил эту технику, специально выяснял, насколько метко я стреляю; он является непосредственно моим руководителем по осуществлению акта. Соколов выяснил, насколько подходящим является тот или иной пункт обычного маршрута Кирова, облегчая тем самым мою работу... Юскин был осведомлен о подготовке акта над Кировым: он прорабатывал со мной вариант покушения в Смольном...»

Впрочем, остальные оказались крепче. Как ни усердствовало следствие (кстати, насколько известно, пытки ни к Николаеву, ни к остальным не применялись), из четырнадцати человек, привлеченных по делу, только трое, кроме самого Николаева, признали свою причастность к убийству. Остальные признавали лишь прошлую принадлежность к оппозиции, а Шатский отрицал все. Тем не менее «подельники» Николаева были не случайными людьми: на их квартирах устраивались нелегальные встречи с приезжавшими в Ленинград деятелями оппозиции, у некоторых нашли оппозиционные документы, такие, как «рютинская платформа», «ленинское завещание» и т. п. К. Н. Емельянов держал дома почти весь архив ленинградской оппозиции.

Все четырнадцать человек были приговорены к высшей мере наказания. И вот еще одна из многочисленных странностей этого дела. Процесс считается полностью фальсифицированным (за исключением, конечно, приговора Николаеву). Однако не только хрущевская, но даже яковлевская реабилитационная комиссия, ознакомившись с материалами дела, в реабилитации по нему отказали. И лишь в 1990 году, когда реабилитировали всех, она состоялась.

Тут вот в чем тонкость: «дело Николаева» – это около ста томов протоколов допросов, очных ставок и т. п. Человеку, который захочет досконально в этом деле разобраться, придется прочесть их все. Если даже кто-либо из историков и способен на такой великий подвиг, толку от этого будет немного, потому что прочесть мало – надо осмыслить, и для этого нужно быть юристом. (Самый простой тому пример: «дело Берии». Сколько было споров о степени его достоверности – но стоило этому замечательному «следственному делу» попасться на глаза профессиональному юристу, от него бумажки на бумажке не осталось, и спорить стало не о чем.) Не думаю, что какие-либо юристы, кроме тех, кто по долгу службы занимался реабилитацией, этим чтением озаботились. И что, в таком случае, значат эти два отказа?

...Из Ленинграда расправа с оппозиционерами переместилась в Москву. По так называемому делу «Московского центра» проходило 19 человек во главе с Зиновьевым и Каменевым. Их обвиняли не в терроризме, а в «подпольной контрреволюционной деятельности» – чем они по сути и занимались. Расстрельных приговоров там не было. Трое, в том числе Зиновьев, были приговорены к 10 годам тюрьмы, остальные получили меньшие сроки, Каменев – пять лет.

Затем появилась еще и так называемая «Ленинградская контрреволюционная террористическая группа Сафарова, Залуцкого и других». Входило в нее 77 человек, и обвиняли их в «содействии контрреволюционной зиновьевской группе» – тоже, по всей вероятности, совершенно обоснованно. Там приговоры были еще мягче – все, кроме тех, что были вынесены родственникам Николаева. Его жена Мильда Драуле, ее сестра и муж сестры в феврале 1935 года были приговорены к высшей мере наказания и расстреляны. Что тоже странно. В то время в СССР еще не бросались в массовом порядке расстрельными приговорами. Если бы их судили в декабре, по самому «делу Николаева», это можно было бы понять – но что значит такой приговор два месяца спустя?

По этому поводу современные исследователи выдвигают версию, что Николаева использовали «втемную», поощряя и разжигая его ненависть к Кирову. Если так, то без родственников тут и вправду трудно обойтись. Но зачем идти таким сложным и неверным путем – разжигать ненависть психически неуравновешенного человека, – когда можно по-простому организовать теракт?

Есть и один крохотный, но странный фактик, имеющий отношение к Мильде Драуле. В донесении на имя Сталина председатель Военной коллегии Верховного Суда Ульрих пишет: «Мильда Драуле на тот вопрос, какую она преследовала цель, добиваясь пропуска на собрание партактива 1 декабря с. г., где должен был делать доклад т. Киров, ответила, что "она хотела помогать Леониду Николаеву". В чем? "Там было бы видно по обстоятельствам"». Получается, что пропуска добивался не только муж, но и жена? Зачем?

...Новый начальник Ленинградского УНКВД Л. Заковский суммировал итоги разборки с оппозицией в следующей справке:

«С 1-го декабря (1934) по 15 февраля 1935 г. всего было арестовано по контрреволюционному троцкистско-зиновьевскому подполью – 843 человека.

Эта цифра слагается из репрессированных.

1. По делу "Ленинградского центра".

2. По делу "Московского центра".

3. Членов зиновьевской контрреволюционной организации, связанной с обоими центрами.

4. Участников зиновьевско-троцкистского подполья, арестованных до 3 февраля 1935 г.

5. Зиновьевцев и троцкистов, арестованных по трем последним операциям в количестве 664 человек»[1].

А с другой стороны – чего эти товарищи, собственно, ожидали? Талонов на усиленное питание?

Одновременно с разбирательством по самому «делу Николаева» и делам-спутникам последовал и удар по оппозиции вообще. Члены Политбюро явно предполагали, что убийство Кирова – это только начало. Они хорошо знали привычки своих бывших товарищей по революции, а кровавые тени Столыпина, великого князя Сергея Александровича и многих других жертв «революционного террора» едва ли служили доводом в пользу гуманности. Да и самому Сталину в его революционной молодости приходилось организовывать теракты в родной Грузии, так что он знал, как это делается.

26 января Сталин подписал Постановление Политбюро о высылке на север Сибири и в Якутию 663 зиновьевцев. Еще одну группу бывших

---

[1] Цит. По: Кирилина А. Неизвестный Киров. СПб, 2001. С. 373.

оппозиционеров отправили на работу в другие районы. Кроме того, из Ленинграда было выслано, по официальным данным, 1074 человека «из бывших». По другим свидетельствам, их было больше, по данным 90-х годов – до нескольких десятков тысяч.

Впрочем, по данным 90-х годов, в СССР было расстреляно несколько десятков миллионов человек. На одной Колыме число погибших исчисляют миллионами, совершенно не смущаясь технической невозможностью их туда доставить. Так что остановимся все же на этой цифре: 1074 человека.

Ничего кошмарного тут опять же нет, это обычная практика коллективной ответственности. Кстати, в той же Российской империи людей арестовывали и высылали за одну лишь принадлежность к радикальным партиям. Или возьмем, например, любимую страну наших «прорабов перестройки», оплот и гордость демократии – Соединенные Штаты. В 1942 году более сотни тысяч жителей западных штатов были внезапно отправлены в концлагеря по совершенно бредовым обвинениям. Их обвиняли в том, что они отравляли овощи и фрукты, что их цветочные клумбы указывали на ближайшие аэродромы, и т. п. Вся вина этих людей была в их японском происхождении. При этом на территорию Штатов не упала ни одна японская бомба, даже перспективы такой не было.

А вы говорите – оппозиционеров ссылали...

Кстати, репрессии были отнюдь не слепыми, Сталин знал, куда направить удар. Ежов позднее вспоминал, что он почти сразу сказал: «Ищите убийцу среди зиновьевцев». Это было самое естественное предположение – ведь именно Зиновьева Киров сменил на посту секретаря Ленинградского обкома.

Историк Ю. Жуков тоже это заметил. «За убийством Кирова, – пишет он, – последовали беспрецедентные, небывалые еще по масштабам аресты, жесточайшие репрессии. На пяти процессах приговорили к расстрелу 17 человек, к тюремному заключению на различные сроки – 76 человек, к ссылке – 30 человек, да, к тому же, сугубо партийным постановлением к высылке – 988 человек[1]. Затронула же столь суровая кара в подавляющем большинстве бывших участников оппозиции, но лишь зиновьевской, а не, скажем, троцкистской».

---

[1] Оставим термин «жесточайшие» на совести Ю. Жукова.

Выходит, репрессии не были такими уж слепыми, как нам пытаются их представить. Они были нацелены на вполне определенную группу. И попала она в «зону особого внимания» не в 1934 году, а гораздо раньше.

Еще 25 июня 1925 года Сталин пишет Молотову: *«Я... несколько раз приходил к различным мнениям и, наконец, утвердился в следующем:*

1) до появления группы Зиновьева оппозиционные течения (Троцкий, рабочая оппозиция и др.) вели себя более или менее лояльно, более или менее терпимо;

2) с появлением группы Зиновьева оппозиционные течения стали наглеть, ломать рамки лояльности;

3) группа Зиновьева стала вдохновителем всего раскольничьего в оппозиционных течениях, фактическим лидером раскольничьих течений в партии...»

Сейчас принято думать, что лидером и вдохновителем оппозиционных течений был Троцкий. А почему, собственно? Потому что он и его последователи громче прочих об этом кричали? Да, за Троцким стояли военные. Но и за Зиновьевым была немалая сила, и отнюдь не одни питерские партийцы...

Продолжим чтение письма Сталина:

«...Такая роль выпала на долю группы Зиновьева потому, что: а) она лучше знакома с нашими приемами, чем любая другая группа; б) она вообще сильнее других групп, ибо имеет в своих руках Исполком Коминтерна, представляющий собой серьезную силу...»

Сейчас опять же принято считать, что Зиновьев являлся человеком безобидным. Возможно, сам он таким и был, – но не его окружение. До 1926 года он был не только секретарем Ленинградского обкома, но и председателем Исполкома Коминтерна, и не стоит думать, что после ухода с этих постов он потерял свои связи.

О Коминтерне пишут мало и невнятно, и в сознании народном он предстает эдаким сборищем вдохновенных революционеров с горящими глазами, вроде тех, какие в 1917 пришли к власти в России. Между тем Коминтерн был не только организацией, занимавшейся экспортом революции, это была еще и крупнейшая по тем временам *террористическая* организация с колоссальными, не выявленными и по сей день международными связями. Достаточно упомянуть, что лучшая в мире довоенная советская разведка была таковой, потому что опиралась на международную сеть Коминтерна. И вот ребятам из этой структуры организовать террористический акт любого уровня было, пардон, раз плюнуть...

ДВОЙНОЙ ЗАГОВОР. ТАЙНЫ СТАЛИНСКИХ РЕПРЕССИЙ

Что стоит за убийством Кирова?

Самой нынче модной версией является та, что убийство организовано по приказу Сталина, который «заказал» Кирова как возможного конкурента. Имеет ли эта версия под собой реальную основу? Да, имеет, целых две. Первая: Сталин был параноик с маниакальной жаждой власти – на эту тему мы говорить не будем, кому интересно, пусть Антонова-Овсеенко почитает. Вторая – вождь был психически нормален, зато Киров являлся фаворитом оппозиции и его конкурентом.

В этом случае вопрос, кто и почему убил Кирова, прямиком упирается в другой: на чьей стороне был Киров? Если тут возможны хоть какие-то сомнения. Насколько нам известно, единственное сомнение может быть основано на мемуарах старого французского коммуниста Марселя Боди, который в воспоминаниях упоминал о встрече с кремлевским врачом Л. Г. Левиным. Левин рассказывал Боди о «тайных мыслях» Кирова, который хотел положить конец всем и всяческим внутрипартийным расколам, отказаться от коллективизации, вернуться к нэпу. А также восстановить внутрипартийную демократию и право на существование всех течений, в том числе и троцкистов, а возможно, и допускал возвращение Троцкого в СССР. Однако в архиве Троцкого упоминаний об этом разговоре не нашлось. Да и уж больно не верится в эту сусальную фигурку этакого идеального «внутрипартийного демократа», удовлетворяющего чаяния всех без исключения недовольных и делящегося своими планами исключительно с кремлевским врачом и ни с кем другим, ибо иных свидетельств подобных взглядов Кирова не обнаружено. Зато обратных – сколько угодно. Если Киров и был настроен антисталински, то внешне это настроение никак не проявилось. Наоборот, он считался твердокаменным сталинцем и ничем не дал оснований подозревать, что это не так.

Дать приказ о ликвидации верного сторонника, которых у Сталина было не так уж и много? Ради чего – чтобы оправдать террор? Или во всей стране больше некем было пожертвовать? Если уж очень хотелось Кобе кого-то убить для обоснования террора, мог бы выбрать того же надоевшего Бухарина. Или Калинина – вот уж точно, вреда государству никакого, а что шуму-то будет! Или того же Тухачевского, против которого уже тогда имелся очень серьезный компромат, и на этой основе развернуть репрессии. У Сталина не прослеживается даже тех мотивов, которые были у Бориса Годунова – ну абсолютно никаким образом не нужна была ему смерть Кирова. Изобрести-то мотивацию можно, было бы желание, и наизобретали – а вот реальных мотивов что-то не видать.

Откуда же пошла та уверенность, что «заказчиком» покушения был Сталин? Да оттуда же, откуда и все остальное. Недвусмысленные намеки на это содержались в докладе Хрущева на XX съезде. По словам того же Хрущева, Микоян говорил, что Киров в последнее время молчал на заседаниях Политбюро. Рассказывали о конфликтах, связанных с попытками улучшить продовольственное снабжение Ленинграда, и о критике Кирова Сталиным. Что, это повод для убийства? Ну не надо таких песен, нынче все-таки не 1990 год...

Давайте займемся любимой игрой многих нынешних писателей и вступим в область безответственных предположений, называемых одними аналитикой, а другими политологией. В «деле Кирова» возможны три варианта:

– преступление маньяка-одиночки;
– теракт оппозиции;
– политическое убийство.

С первым вроде бы все ясно, почти все основные факты «за» и «против» мы уже рассмотрели (хотя есть еще и пара незадействованных козырей).

Если рассматривать второй вариант, то, в общем-то, все тоже выглядит почти логично.

Почему был избран Киров? Ну, во-первых, он сменил Зиновьева, одного из лидеров оппозиции, в его вотчине – Ленинграде. Это было очень обидно и вполне могло поставить его в круг мишени.

Во-вторых, убийство Кирова было жестоким ударом по Сталину. Если, допустим, хотеть причинить ему наибольшую боль, то это именно та фигура.

Мария Сванидзе, жена брата Екатерины Сванидзе, первой жены Сталина, вела дневник. Знала она своего высокопоставленного родственника хорошо, нисколько его не боялась и относилась очень нежно, с трогательной любовью. Потерю Кирова по воздействию на Сталина она приравняла к смерти Надежды Аллилуевой. Вот что она пишет:

«На ступеньки гроба поднимается Иосиф, лицо его скорбно, он наклоняется и целует лоб мертвого Сергея Мироновича. Картина раздирает душу, зная, как они были близки...

...9-го вечером пошли в Кремль... И. был, как всегда, мил. Он осунулся, побледнел, в глазах его скрытое страданье. Он улыбается, смеется, шутит, но все равно у меня ныло сердце смотреть на него. Он очень страдает. Павлуша Аллилуев был у него за городом в первые дни после смерти Кирова – и они сидели вдвоем с Иосифом в столовой. Иосиф подпер голову рукой (никогда я его не видела в такой позе) и сказал: "осиротел я совсем"...

...Иосиф говорил Павлуше, что Киров ухаживал за ним, как за малым ребенком. Конечно, после Надиной трагической смерти это был самый близкий человек, который сумел подойти к И. сердечно, просто и дать ему недостающие тепло и уют. Мы все как-то всегда стесняемся лишний раз зайти, поговорить, посмотреть на него...»

Приезжая в Москву, Киров в последние годы останавливался у Сталина и даже, единственный из всех, парился с ним в бане. Так что это был удар по очень близкому вождю человеку, а ненависть оппозиционеров к Сталину была именно личной.

Как это могло состояться организационно? Например, так...

Допустим, в Ленинградском УНКВД, как и везде в городе, существовала группа подпольщиков-оппозиционеров. Входил в нее Медведь или не входил – не столь уж и важно. Он мог вызвать Кирова на встречу как согласно планам заговорщиков, так и по другому поводу. Например, предупредить, что по данным чекистов вечером на него планируется покушение – тем более что оно на самом деле планировалось. Тогда можно объяснить и более чем странное совпадение, когда Николаев и Киров совершенно случайно встретились на третьем этаже Смольного – если Николаев, пока «гулял», позвонил по телефону, и ему сообщили, что Киров к 16.30 прибудет в Смольный. Не обязательно это был Медведь, он мог разговаривать и с кем-либо другим, кто был в курсе планов главного чекиста – у него были секретари, порученцы – да мало ли кто мог об этом узнать? Ну, а Борисов и вправду мог погибнуть случайно. Всякие совпадения в жизни бывают. Но не пять же сразу!

Нет, еще раз повторимся, вполне возможно, что убийство Кирова было и случайным. За эту версию есть один мощный аргумент: при тогдашнем уровне непрофессионализма и разгильдяйства везде, в том числе и в наших славных органах, трудно поверить, чтобы удалось так виртуозно сфабриковать «бытовое» убийство. А главное – зачем? Ведь смысл теракта как раз в устрашении властей. Выдать бытовое убийство за террористический акт – такое бывает. Но наоборот? Смысл?

А вот если говорить не о теракте, а о *политическом убийстве*, все сразу приобретает иную окраску. Потому что политическое убийство, в отличие от теракта, вовсе не обязательно должно быть демонстративным. Его главная цель – устранить человека, а как – это уже второй вопрос.

Да, но зачем понадобилось устранять Кирова? Мы уже говорили о версии, что его убрал Сталин как возможного конкурента. Конкурентом вождю он быть не мог – не той силы фигура. А вот преемником – вполне...

Вернемся в 1918 год. В это критическое для новой власти время Ленин и Свердлов договорились между собой: если что-то случится с одним, то другой примет на себя всю полноту власти. Опасно строить все лишь на одном человеке. Обязательно должен быть второй, тот, который, если что-то случится с главой государства, возьмет в свои руки поводья.

Если говорить о планируемом государственном перевороте, то вполне логично вывести из игры сначала второго, а потом уже замахиваться на первого. Мог ли Киров быть таким вторым? Современные аналитики считают, что не тянул он на возможного преемника Сталина.

Но, во-первых, преемника выбирают не из тех, кто достоин, а из тех, кто есть. Остальные члены команды Сталина откровенно «не тянули». Киров, может статься, тоже «не тянул», но меньше прочих. Да и почему, собственно, не тянул?

Ведь кто такой был Киров? Дело в том, что преемником Сталина мог быть только человек, имеющий опыт не наркомовской, и тем более не аппаратной работы, а опыт руководства регионом, комплексного руководства – политического, хозяйственного и прочего. То есть один из секретарей обкомов, крайкомов, республик и т. д.

Тогдашняя ленинградская область была совсем не тем, чем она является сейчас. Она включала в себя фактически весь Северо-Запад России. Это была колоссальная территория и второй по значимости, после Москвы, регион Советского Союза. В Москве сильный секретарь обкома был не нужен, там хоть кого посади, поскольку Кремль рядом. И тогда логично выдвинуть на второе место в государстве руководителя второго по значимости региона.

Непосредственно перед покушением Сталин официально, на Политбюро предложил избрать Кирова секретарем ЦК и освободить его от работы в Ленинграде, мотивируя это состоянием своего здоровья (!) и возрастом (!!). Совершенно очевидно, что именно Кирову предназначалась роль наследного принца, будущего преемника Сталина.

Вождь в то время был, правда, не старик, но уже и не молод. Более того, по некоторым данным, здоровье его серьезно пошатнулось, что и неудивительно после таких испытаний. Да и возможность покушения тоже следовало учитывать. Нет, надо, надо было готовить преемника, чтобы было кому принять выпавшую из рук главы государства власть. Не нужно иметь семи пядей во лбу, чтобы предвидеть, какой кабак получится, если власть хотя бы ненадолго останется бесхозной. У всех на памяти еще был позорный «демократический» период 1917 года.

Киров хорошо подходил на роль наследника. Достаточно молодой, пользующийся огромным авторитетом, внешне привлекательный. Русский, что тоже важно. Сталин компенсировал свою национальную принадлежность откровенной, подчеркнуто великорусской позицией. Кирову такая компенсация была бы ни к чему. Да и кто, кроме него, мог возглавить в то время страну? Каганович не вышел профилем, Молотов – характером, Ворошилов, Микоян, Орджоникидзе – вообще несерьезно...

Нечто похожее произошло в Испании. Когда серьезно заболел генерал Франко, жертвой покушения оппозиционеров стал не умирающий вождь, а его довольно бодрый преемник, адмирал Карреро Бланко. Логика здесь элементарная: вождь и так умрет, а преемника за один день не воспитаешь, и власть сама падает в руки оппозиции – что и вышло.

Кстати, о политических убийствах. В «деле Николаева» есть один маленький нюанс – общеизвестный, но, как нам кажется, недооцениваемый, который представляет всю эту историю в некоем новом свете.

«Немецкий след»

Уже 1 декабря, разбираясь по горячим следам с документами убийцы, следователи обнаружили, что в записной книжке Николаева записан адрес и телефон германского консульства. Информация была признана настолько важной, что ночью, в 0.40, начальник Ленинградского УНКВД Медведь телеграфировал об этом наркому внутренних дел Ягоде. Выяснилось также, что летом – осенью 1934 года Николаев неоднократно посещал германское консульство, а потом покупал товары в валютном магазине Торгсин, расплачиваясь немецкими марками. Оказалось, что и жил он не так плохо, как об этом кричал. Например, летом его семья отдыхала в престижном и недешевом Сестрорецке. А деньги вроде бы давала знакомая немецкая семья...

Сам Николаев заявил, что нашел телефон консульства в телефонной книге, позвонил туда, представился украинским писателем и попросил консула связать его с иностранными журналистами, заявив, что есть материал для иностранной прессы. Учитывая, какое это было время (всего несколько месяцев спустя после голода на Украине), приманка была хорошей. Но кто поверит, что ему за эту туфту еще и деньги платили?

Ну теперь пойдет дело о шпионаже и международном терроризме!

Ничуть не бывало. Да, следователи отрабатывали связи Николаева с заграницей – но почему-то лишь по одной линии – контактов с Троцким. Информация попала в международную прессу. Газеты писали о некоем консуле, который осуществлял связь между убийцами и «демоном революции». Консульский совет потребовал объяснений, и советское правительство согласилось назвать совету имя дипломата, которого немедленно выслали. В марте 1938 года, на процессе правотроцкистского блока, его имя было названо и в печати. Им оказался консул Латвии Бисенекс.

Простите, но...

Вот именно – но!

Каким образом германское консульство превратилось в латвийское?

Но и это еще не самое интересное. Убийство Кирова послужило завершением целой серии политических убийств, которые имели место в течение года в Европе. 19 декабря 1933 года был убит румынский премьер Иона Дуки, 15 июля 1934 года – югославский король Александр, 9 октября 1934 года – министр иностранных дел Франции Жан Луи Барту. Киров вполне вписывался в этот ряд. Он был хозяином огромного региона и крупным государственным деятелем.

Все предыдущие убийства тем или иным образом были связаны с фашистами и через них, прямо или косвенно, с Германией. Более того, как утверждает Алла Кирилина, автор книги «Неизвестный Киров», исследователь крайне добросовестный, немецкий консул в день ареста Николаева покинул страну.

Имея такие данные, самым естественным для следствия было связать Николаева именно с нацистской Германией. Ленинградские чекисты так и сделали. Но как только дело попало к москвичам, как немцы тут же превратились в латышей, и «немецкий след» испарился.

Почему?

А вот это очень интересно!

«Чекистский след»

...Они так и не поверили, что все совершил один Николаев. Они так и не считали, что дело раскрыто. Об этом говорит происходившее при расстреле приговоренных по делу «Ленинградского центра». После XX съезда присутствовавший при казни работник НКВД Кацафа рассказывал, что когда уже были расстреляны тринадцать человек и остался один Котолынов, Агранов и Вышинский спросили у него: «Вас сейчас расстреляют. Скажите, все-таки, правду, кто и как организовал убийство Кирова?»

Но Котолынов и перед лицом смерти ответил, что все они, кроме Николаева, в убийстве неповинны. Скорее всего, так оно и было.

Почему-то принято считать спецслужбы послушным орудием в руке государства. Орудие – да, но орудие одушевленное, которое вполне может иметь собственную волю и вести свою игру.

Роль НКВД в событиях, происходивших в СССР в 30-е годы, не то что недооценивается, а вообще не замечается. Налицо странное предубеждение: ну почему, например, армию сплошь и рядом рассматривают как политическую силу, а органы внутренних дел – практически никогда? Почему автоматически считается, что они выполняли волю Сталина и были послушным орудием в руках правительства? Кто, собственно, такое придумал?

...Сталин с самого начала не очень-то доверял ни ленинградским чекистам, ни Ягоде. Спустя три дня после убийства ленинградские следователи были заменены московской следственной группой во главе с заместителем наркома внутренних дел Аграновым. Он же был назначен начальником Ленинградского управления НКВД, а через несколько дней заменен на этом посту Заковским. А контроль над следствием Сталин поручил Ежову, зам. председателя Комиссии партийного контроля. Ягода и его помощники пытались противиться участию Ежова в следствии, тогда Сталин вроде бы позвонил Ягоде и сказал: «Смотрите, морду набьем». Места для дискуссий по этому вопросу не оставалось.

Спустя неделю после завершения дела «Московского центра» состоялся еще один процесс – над двенадцатью руководящими работниками Ленинградского управления НКВД во главе с его начальником Медведем. Судили их за «преступную халатность», за то, что они, имея сведения о готовящемся террористическом акте, тем не менее не приняли мер к тому, чтобы его предотвратить.

Основания для такого обвинения действительно имелись. Например, множество изданий обошли ссылки на донос психически ненормальной осведомительницы НКВД Волковой, которая вроде бы подслушала, как ленинградские чекисты обсуждали будущее убийство Кирова.

...М. Н. Волкова была секретной сотрудницей НКВД с 1931 года. Как вспоминала работавшая в 1934 году в Ленинградском горкоме партии Д. А. Лазуркина, за месяц до убийства Кирова Волкова сообщила секретарю председателя исполкома, что в доме отдыха слышала разговоры пьяных чекистов о подготовке убийства Кирова. Председатель, вернувшись из командировки, попытался найти Волкову, но оказалось, что она находится в психбольнице. Эта женщина смогла, все-таки, передать свою информацию по назначению – но только уже правительственной комиссии, после убийства, когда было безнадежно поздно. Кстати, в своем письме она правильно называла фамилии и должности многих чекистов – что является информацией, вообще-то говоря, не каждому доступной.

Впрочем, дама эта вроде бы и вправду была сумасшедшей. Но имеются ведь и свидетельства иного рода.

15 октября 1934 года Николаев был задержан ленинградскими чекистами. В его портфеле нашли пистолет и, что было еще более интересно, записную книжку с маршрутом Кирова. Тем не менее он был отпущен по распоряжению начальника оперативного отдела Ленинградского УНКВД, который, в свою очередь, получил такое указание от заместителя начальника Управления Запорожца¹. Как хотите, но это уже выходит за рамки простой халатности. Если бы просто пистолет – но еще и маршрут Кирова. А самое интересное – кто такой Николаев, что его отпускают по личному указанию заместителя начальника УНКВД?

Остается добавить, что хотя осужденных чекистов и отправили на Колыму, но не в лагеря, а на работу в руководство Дальстроя. Расстреляны они были в 1937 году.

...Какие-то странные пируэты совершает следствие по «делу Николаева», вы не находите? Руководит им почему-то не чекист, а партконтролер, что Информация о посещении Николаевым германского посольства,

---

¹ Эти сведения содержатся в записке П. Н. Поспелова, человека, который готовил материалы для доклада Хрущева на XX съезде, то есть это хоть в какой-то мере официальные материалы. Поспелов, в отличие от Хрущева, излишней фантазией вроде бы не страдал.

обнаруженная ленинградскими чекистами, отправлена в Москву лично Медведем лично Ягоде и тихо кем-то куда-то припрятана. А что самое любопытное – так это четкое ощущение фальсификации, возникающее даже при беглом знакомстве с материалами дела.

Самое распространенное объяснение этому – дело «шилось» по указанию Сталина в порядке расправы с оппозицией. Но эта версия, скажем так, несколько нелогична. Все можно было бы сделать куда красивее. Например, пристегнуть «Московский центр» к «Ленинградскому» и добиться для москвичей расстрельных приговоров – но ведь этого делать не стали! Попросту пришили им некую общую «контрреволюцию», и на этом успокоились. А в Питере московские чекисты развили могучую деятельность именно с целью доказать, что за Николаевым стояла некая террористическая оппозиционная организация, и пристегивали к ней явно случайных, мелких персонажей. А ведь следствие вели очень серьезные люди, заместитель наркома лично проводил допросы.

Эту странность можно объяснить по-разному. В очередной раз спихнуть все на «ужасного» Сталина, перед которым Агранов трепетал до потери речи. Но ведь можно придумать и другое объяснение. Например, что это была деза, предназначенная самому Сталину, – чекисты «переводили стрелки» на случайных оппозиционеров, отвлекая внимание от кого-то важного и значимого.

Возможно, некоторые ответы мы найдем, рассмотрев совсем другое дело. Малоизвестное, нерекламируемое, непопулярное – хотя едва ли можно отыскать лучший пример абсурдности «сталинских репрессий». Тем не менее, даже на самом гребне «перестроечной» волны о нем всегда упоминали глухо...

Глава 8

ЗАБЛУДИВШИЙСЯ «КЛУБОК»

О «кремлевском деле» упоминают мало и неохотно. Хотя странно это, признаться, – ведь что может быть лучшим доказательством абсурдности «сталинского террора», как не арест и осуждение кремлевских уборщиц за какие-то разговоры? Именно так это дело и подавалось долгие годы. Пока господствовало мнение о сталинской паранойе и «стране ужаса», все это катило. Но чем дальше, тем более странным казалась вся эта история, нелепая и нелогичная по любым меркам.

Тем не менее, похоже, что именно в «кремлевском деле», или, как его еще называют, «деле "Клубок"», и лежит ключ к началу репрессий 1937 года (к той их части, которую можно назвать этим словом без кавычек).

Уборщицы-контрреволюционерки и порученцы-террористы

Согласно материалам дела, кремлевские служащие: библиотекари, уборщицы, работники комендатуры и пр., – по данным НКВД, участвовали в заговоре с целью убийства Сталина. Само собой, их действия были увязаны с оппозиционерами, меньшевиками, монархистами, белогвардейцами и пр. «Сам ход и характер следствия... при тщательном изучении не могут не оставить впечатления противоречивости, настойчивого сокрытия чего-то весьма важного, почему "дело" изначально несло черты двойственности, своеобразной эклектики, – пишет историк Юрий Жуков, один из немногих, получивший доступ к материалам дела. – Самым же загадочным остается повод, послуживший для возбуждения "дела"».

Итак, что мы знаем о «кремлевском деле»? В начале 1937 года НКВД, по инициативе Сталина, внезапно занялся проверкой кремлевских служащих на предмет контрреволюционных бесед, намерений и действий.

Все началось с доноса на трех уборщиц, которые вели между собой «контрреволюционные разговоры», примерно такого типа: «Товарищ Сталин хорошо ест, а работает мало. За него люди работают, потому он такой и толстый». «Сталин убил свою жену. Он не русский, а армянин, очень злой и ни на кого не смотрит хорошим взглядом». «Вот товарищ Сталин получает денег много, а нас обманывает, говорит, что он получает 200 рублей... Может, он получает несколько тысяч, да разве узнаешь об этом?» И прочее, тому подобное – обычные разговоры прислуги, «перемывающей косточки» хозяевам.

Начало 1935 года, у НКВД, в связи с убийством Кирова, дел по горло. Тем не менее девушек допрашивает не кто-нибудь, а лично начальник секретно-политического отдела НКВД Г. А. Молчанов и начальник оперативного отдела К. В. Паукер. Им что, заняться больше нечем?

А дело развивается. В конце января 1935 года с какого-то перепугу, хотя уборщицы о них ни словом не упоминали, арестовывают Б. Н. Розенфельда, племянника Каменева, и А. И. Синелобова, порученца коменданта Кремля. И практически сразу же первый дал показания на отца, Н. Б. Розенфельда, брата Каменева, и на мать (кстати, урожденную княжну Бебутову), работавшую в кремлевской библиотеке. Допросы второго дали основания для ареста помощника коменданта Кремля В. Г. Дорошина, начальника спецохраны и помощника коменданта Кремля И. Е. Павлова, коменданта Большого Кремлевского дворца И. П. Лукьянова и еще нескольких человек.

И покатилось. В деле были выделены группы: уборщиц, библиотекарей, комсостава комендатуры. Все эти люди, правда, были уличены всего лишь в том, что вели «антисоветские разговоры» – но согласитесь, что когда в охране и обслуге правительственной резиденции в таком массовом порядке и столь увлеченно предаются антиправительственной болтовне, это говорит о том, что в оной резиденции что-то очень и очень не так. Это было бы не так даже в 80-е годы, когда большинство населения было настроено антиправительственно – а ведь в 30-е годы большинство населения, по меньшей мере городского, было лояльно.

В то время подобные разговоры карались в уголовном порядке. Можно осуждать за это правительство СССР, а можно и не осуждать, тем более что за двадцать лет до того подобная несдерживаемая и ненаказуемая болтовня едва не привела к гибели России (а пятьдесят лет спустя привела к гибели СССР). Как бы то ни было, сие деяние было уголовно наказуемым, и подследственные не знать об этом не могли.

Однако на этом следствие не успокоилось. Им стали «шить» террористические намерения с целью убийства Сталина. Делали это активно и напористо, не хуже, чем за два месяца до того в Ленинграде, и вполне успели в своем начинании. В начале марта двое – библиотекари Розенфельд и Муханова – в этих намерениях признались.

В конце концов дело довели до суда, который состоялся 10 июля. Главными фигурантами были Л. Б. Каменев, его жена (кстати, сестра Троцкого), его брат и еще 35 арестованных. Это по одним данным. По другим, всего по делу было арестовано 110 человек. 30 из них судила Военная Коллегия Верховного суда, остальных – Особое совещание.

Военная коллегия признала существование четырех террористических групп, в том числе одной «троцкистской». 14 подсудимых не признали себя виновными, 10 признались в том, что слышали «антисоветские высказывания», 6 человек признали себя виновными в «террористических намерениях». Двое подсудимых были приговорены к расстрелу, все остальные – к разным годам заключения и ссылки. В общем, яркая иллюстрация «липового» дела на волне страха перед террором.

Это то, что лежит на поверхности и достаточно широко известно. А теперь то, что известно куда менее широко.

Петерсон: рокировка

Все началось не с доноса на уборщиц, а с письма, полученного Сталиным в начале 1935 года от брата его первой жены А. С. Сванидзе, который был тогда председателем правления Внешторгбанка. Согласно этому письму, комендант Кремля Петерсон совместно с членом президиума и секретарем ЦИК СССР Енукидзе, при поддержке командующего войсками Московского военного округа Корка из-за «полного расхождения со Сталиным по вопросам внутренней и внешней политики» составили заговор с целью отстранения от власти Сталина и его команды. Арест высшего руководства страны должен был осуществить кремлевский гарнизон по приказу Петерсона у них на квартирах, в кабинете Сталина во время какого-нибудь заседания, или же в кинозале на втором этаже Кавалерского корпуса Кремля.

Это уже не измышления сумасшедшей сексотки. От таких предупреждений не отмахиваются. Тем более, персонажи в центре обрисованной в письме комбинации стояли нешуточные.

Енукидзе вот уже пятнадцать лет был секретарем ЦИК СССР, то есть занимал одну из важнейших должностей в государстве (ЦИК был высшим органом страны, одновременно законодательным и исполнительным). Этот человек, готовивший постановления ЦИК, был связующим звеном между законной и надзаконной властью Страны Советов, и переоценить его значимость едва ли возможно. Очень крупный был деятель.

Более того, он был связан со Сталиным старой дружбой и почти родственными узами. Оба хорошо знали друг друга еще по дореволюционной работе в Закавказье (кстати, Сванидзе был из той же компании старых закавказских большевиков). Енукидзе был крестным отцом Надежды Аллилуевой. Просто так от сигнала на такого человека не отмахнешься, но и напролом не пойдешь.

Что же касается первого имени в записке Сванидзе – то это был персонаж еще более интересный. Он был назначен комендантом Кремля 17 апреля 1920 года под грубым нажимом Троцкого, тогда председателя Реввоенсовета, и являлся перед тем начальником бронепоезда Троцкого и начальником его личной охраны. Пожалуй, ближе в то время «демону революции» была лишь его собственная кожа. Между тем никакие чистки Петерсона не коснулись, и в 1935 году он по-прежнему был комендантом Кремля, что говорит о полном бардаке в деле охраны правительства. Пусть даже Петерсон был ни в каких оппозициях не замечен, однако убрать его с этого поста требовала элементарная осторожность.

Есть и вторая версия того, с чего все началось. По другим данным, менее надежным, в январе 1935 года в кремлевской библиотеке молодая женщина из графского рода Орловых-Павловых стреляла в Сталина (хотя и не попала). Если это так, то становится понятным, почему стали шерстить кремлевскую обслугу и почему допросами уборщиц занимались высокие чины НКВД.

Впрочем, Енукидзе и Петерсона ни следователи, ни Сталин не трогали, хотя и по разным причинам. О первой поговорим потом, а второй причиной могла быть опять же элементарная осторожность. Правительство в то время жило как на вулкане, жерло которого уже недвусмысленно попыхивало сернистым дымом. Один неверный шаг – и грохнет! Комендант Кремля, почувствовав опасность, мог перейти к активным действиям, а возможности у него были большие.

Поэтому с Петерсоном не спешили, зато поспешили с другим: уже 14 февраля нарком внутренних дел Ягода представил на утверждение Политбюро новую систему охраны Кремля. Само собой, как у нас все и бывает, потребовалось убийство государственного деятеля, чтобы наконец навести в правительственной охране порядок – но убийство дало и предлог для наведения этого порядка. Из ведения комендатуры Кремля выводилась любая хозяйственная деятельность – теперь она занималась только охраной, подчиняясь НКВД по внутренней охране и наркомату обороны по военной охране (до того она подчинялась ЦИК и НКО). Соответственно охраной теперь ведали два заместителя коменданта. Власть самого Петерсона становилась номинальной.

Впрочем, эта рокировка не имела бы смысла, если бы в Кремле сохранился прежний бардак, при котором по нему гуляли толпы постороннего люда. Поэтому решено было вывести из Кремля многочисленные советские учреждения, где было множество работников и еще больше посетителей. Теперь попасть за кремлевскую стену стало куда труднее.

И, пожалуй, самое главное – с территории убрали школу имени ВЦИК, которая была военным гарнизоном Кремля и насчитывала восемь рот, то есть полторы тысячи человек. Имея внутри Кремля такую силу, устроить государственный переворот было легче легкого. А пока, впредь до вывода школы, 19 февраля для контроля за ней было создано особое отделение – орган военной контрразведки, который напрямую подчинялся наркому внутренних дел Ягоде.

Как видим, Сталин отнесся к письму Сванидзе очень серьезно – серьезней некуда.

Итак, параллельно шли два процесса – «кремлевское дело», которое должно было вычистить оппозиционеров из охраны и обслуги Кремля, и очень серьезные меры, направленные на то, чтобы нейтрализовать Петерсона и тех его людей, которые по этому делу не проходили.

Впрочем, сам комендант отделался на редкость легко. Комиссия партийного контроля вынесла ему строгий выговор «за отсутствие большевистского руководства подчиненной комендатурой, слабую политико-воспитательную работу среди сотрудников и неудовлетворительный подбор кадров». 9 апреля его освободили от обязанностей коменданта Кремля и некоторое время спустя назначили помощником коменданта Киевского военного округа Якира по материальному снабжению.

Енукидзе: путь вниз

Авель Енукидзе никогда не был замешан ни в каких оппозициях. Чекисты тоже не давали на него материалов. Тем не менее, по-видимому, что-то там такое было. Дело в том, что кроме собственно следствия, есть еще такие вещи, как показания осведомителей. По понятным причинам эта информация не фигурирует открыто – ни в материалах дел, ни тем более в судебных процессах. И едва ли мы когда-либо узнаем, какой реальный компромат был подложен под следующее постановление ЦИК СССР, опубликованное 3 марта:

«В связи с ходатайством ЦИК ЗСФСР о выдвижении тов. Енукидзе Авеля Сафроновича на пост председателя Центрального исполнительного комитета ЗСФСР, удовлетворить просьбу тов. Енукидзе Авеля Сафроновича об освобождении его от обязанностей секретаря Центрального исполнительного комитета Союза ССР».

Формально Енукидзе возвращался на родину, туда, где он начинал свой революционный путь, фактически же это была почетная ссылка под очень хороший надзор. «Хозяином» Закавказья в то время был Берия, молодой руководить региона, но в свои 35 лет уже старый чекист и убежденный сталинист. Рядом с таким не разгуляешься.

21 марта появилось на свет «Сообщение ЦК ВКП(б) об аппарате ЦИК и тов. Енукидзе». В этом документе, прочитанном по партийным организациям, кратко рассказывалось о «кремлевском деле», а затем говорилось: «Многие из участников и в особенности участниц кремлевских террористических групп... пользовались прямой поддержкой и высоким покровительством тов. Енукидзе. Многих из этих сотрудниц тов. Енукидзе принял на работу и с некоторыми из них сожительствовал».

Однако его по-прежнему никто ни в чем официально не обвинял. Более того, в том же документе говорилось: «Само собой разумеется, что тов. Енукидзе ничего не знал о готовящемся покушении на товарища Сталина, а его использовал классовый враг как человека, потерявшего политическую бдительность, проявившего несвойственную коммунисту тягу к бывшим людям».

Енукидзе ни с чем не спорил, попросил лишь двухмесячный отпуск и уехал в Кисловодск.

О том, что конкретно имелось в виду под «использованием классовым врагом» и «тягой к бывшим людям», пишет в своем дневнике Мария Сванидзе, и портрет, который перед нами предстает, прямо скажем... Тут уже не сплетни уборщиц, эти люди были почти что одной семьей и знали друг друга много лет.

«Авель, несомненно, сидя на такой должности, колоссально влиял на наш быт в течение 17 лет после революции. Будучи сам развратен и сластолюбив – он смрадил все вокруг себя, – ему доставляло наслаждение сводничество, разлад семьи, обольщение девочек. Имея в своих руках все блага жизни, недостижимые для всех... он использовал все это для личных грязных целей, покупая женщин и девушек. Тошно говорить и писать об этом, будучи эротически ненормальным и, очевидно, не стопроцентным мужчиной, он с каждым годом переходил на все более и более юных и наконец докатился до девочек в 9–11 лет, развращая их воображение, растлевая их, если не физически, то морально. Это фундамент всех безобразий, которые вокруг него происходили. Женщины, имеющие подходящих дочерей, владели всем, девочки за ненадобностью подсовывались другим мужчинам... В учреждение набирался штат только по половым признакам... Контрреволюция, которая развилась в его ведомстве, явилась прямым следствием всех его поступков: стоило ему поставить интересную девочку или женщину, и все можно было около его носа разделывать...»

Неудивительно, что, как было сказано в закрытом сообщении ЦК, «действительные мотивы этого перемещения не могли быть объявлены официально в печати, поскольку опубликование могло дискредитировать высший орган советской власти».

Перспектива оказаться «под крылышком» Берии Енукидзе не радовала до такой степени, что он предпочел отказаться. 8 мая он попросил освободить его от обязанностей председателя ЗакЦИКа и назначить уполномоченным ЦИК по курорту, на котором он пребывал. Едва Политбюро получило его письмо, как в тот же день удовлетворило эту просьбу.

Но и это было еще не все. Едва получив новое назначение, Енукидзе вернулся в Москву для участия в Пленуме ЦК. На этом Пленуме председатель Комиссии партийного контроля Ежов делал доклад о «кремлевском деле» и об использовании заговорщиками Енукидзе. Трудно сказать, кто тут кому морочил голову: чекисты ли Ежову, Ежов ли всем остальным, но заговор предстал мощным, разветвленным и выходящим далеко за пределы Кремля. Тем не менее о Петерсоне там не упоминалось вовсе, а о Енукидзе – очень мало: лишь то, что часть своих планов заговорщики строили на использовании личных связей с Авелем Сафроновичем.

Пропесочили Енукидзе на Пленуме основательно и в результате вывели его из состава ЦК и исключили из партии «за политико-бытовое разложение». Кстати, через год он, с санкции Политбюро, в партии восстановился...

Странности «кремлевского дела»

Дело закончилось судом, который состоялся 27 июля. Ягода требовал самых суровых приговоров, в частности предлагал расстрелять 25 человек. Однако Военная Коллегия Верховного Суда вынесла смертные приговоры лишь двоим из 30 подсудимых, остальных приговорили к тюремному заключению. Особое совещание НКВД отправило в тюрьму на срок от трех до пяти лет 42 человека, приговорило к ссылке 37 человек и одного – к высылке из Москвы.

Несколько раньше была проведена чистка работников Кремля. Из 107 человек на своих местах остались лишь девять.

И как ни крути, с какой стороны ни подходи – дело это странное. Началось оно с доноса на Енукидзе и Петерсона – и именно эти персонажи вышли сухими из воды. Следователи к ним даже не подбирались, а весь свой пыл применили к тому, чтобы возиться с уборщицами и библиотекарями.

Еще в 2000 году Юрий Жуков рассмотрел все возможные объяснения и пришел к парадоксальному для того времени выводу: в этом деле нет непримиримых противоречий только в одном случае – если заговор действительно существовал.

Есть тому и подтверждения. Два года спустя Енукидзе и Петерсон были арестованы: первый – 11 февраля в Харькове, второй – 27 апреля в Киеве. Оба сразу же, в день ареста, дали признательные показания – то есть до того, как их, даже гипотетически, могли начать мало-мальски серьезно бить. Показания были одинаковыми вплоть до деталей. Они рассказали о том, что готовили переворот и арест либо убийство государственной верхушки – Сталина, Молотова, Кагановича, Ворошилова и Орджоникидзе. Но это уже совсем другая история...

Часть третья

ПРУССКИЕ АРИСТОКРАТЫ ПРОТИВ ГИТЛЕРА

Правителям живется хуже всего: когда они обнаруживают заговоры, им не верят, покуда их не убьют.

Домициан, римский император.

Так что, как видим, при малейшей попытке применить по назначению, как любил говорить Эркюль Пуаро, «серые клеточки»... Иначе говоря, при попытке подумать головой, а не датчиком связи со средствами массовой информации мы видим, что с оппозицией в СССР все обстояло, мягко говоря, не совсем так, как писал в начале «перестройки» журнал «Огонек». А говоря еще проще, Сталин нравился далеко не всем, против него выступали, причем отнюдь не всегда парламентскими методами. Надеемся, нам удалось это доказать.

Тем не менее одной части тогдашнего общества мы не коснулись – причем не коснулись намеренно.

Во всем мире и во все времена абсолютное большинство успешных переворотов и значительная часть неуспешных проходит с участием военных. Что и неудивительно – ведь что такое армия? Это, помимо прочего, энергичные и амбициозные мужики, собранные вместе и загнанные в рамки жесткой дисциплины и повиновения. Иначе говоря, армия – высокоэнергетичная структура. Если она время от времени тратит накопленную силушку на войну, тогда все в порядке. Но если войны нет, то энергия ищет выхода. Кто-то кидается в пьянство, кто-то – в заговоры: горение и гниение суть две формы одного и того же процесса. Но история свидетельствует: заговоров, переворотов и революций без участия военных – по пальцам пересчитать.

При этом надо очень четко понимать: совсем не обязательно заговорщики в погонах не согласны со своим правительством политически. Как раз наоборот: идеи и цели у них очень даже могут совпадать. В основе этих процессов сплошь и рядом лежат совсем иные, куда менее благородные побуждения. Очень хорошо это видно на примере Германии. Страна, похожая на СССР по государственному устройству, сходная по энергетике, сплоченная и ведомая сильным вождем, тем не менее не обошлась без заговора военных, который в конце концов привел к вполне реальному путчу. Неудачному, да! Но неудачному по чистой случайности. Иной раз судьбы державы могут зависеть даже не от отдельного человека, а от отдельного стола...

Поэтому перед тем, как заняться Рабоче-Крестьянской Красной Армией, переместимся западнее, в самое сердце Европы, и посмотрим – а как обстоят дела там? Этот окольный путь отнюдь не самый долгий. Ибо, как говорит русская пословица, «в обход две версты, а напрямик – все десять будет». Все, что связано с нашим заговором, было уничтожено, а в лучшем случае, переврано или погребено в архивах. Более-менее объективные показания современников, так или иначе замешанных в заговорщицкой деятельности 30-х годов – Астрова, Никольского, Авторханова, – в упор никем не замечаются. Дошло до того, что наша историческая наука показания обвиняемых на процессах 30-х годов даже не рассматривает! Вы где-нибудь видели что-либо подобное? Правильно. И не увидите. Зато любое заявление любого из отсидевших о своей полной непричастности и невиновности тут же становится аксиомой. И чем перелопачивать горы исторического удобрения в поисках жемчужных зерен истины, куда проще воспользоваться опытом похожей страны, где подобные процессы как следует изучены. И даже если бы кому-то и вздумалось все это отрицать, то ведь стол-то сломали! С этим бессловесным свидетелем пока еще никто не спорил.

Итак, перед нами немецкий военный заговор, заговор прусских аристократов, завершившийся не гипотетическим, а вполне реальным путчем и покушением на Гитлера. Как и предполагаемый заговор против Сталина, он имел весьма долгую предысторию. Истоки его возникновения уходят в первые послевоенные годы, время Веймарской республики, немецкого национального унижения и становления национал-социализма.

Глава 9

СВОЕВОЛЬНОЕ ДИТЯ РЕЙХСВЕРА

О том, что такое «фрайкоры» и «черный рейхсвер», кем и как они формировались, мы уже говорили в первой части нашего повествования. Напомним: это были замаскированные под «народные» и «добровольческие» военные формирования, призванные спасать кадры старой немецкой армии и готовить их для новой. Но, кроме того, эти «добровольческие формирования» при необходимости могли выступать и как политические организации, выражающие интересы армии.

Рейхсвер к политике относился внимательно и с интересом. Неофициальных военных союзов самого разного толка в послевоенной Германии было множество. Кстати, еще в 20-е годы немецкий исследователь Гумбель, изучавший деятельность этих союзов, включил в их число и НСДАП. И у него для этого были все основания.

Сфинкс и кукушонок

Германия. 1919 год. Среди бывших военных, которых, в соответствии с планами фон Секта, всеми способами пытаются спасти от нищеты и отчаяния, находится отставной ефрейтор, прошедший всю войну, награжденный двумя Железными Крестами за храбрость. Хорошие унтер-офицеры всегда были основой прусской, а позднее германской армии, их берегут, и ефрейтора-орденоносца не бросают на произвол судьбы. Его берут на работу в армейское пресс-бюро, затем назначают офицером по общеобразовательной подготовке в один из полков, дислоцированных в Мюнхене. Зовут этого человека, как читатель уже, наверное, догадался, Адольф Гитлер (Вопреки распространенному мнению, Гитлер – это настоящая фамилия, а не псевдоним. Отец Адольфа Гитлера, Алоис, был незаконнорожденным и назывался по матери – Шикльгрубер, однако впоследствии его отец (дед Адольфа) признал отцовство и дал сыну свою фамилию – Гитлер).

В сентябре 1919 года Гитлер получает приказ политотдела армии – присмотреться к небольшой политической группке, которая громко именует себя «рабочей партией». Таких «партий» в Германии тогда развелось, как поганок после дождя. Та, в которую направили Гитлера, насчитывала около ста членов, содержимое партийной кассы – семь марок пятьдесят пфеннингов. Явившегося на собрание Адольфа автоматически зачислили в ряды «рабочей партии», как, вероятно, зачисляли всех проявивших к ней хоть какой-то интерес. Но, в отличие от большинства прочих, он в этой партии остался.

Кстати, он не был единственный военным в темной пивной «Штернекерброй» (политические партии в Германии традиционно собирались в пивных). На первом же собрании он познакомился с капитаном Эрнстом Ремом, еще одним фронтовиком. Так начиналась НСДАП.

О том, что это была за контора, не без юмора пишет Уильям Ширер[1]: «Недалекий слесарь Дрекслер заложил основы движения, пьяный поэт Эккарт развил определенные "духовные" ценности, чудаковатый экономист Федер сформировал то, что считалось идеологией, гомосексуалист Рем обеспечил движению поддержку военных и ветеранов войны... Задачу по превращению скромного дискуссионного клуба в то, что вскоре станет мощной политической партией, взял на себя... бывший бродяга Адольф Гитлер».

Впрочем, есть ли партии, которые начинают иначе? Большинство из них тихо исчезает в реке по имени Лета, но с некоторыми получается не так. С теми, которым повезет оказаться в нужное время, в нужном месте и с нужными словами.

Программа партии была популистская, хотя и менее популистская, чем у большевиков образца 1917 года. Но ее первым пунктом значилось объединение всех немцев в единую великую Германию, а последним, двадцать пятым, – создание сильной централизованной государственной власти. Между ними имелось многое другое, близкое сердцам тех, кто нес последние гроши в баварские пивные: борьба с нетрудовыми доходами, национализация трестов, смертная казнь для изменников, ростовщиков и

---

[1] Американский историк и журналист, автор книги «Взлет и падение Третьего рейха».

спекулянтов. По сути, единственное, что отличало эту партию от соответствующих социалистических, так это могучий националистический дух. В стране, только что испытавшей жесточайшее национальное унижение, это было много. Да, значительная часть немцев были интернационалистами, но другая-то часть – националистами. И, как показали события, последних оказалось больше, особенно среди военных.

В первую очередь надо понимать, что *непримиримого* противоречия между военными и нацистами не было никогда. Все они находились по одну сторону баррикады, у всех был общий враг: либералы-веймарцы, «западники», сторонники победителей (как сказали бы в нынешней России, «полицаи») с одной стороны, и «красные» интернационалисты – с другой. Как германские военные, так и германские националисты были правыми, близкими по духу. Речь шла исключительно о том, кто будет главным – это та причина, по которой и совершается большинство переворотов.

Не кто иной, как рейхсвер покровительствовал национал-социалистической партии на первых порах: обеспечил лояльное отношение со стороны местных баварских властей, откомандировал в партию своих уполномоченных. Как следует из списка личного состава НСДАП, осенью 1919 года из 193 ее членов с армией был связан каждый пятый.

Более того, Клинч, один из первых руководителей штурмовых отрядов, был офицером действительной службы и считался *откомандированным* в НСДАП от 2-й морской бригады. Капитан Рем до ноября 1923 года успешно совмещал деятельность в нацистской партии с постом офицера штаба генерала Эппа. Сам вышеозначенный генерал, командир 7-й (баварской) дивизии, в середине 1920 года передал ближайшему помощнику Гитлера Дитриху Эккарту 60 тысяч марок на перекупку запутавшейся в долгах малоизвестной газетки «Фёлкишер беобахтер».

Летом 1920 года партия обзавелась собственными боевыми отрядами, которые назывались тогда «группами порядка». 5 октября 1921 года они были переименованы в штурмовые отряды. Само собой, все руководящие посты в них заняли недавние офицеры. Занимались отряды тем, что поддерживали порядок на митингах нацистской партии и разгоняли митинги противников. Когда под нажимом держав-победительниц германское правительство распустило многие добровольческие корпуса и военные союзы, то их личный состав, находившийся в Баварии, получил от армейского руководства негласное указание влиться в штурмовые отряды НСДАП, как один из резервов рейхсвера.

Как видим, германская армейская верхушка имела все основания рассматривать НСДАП как собственное детище, будущее послушное орудие для осуществления своих тайных планов. Однако, как это нередко бывает в политике, птенчик рос-рос, и вышел кукушонком. Отношения нацистов и генералитета стали постепенно меняться – по мере превращения партии из подразделения «чёрного рейхсвера» в массовую политическую силу, возглавляемую неуправляемым вождём.

К чему же стремились германские военные? Их программой-максимум было возрождение Германии и военный реванш, программой-минимум – не дать республиканским властям уничтожить прусский воинский дух. После войны демократическому правительству так и не удалось подмять под себя германскую армию. Даже имея численность в сто тысяч человек, она оставалась «государством в государстве». Достаточно вспомнить ответ Секта президенту Эберту на вопрос, кого поддерживает армия: «Армия поддерживает меня». И в этом «военном государстве» преобладал прежний имперский дух.

В то время в Германии было две значимые, даже можно сказать, знаковые фигуры в погонах – генералы Ганс фон Сект и Макс Гофман. В историю военного искусства Сект вошел как теоретик и практик «малой армии» (по необходимости, а точнее, с горя). Прежнюю массовую армию он предлагал заменить малой моторизованной армией, усиленной авиацией. Исходя из этой своей концепции, он, в частности, заложил основы немецких танковых войск.

Однако для нас гораздо важнее другая его идея – концепция единства политического и военного руководства страной во время войны, то есть, говоря по-простому, военно-политической диктатуры. Она мыслилась с опорой на широчайшую, тотальную поддержку народа (перефразируя советский лозунг – «Народ и армия едины!»)[1]. По мысли Секта, именно отсутствие этого единства и привело Германию к поражению в Первой мировой войне, а объединение этих двух функций в одном лице могло принести победу в войне грядущей. Стоит ли говорить, что во главе страны должен был стать именно военный – этим концепция Секта отличалась от практики как Германии, так и СССР, где диктатура-то существовала, но во главе ее стояли политики, а не генералы.

---

[1] Такое государство показано в американском фильме «Звездный десант». И ведь неплохо вышло!

В области геополитики Сект стремился к ликвидации того мирового порядка, который был установлен после Первой мировой войны державами-победительницами. Он был сторонником присоединения Австрии, нового раздела Польши, удара по Чехии – впоследствии именно это и сделал Гитлер! Однако когда речь заходила о восточном направлении, тут их взгляды расходились радикальнейшим образом. Сект считал, что судьба Германии будет решаться на Западном фронте, и, делая выводы из уроков прошедшей войны, особо подчеркивал, многократно повторял, что залог победы Германии – соглашение с Россией. «Видел ли мир большую катастрофу, чем испытала Россия в последней войне? И как быстро поднялось советское правительство в своей внутренней и внешней политике! И разве первое проявление немецкой политической активности не заключалось в подписании договора в Рапалло, что привело к росту немецкого авторитета?» Генерал не уставал предупреждать: «Если Германия начнет войну против России, то это будет безнадежная война». Уже находясь в отставке, фон Сект написал книгу «Германия между Востоком и Западом» (1932–1933 гг.), где вновь высказывался за сотрудничество с нашей страной.

Прямо противоположных взглядов по этому вопросу придерживался генерал Гофман, который мечтал о большом крестовом походе на Восток. Он видел в таком походе средство для «исторической реабилитации» Германии перед «цивилизованным» миром. Впрочем, нелишне будет упомянуть, что, кроме громких идеалов, у Гофмана были и нешуточные интересы: через свою жену, сестру крупного финансиста, он был связан с западным финансовым капиталом и, как мог, лоббировал его интересы. Его идеи не нашли широкой поддержки среди военных, зато они нравились многим промышленникам и финансистам и были созвучны мечтам Гитлера.

У фюрера были свои геополитические взгляды. Естественно, как любой немец, он терпеть не мог Польшу – впрочем, это мелочь. Главным врагом в Европе он считал Францию, с которой надо было рассчитаться раз и навсегда. С этим, учитывая историю Германии, трудно спорить. Однако основной интерес Рейха, по мнению Гитлера, лежал совсем в другой стороне света. «Германия, – писал он, – должна увеличить свою территорию на Востоке – в основном, за счет России. Это означает, что новому рейху предстоит снова отправиться в поход по стопам древних тевтонских рыцарей и с помощью германского меча обрести землю для германского плуга и хлеб насущный для нации». О судьбах воинственных тевтонцев фюрер благоразумно не упоминал... А зря!

Впрочем, до этого было еще далеко. Пока что Франция упивалась победой, Польша процветала, Россия видела в Германии скорее друга, чем врага. Ближайшие цели у Гитлера и германских генералов были одни и те же, а растущие между ними разногласия лежали исключительно в сфере власти. Проще говоря: кто кем будет командовать. Но ведь это – самое главное!

...Итак, по мере роста НСДАП между нацистами и военными постепенно возникало отчуждение. Их интересы начинали расходиться, пока что всего лишь количественно. Они были едины в том, *что* следует делать, но расходились в сроках. «Сфинкс» был терпелив и умел ждать не хуже, чем его египетский тезка. А собравшиеся в штурмовых отрядах НСДАП выброшенные из армии офицеры были недовольны излишней, как им казалось, медлительностью своих коллег из «официального» рейхсвера. Те не только не спешили покончить с ненавистной Веймарской республикой, но и получали от нее чины, ордена и кое-какие деньжата. Чем сильнее становились нацисты, тем менее они хотели играть отведенную им роль простых марионеток армейского командования.

Уже в сентябре 1923 года они впервые поссорились. На волне кризиса центральный орган НСДАП «Фёлкишер беобахтер» начал шумную кампанию против «еврейской диктатуры Штреземана – Секта». В одной из статей прямо говорилось о недостаточно арийском происхождении Доротеи фон Сект, супруги командующего рейхсвером. Газета сказала правду – и родной отец, и отчим Доротеи были евреями, но Секту вмешательство в его семейные дела не понравилось. В ответ разозленный муж приказал генералу фон Лоссову, командиру расположенной в Баварии 7-й дивизии, закрыть газету. Однако каждая немецкая земля в то время была сама себе голова, и генерал, бравируя баварским сепаратизмом, отказался выполнить приказ.

А в ноябре того же года Сект едва не стал фактическим главой государства. По его приказу войскам, разбиравшимся с «красным октябрем», предстояло свергнуть местные прокоммунистические правительства в Саксонии и Тюрингии. И генерал потребовал, чтобы президент назначил его канцлером – то есть, по сути, дал согласие на объявление военной диктатуры. Президент согласился на многое: отправить в отставку кабинет министров, санкционировать действия армии в Тюрингии, однако по поводу поста канцлера ответил отказом. Перед генералом встал нелегкий выбор. Взвесив все «за» и «против» (главным образом, международный расклад сил), Сект так и не решился на насильственный захват власти. С этого момента он как политик был обречен: либералы не простили ему страха, который они испытали той осенью.

Тем временем Гитлер и Людендорф, не успевшие уследить у себя в Баварии за быстро меняющейся ситуацией в столице и боявшиеся упустить свой кусок власти, начали в Мюнхене знаменитый «пивной путч». Этот демарш был проделан не вовремя и без надежды на успех, однако он поставил армию перед трудным выбором. Гитлер был куда ближе военным, чем демократическое правительство. Тем не менее армейские части были вынуждены защищать от нацистов демократическую республику, которую они все дружно ненавидели. Полиция, усиленная частями рейхсвера, в считанные часы подавила нацистский мятеж, после чего нацисты всерьез обиделись на военных. Кроме того, на судебном процессе над организаторами путча всплыло немало материалов о связях нацистов с рейхсвером, и скандал вышел нешуточный.

Насмерть перепуганная в 1923 году веймарская верхушка не простила Секту его диктаторских поползновений, и в 1926 году под глупейшим предлогом (за то, что издал приказ, разрешающий дуэли между офицерами, и предложил принцу Вильгельму пост начальника военной подготовки вооруженных сил) генерала отправили в отставку. Трудно сказать, сами по себе, или же кто-то «помог», но как раз летом 1926 года поползли слухи о монархическом заговоре неких зловещих сил. Полиция провела несколько обысков и арестов, и как раз в это время правительство отправило в отставку командующего рейхсвером – мол, неужели вы не понимаете, за что его *на самом деле* убирают? Германия начала разворачиваться к Западу.

Обиженный Сект отправился в Китай, где стал военным советником Чан Кайши. В 1936 году, смертельно больной, он вернулся в Германию умирать.

На действительную военную службу в рейхсвер генералу фон Секту вернуться было не суждено. Однако сила воздействия его идей оказалась огромной, и, даже будучи в отставке, он продолжал оказывать решающее воздействие на облик германской армии. Его дело продолжили верные единомышленники и ученики. Прежде всего, это были генерал Курт фон Шлейхер, его верный помощник Фердинанд фон Бредов, генералы Хаммерштейн-Эквoрд, Бломберг, Фрич, Бек, Томас и целый ряд других офицеров, разделявших политические и военные воззрения Секта. Почти все они носили перед фамилией приставку «фон», были потомственными военными и выходцами из старой прусской аристократии и, вспоминая о Гитлере, не забывали присовокупить к его имени пренебрежительное «ефрейтор». Именно из этой среды и вырос впоследствии военный заговор против фюрера.

Последователи «Сфинкса», находясь на командных постах в рейхсвере, продолжали проводить политику своего учителя. На роль нового лидера сразу же выдвинулся «политический генерал», ближайший соратник Секта, один из главных организаторов и проводников «восточной ориентации» (т. е. союза с СССР) Курт фон Шлейхер. Поначалу через подставных лиц, а потом и лично он пытался реализовать идею Секта о приходе армии к власти с опорой на народные массы.

Как Шлейхер сам себя перехитрил

...События 1923 года надолго омрачили отношения НСДАП и военных. Нацисты клеймили рейхсверовских генералов «изменниками». По их мнению, военная верхушка предала их в самый решающий момент и теперь процветала на грязные деньги «еврейской республики». Показательна в этом отношении речь Гитлера 15 марта 1929 года. Всячески превознося армию как таковую, фюрер поносит последними словами ее командование, одновременно обвиняя его во всех грехах сразу: как в сотрудничестве с левыми силами, так и в «превращении генералов в политических комиссаров правительства». Военные, в свою очередь, считали руководителей партии политическими клоунами, сорвавшими своим дурацким путчем подготовленный Сектом план ликвидации Веймарской республики и установления власти военных мирным путем.

Однако и армия, и ставшая в одночасье многочисленной партия были нужны друг другу. Первый шаг навстречу сделал в конце 1930 года сам Гитлер, публично заявив, что НСДАП намерена прийти к власти легальным путем. Это заявление спускало главную пружину напряженности: до сих пор одной из основных партийных установок было насильственное свержение «еврейской республики», что автоматически вело к столкновению с рейхсвером, который, хоть и против своей воли, был обязан защищать правительство. Намек был услышан, и сменивший Секта Шлейхер начал осторожно налаживать контакты с вождем НСДАП.

Расчет Шлейхера был прост: «приручить» Гитлера, сковать его цепью политической ответственности и использовать в интересах рейхсвера. Он прекрасно понимал, что установить военную диктатуру, опираясь только на 100-тысячную армию, невозможно. Как и Сект, он боялся повторения «капповского путча» 1920 года, когда армия взяла власть, однако, не имея никакой опоры в обществе, добровольно (и с позором) ее отдала. Поэтому Шлейхер стремился обрести в лице Гитлера политическую поддержку, необходимую для установления своего господства. А посредниками в установлении контакта выступили тот самый Эрнст Рем, капитан, создававший вместе с Гитлером нацистскую партию, и лидер левого крыла НСДАП Грегор Штрассер.

10 сентября 1931 года состоялась личная встреча Гитлера с еще одним учеником Секта, другом Шлейхера (и будущим руководителем заговора против фюрера) генералом Хаммерштейном-Эквордом. Все прежние размолвки и недоразумения были наконец улажены. На этой и последующих встречах Гитлер снова и снова заверял армейское руководство, что нацисты намерены прийти к власти легальным путем, что, когда это состоится, штурмовые отряды не будут составлять конкуренцию рейхсверу. Он обещал, что не станет посягать на особую «надпартийную» позицию армии, что ее функции изменены не будут. Нерешенным оставался лишь один вопрос, зато самый главный, – кто будет доминировать в создаваемой коалиции? Естественно, мнения по этому поводу военного руководства и нацистов были прямо противоположными. Поэтому, чтобы не разрушить хрупкую договоренность, эту проблему предпочли аккуратненько обойти стороной.

Между тем военные и штурмовики потихоньку налаживали и личные контакты. Генерал Шлейхер и руководитель СА Рем возобновили прежнее знакомство. Они знали друг друга с давних пор: в свое время именно Шлейхер руководил созданием «фрайкоров» и «черного рейхсвера», а Рем был ответственным за эту работу в Баварии. Глава штурмовиков периодически навещал генерала, они вели оживленную переписку.

Устанавливались связи и иного рода: именно в это время ближайший друг Шлейхера, генерал-лейтенант в отставке граф Фридрих фон Шуленбург вступил в НСДАП и вскоре прочно занял место среди высших руководителей СА, став советником Рема. Сделал он это отнюдь не в силу нацистских убеждений, а для того, чтобы армия могла контролировать действия штурмовиков.

Год прошел относительно спокойно, затем грянул гром. Заверения фюрера оказались враньем. Весной 1932 года прусская полиция произвела обыски в помещениях ряда нацистских организаций. Найденные документы недвусмысленно показывали, что НСДАП не только не отказалась от надежд на насильственный захват власти, но, наоборот, активно готовится к организации путча. Существовал даже тайный пароль для его начала – им должны были стать слова: «Бабушка умерла». Левая пресса тут же опубликовала найденные документы, и начался серьезнейший политический скандал. Дошло до того, что в апреле 1932 года министр внутренних дел и военный министр Гренер разработали проект президентского указа о роспуске штурмовых отрядов.

И тут Шлейхер пустился в малопонятные интриги. Еще 8 апреля он не только поддерживал проект, но даже хвастался своим авторством этого плана. А уже 9 апреля вдруг развернулся на 180 градусов и развил бурную деятельность против запрета СА. Планы его были воистину колоссальными: чем мелочиться, разбираясь с каждой партией отдельно (а боевые отряды в то время имела каждая хоть сколько-нибудь уважающая себя политическая организация), распустить сразу все вооруженные формирования, а затем объединить их в широкий милицейский или военно-спортивный союз, подчиненный рейхсверу. При этом он нимало не смущался тем, как будут уживаться в одной организации, к примеру, нацистские и коммунистические боевики.

Однако Гренер и возглавлявший кабинет Брюнинг уперлись и в конце концов «дожали» президента Гинденбурга, буквально заставив его скрепить своей подписью злосчастный указ. Что из этого получилось? А ничего хорошего! Нацисты и не думали распускать своих штурмовиков, заставить их силой не было никакой возможности, зато Гренер и Брюнинг заработали стойкую неприязнь Гинденбурга и стали объектом нападок со стороны правых. Но завершающий удар нанес Шлейхер.

10 мая правые устроили Гренеру в рейхстаге яростную обструкцию. А после этого к нему подошли Шлейхер и Хаммерштейн-Экворд и холодно сообщили своему министру, что он потерял доверие армии и должен уйти в отставку. Из рейхстага оба хитроумных генерала отправились к Гинденбургу и то же самое официально доложили президенту: мол, офицерский корпус и солдаты больше не доверяют Гренеру, и если тот не уйдет с поста министра, то они сами и многие другие генералы намерены подать в отставку. Судьба злополучного военного министра, а заодно и кабинета, в котором он участвовал, была решена.

Новый кабинет принес Шлейхеру повышение: он сам стал военным министром, а на руководящие посты в армии были назначены его преданные сторонники Хаммерштейн-Экворд и руководитель абвера фон Бредов. А 14 июня 1932 года был отменен президентский указ о запрете СА и СС. Мировая история, вильнув в сторону, пошла по роковому пути.

...Чем больше усиливались нацисты, чем больше в германском воздухе пахло диктатурой, тем острее вставал старый, так и не проясненный вопрос о главенстве. С одной стороны, Шлейхеру и его сторонникам принадлежала немалая власть в государстве. С другой, на июльских парламентских выборах НСДАП собрала 37,1% голосов и стала одной из самых значительных политических сил в стране и самой мощной правой партией. Теперь уже нацисты куда меньше нуждались в сотрудничестве с военными: не допускать их к государственной власти стало невозможно.

5 августа, на встрече со Шлейхером, опьяненный успехом Гитлер потребовал пост канцлера для себя лично, а для своих партийных соратников – портфели министров внутренних дел, народного просвещения, сельского хозяйства, авиации и юстиции. И Шлейхер вроде бы согласился на эти условия. Однако встреча Гитлера с Гинденбургом развеяла радужные надежды фюрера: выяснилось, что он может рассчитывать лишь на пост вице-канцлера. Горько разочарованные нацисты обвинили Шлейхера в предательстве, а личные отношения между ним и Гитлером серьезно ухудшились. Все это грозило правительству вообще и ему в частности оппозицией крупнейшей фракции рейхстага, что в пока еще демократической Германии было весьма неприятно, хотя и не смертельно.

И тогда Шлейхер, в типичной для себя манере, повел очередную политическую интригу. Не порывая окончательно с Гитлером, он в то же время попытался расколоть национал-социалистов и привлечь на свою сторону радикально-левое крыло НСДАП, возглавляемое Грегором Штрассером. У них обоих было много общего: оба были «восточники» и достаточно левые, Шлейхер вообще имел красноречивое прозвище «социальный» или «красный» генерал.

Штрассер казался сильной фигурой в нацистской партии – но только казался. Формально занимая высокий пост руководителя НСДАП по организационным вопросам, он не имел реальной власти. Вся власть находилась в руках Гитлера, который был не просто лидером, а харизматическим вождем. Но Шлейхер этого не учел.

Когда очередной кабинет в очередной раз потерпел крушение, генерал пошел ва-банк и сам стал новым канцлером. На следующий день после своего назначения он предложил Штрассеру занять пост вице-канцлера.

Мало того, что этот демарш был грубым и вызывающим, так еще и неудачным. Штрассер отказался лезть в правительство впереди фюрера. Хитроумная попытка расколоть НСДАП сорвалась, а ее инициатор заслужил смертельную ненависть Гитлера.

...Итак, Шлейхер достиг наконец формальной власти в государстве – но одновременно стремительно утрачивал власть реальную. С нацистами он поссорился. Лидеры социал-демократических профсоюзов, с которыми заигрывал генерал, также его не поддержали. Его влияние на престарелого президента стало заметно падать. Вокруг него плелась сеть интриг. С помощью банального шантажа (угрожая предать гласности попытку уклонения от уплаты налогов за родовое поместье) Гитлеру удалось перетянуть на свою сторону сына Гинденбурга.

А вскоре канцлера предала и армия. Тайком от него президента посетил генерал-лейтенант фон Бломберг, который от имени рейхсвера высказался за национальный фронт под эгидой Гитлера. В довершение всего, сорок крупнейших германских промышленников направили Гинденбургу письмо, в котором настоятельно рекомендовали незамедлительно назначить Гитлера канцлером. Ничего иного президенту просто не оставалось.

Не зная об этом, Шлейхер пошел ва-банк. 28 января 1933 года он попросил у Гинденбурга полномочий на роспуск рейхстага (что президент ранее ему обещал), объявление чрезвычайного положения и издание указа об одновременном запрещении НСДАП и КПГ. Но президент отказал. Шлейхеру ничего не оставалось, кроме как подать в отставку, что он и сделал в тот же день. Новым канцлером Германии был назначен Адольф Гитлер.

Впрочем, высокая должность фюрера еще ничего не означала: он все равно оставался заложником армии, во главе которой стояли его враги. Сразу же после прихода Гитлера к власти возник слух о готовящемся против него военном перевороте. Уже во второй половине дня 29 января распространилась неизвестно кем пущенная весть, будто Шлейхер вместе с Хаммерштейном-Эквордом подняли по тревоге гарнизон Потсдама, чтобы арестовать президента, выкинуть лозунг «государство в опасности» и с помощью рейхсвера захватить власть. Жена сына Гинденбурга еще спустя несколько дней с готовностью рассказывала всем желающим, что престарелого президента заговорщики якобы собирались отвезти в Нойдек в «пломбированном вагоне для скота».

Но у нового канцлера были свои вооруженные силы. Как только слух о перевороте дошел до ушей Гитлера, он тут же поднял по тревоге берлинских штурмовиков.

Трудно сказать, насколько слухи о готовящемся путче соответствовали действительности. Учитывая то, что было потом, военные действительно могли готовить переворот. Впоследствии они это делали неоднократно и столь же неоднократно проваливали все свои планы из-за банальной трусости, паникерства и разгильдяйства. Хотя больше всех этот слух был выгоден Гитлеру, так что вполне возможно, что это его люди постарались. Ничего нового не происходило: в 1926 году с помощью подобных слухов валили Секта, а теперь – его ученика.

Все было сделано просто и изящно. Даже уходя с поста канцлера, Шлейхер самоуверенно считал, что уж портфель военного министра за ним останется в любом случае. 28 января, подавая Гинденбургу свое прошение об отставке, он сам советовал назначить канцлером Гитлера и просил лишь не отдавать нацистам поста военного министра, ибо это создавало бы «огромную опасность для рейхсвера».

Нацистам этот пост и не отдали. Как только распространился слух о грядущем перевороте, военным министром стал Бломберг, тот самый, который от лица рейхсвера приходил к президенту и ходатайствовал за Гитлера. Уже утром 30 января, раньше всего кабинета, новый министр был приведен к присяге.

Недавно еще почти всемогущему Шлейхеру пришлось позорно уйти с политической сцены. Его поражение было окончательным, хотя сам он об этом еще и не знал. В свое время он жестоко обидел Бломберга, и теперь тот был настроен непримиримо. Потеряли свои посты ближайшие соратники Шлейхера, покинул активную военную службу его ближайший помощник генерал фон Бредов. Очень скоро и генерала Хаммерштейна-Экворда сменил на посту командующего войсками рейхсвера генерал Фрич. Ни Бломберг, ни особенно Фрич не являлись нацистами – но в новых условиях это уже не имело значения. Вопрос о лидерстве был решен.

Фюрер убирает неугодных

Приход нацистов к власти поначалу мало изменил отношения между ними и рейхсвером. Армия, признавая на словах верховенство фюрера, стремилась сохранить свою традиционную автономию в государстве. Однако это было не так-то просто. Гитлер не собирался делиться властью ни с кем.

Тем более что цель-то у генералов и фюрера была одна и та же – отмена военных ограничений Версальского мира и создание массовой немецкой армии. Однако, как оказалось, военные в этом деле отнюдь не были незаменимы. Согласно первоначальному плану, разработанному еще Сектом, массовую армию следовало создавать на базе существующего 100-тысячного рейхсвера. Но пришедшая к власти партия имела и собственные вооруженные формирования – штурмовые отряды, численность которых к 1933 году превысила три миллиона человек. После прихода к власти среди нацистов зазвучали голоса: а почему бы не создать армию на базе штурмовых отрядов? Чем они хуже?

Вот тут-то генералы занервничали всерьез. История сохранила слова генерала Браухича: «Перевооружение было слишком серьезным и сложным делом, чтобы можно было терпеть в нем воров, пьяниц и гомосексуалистов», – намек на сексуальную ориентацию Рема и его ближайшего окружения. Тот, в свою очередь, крутил какие-то шашни с ушедшим в отставку Шлейхером, отчего генералы нервничали еще больше: преданный своими подчиненными бывший канцлер вполне мог обидеться и переметнуться к нацистам. А с таким консультантом штурмовики, пожалуй, и вправду обойдутся без генералов.

Гитлеру тоже было нелегко. Не прошло и года со дня его прихода к власти, как он оказался в центре клубка серьезных противоречий. С одной стороны, наметилось противостояние верхушки штурмовиков и генералитета, с другой – в самой партии постепенно назревал раскол. Значительная ее часть была настроена антикапиталистически, и теперь им хотелось всего и сразу. Чем дальше, тем более открыто «левые» выражали недовольство медлительностью своего фюрера, который почему-то не начинал переустраивать общество на началах социальной справедливости, более того, заводил какие-то отношения с буржуазией. В партии все громче поговаривали о необходимости «второй революции» (скажите почестному, это вам ничего не напоминает?). И вождем этих кругов волейневолей оказался глава СА Рем, у которого в подчинении, напомним, находилось около 3 миллионов человек – то есть в двадцать пять раз больше, чем в то время насчитывала вся германская армия.

Естественно, все эти революционные призывы всерьез пугали крупных германских промышленников, которые вложили деньги в Гитлера и теперь нажимали на него, требуя усмирить смутьянов. На это недовольство наслаивались внутрипартийные интриги: Геринг и Геббельс интриговали против Рема, намечалось серьезное противостояние между массовым СА и личной охраной Гитлера – немногочисленным, но элитарным СС.

Гитлеру надо было выбирать: или он остается со своей партией, или начинает строить нормальное государство. Он выбрал второе. Для начала фюрер в апреле 1934 года заключил с военным министром политический союз. Бломберг от имени генералитета посулил канцлеру поддержку его кандидатуры в президенты после смерти Гинденбурга, а Гитлер, в свою очередь, пообещал раз и навсегда покончить с их главным конкурентом – Ремом, одним из основоположников национал-социализма и своим старым товарищем.

Ситуация к тому времени, как говорится, назрела. Боевые отряды НСДАП становились опасными для самой партии. Гитлер попытался разрешить конфликт мирным путем. Он намеревался разоружить СА, сократить на две трети, оставив ему лишь второстепенные военные функции и фактически подчинив армии, а в качестве компенсации сделать штурмовиков политическими воспитателями нации.

Едва прослышав об этих планах фюрера, Рем вышел из себя. В узком кругу он отвел душу, обозвав Гитлера «вероломным человеком» и «невежественным ефрейтором», о чем, естественно, тут же донесли фюреру. Может быть, всерьез о заговоре Рем пока и не помышлял, ограничиваясь бахвальством, маршами СА и закупками оружия, – но вел себя вызывающе, и силу в своем распоряжении имел громадную.

Развязка наступила 30 июня 1934 года. В этот день, заявив о том, что штурмовики готовят бунт, отряды СС под предлогом его подавления устроили массовую резню среди противников Гитлера. Тогда были убиты не только Рем и ближайшие его сподвижники из руководства СА, но и Шлейхер вместе со своим помощником Бредовым – за компанию.

Германские генералы, среди которых руководящую роль продолжали играть ученики Секта, были возмущены подлым убийством своего лидера. Абвер – военная разведка – возмущалась убийством Бредова, возглавлявшего эту структуру с 1928 по 1932 год и пользовавшегося в разведке большим авторитетом. В другое время и в другой стране армия могла бы в такой ситуации и взбунтоваться. Но германские генералы были слишком *пугаными* – и осмелились лишь на робкий протест. Военный министр Бломберг встретился с Гитлером и потребовал, всего-навсего, уволить из СС Гейдриха, непосредственно отдавшего приказ о массовых расправах. Однако даже этого он не добился: глава СС Гиммлер своего подчиненного в обиду не дал.

Бломберг был лишен даже такого сомнительного утешения, как возможность выразить недовольство публично: он был вынужден одобрять резню как «действия по защите государства» и заявлять, что Гитлер «действовал как государственный деятель и солдат». Это было первое унижение, которое генералам пришлось проглотить от новой власти – но далеко не последнее.

Возмущаться можно сколько угодно – но ведь убитых не вернешь. Постепенно генеральский гнев утих, и верхушка рейхсвера дружно потянула в одной упряжке с нацистами, тем более что главную цель они видели одинаково. Пока шла отмена Версальских ограничений, создание массовой армии, ее перевооружение, между генералами и Гитлером не было ни малейших противоречий – по крайней мере, открытых. Происходящее вполне отвечало заветным чаяниям обеих сторон. Проблемы взаимоотношений генералов и «ефрейтора» начались, когда пришла пора действовать.

Первое столкновение произошло в 1936 году. Тогда Гитлер, в качестве пробы сил, решил ввести войска в демилитаризованную по Версальскому миру Рейнскую зону. Военный министр Бломберг, главнокомандующий сухопутной армией Фрич и начальник генерального штаба Бек не были против этого шага, отнюдь! Просто Гитлер к тому времени уже чувствовал свою силу и хорошо знал слабость и нерешительность демократических правительств Запада. А генералы, как мы уже говорили, были *пугаными*. Они опасались, что как только Версальский договор будет нарушен, тут же последуют ответные меры Франции и Англии – а германская армия пока что к большой войне была не готова. Кроме того, с 1935 года существовал пакт о взаимопомощи между Францией, СССР и Чехословакией, и генералам, помнящим Первую мировую войну, уже мерещился ужас немецкого солдата – война на два фронта. Гитлер не согласился с ними и сделал, как хотел. Руководители армии вырвали у него лишь одну уступку: в случае начала военных действий он даст германским войскам приказ тут же отступить обратно за Рейн.

Уступка не понадобилась: реальные события показали, что Гитлер оценивал противника более верно, чем помнящие унизительное поражение генералы. Замысел фюрера увенчался полным успехом, французы не посмели ничего предпринять. Однако история с рейнской зоной высветила проблему, которая могла стать роковой: генералы не были уверены в своей армии и в главе государства. Для реализации великих планов Адольфа Гитлера ему нужны были во главе армии другие люди, чей боевой дух не уступает его собственному.

...Та же история повторилась и в 1937 году. 5 ноября 1937 года Гитлер созвал совещание высшего военного руководства. На нем присутствовало всего шесть человек, в том числе Бломберг и Фрич; начальник генштаба Бек приглашен не был. В продолжавшейся три часа речи Гитлер изложил свою программу внешнеполитической экспансии. Бломберг и Фрич не протестовали против плана как такового, но опять высказали свои опасения насчет недостаточной степени вооруженности Германии, опасности войны на два фронта, силы французской армии и крепости чехословацких укреплений.

Нет, определенно руководство армии надо было менять. Однако сделать это было не так-то просто. Чтобы не обострять отношений с армией накануне грядущей великой войны, Гитлер решил на сей раз действовать не открыто, а с помощью хитрой интриги. Заняться этим предстояло Гиммлеру, и шеф СС с готовностью взялся за дело.

Бломберг повод для своего отстранения создал сам. Будучи вдовцом, военный министр любил по ночам шататься по злачным местам Берлина, и как раз в этот момент его угораздило жениться на некой Эрике Грун, зарегистрированной в качестве проститутки в семи городах Германии. Поначалу это никакого протеста со стороны высшего руководства не вызвало. Более того, на венчании Бломберга 12 января 1938 года присутствовал сам Гитлер вместе с Герингом. Однако через десять дней после свадьбы откуда-то возникли фотографии фрау Бломберг, на которых она была запечатлена в одном лишь жемчужном ожерелье, никакой другой одежды на Эрике Грун не было. Скандальные фотографии попали в СС и в конечном итоге оказались в руках штурмбанфюрера Артура Небе (который также же впоследствии войдет в число заговорщиков).

Понимая огромное значение внезапно появившегося материала и не зная, что с ним делать, Небе передал фотографии не своему прямому начальнику Гейдриху (отставки которого несколько лет назад добивался Бломберг), а начальнику берлинской полиции графу Гельдорфу (как ни смешно, еще одному будущему заговорщику). Однако и шеф полиции тоже не имел представления, что делать с роковыми снимками. Он обратился за советом к Кейтелю, начальнику канцелярии военного министра и его дальнему родственнику. Тот не нашел ничего лучшего, как посоветовать Гельдорфу передать все компрометирующие своего шефа материалы Герингу – но тот, поступил совсем не так, как от него ожидали. Порнографические снимки немедленно легли на стол Гитлеру.

В конце января 1938 года фюрер созвал генералов на специальное совещание и гневным тоном заявил, что «скандальная женитьба Бломберга» не позволяет ему больше занимать высокий пост военного министра. Под предлогом моральной нечистоплотности Бломберг был отправлен в отставку, причем, с точки зрения его бывших подчиненных, вполне заслуженно: нечего жениться на ком попало и марать честь офицера!

Буквально через пару дней такая же судьба постигла и главнокомандующего сухопутной армией Фрича. Эта интрига была еще грязнее. За пару лет до того в гестапо, ведомстве Геринга, сфабриковали протокол допроса, где говорилось, что Фрич является гомосексуалистом, ездит на берлинский вокзал, находит там юнцов и занимается с ними развратом. В январе гестапо оперативно арестовало одного шантажиста, также обвинявшегося в гомосексуализме. Геринг пригрозил ему смертной казнью, если он не повторит свои показания против Фрича во время очной ставки в присутствии фюрера. Очная ставка состоялась, шантажист выполнил, что ему велели, и хотя Фрич все отрицал, Гитлер созвал новое совещание генералов, на котором объявил об отставке главнокомандующего сухопутной армией.

Оплеванный Фрич был предан имперскому военному суду. Во время рассмотрения дела все обвинения рассыпались, и суд оправдал генерала. Все кончилось тем, что19 июня 1938 года, во время маневров в Померании, выступая перед генералами, Гитлер мимоходом заметил, что в отношении Фрича произошла ошибка, в которой виноваты отдельные низшие чиновники. Однако о восстановлении оклеветанного генерала в должности фюрер даже и не заикнулся.

Воспользовавшись этими двумя предлогами, Гитлер провел крупную реорганизацию руководства вермахта, окончательно установив свой контроль над армией. Одновременно с двумя скандальными отставками были сняты или переведены на другие должности довольно большое количество генералов – естественно, в первую очередь это коснулось сторонников Бломберга и Фрича. А 4 февраля 1938 года был опубликован закон о сосредоточении всей военной власти в руках Гитлера, который стал верховным командующим всеми вооруженными силами. Военное министерство как самостоятельная инстанция упразднялось, вместо него было учреждено Верховное главнокомандование вооруженных сил (ОКВ), выполнявшее, однако, всего лишь функцию рабочего штаба фюрера. Начальником этого штаба был назначен послушный Кейтель, а новым командующим сухопутными силами – генерал фон Браухич. Так, на пятом году власти, Гитлер реализовал излюбленную идею Секта, перевернув ее, правда, с ног на голову: из политического диктатора фюрер стал и военным.

К тому времени в Германии была невозможна не только оппозиция, но даже недовольство фюрером. Но это отнюдь не значит, что старое кадровое офицерство было в восторге от произошедших перемен. Уж очень белыми нитками были шиты оба позорных дела, да и полководческие дарования бывшего ефрейтора ценились генералами весьма и весьма низко. Поэтому политическое нацистское руководство с опасением ожидало развязки начатой против армейской верхушки грязной интриги. В тот опасный момент Геббельс сказал адъютанту Гитлера Видеману: «Если завтра двенадцать генералов уйдут в отставку, мы погибли». Можно сколько угодно превозносить таланты фюрера и боевой дух СС, однако профессиональная армия требует профессионального руководства.

Однако Гитлер и эту рискованную комбинацию, как оказалось, рассчитал верно. Германский патриотизм в сочетании с чисто шкурническими интересами пересилил корпоративную солидарность. Единственным, кто открыто проявил свое недовольство, был генерал Людвиг Бек. Пытаясь защитить своего оклеветанного начальника, глава генштаба предложил генералам коллективно потребовать от Гитлера полной публичной реабилитации Фрича и наказания Гиммлера, Гейдриха и других инициаторов этого грязного дела. На первую часть этих требований Гитлер, может статься, и пошел бы – однако не понадобилось: призыв повис в воздухе...

Вопрос о власти был решен окончательно: Адольф Гитлер победил.

Досье: террор
ОХОТА НА АДОЛЬФА ГИТЛЕРА

Трудно сказать, сколько раз пытались убить Сталина, а вот за время правления Гитлера на него было подготовлено более 60 покушений − от анекдотических до очень серьезных. Одним из первых стала попытка отравления, предпринятая в ресторане берлинского отеля «Кайзерхоф» в начале января 1932 года, где Гитлер обедал вместе с членами своего штаба. Через час после обеда все его участники почувствовали симптомы отравления. Впрочем, никто не умер. Фюрер пострадал даже меньше других — предполагают, что по причине вегетарианства.

4 марта 1933 года, во время выступления Гитлера на предвыборном митинге, кенигсбергские коммунисты во главе с плотником Карлом Люттером собирались его взорвать. Накануне теракта, 3 марта, заговорщики были арестованы. Однако оружие и взрывчатку у них не нашли, доказательств столь грозных намерений не было, в результате суд заговорщиков отпустил.

В том же 1933 году группа доктора Хельмута Миллиуса планировала покушение на фюрера, которое также не состоялось.

В 1935 году сын раввина Давид Франкфуттер много дней бродил по улицам Берлина с пистолетом в кармане, рассчитывая улучить момент и застрелить Гитлера. Поняв бесполезность своей затеи, он с горя уехал в Давос и там 4 февраля 1936 года убил группенляйтера НСДАП Вильгельма Густлова. Швейцарский суд приговорил убийцу к 18 годам тюрьмы. В 1945 году его помиловали и выпустили на свободу, и он отправился в Палестину.

Отдельная посмертная история была у убитого. Его именем назвали крупнейшее в мире круизное судно. После начала войны лайнер «Вильгельм Густлов» кое-как приспособили к нуждам флота. 30 января 1945 года, имея на борту 10,5 тысяч беженцев, которых корабль перевозил из Кенигсберга в Германию, он был потоплен советской подводной лодкой под командованием знаменитого капитана Маринеско.

Анекдотом выглядит еще одна попытка покушения. Двадцатилетний швейцарский студент-теолог Морис Баво 9 октября 1938 года приехал в Германию с целью убить фюрера. При этом он никогда в жизни не стрелял и говорил только по-французски. Тем не менее он купил в Базеле пистолет и отправился в Берлин.

История этого покушения, кстати, показывает, чего на самом деле, а не в фильмах об ужасном гитлеровском режиме, стоила хваленая германская полиция: два раза о Баво, как о подозрительном иностранце, сообщали в полицию, но оба раза на доносы не обращали ни малейшего внимания. Более того, он довольно легко сумел познакомиться с начальником охраны резиденции Гитлера, и попросил устроить ему встречу с фюрером. Правда, безуспешно: майор полиции отказал террористу, мотивируя отказ тем, что Гитлер очень занят. А вот если тот отправится в Мюнхен в начале ноября, то, может быть, ему и удастся поговорить с фюрером.

Студент отправился в Мюнхен, где выдал себя за корреспондента швейцарской газеты, и легко получил пропуск на трибуну для почетных гостей. При этом у него не только не спросили редакционного удостоверения, но никто даже не удивился тому, что командированный в Германию журналист не знает немецкого языка. Во время торжественного марша, где во главе колонны шел Гитлер, Морис Баво попытался прицелиться, но понял, что не попадет: далеко, и охрана мешает.

Дальнейшие события были уже совершеннейшим анекдотом. Студент написал письмо от имени бывшего французского премьер-министра Фландена и попытался проникнуть с ним к Гитлеру. Опять не вышло. Изготовил другое письмо, подписанное председателем французской национал-радикальной партии. Снова неудача. Его допустили всего лишь к гауптштурмфюреру СС Коху. Деньги кончались, и Баво решил вернуться в Швейцарию.

И тут он, столько времени безнаказанно круживший вокруг Гитлера, попался в руки той службе, в которой в Германии традиционно был порядок. Его задержали... за безбилетный проезд. В железнодорожной полиции подозрительного иностранца обыскали, обнаружили заряженный пистолет и приговорили к... тюремному заключению на два месяца за незаконное ношение оружия. А тем временем все-таки какие-то колесики в гестапо сработали, и дело стали разматывать. Незадачливого террориста без труда изобличили и приговорили к смертной казни.

Очень серьезной была попытка убийства фюрера, предпринятая, как ни странно, террористом-одиночкой 9 ноября 1939 года в пивном баре «Бюргербройкеллер». В этот день ветераны нацистского движения традиционно собирались, отмечая годовщину «пивного путча». Так же традиционно перед ними выступал Гитлер. Расписание встречи было заранее известно. Гитлер должен был начать говорить в 21.30, речь его обычно продолжалась не менее полутора часов. С расчетом на это время столяр Иоганн Эльсер и заложил в одну из колонн бомбу с часовым механизмом.

Однако судьба хранила Гитлера. После встречи он должен был вылететь в Берлин. Но по причине нелетной погоды фюреру пришлось отправиться поездом, который уходил в половине десятого вечера. Поэтому свою речь он начал в восемь вечера и покинул пивную в 21 час 7 минут — за 13 минут до взрыва. Бомба сработала, результатом взрыва стало 8 убитых и 63 раненых. Убийца был арестован при попытке перехода швейцарской границы. По-видимому, подрывника считали кем-то большим, чем он был на самом деле, потому что его не казнили, а отправили в элитный блок концлагеря Дахау. Казнен он был только 9 апреля 1945 года.

Множество планов убийства Гитлера строилось и за границей, особенно после начала Второй мировой войны. Но все это были именно планы. А второй после Эльсера серьезной попыткой ликвидации фюрера стало покушение Штауффенберга, речь о котором еще впереди...

Глава 10

...ВПЛОТЬ ДО ГОСУДАРСТВЕННОЙ ИЗМЕНЫ

Как бы ни относился Адольф Гитлер к своим генералам, он был их заложником ровно в той же степени, в какой и они были заложниками режима. Проще говоря, точно так же, как и большевики в 1918 году, при построении армии он не мог обойтись без «военспецов». А высокомерные прусские бароны вынуждены были подчиняться бывшему ефрейтору, докладывать ему и сносить его разносы – человеком фюрер был темпераментным и, если ему что-то не нравилось, метал громы и молнии, не стесняясь в выражениях.

Само собой, это им очень сильно не нравилось. Для кого-то из военных Германия была превыше всего, в том числе амбиций и личной неприязни. А для кого-то – нет...

Праздник непослушания генерала Бека

После того как по приказу фюрера был опозорен и выгнан генерал Фрич, Людвиг Бек все же остался на военной службе. Однако вскоре новый конфликт с нацистским руководством положил конец карьере начальника германского генштаба.

Причиной стал очередной авантюрный гитлеровский план – на сей раз речь шла о нападении на Чехословакию. Нет, принципиально Бек был не против. Он тоже стоял за расширение германского «жизненного пространства» и ликвидацию Чехии как «очага опасности». Однако снова подвела память о поражении: он вспомнил о международных соглашениях, о войне на два фронта и, оценив соотношение сил Германии и ее потенциальных противников, посчитал момент для нападения неподходящим. Попросту говоря, Бек испугался.

Нервничал он сильно, о чем говорит тот факт, что он подал главнокомандующему сухопутной армией Браухичу целых три меморандума. В одном из них, от 29 июля, Бек открытым текстом говорит: опасность катастрофы для Германии настолько велика, что немецкой армии следует либо отговорить Гитлера от его намерений, либо самой вмешаться во внутриполитические дела страны. Как известно, последнее действо в просторечии называется военным переворотом.

Не один Бек был против планов фюрера, его точку зрения разделяли многие высокопоставленные военные. Однако до настоящих заговорщиков оппозиционеры в погонах не дотягивали: весь запал уходил в разговоры. Едва доходило до дела, они оказывались вялыми и нерешительными. Еще хуже было с мотивацией: кажется, судьба Германии заботила генералов меньше, нежели их собственные портреты на фоне времени. Именно такими были самые видные и наиболее решительные и принципиальные из оппозиционеров – Бек и Тресков.

Когда начальник генштаба подал в отставку, он положил на стол руководству очередной меморандум, к которому собственноручно приписал: «Чтобы разъяснить будущим историкам нашу позицию и сохранить в чистоте репутацию Верховного командования, я, как начальник генерального штаба, официально заявляю, что я отказывался одобрять любые национал-социалистские авантюры. Окончательная победа Германии невозможна». Даже этого ученика фон Секта, человека, который первым из всего генералитета осознал гибельность гитлеровских планов и дошел до мысли о военном перевороте, – даже его больше заботит мнение будущих историков и чистота репутации, а не спасение своей страны от надвигающейся катастрофы.

Бомбардируя Браухича меморандумами, Бек и при каждой личной встрече наседал на главнокомандующего сухопутной армией, добиваясь от него поддержки своего протеста. Он пытался организовать коллективное выступление высшего офицерского корпуса против чехословацкой авантюры. Изначальный его замысел был – провести против Гитлера «всеобщую забастовку» генералов, то есть пригрозить фюреру, что вся военная верхушка Германии разом уйдет в отставку, если он не прекратит военные приготовления. Под неослабевающим давлением начальника генштаба слабовольный Браухич наконец решился созвать генералов для обсуждения военно-политической обстановки.

Совещание состоялось 4 августа. Генералы выслушали июльскую докладную записку Бека и доклад генерала Адама о состоянии Западного вала. Приведенные в выступлениях данные были столь впечатляющи, что почти все генералы, за исключением лишь двух человек, согласились с Беком. Даже Браухич присоединился к общему мнению – однако в самый последний момент струсил и не стал читать заранее подготовленную речь с призывом отправить Гитлеру коллективное письмо протеста. Более того, через несколько дней трусливый и вечно колеблющийся Браухич, страшась последствий своего нелояльного поведения на совещании, передал меморандум Бека Гитлеру, подставив начальника генштаба под удар политического руководства.

Прочитав записку, полную самых мрачных пророчеств, фюрер теперь уже сам созвал совещание военной верхушки, которое состоялось 10 августа 1938 года. Легко было выражать недовольство в своем кругу – а на совещании никто из немецких генералов даже не заикнулся об отставке. Слаб человек! Браухич, ранее признававший правоту Бека, категорически отказался покидать свое кресло и заявил, что как солдат он обязан повиноваться любым приказам. А Гитлер объявил военным, что уже в ближайшие недели решит Судетский вопрос с применением силы – проще говоря, захватит Чехию, и дело с концом!

На фоне тотального малодушия и шкурнических настроений своих коллег один только Бек остался до конца принципиальным. Он все же подал в отставку. (Тогда Бек и сделал приведенную выше приписку к меморандуму.) Гитлер отставку принял, одновременно произведя Бека, в качестве прощального подарка, в генерал-полковники. На освободившееся место начальника генштаба был назначен генерал Франц Гальдер. Впрочем, замена была та еще: при вступлении в должность Гальдер заявил Браухичу, что точно так же, как и его предшественник, отрицательно относится к планам фюрера развязать войну, более того, полон решимости «использовать каждую возможность для борьбы против Гитлера». Расчувствовавшийся Браухич в ответ пожал Гальдеру обе руки.

Трусость генералов, не пошедших в решающий момент на коллективную забастовку, была лишь одной из причин отставки Бека. Второй причиной его ухода стала шкурническая позиция западных правительств. В этот переломный для Европы момент Бек, на свой страх и риск, затеял собственную тайную дипломатическую игру. Он надеялся побудить Запад занять жесткую позицию в чехословацком вопросе и пригрозить фюреру войной в случае, если Германия все же нападет. Отметим особо:

с самого начала оппозиционеры ищут союзников за границей: кто-то на западе, а кто-то, как увидим позднее, на востоке – но ищут обязательно.

Итак, в марте и апреле 1938 года сообщник Бека, бывший бургомистр Лейпцига Карл Герделер дважды посещает Париж. Он пытается убедить французское правительство нажать на Гитлера – но оба раза получает уклончивый ответ. Стоит ли удивляться: французское демократическое правительство только что «сдало» Испанскую республику, а теперь точно так же «сдает» и Чехословакию.

Не останавливаясь на этом, Герделер едет в Лондон, где встречает просто феноменальный прием. Его предложения настолько изумили сэра Роберта Ванситтара, главного дипломатического советника британского министра иностранных дел, что тот воскликнул: «Да ведь то, что вы предлагаете, это же измена родине!» Надо же, до таких чинов дожил, и никогда не видел человека, работающего против собственной страны! В общем, толку из поездок Герделера не вышло никакого.

Неудача не остановила оппозицию. 18 августа 1938 года в Англию собрался Эвальд фон Клейст-Шмениц, близкий друг Бека и Канариса. Он должен был довести до сведения английского правительства: Гитлер твердо решил развязать войну и отдал приказ о вторжении в Чехословакию после 27 сентября. А также сообщить, что фюрер добивается гораздо большего, чем покорение одной страны, – он рвется к мировому господству. Тайный посланец вез и план, как избежать войны. Для этого Англия всего лишь должна твердо заявить, что она и западные державы не блефуют, а действительно выступят против Германии. По мнению заговорщиков, это заявление могло бы привести к свержению Гитлера. Бек напутствовал своего друга перед отъездом: «Привезите мне твердые доказательства, что Англия будет воевать в случае нападения на Чехословакию, и я прикончу этот режим». Как видим, за это время он вполне успешно преодолел рубеж, отделяющий оппозиционера от заговорщика.

Клейст-Шмениц полностью выполнил возложенное на него поручение. В Лондоне он встретился с тремя виднейшими представителями официальной и неофициальной британской дипломатии – Черчиллем, Ллойдом и Ванситтаром – и имел с ними продолжительную беседу. Заявление представителя Бека было доведено до сведения самого премьер-министра Англии Чемберлена. Однако ответом на ясные предложения генерала стало либо молчание, либо уклончивые ответы. Вывод из этого можно было сделать только один: Англия не собирается противодействовать Гитлеру в его экспансии на восток.

Однако оппозиция не видела иного выхода, и Лондон продолжал оставаться Меккой для эмиссаров несогласных с Гитлером кругов. Всего через 14 дней после Клейста туда же с аналогичной миссией выехал промышленник Ханс Бем-Теттельбах. Не успел он вернуться, как по инициативе Бека и конспиративной группы в германском МИДе были предприняты новые, уже совершенно отчаянные шаги. В ночь на 7 сентября советнику немецкого посольства в Лондоне Тео Кордту удалось прорваться к английскому министру иностранных дел лорду Галифаксу. Кордт заявил своему изумленному собеседнику, что сейчас он разговаривает с ним не как официальный представитель германского правительства, а как частное лицо и «представитель политических и военных кругов Берлина». Советник говорил открытым текстом. Он подтвердил, что нападение Германии на Чехословакию – дело решенное, и передал ему предложение генерала Бека и его сторонников: если Англия заявит о своей готовности поддержать Чехословакию, то в случае, если Гитлер все же начнет военные действия, генеральская оппозиция выступит против фюрера.

Статс-секретарь Вайцзеккер, глава группы заговорщиков из германского МИДа, попросил Верховного комиссара Лиги Наций в Данциге Карла Буркхарда использовать все свои связи, чтобы заставить Великобританию заговорить с Гитлером «недвусмысленным языком». А чтобы до фюрера хорошо дошло, прислать «незакомплексованного» недипломатичного англичанина, например, «генерала с плеткой». Как вспоминал впоследствии Буркхардт, Вайцзеккер говорил тогда «с откровенностью отчаявшегося», который ставит все на последнюю карту. И это действительно было так. Ведь узнай Гитлер обо всех этих закулисных интригах – и пощады не было бы никому.

Однако к отчаянным и настойчивым призывам немецких заговорщиков Запад оставался поразительно глух. Отчасти это объясняется тем, что английские джентльмены испытывали вполне законное недоверие к заговорщикам, подозревая их в авантюризме. Но это только отчасти, главная причина была иной. Политика Гитлера казалась английскому правительству надежно прозападной и антироссийской и вполне его устраивала. А что стало бы альтернативой режиму фюрера – еще вопрос. Ладно, если в Германии возродится монархия – а вдруг победят коммунисты? Тем более что среди заговорщиков были последователи «восточника» Секта.

«А кто нам гарантирует, что Германия не станет потом большевистской?» – так ответил Чемберлен начальнику французского генштаба генералу Гамелену, который в драматический день 26 сентября поинтересовался его отношением к планам немецких заговорщиков. Это была роковая ошибка Чемберлена, дорого стоившая его стране, которая все-таки вынуждена была вступить в войну в 1939 году, но уже против своей воли и при ином раскладе сил.

Огромную роль сыграло и традиционное желание Запада направить агрессию Гитлера на восток, столкнуть Германию с Советским Союзом. «Побоявшись небольшого риска, мистер Чемберлен сделал войну неизбежной» – так совершенно справедливо оценил в тот решающий момент позицию Англии Карл Герделер, политический лидер немецких заговорщиков.

Именно в этом свете становится понятным, насколько трагично было положение начальника немецкого генштаба. Его предали все. Запад оставался глух ко всем его многочисленным призывам, друзья-генералы так и не осмелились на коллективную акцию протеста против фюрера, завороженные его успехами и массовым энтузиазмом народа. Подавленный этими обстоятельствами, Бек подает в отставку в августе 1938 года. Больше всего его угнетает то, что он оказался не в силах предотвратить надвигающуюся катастрофу, то есть столкновение Германии и России – то, о чем предупреждали Сект и Шлейхер.

Так оно и бывает, шаг за шагом... Попытки Бека склонить коллег на протест против безумной, по его убеждению, внешней политики фюрера, прямиком ведущей к грядущему краху (и на самом деле безумной и приведшей к краху), еще были действиями честного офицера. А его негласные контакты с представителями государств – потенциальных противников Германии в грядущей войне – были уже актом государственной измены. Именно так эти попытки воспринимались теми же англичанами – странной кажется только непонятная «разборчивость» британцев, никогда не брезговавших предателями. Однако это вполне естественно. Такова природа заговоров: их участники редко ищут поддержку внутри собственной страны, предпочитая обращаться за помощью к иностранным государствам.

Первый путч, который не состоялся

Чехословацкий кризис стал рубежом. Именно он резко активизировал деятельность оппозиционных Гитлеру групп. И то, что фюрер оказался прав, а генералы не правы, уже ничего не могло изменить.

С этого времени стал организационно оформляться и заговор военных. Они потихоньку начинают устанавливать контакты друг с другом. Оппозиционные режиму «идейные» офицеры группируются вокруг продолжателей линии Секта – Шлейхера генералов Бека и Хаммерштейна-Экворда. В МИДе имелись свои заговорщики. Существовала и довольно значительная группа промышленников, тесно связанная с английскими монополиями и по этой причине политически ориентированная на Великобританию. Возглавлял ее знакомый нам Карл Герделер, бывший в свое время обер-бургомистром Лейпцига, а затем, с 1931 по 1935 год, имперским комиссаром по вопросам цен. Разногласия с нацистами у него были не идейными – он был не согласен с некоторыми их мерами по государственно-монополистическому руководству экономикой. Впрочем, никто к нему никаких санкций не применял, просто комиссар уперся – и дело кончилось отставкой. Герделер был связан с такими магнатами, как банкир Шахт, крупные промышленники Рейш, Бош и рядом других лиц, имевших солидный вес в экономическом мире. Это была, если можно так сказать, их «Промпартия».

Очень влиятельным центром заговорщиков была военная разведка – абвер. Возглавивший его в 1935 году адмирал Вильгельм Канарис занимал двойственную позицию. С одной стороны, как глава военной разведки, он вынужден был участвовать во многих неблаговидных акциях нацистского руководства. А с другой – поддерживал дружеские контакты с лидерами заговорщиков, в беседах с ними критиковал правящий режим и негласно помогал своим подчиненным, которые на протяжении 5–6 лет являлись главными действующими фигурами заговора. Среди конфиденциальных собеседников Канариса были достаточно серьезные люди: заместитель министра иностранных дел Вайцзеккер, полковник Шмундт, группенфюрер СС Артур Небе, Карл Герделер, юристы Гельмут фон Мольтке и Ганс фон Донани, консерватор Шлабрендорф и дипломат-разведчик Гизевиус. Один из собеседников Канариса впоследствии вспоминал, что в конце одной из встреч адмирал сказал заговорщикам: «Не забывайте! Мы говорили здесь не об измене. Мы только обсуждали планы спасения нашей родины». (Вполне можно представить, что нечто подобное мог произнести в разговоре со своими друзьями тот же Зиновьев. А с точки зрения многих советских оппозиционеров так оно на самом деле и было.)

Постепенно главной движущей силой всего предприятия становится личный друг и заместитель Канариса полковник абвера Ганс Остер.

Угроза новой большой войны стремительно нарастает, и Остер развивает бурную деятельность. Не успел новый начальник генштаба Гальдер въехать в освободившийся кабинет Бека, как полковник является к нему (кстати, старому другу и сослуживцу) и открыто спрашивает: готов ли он, Гальдер, участвовать в военном перевороте? Ненавидя в душе Гитлера, которого в тесном кругу он именовал не иначе как преступником, душевнобольным или кровопийцей, Гальдер соглашается. По предложению Остера он проводит секретные переговоры с Ялмором Шахтом относительно формирования нового правительства и завершает все приготовления до 15 сентября 1938 года. Совместно с Остером начальник генерального штаба составляет план военного переворота. Само выступление намечено на конец сентября.

Первоначально предполагалось арестовать Гитлера после его возвращения с Нюрнбергского партсъезда. Затем Гальдер предпочел связать воедино переворот и войну и решил, что сигналом к началу действий послужит приказ фюрера двинуть войска на Чехословакию. Кроме Гитлера, заговорщики планировали арестовать ряд других ведущих функционеров нацистского режима, захватить помещения гестапо, СС, СД, а также радио, по которому прочесть заранее подготовленный текст обращения к населению.

Заговор, как и большинство ему подобных, был сугубо «верхушечным». В него входило достаточно большое количество высших офицеров – прусские вояки, составлявшие основу вермахта, внешне лояльные, в душе были враждебны Гитлеру, который по-прежнему оставался для них выскочкой и «ефрейтором». Согласие на участие в военном перевороте дали генерал Эрвин фон Витцлебен, командующий третьим военным округом (Берлин – Бранденбург); граф Эрих фон Брокдорф-Алефельд, командир размещенной в Потсдаме 23-й пехотной дивизии; полковник фон Хазе, командир 50-го пехотного полка (Ландсберг-на-Варте); командующий расквартированной в Тюрингии танковой дивизии генерал Эрих Гепнер; командующий немецкими войсками на западе генерал Адам. Участие в заговоре полицай-президента Берлина Гельдорфа и его помощника Фрица фон Шуленберга гарантировало содействие столичной полиции. Кроме того, им должен был помогать начальник 5-го управления РСХА (криминальной полиции) группенфюрер СС Артур Небе. (Для того чтобы наглядно показать роль Небе в нацистской иерархии, отметим, что 4-е управление РСХА (гестапо) возглавлял его старый друг еще по службе в мюнхенской криминальной полиции Генрих Мюллер, а 6-е управление (внешнюю разведку) – не менее знаменитый Вальтер Шелленберг. Такой величины была эта фигура.)

По замыслу большинства заговорщиков, после ареста Гитлера следовало предать суду. Участвовавший в заговоре советник имперского суда Ганс фон Донаньи еще с 1933 года тайно готовил материалы для процесса над фюрером. Кроме того, для подстраховки полковник Остер установил контакт с заведующим психиатрическим отделением знаменитой берлинской клиники «Шарите» профессором Карлом Бонхоффером, который в случае необходимости должен был возглавить врачебную комиссию и объявить фюрера германской нации Адольфа Гитлера душевнобольным. (До чего же все похоже! Среди подсудимых третьего московского процесса были и врачи. И не будет очень удивительно, если окажется, что кто-нибудь из наших оппозиционеров тайно готовил материалы для процесса над Сталиным.)

Все же немцы есть немцы. Гальдер, будучи начальником генштаба, не имел права непосредственно отдавать приказы армии – та подчинялась генералу Вернеру фон Браухичу. Обычно путчисты легко справляются с такими мелочами, а немецких заговорщиков это смущало. Очень многое в их плане зависело от вечно колеблющегося командующего сухопутными силами. Хотя 27 сентября им и удалось заручиться согласием Браухича, но все это было как-то уж слишком ненадежно. Тогда Остер и Гизевиус все же додумались до простого решения: на всякий случай договорились с генералом Витцлебеном о том, что он, в случае необходимости, начнет переворот и без приказа сверху.

План действий был прост, как три пфеннинга. Подчинявшийся Витцлебену «ударный отряд» (по сути, спецназ) штаба столичного корпуса должен был в нужный момент ворваться в рейхсканцелярию и арестовать фюрера. Во главе «группы захвата» стояли сотрудники абвера – бывший террорист и руководитель организации «Стальной шлем» известный специалист тайной войны Фридрих Вильгельм Гейнц и морской капитан Франц Лидиг. Усиленный сочувствующими заговорщикам молодыми офицерами, студентами и рабочими, ударный отряд насчитывал до трехсот человек. По просьбе полковника Остера адмирал Канарис распорядился выделить «ударникам» карабины и взрывчатку.

Гейнц был человеком трезвомыслящим и конкретным, а посему внес в планы заговорщиков свои коррективы. Идею суда над Гитлером или помещения его в лечебницу он считал абсолютно нереальной. «Один Гитлер сильнее Витцлебена со всем его армейским корпусом», – заявил он

Остеру. Вдвоем они разработали план «заговора внутри заговора». Втайне от остальных путчистов Гейнц приказал своим людям не арестовывать фюрера, а сразу пристрелить его во время захвата. Ну так вышло, что ж теперь поделаешь!

К началу агрессии против Чехословакии все было готово. Заведовавший аппаратом министра иностранных дел Эрих Кордт (брат встречавшегося с Галифаксом Тео Кордта) вместе с Шуленбургом должны были проследить, чтобы большая двойная дверь за спиной часового, стоявшего у входа в рейхсканцелярию, была открыта. Размещенный по частным квартирам ударный отряд в полной боевой готовности ждал сигнала. Витцлебен находился у Гальдера в здании ОКВ, а Браухич отправился в здание правительства, чтобы услышать решение Гитлера.

Однако все развивалось отнюдь не по предписанному. Нет, заговорщики были полностью готовы к действиям. Подкачал повод. Фюрер вдруг пошел на то, чтобы разрешить международный кризис путем переговоров. Посредником выступил Муссолини, в Германию прилетел английский премьер Чемберлен, и это смешало карты путчистов. Все действия были отложены, решили ждать результатов конференции. Мюнхенский сговор, таким образом, принес Гитлеру не только внешнеполитический триумф, но и спас ему жизнь. Заговорщики делали ставку на неизбежный международный провал фюрера и предполагаемую твердость Запада, но Гитлер победил, а хваленые западные демократии оказались мягче воска в его руках. Эта победа резко повысила симпатии германского генералилета к фюреру, и заговорщики сочли за благо отложить свои планы – ненадолго...

Другие путчи, также не состоявшиеся

Не прошло и года, как Гитлер вновь подвел Германию, как показалось генералам, к краю пропасти. Он полным ходом начал подготовку к нападению на Польшу. Ни одно добропорядочное немецкое сердце не испытывало ни малейшей симпатии к этой стране – но Польша имела договор о взаимопомощи с Англией и Францией! В воздухе опять запахло войной на два фронта, которой пуганые еще в Первую мировую войну германские генералы боялись больше всего. Снова заговорили о том, что фюрер ведет Германию к пропасти, и тут же, по привычному сценарию, путчисты возобновили свою деятельность.

И снова они начали с завязывания негласных контактов с англичанами. Запомним на будущее: ограниченные в возможности получить поддержку в собственной стране, заговорщики *всегда* ищут ее за границей. У них просто нет другого выхода.

20 марта 1939 года уже знакомый нам близкий друг генерала Бека и адмирала Канариса, лидер прусских консерваторов Клейст-Шменц – тот самый, который ездил в Лондон в 1938 году, – передал английскому журналисту Яну Кольвину сообщение о том, что Гитлер намеревается напасть на Польшу. Журналисты, особенно британские, в то время сплошь и рядом имели «вторую специальность», и предупреждение прямым ходом ушло в Лондон. Затем Герделер и Шахт срочно отправились в Швейцарию, где в конце марта 1939 года встретились с неким лицом, близким правительствам Англии и Франции. Поскольку устраивал встречу абверовец Гизевиус, по роду работы тесно связанный с американской и английской разведками, совершенно ясно, что это было за «лицо». Через него они информировали Запад, что Гитлер намеревается двинуться на восток, собираясь после Данцига и Варшавы захватить Украину и Кавказ. Но что могли иметь Британия и Франция против такого поворота событий?

14 июля 1939 года, практически накануне начала войны, руководителю британской военно-морской разведки нанес визит подполковник немецкого генштаба граф Шверин, очередной эмиссар Гальдера. Он детально объяснил англичанам, как предотвратить нападение Гитлера на Польшу: послать эскадру боевых кораблей в Балтийское море, перебросить во Францию две дивизии и группу тяжелых бомбардировщиков и, наконец, ввести в состав кабинета Чемберлена Уинстона Черчилля. Еще до графа Шверина в Лондоне побывал другой посланец Гальдера, офицер германского генштаба Бом-Теттельбах, который тайком навестил заместителя военного министра и ряд других высокопоставленных деятелей, пытаясь выяснить у них, как Англия относится к «польскому вопросу».

Оба эмиссара ничего не добились. Их собеседники в самых общих словах заверяли, что Англия выступит в защиту Польши, но не давали никаких конкретных обещаний. Польшу сдали точно так же, как незадолго до того сдали Чехословакию.

Английская уклончивость дорого стоила Великобритании и всему остальному миру. В 1945 году, попав в плен к союзникам, Бом-Теттельбах на допросе заявил, что его начальник, генерал Гальдер, арестовал бы Гитлера в августе 1939 года – если бы был уверен в поддержке англичан. Той поддержке, которую он не получил. Так что британцы, получается, сами себя перехитрили.

Начальник генштаба был не единственным человеком в Германии, тайно информировавшим Запад о планах фюрера. Тем же занимался и руководитель военной разведки. Через одного из своих друзей Канарис во второй половине июня 1939 года передает англичанам секретные сведения: Гитлер нападет на Польшу вскоре после 26 августа. Не оставались в стороне и заговорщики в МИДе: барон фон Вайцзеккер через поверенного в немецких делах в Лондоне Эриха Кордта предупредил о том же сэра Ванситтара. Эта деятельность в просторечии уже называется не «связями с заграницей», а шпионажем. (Вспомним в этой связи обвинения в шпионаже на «московских процессах» – те обвинения, которые даже историки «сталинистского» толка считают высосанными из пальца. Как видим, шпионажем – причем добровольным и бескорыстным – могут заниматься люди, сидящие на очень высоких постах. Если бы Гитлер тогда докопался до заговора, «берлинские процессы» по статусу обвиняемых не уступали бы московским.)

Чтобы подтолкнуть недоверчивых англичан к активным действиям, полковник Остер даже состряпал фальшивку – стенограмму речи Гитлера на совещании военных, якобы составленную неким офицером генштаба. Подложная речь пестрела бранью и призывами к мировому господству. 25 августа подделку подбросили в английское посольство в Берлине, однако его сотрудники не отнеслись серьезно к анонимной записи. Англичане отмолчались...

...Итак, заговорщики остались одни. Все же в конце августа, перед самым началом Второй мировой войны, они стали готовить планы нового военного переворота. В обсуждении участвовали уже известные нам Гизевиус и Шахт, а также близкий друг Бека и ученик Секта генерал Томас, начальник Военно-экономического управления ОКВ. (Кстати, в одном из своих меморандумов 1939 года генерал открыто предупреждал, что нападение Германии на Польшу будет иметь своим следствием мировую войну, выдержать которую в материально-техническом отношении Германия не сможет. В соответствии с заветами Секта и Шлейхера, генерал Томас особенно предостерегал против войны с Советским Союзом, указывая на его гигантский военный и экономический потенциал). Гизевиус, Шахт и Томас, видя приближение очередного рокового момента во внешнеполитической деятельности Гитлера, вновь захотели использовать его. Они явились к Канарису, чтобы подтолкнуть того: мол, не пора ли начинать? Но хитрый адмирал и на этот раз свел дело к одним разговорам.

Впрочем, это был не единственный план военного переворота, судорожно появившийся на свет в то время. Уже после того, как война в Польше началась, в сентябре 1939 года, свой план действий составил генерал Хаммерштейн-Экворд. Вновь призванный в армию и командующий армейской группой на западном фронте, генерал собирался арестовать Гитлера, когда фюрер приедет в его штаб, расположенный в Кельне. Впрочем, в этом плане было одно слабое место: фюрер ведь мог в Кельн и не приехать. И на самом деле не приехал – так вот Европе не повезло...

Ученик Секта и ближайший друг Шлейхера, Хаммерштейн-Экворд умел предвидеть события. Едва лишь нацисты пришли к власти, как уже в ноябре 1933 года он заявил одному из своих друзей, что не желает участвовать в войне против русских. Когда же в 1939 году мировая война началась, он неоднократно говорил своим друзьям, что Германия должна ее проиграть, ибо только так она сможет избавиться от нацистов. Никаких иных возможностей избавления от гитлеровского режима он не видел. (Запомним на будущее: пригодится, когда пойдет речь о «деле Тухачевского»). Впрочем, он был не один такой. Например, адмирал Канарис говорил своим ближайшим помощникам: ужасно, если Германия потерпит поражение, но еще ужаснее, если Гитлер одержит победу.

Хаммерштейн-Экворд вскоре был уволен в отставку. Он продолжал активную заговорщическую деятельность, однако возможности были уже не те. Способности же своих «братьев по заговору» он оценивал весьма скептически, чтобы не сказать большего! Пожалуй, фраза, сказанная одному из единомышленников, говорит именно о «большем»: «Господи, Пехель! Меня, старого солдата, эти люди сделали антимилитаристом!»

Молниеносная победа над Польшей, при полной пассивности Запада, резко изменила наконец отношение генералитета к фюреру. Его предвидения вновь и вновь оказывались верными. А уж Польшу-то германские военные ненавидели со всей страстью! Поэтому когда в конце октября – начале ноября 1939 года обер-квартирмейстер Первого генерального штаба Штюльпнагель (один из активных участников нелегального советско-германского сотрудничества 20-х – начала 30-х годов) осторожно прозондировал настроения командного состава, то всего лишь два генерала – Лееб и Витцлебен – дали свое согласие на участие в акции против нацистской верхушки. Планы переворота пришлось отложить до более благоприятного момента.

Часть третья. ПРУССКИЕ АРИСТОКРАТЫ ПРОТИВ ГИТЛЕРА

А пока, чтобы хоть как-то бороться, они занимались шпионажем. При этом то, что Германия и страны Запада вроде бы находились в состоянии войны, заговорщиков ничуть не смущало. Уже 2 сентября 1939 года некий младший офицер абвера предупредил английского военного атташе, что в 11 часов утра следующего дня на Лондон будет произведен воздушный налет. Англичане оперативно передали информацию в Лондон, однако в последний момент генералу Гальдеру удалось отговорить Гитлера от удара по столице Великобритании, так что тревога оказалась напрасной – на этот раз!

Следующая информация была более точной. Когда Гитлер решил напасть на Голландию (первоначально это планировалось сделать 12 ноября 1939 года), то полковник Остер через своего агента сообщил в бельгийское и голландское посольства в Берлине о начале войны. Трудно сказать, какой был в этом толк – но предупредили...

Очередной приступ страха перед планами Гитлера напал на генералов тогда, когда, быстро разгромив Польшу, фюрер решил немедленно обрушиться на Францию. Перед их мысленным взором вновь замаячили страшные картины пережитой на западном фронте катастрофы 1918 года. Первоначальный план фюрера – выманить французов и англичан из их первоклассных укреплений на поле битвы и там разгромить – показался большинству генералов попросту безумным. Однако, невзирая на все возражения, 16 октября Гитлер потребовал начать подготовку к наступлению.

Генералы сопротивлялись, как могли. Саботируя приказ фюрера, Гальдер и Браухич специально разработали план кампании нарочито небрежно. Не прокатило. 22 октября Гитлер вернул Кейтелю план со своими замечаниями – а в военном деле он понимал! – и заявил, что наступление на Францию начнется 12 ноября. Генералы вновь засуетились. Начальник генштаба Гальдер в разговоре с ближайшими сподвижниками сказал, что вот уже какую неделю он приходит к Гитлеру с пистолетом, чтобы, если удастся, застрелить его. Судя по некоторым историческим приметам, не удалось. («Дайте мне револьвер, я застрелю Сталина!» Тоже не удалось...)

За всеми этими разговорами вновь сплотилось прежнее заговорщическое ядро – Бек, Канарис, Гальдер, Остер, Штюльпнагель, Гельдорф, Герделер, Шахт, Донаньи. Центром их действий стал штаб-квартира генштаба в Цоссене. И к началу ноября путчисты в очередной раз решились на организацию государственного переворота. На сей раз – в том случае, если Гитлер будет настаивать на приказе о наступлении на запад. Решено было использовать старый план «дворцового переворота».

Однако за прошедший год ситуация резко изменилась – не в пользу заговорщиков. Во-первых, в столице стало гораздо меньше воинских частей, на которые они могли рассчитывать, зато заметно увеличилась численность сотрудников гестапо, СС и СД. Во-вторых, Германия теперь находилась в состоянии войны с Англией и Францией, и те запросто могли воспользоваться внутренними разборками, чтобы вторгнуться на немецкую территорию и устроить новый Веймар. А до того, чтобы открыто, по-ленински, желать поражения своей стране, немецкие заговорщики все-таки еще не дошли.

5 ноября 1939 года и этой попытке военного переворота пришел бесславный конец. В этот день Гитлер вызвал главнокомандующего к себе для доклада. Заговорщики решили: если фюрер вновь будет настаивать на наступлении через семь дней, надо начинать мятеж. Нервничающий Браухич начал доклад. Гитлер решительно отметал все его возражения и в конце концов впал в страшную ярость. Вне себя от гнева, диктатор кричал, что командование армии не желает воевать, и поэтому уже давно отстают темпы вооружений, но теперь-то уж он с корнем вырвет весь этот вредный «цоссенский дух» – дух генштаба. Дело кончилось тем, что фюрер резко оборвал Браухича и выставил главнокомандующего вон, подтвердив свое прежнее решение наступать 12 ноября. Пришла пора действовать...

И тут, в решающий момент, горе-заговорщики вдруг вообразили, что Гитлер обо всем знает! В жуткую панику впал не только Браухич, но и Гальдер, который в страшной спешке сжег все компрометирующие материалы и прекратил подготовку переворота. Одного грозного окрика диктатора оказалось достаточно, чтобы весь военный заговор рассыпался, как карточный домик.

Впрочем, о том, чего вообще стоил «заговор генералов», свидетельствует даже не эта паника, а малозначащий на первый взгляд фактик. Еще осенью Гальдер обратился к Вайцзеккеру с вопросом: нельзя ли повлиять на Гитлера, подкупив одну ясновидящую. Ради этого он был готов достать миллион марок. На военную силу генерал благоразумно больше не рассчитывал ...

Высшее руководство путчистов было морально сломлено, но оставалось еще среднее. Его представители Гроскурт и Остер, наоборот, развили бешеную активность – лучше бы они этого не делали! Видя, что Гальдер впал в панику, Гроскурт на свой страх и риск помчался к главе абвера и передал ему «настойчивую просьбу», якобы высказанную начальником генштаба: пусть Канарис убьет Гитлера, и тогда все решится само собой. Адмирал в ужасе отшатнулся и тоже впал в апатию, подумывая об отставке.

Полковник Остер поехал побуждать к решительным действиям Вицлебена. Прибыв к нему в штаб-квартиру во Франкфурте, где в тот момент находился еще и полковник Мюллер, Остер с порога начал сыпать именами заговорщиков и размахивать прокламациями, написанными Беком и призывавшими к мятежу. Военные с трудом заставили его немедленно сжечь листовки и постарались как можно скорее избавиться от опасного болвана. Лучше бы приставили к нему шпика или пристрелили на месте: от них горе-конспиратор пошел в офицерское казино Франкфурта и прилюдно начал поливать грязью нацистов, нимало не опасаясь доносчиков и агентов гестапо. Вдобавок ко всему Остер обронил в казино листок с полным списком заговорщиков. (Если бы страшную бумагу не подобрал один из антинацистски настроенных офицеров, то земной путь почти всех путчистов закончился бы уже в 1939 году).

В конце концов, полковник абвера махнул рукой и на своего шефа Канариса, и на военных, и решил сам взорвать Гитлера, для чего пришел к начальнику абвера-II, главе немецких диверсантов Лахоузену и попросил у него адскую машину. Когда последний поинтересовался, для чего ему, Остер чистосердечно признался: взорвать фюрера. Лахоузен все же дал своему коллеге бомбу – мало ли, а вдруг правду говорит! Дело сорвалось из-за пустячка: ни Остер, ни согласившийся ему помочь Эрих Кордт не умели обращаться со взрывчаткой.

Последняя попытка предотвратить потенциальную катастрофу на западном фронте была предпринята 9 ноября генералом фон Леебом. Он созвал на совещание трех командующих группами армий, стоявших против Франции, и предложил им совместно отправиться к Гитлеру и потребовать от него воздержаться от активных действий на западе, а затишье использовать для дипломатических переговоров. Если же фюрер откажется, то все высокопоставленные генералы... нет, всего лишь дружно подают в отставку. Однако шкурнические интересы возобладали и на этот раз. Большинство генералов категорически отказались участвовать в этой акции, мотивируя отказ тем, что она может быть расценена Гитлером как мятеж.

Дело кончилось тем, что сам фюрер, не подозревая об этом, в очередной раз расстроил планы заговорщиков, отменив наступление на Францию... из-за плохой погоды. После чего он назначал дату начала войны со старым врагом 29 раз и, окончательно заморочив всем голову, начал ее лишь 10 мая 1940 года. И снова катастрофа не состоялась. После стремительного разгрома Франции оппозиция Гитлеру в генеральской среде исчезла очень надолго. В условиях всеобщего ликования и восхищения гением фюрера, раз за разом одерживавшим победы вопреки всем законам здравого смысла, мечта о военном перевороте испарилась сама собой.

...Везло фюреру, но везло и заговорщикам. В середине 1940 года часть из них чуть было не попала в застенки гестапо. После очередной победы на Западе служба безопасности стала выяснять, кто предупредил голландцев о дате немецкого наступления, – по-видимому, все-таки где-то что-то сработало. Без особого труда удалось выяснить, что следы ведут к Остеру. Однако Канарис, пользуясь отсутствием прямых доказательств, сумел замять дело.

Спасать Остера шефу абвера пришлось дважды. Слухи о предательстве распространились достаточно широко, и узнавшая о них жена подполковника Прука, «честная немецкая женщина», поспешила написать письмо: мол, штурмбанфюрер СС Хофман и абверовцы Остер, Донаньи и Мюллер мечтают устранить Гитлера. К счастью для заговорщиков, письмо·это она отправила Канарису, который поспешил запереть слишком много знающую фрау в сумасшедший дом (как тут не вспомнить сумасшедшую осведомительницу Волкову в «деле Кирова»!) Так, благодаря шефу абвера, горе-оппозиционеры спаслись и на этот раз.

Примерно таким же, как 1940-й, был для заговорщиков и следующий, 1941 год. Ранней весной адмирал Канарис посетил швейцарский город Берн, где встретился с одной своей знакомой полькой, которая, как было хорошо известно шефу абвера, работала на английскую разведку. По поручению своего руководства она спросила, не нацелено ли передвижение немецких войск на Балканах против Турции.

– Нет, мы не будем нападать на Турцию, – просто ответил глава немецкой военной разведки. – Вероятно, мы вторгнемся в Россию.

Информация немедленно ушла в Лондон. Именно на ней основывался Черчилль, когда 3 апреля предупредил Сталина о готовящемся нападении. Впрочем, вести об открытии Гитлером столь желанного для англичан второго фронта на востоке шла им по многим каналам: напрямую из Германии, через Ватикан, даже через Москву. Еще до начала войны агент Канариса Николас фон Галем прибыл в советскую столицу и, встретившись там с английским резидентом, подтвердил известия о скором нападении Гитлера на нашу страну. Советское руководство об этом на свой страх и риск известил немецкий посол в Москве граф Вернер фон Шуленбург. Впрочем, и в Кремль эта информация тоже шла по многим каналам.

Перед началом Великой Отечественной войны Канарис сделал последнюю попытку. С его ведома немецкий посол в Италии фон Хассель весной 1941 года установил контакт с американцем Столлфортом и передал ему план, согласно которому заговорщики отстраняют Гитлера, заключают с союзниками перемирие и освобождают оккупированные территории, за исключением Саарской области, Австрии и Данцига. Однако однозначного ответа из Лондона и Вашингтона так и не последовало.

Потерпев неудачу на Западе, Канарис, по некоторым сведениям, предпринял начальные шаги к заключению мира на Востоке. Попытка была сделана в сентябре, с помощью находившегося в Стокгольме двойного агента Эдгара Клауса, одновременно работавшего и на фашистскую Германию, и на СССР. Клаус регулярно играл в карты с советским послом в Швеции А. М. Коллонтай и мог обеспечить канал для контактов. Но и на этот раз дальше предварительных прожектов дело не пошло. А война между тем шла полным ходом – та самая, роковая для Германии война, от которой так старался застраховать свое отечество генерал фон Сект.

Досье: путчисты
ДЕЙСТВУЮЩИЕ ЛИЦА «ЗАГОВОРА ГЕНЕРАЛОВ» (ГЕРМАНИЯ)

(Биографии приводятся по книге «Энциклопедия Третьего рейха»)

Людвиг БЕК. Генерал-полковник германской армии.

Родился 29 июня 1880 года в Бибрихе в семье крупных промышленников. На военной службе с 1898 года. Во время Первой мировой войны – офицер генштаба, начальник штаба армии. После окончания войны служил в рейхсвере. В 1933–1935 годах – начальник войскового управления, в 1935–1938 годах – начальник генштаба сухопутных войск. Один из организаторов вермахта.

18 августа 1938 года уволен в отставку. В среде заговорщиков рассматривался как возможный кандидат на пост главы государства

после Гитлера. После провала покушения был арестован и покончил с собой в здании военного министерства.

Вернер фон БЛОМБЕРГ. Генерал-фельдмаршал германской армии, военный министр.

Родился 2 сентября 1878 года в Штаргарде, в Померании. Во время Первой мировой войны был офицером генштаба. С 1919 года — начальник отдела боевой подготовки министерства рейхсвера. В 1927—1929 годах — начальник войскового управления (замаскированного генштаба). В 1929—1932 годах командовал войсками 1-го военного округа — восточной Пруссии. С января 1933 года министр рейхсвера, с 1935 года — военный министр, одновременно с мая 1935 года — главнокомандующий вооруженными силами. Руководил созданием вермахта.

Бломберг был умен, но нестоек и подвержен чужим влияниям. Среди генералов никогда не был своим. В военной среде ему дали прозвище «Дутый Лев». Ушел в отставку в 1938 году. После поражения Германии Бломберг, как один из организаторов и руководителей вермахта, был привлечен к суду. Умер в тюрьме во время следствия.

Эрвин фон ВИТЦЛЕБЕН, генерал-фельдмаршал германской армии.

Родился 4 декабря 1881 года в Бреслау. В 1935 году, в звании генерал-лейтенанта, назначен командующим 3 военным округом. С начала Второй мировой войны по октябрь 1940 года — командующий 1-й армией. 19 июля 1940 года, после поражения Франции, в числе 12 высших офицеров получил звание генерал-фельдмаршала. До марта 1941 года командовал группой армий «Д», до февраля 1942 года — главнокомандующий германскими войсками на Западе, во Франции. Вышел в отставку в 1942 году.

В случае успеха переворота был кандидатом на пост главнокомандующего вооруженными силами. Витцлебен был арестован и приговорен к смерти Народным трибуналом. Казнен 9 августа 1944 года.

Франц ГАЛЬДЕР. Генерал-полковник германской армии, начальник штаба сухопутных войск.

Родился 30 июня 1884 года в Вюрцбурге, в семье военного. В армии с 1902 года. В 1914 году окончил Баварскую военную академию. В 1926 году был назначен обер-квартирмейстером рейхсвера. С октября 1937 года второй, а с февраля 1938 года — первый обер-квартирмейстер вермахта. 27 августа 1938 года назначен начальником Генерального штаба сухопутных войск вместо генерала Бека.

Гальдер возглавил первый офицерский заговор, однако после Мюнхенского соглашения отошел от заговорщиков. Активно участвовал в создании вермахта, разработке военных планов. 24 сентября 1942 года отстранен от должности начальника штаба. В 1944 году арестован по подозрению в причастности к заговору и до конца войны находился в концлагере Дахау. 28 апреля 1945 года освобожден американцами.

Ханс фон ДОНАНЬИ. Для разнообразия, штатский.

Родился 1 января 1902 года в Вене, в семье пианиста венгерского происхождения. Получил юридическое образование. В мае 1933 года стал работать в министерстве юстиции. В 1934 году сблизился с Герделером и другими антифашистами. С 1939 года работал в абвере. В марте 1943 года принимал участие в неудачной попытке покушения на Гитлера. Через несколько месяцев был арестован гестапо, затем освобожден, но после провала заговора вновь арестован и отправлен в концлагерь Заксенхаузен. Казнен в Флоссенбюрге 8 апреля 1945 года.

Фридрих Вильгельм КАНАРИС. Адмирал, начальник управления разведки и контрразведки верховного командования вооруженных сил Германии — абвера.

Родился 1 января 1887 года в Аплербеке, близ Дортмунда, в семье директора сталелитейного завода. В 1905 году поступил на флот. Служил на крейсере «Дрезден», после потопления корабля был интернирован в Чили. В 1916 году по заданию германской разведки успешно работал в Испании. С 1918 года — адъютант военного министра Г. Носке. Участвовал в организации убийства Карла Либкнехта и Розы Люксембург, в «Капповском путче», попытке государственного переворота и установления военной диктатуры. В 20-е и начале 30-х годов продолжал служить на флоте.

В 1935 году адмирал Канарис возглавил абвер. С 1938 года одновременно руководил иностранным отделом Верховного главнокомандования вооруженными силами Германии (ОКВ). В феврале 1944 года уволен в отставку. После провала заговора арестован и 9 апреля 1945 года повешен в концлагере Флоссенбург.

Фридрих ОЛЬБРИХТ. Генерал германской армии.

Родился 4 октября 1888 года в Лейсниге, в Саксонии. В 1907 году вступил в императорскую армию. Служил в 105-м пехотном полку в звании лейтенанта.

После окончания Первой мировой войны служил в министерстве обороны. В 1943 году стал начальником штаба и заместителем командующего Резервной армией. Был арестован генералом Фроммом и расстрелян вместе со Штауффенбергом в день покушения на Гитлера.

Ганс ОСТЕР. Начальник штаба абвера.

Родился 9 августа 1888 года в Дрездене. В 1933—1944 годах служил начальником штаба и заместителем инспектора в управлении военной разведки. Имел репутацию человека без амбиций, искреннего, честного и верующего. В апреле 1943 года отстранен от занимаемой должности, год спустя уволен из армии. После провала заговора арестован и казнен вместе с адмиралом Канарисом в концлагере Флоссенбург 9 апреля 1945 года.

Георг ТОМАС. Генерал германской армии, начальник экономического управления ОКВ.

Родился 20 февраля 1890 года в Бранденбурге. В армии с 1908 года. В 1928—1938 годах был начальником штаба артиллерийско-технического снабжения вооруженных сил. В 1938 году получил звание генерал-майора и вскоре стал начальником экономического управления Верховного главнокомандования вооруженными силами Германии (ОКВ). 6 мая 1942 года Томас был введен в состав совета по вооружениям, назначен начальником управления министерства вооружений и военной промышленности. 20 ноября 1942 года покинул этот пост, продолжив работу в ОКВ.

После провала заговора Томас, как причастный к нему, был арестован и отправлен сначала в концлагерь Флоссенбург, затем в Дахау, а позднее в лагерь в Южном Тироле, где он был освобожден американцами. Умер в 1946 году.

Хеннинг фон ТРЕСКОВ. Генерал-майор германской армии.

Родился 10 января 1901 года в Магдебурге, в старинной прусской семье. В молодости занимался банковскими и биржевыми делами. Вначале симпатизировал нацизму, но затем разочаровался и перешел в лагерь его противников.

Во время Второй мировой войны участвовал в польской и французской кампаниях, получил чин генерал-майора. Затем служил заместителем генерала фон Бока на Восточном фронте. Был среди участников попытки покушения на Гитлера в Смоленске 13 марта 1943 года. В конце 1943 года генерал фон Манштейн отказал Трескову в назначении на должность начальника штаба группы армий «Юг» из-за его антигитлеровских настроений, которые тот не умел скрыть. Пытался получить перевод в ставку Гитлера, но также безуспешно. После провала заговора покончил жизнь самоубийством, подорвав себя гранатой.

Вернер фон ФРИЧ. Генерал-полковник германской армии.

Родился 4 августа 1880 года в Бенрате. В 18 лет поступил на службу в армию. В 1901 году, всего в 21 год, приглашен в Военную академию. В 1911 году, в звании 1-го лейтенанта, назначен на ответственный пост в генштабе. Во время Веймарской республики служил в рейхсвере. Он был выдержанным, спокойным, терпеливым. Интересовался лишь армейской службой. Никогда не был женат, мало общался с женщинами, что и послужило одной из причин обвинений в гомосексуализме.

В июле 1932 году Фричу было присвоено звание генерал-лейтенанта. В 1934 году стал командующим сухопутными войсками, в 1935 — главнокомандующим. Вместе с Бломбергом участвовал в создании вермахта. Ушел в отставку 4 февраля 1938 года и был вновь призван в армию накануне Второй мировой войны. Погиб в бою под Варшавой 22 сентября 1939 года.

Курт фон ХАММЕРШТЕЙН-ЭКВОРД. Генерал-полковник германской армии, главнокомандующий сухопутными войсками рейхсвера.

Родился 26 сентября 1878 года в Хинрихсхагене. Во время Первой мировой войны служил в генштабе. В 1930 году сменил генерала Вильгельма Хайе на посту командующего сухопутными силами рейхсвера. Храбрый и честный офицер, убежденный антифашист. После прихода Гитлера к власти, 1 февраля 1934 года, ушел в отставку.

Во время мобилизации 1939 года вновь призван в армию и назначен командующим укрепрайоном «А» Западного вала. Однако вскоре Гитлер, которому были известны настроения Хаммерштейна, назначил его на пост начальника 8-го военного округа в Силезии. Скоропостижно скончался 25 апреля 1943 года в Берлине.

Курт фон ШЛЕЙХЕР. Последний канцлер Веймарской республики.

Родился 7 апреля 1882 года в Бранденбурге в старинной прусской юнкерской семье. В 1903 году вступил в 3-й гвардейский пехотный полк, где служил под командованием генерала Пауля фон Гинденбурга, будущего президента Веймарской республики. В 1913 году, в чине капитана, начал службу в генеральном штабе, где и провел всю войну. В 1918 году стал адъютантом главного квартирмейстера Вильгельма Гренера. В феврале возглавил управление сухопутных сил министерства рейхсвера. В 1929 году получил звание генерал-майора. Был убит во время «ночи длинных ножей».

Карл Генрих фон ШТЮЛЬПНАГЕЛЬ. Генерал германской армии, главнокомандующий оккупационными войсками во Франции.

Родился 2 января 1886 года в Дармштадте. Кадровый офицер, убежденный антифашист. С ноября 1938 по июнь 1940 года — оберквартирмейстер генерального штаба сухопутных войск. Председатель германо-французской комиссии по прекращению боевых действий. С начала вторжения в СССР до октября 1941 года командовал 17-й армией. С февраля 1942 по июль 1944 года — командующий германскими войсками во Франции. После провала заговора по приказу Кейтеля отправился в Берлин. В дороге пытался застрелиться, но остался жив, потеряв зрение. 29 августа 1944 года приговорен к смерти Народным трибуналом и 30 августа повешен во дворе берлинской тюрьмы Плётцензее.

Глава 11

СПРУТ КАК ОН ЕСТЬ

Роковая война

Начало войны с Россией подавляющее большинство генералов, завороженных победами Германии, встретили восторженно. Только находившиеся в отставке последователи Секта – генералы Бек и Хаммерштейн-Экворд – осуждали ее и говорили, что эта война принесет Германии разгром.

Когда эйфория первых успехов прошла, в правоте давно покойного Секта убедился и Канарис, лично посетивший осенью восточный фронт. Сразу после этого он отправился в Берн, где поделился своими наблюдениями со знакомой ему английской шпионкой. «Если русская армия дезорганизована и истощена, – говорил он мадам Д., – то и мы находимся в подобном же состоянии. Мы оторвались от наших баз снабжения; наши транспортные возможности недостаточны, чтобы обеспечить снабжение наших войск, ушедших далеко вперед. Возможно, положение России ужасно, но вряд ли оно может быть тяжелее нашего».

Как только стало ясно, что русская кампания затягивается, снова подняли голову заговорщики. Та же самая английская шпионка вспоминает: «В октябре 1941 года, в начальный период войны с Россией, Канарис навестил меня опять. Он мрачно заявил, что германские войска застряли в России и что они никогда не достигнут намеченных объектов. Но, говоря о напряженном положении в Германии и надвигавшемся заговоре против Гитлера, он очень оживился. Как раз в этот его приезд он сказал, чтобы я никому, кроме англичан, не передавала содержание наших разговоров».

Предвидение шефа абвера, уже имевшего дело с антигитлеровскими заговорами, с течением времени полностью подтвердилось. После первого же сокрушительного поражения под Москвой среди высших немецких офицеров вновь воскресает оппозиция фюреру. На этот раз она сосредоточивается на советско-германском фронте, откуда и вышли основные кадры будущих путчистов. Первые недовольные там появляются к концу 1941 года. Самой видной фигурой из них является генерал-майор Хеннинг фон Тресков, офицер генерального штаба в ставке центрального участка восточного фронта – тот самый, который вместе с Беком начинал заговорщическую деятельность еще в 1938 году, перед нападением на Чехословакию. Вокруг него собирается группа верных единомышленников. Оказавшись на переднем крае плана «Барбаросса», они уже к тому времени видели бесперспективность войны с Советским Союзом. Вскоре они пришли к мысли о том, что ее надо срочно прекращать. Путь для этого был один – свержение Гитлера.

...А пока на восточном фронте зрело ядро новой военной оппозиции, старые кадры заговорщиков продолжали попытки связаться с Западом. В ноябре 1941 года все та же группа Герделера – Бека через американского журналиста Луиса Лохнера отправила в США очередной меморандум с запросами об условиях сепаратного мира. Пока что с прежним результатом.

Очень старается и Герделер, причем всеми доступными ему путями. В апреле 1942 года он едет в Швецию, на встречу с крупнейшими банкирами страны Якобом и Маркусом Валленбергами. Эта была любопытная коммерческая пара. Швеция, как нейтральная страна, торговала со всеми, и семейство Валленбергов разделилось: Якоб входил в шведско-немецкую торговую комиссию, а Маркус – в шведско-английскую, да вдобавок поддерживал личный контакт как с самим Черчиллем, так и с его секретарем. И вот Герделер обращается к торговому партнеру Германии Якобу Валленбергу с просьбой: получить «по семейным каналам» от английского премьер-министра заверения в том, что он заключит мир с Германией, как только заговорщикам удастся свергнуть Гитлера.

Не довольствуясь друзьями-коммерсантами, Герделер, пользуясь тем, что в Стокгольме в то же время проходит очередной церковный съезд, передает по церковным каналам еще один подробный меморандум об условиях сепаратного мира на Западе. В конечном итоге и этот документ попадает на стол английскому министру иностранных дел Идену.

Со своей стороны и шеф абвера настойчиво ищет выход на противников своей страны. На западном направлении эта деятельность чуть было не увенчалась крупным успехом. В течение года родилась и приобрела реальные очертания идея встречи Канариса с его коллегой, генерал-майором Стюартом Мензисом, руководителем британской «Интеллидженс Сервис». Причем желание лично встретиться и переговорить было обоюдным. И вот, в конце 1942 года, Канарис через испанских посредников пригласил главу английской разведслужбы встретиться где-нибудь в нейтральном месте. Мензис был в восторге, а высадка англо-американцев в Северной Африке в ноябре давала на редкость благовидный предлог для визита обоих главных шпионов в Испанию или Португалию. Крест на всех этих планах поставил британский МИД, который, опасаясь осложнений со Сталиным, категорически выступил против встречи «из страха спровоцировать русских». Интересно, *на что именно* британцы боялись спровоцировать наших? На ноту протеста?

Потихоньку заговорщики зондировали почву и на восточном направлении. Летом 1942 года, когда немецкое наступление провалилось, посол СССР в Швеции Александра Коллонтай все через того же своего карточного партнера Клауса намекнула адмиралу, что советская сторона не прочь заключить мир. Хитрый шеф абвера устранился от переговоров, отдав инициативу нацистскому дипломату Петеру Клейсту. Впрочем, есть данные, что адмирал решил, на всякий случай, и самолично оказать любезность Советам и передал им, через своего приятеля барона Каульбарса, срок немецкого наступления под Воронежем.

Впрочем, все это меркнет по сравнению со знаменитым «Люци» – сотрудником швейцарской разведки Рудольфом Ресслером, работавшим на советскую военную разведку. Его называли самым результативным агентом Второй мировой войны. «Люци» снабжал нашу разведку сведениями о стратегических планах немецкого командования, о составе, структуре и вооружении германской армии, мог даже отвечать на вопросы Центра об отдельных частях и генералах, передавал расписанные буквально по дням планы боевых действий немецкой армии на восточном фронте. Как писал Ален Даллес[1], «Рёсслеру в Швейцарии удавалось получать сведения, которыми располагало высшее германское командование в Берлине, с непрерывной регулярностью, часто менее чем через 24 часа после того, как принимались ежедневные решения по вопросам Восточного фронта».

Условием сотрудничества «Люци» с советской разведкой была полная анонимность его самого и его «контрагентов» на территории Рейха.

---

[1] В то время руководитель политической разведки США в Европе, позднее – директор ЦРУ.

Все же потом, уже после войны, некоторые из его информаторов стали известны. Это Ганс-Бернд Гизевиус, германский вице-консул в Цюрихе и сотрудник абвера, это уже знакомый нам Генс Остер, это генерал Томас. Все трое принадлежали к заговорщикам. Так что, как видим, они передавали сведения отнюдь не только англичанам. Трудно даже предположить, сколько информации было перекачано в Москву по этому каналу... Так что, как видим, они передавали сведения отнюдь не только англичанам. Трудно даже предположить, сколько информации было перекачано в Москву по этому каналу...

В 1942 году была предпринята попытка очередного покушения на фюрера. Убийство готовил офицер абвера Николаус фон Халем. Фигура эта весьма загадочная. Есть сведения, что накануне войны, по заданию Канариса, он приезжал в Москву с не совсем понятными полномочиями – вроде бы даже предупредить о возможном немецком нападении. Когда Халема арестовало гестапо, он дал показания на Донаньи, который выдал ему для найма убийцы 12 тысяч рейхсмарок, и на самого Канариса как главного заказчика преступления. Насколько можно судить по характеру шефа абвера, сам он вряд ли был действительным организатором и заказчиком покушения – но вполне мог знать о готовящемся теракте и, бездействуя, дать молчаливое согласие на его проведение.

Казалось бы, для Канариса все кончено. Но... глава гестапо Гиммлер, когда ему доложили о полученных сенсационных результатах, приказал прекратить следствие и изъять из протоколов все слова о Канарисе и абвере. (Как тут не вспомнить Ягоду, который направлял «кремлевское дело» по ложному пути, отводя удар от Енукидзе и Петерсона.) Почему?

А кто сказал, что у тузов гитлеровской колоды не могло быть своих интересов, отличных от интересов Гитлера и Третьего рейха? Вполне возможно, что уже в 1942 году Гиммлер тоже отдавал себе отчет, что Германия идет навстречу поражению и, пока не поздно, необходимо заканчивать дело миром. Еще более ясно он понимал, что одержимый своими идеями фюрер на переговоры ни за что не пойдет. Следовательно, Гитлера надо было убрать. Гиммлер не собирался участвовать в заговоре сам, но был готов не мешать другим.

Весь 1942 год продолжалась дальнейшая кристаллизация различных групп заговорщиков. Рассмотрим, хотя бы в общих чертах, весь конгломерат заговорщицких или просто оппозиционных Гитлеру групп, сложившихся в Германии на четвертом году мировой войны – это довольно скучно, но поможет нам, когда станем разбираться с тем, что происходило в СССР.

Выстроить четкую структуру, по типу армейской, у нас не получится. Нередко одни и те же люди состояли одновременно в двух и более кружках и организациях, которые, таких образом, тесно переплетались друг с другом. Тем не менее все же можно выделить два крыла заговора: гражданское и военное, в каждое из которых входило несколько групп.

«Бывшие»

Наиболее видная группа гражданских заговорщиков возглавлялась уже знакомым нам крупным чиновником Карлом Герделером. Благодаря множеству написанных им меморандумов, мы можем хорошо представить внешне и внутриполитические воззрения ее главы.

В области внешней политики он был антикоммунист-«западник», не любивший Россию и ориентировавшийся на Англию. Вспомним, как немецкие заговорщики постоянно стучали в двери британских министерств, несмотря на то, что не находили там ни поддержки, ни даже понимания. Избавившись от Гитлера, Германия, по мысли Герделера, должна была сохранить значительную часть своих завоеваний, прекратить войну на Западе и продолжать ее на Востоке. Страна должна оставаться доминирующей в континентальной Европе военно-политической державой, уступив Англии ее традиционное господство на морях. В сфере же внутренней политики позицию Герделера можно назвать «гитлеризмом без Гитлера». Идеалом для него было кастовое военно-бюрократическое государство, лучше всего с монархической формой правления. Демократия, считал Герделер, есть такое же зло, как и тирания Гитлера.

Вокруг бывшего обер-бургомистра Лейпцига и его программы сплотилось немало представителей высшего чиновничества. Одним из ближайших сподвижников Герделера стал профессор Попитц, министр финансов Пруссии в годы Веймарской республики и начального периода нацистского господства. К ним примыкал Ульрих фон Хассель, бывший с 1932 по 1938 год германским послом в Риме. Хорошо видя слабость фашистской Италии, он выступал против союза с ней, идя наперекор генеральной политике фюрера в этом вопросе. В этот кружок также входили: д-р Пауль Лежен-Юнг, бывший депутат рейхстага от партии немецких националистов; д-р Вирмер, адвокат и бывший член католической партии Центра; профессор геополитики Высшей политической школы в

Берлине Альбрехт Хаусхофер; адвокат Карл Лангбен, имевший связи с высшим руководством СС; сын знаменитого физика Макса Планка д-р Эрвин Планк, бывший сначала личным референтом рейхсканцлера Брюнинга, а затем директором в правлении концерна Отто Вольфа; профессор Йессен, смещенный нацистами за критику с поста директора Института мировой торговли и морского транспорта и ставший с 1941 года капитаном при штабе генерал-квартирмейстера; Цезарь фон Хофаккер, кузен знаменитого Штауффенберга, руководящий сотрудник концерна «Ферайнигте штальверке».

Видя приближающийся крах завоевательной политики Гитлера, на Герделера все больше ориентировались представители крупных промышленных кругов, такие, как Герман Бюхер («АЭГ»), Карл Бош («ИГ Фарбен»), Роберт Бош («Бош АГ»), Герман Рейш («Гютехофнунгсхютте»), Ялмар Шахт, Карл Сименс (концерн Сименса), Альберт Феглер («Ферайнигте штальверке»), Ганс Вальц («Бош АГ»). Они занимали ведущее положение в угольном, металлургическом и электронном секторах экономики Германии – впрочем, оппозиционные настроения нисколько не мешали им выполнять военные заказы нацистского руководства.

Стремясь максимально расширить круг своего влияния, Герделер установил связь с бывшими руководителями христианских профсоюзов, особенно с Якобом Кайзером и Максом Хаберманом. Вслед за этим он вошел в контакт с бывшими правыми лидерами СДПГ и Всегерманского объединения профсоюзов (АДГБ), а именно с Лейшнером, Лебером, Хаубахом, Хенком, Эрнстом фон Харнаком и другими. Также он установил связь с бывшим президентом национального собрания Австрии и бургомистром Вены Карлом Зейтцем. Зейтц возглавлял австрийскую группу заговорщиков, в состав которой входили Рерл, бывший видный политический деятель, и Рейтер, бывший австрийский министр сельского хозяйства.

Кроме того, Герделер установил контакт с бывшим представителем Баварии при немецком рейхстаге Ф. Шпеером, хорошо знавшим генерала Бека; бывшим обер-президентом Рейнской провинции Люнником; бывшими обер-бургомистрами Ганновера, Берлина, Дюссельдорфа. Сподвижниками его также стали бывший статс-секретарь прусского министерства внутренних дел Герберт фон Бисмарк, бывший тайный советник Штельцер, бывшие статс-секретари имперской канцелярии Хамм и Планк, министры Гесслер, Хермер и многие другие.

Как видим, практически перед каждым членом группы Герделера стоит словечко «бывший». Это были среднего уровня деятели и чиновники

Веймарской республики, оказавшиеся не у дел после прихода нацистов к власти и по этой причине оппозиционно настроенные к новому режиму. (Вспомним Зиновьева, Каменева, Рыкова, Бухарина и других из «ленинской гвардии», которые постепенно оказывались в стороне от управления государством – похоже, не правда ли?)

Однако, несмотря на свою относительную многочисленность, никакой реальной силы группа Гёрделера из себя не представляла. Все это были люди, которые могли говорить, выражать недовольство, но и только. Единственный толк от них был тот, что этих людей, в свое время достаточно известных, удобно было отправлять искать контакты – как с оппозиционерами внутри Германии, так и с правящими кругами Запада. Хотя и в этом наибольшую активность, как мы уже видели, проявил сам Гёрделер. Тем не менее он претендовал ни больше, ни меньше как на роль интеллектуально-политического руководителя всей германской оппозиции.

Во многом статус «бывших» привел в ряды заговорщиков таких старых дипломатов, как Вернер фон дер Шуленбург и Ульрих фон Хассель, которые были отстранены от службы в конце 30-х – начале 40-х годов. В МИДе существовали оппозиционные настроения, не без того – но от чиновников дипломатического ведомства толку было мало. Заместитель Риббентропа, упоминавшийся выше Вайцзеккер, вскоре, испугавшись, отошел от заговорщицкой деятельности и соответственно проинструктировал и всех своих подчиненных. После этого заговорщики перестали доверять заместителю министра и не желали иметь с ним больше никаких дел. Группа в МИДе распалась. Активность братьев Кордт, осуществлявших контакт с Западом, фактически прервалась после перевода одного из них на службу в германское посольство в Токио. Два других молодых дипломата, занимавшие достаточно скромное положение в министерстве, Адам фон Тротт и Ганс Берндт Хефтен, примыкали к так называемому «кружку Крейзау».

Диссиденты

Само собой, как в любом обществе, существовала в Германии и недовольная режимом интеллигенция. Основной их деятельностью было собираться и разговаривать. При определенных обстоятельствах это занятие тоже может быть достаточно разрушительным для государства – но таких обстоятельств в Германии не было. Тем не менее этих людей тоже можно «прислонить» к заговорщикам.

В среде высшего чиновничества и университетских профессоров существовало общество «Среда», насчитывавшее 16 членов. В его состав входили уже известные нам Попитц и Хассель, юрист Йессен, Лаутер и другие. Общество собиралось два раза в месяц для политических и экономических дискуссий. На его собраниях иногда выступали Бек и Герделер.

Другой кружок сложился во Фрейбургском университете. Его членами были экономисты Эйкен, Лампе, Альбрехт, историк Риттер и ряд других профессоров. Через Риттера кружок был связан с Герделером и по его заданию разработал программу «послевоенного восстановления».

Вокруг вдовы и дочери умершего в 1936 году немецкого посла в Японии Зольфа группировались интеллигенты и чиновники, вошедшие в историю под названием «кружка Зольфа». К нему примыкали промышленник Баллестрем, владелец горнометаллургических предприятий в Силезии; крупный банкир граф Бернсдорф, бывший советник немецкого посольства в Лондоне; советник МИДа Кюнцер, чиновники Царден и Кип, бывший бургомистр Берлина Эльзасс и другие. Члены «кружка Зольфа» поддерживали контакт с эмигрантскими кругами в Швейцарии и руководителем «кружка Крейзау» Мольтке.

Все эти три кружка ограничивались лишь теоретическими дискуссиями и никакого реального участия в заговорщицкой деятельности не принимали.

Гораздо большее значение имел «кружок Крейзау», получивший свое название от имени графа фон Мольтке, руководителя этой группы. По отцовской линии он был внучатым племянником знаменитого прусского фельдмаршала Мольтке, одного из основателей германского генштаба, однако матерью графа была англичанка, что, вкупе с полученным в Англии юридическим образованием, почти автоматически сделало его противником нового режима. Массовые зверства гитлеровцев на оккупированных территориях еще больше настроили против них Мольтке и побудили его требовать создания после войны международного трибунала для осуждения военных преступников. В сфере внутренней политики он стремился к демократическому устройству общества и утопическому христианскому социализму.

Желая крушения диктатуры Гитлера любой ценой, руководитель «кружка Крейзау» имел мужество дойти в своих рассуждениях до конца логической цепочки. В письме своему английскому другу Лайнелу Куртису в 1942 году Мольтке писал: «Ты знаешь, что я с первого дня боролся против нацистов, но степень угрозы и самопожертвования, которая требуется от нас сегодня и, вероятно, потребуется завтра, предполагает нечто большее, чем наличие добрых этических принципов, особенно поскольку мы знаем, что успех нашей борьбы, вероятно, будет означать тотальный крах, а не национальное единство. Но мы готовы прямо глядеть этому в лицо». Это хорошо знакомый нам по 1990-м годам случай, когда идея значит для человека больше, чем не только благополучие, но даже и существование его родины. Строго говоря, таковы все диссиденты – но далеко не все держатся с таким мужеством, как держался граф. Уже в заключении, в одном из своих последних писем он писал: «Нас повесят, потому что мы вместе думали» – он был чуть ли не счастлив, что смертным приговором германским оппозиционерам удостоверяется сила их духа.

В целом «кружок Крейзау» сложился к весне 1942 года, и его участники начали более или менее регулярно встречаться в имении для выработки своей программы. Ближайшим сподвижником Мольтке был граф Йорк фон Вартенбург, потомок известного прусского генерала Йорка. Предок у него был воистину замечательный. Генерал на свой страх и риск заключил Таурогенскую конвенцию 1812 года, положившую начало совместной германо-русской борьбе против Наполеона. Этот поступок оказал сильное влияние на всю семью, хранившую оригинал конвенции как реликвию. Кроме того, Йорк был близким родственником Штауффенберга, осуществившего два года спустя самое известнее покушение на Гитлера.

Вскоре тесный контакт с кружком Мольтке установил и бывший заместитель полицай-президента Берлина Франц фон Шуленбург (брат бывшего германского посла в СССР и участник прежних планов свержения Гитлера). Он в этой компании считался левым и за тесные связи с социал-демократами и активное изучение марксистской литературы даже получил кличку «красный граф». Шуленбург был за заключение мира на Западе и на Востоке и одобрял установление контактов с руководителями КПГ.

Общая вражда может порой объединить несоединимое. В «кружок Крейзау», помимо потомственных аристократов, входила также группа социал-демократических деятелей. В их числе были Карло Мирендорф, Тео Хаубах, Юлиус Лебер, Адольф Рейнвейн, Вильгельм Лейшнер, Герман Маас.

В отличие от однозначно прозападного кружка Герделера, «кружок Крейзау» можно, хотя и с натяжкой, в значительной степени считать «провосточным». Выступая за немедленное прекращение войны на всех фронтах, его члены были, в том числе, и за доброе соседство с социалистической Россией. Тщательно уклоняясь от любых контактов с западными разведками, члены «кружка Крейзау» склонялись к тому, чтобы искать поддержки в СССР. Об этом с декабря 1942 года начали поговаривать Тротт и лично знавший Сталина Шуленбург. Бывший посол Германии в СССР настаивал на переговорах с советским правительством и возражал против каких-либо обязательств по отношению к западным державам. Соответственно, положительно они относились и к сотрудничеству с немецкими коммунистами.

«Красные»

На самом крайнем левом фланге политического спектра, как и было положено, находились ушедшие в глубочайшее подполье отдельные организации КПГ. Наиболее значительным коммунистическое подполье было в Берлине, Саксонии и Тюрингии. В столице Германии действовала группа Зефкова – Якоба – Бестлейна, объединившая в своих рядах многих старых коммунистов, выпущенных нацистами из концлагерей после заключения пакта с Советским Союзом. В эту же группу вливались и члены уцелевших коммунистических организаций из других городских центров.

Пик наибольшей активности берлинской группы падает на 1943 – 1944 годы. Они создавали ячейки на промышленных предприятиях – а стало быть, занимались и саботажем, выпускали антифашистские листовки. О размахе деятельности группы свидетельствуют аресты. Когда в 1944 году группа была разгромлена, то, помимо Зефкова, Якоба и Бестлейна, было казнено еще 400 человек.

В Тюрингии коммунистические ячейки возглавляли Магнус Позер и Теодор Нейбауэр, а в Саксонии – Георг Шуман. Руководитель саксонских коммунистов Шуман вел даже переговоры с Герделером, но они не привели ни к какому результату. (Единственной гражданской оппозиционной силой в СССР, которая занималась конкретной деятельностью, а не одной болтовней и обсуждением грядущих «великих планов», были троцкисты. С ними и сравним германских «красных».)

Заговорщики в погонах

Но все это, согласитесь, как-то несерьезно. Чем занимались пресловутые оппозиционеры? Разговорами на кухнях... простите, в гостиных! – составлением политических программ. Конечно, после попытки путча Гитлер перевешал и штатских заговорщиков, но это было сделано явно за компанию. Раз участвовали – получите! Но, по большому счету, с такими врагами фюреру и охрана была не нужна, поскольку эта публика в принципе ни на что, кроме болтовни, была не способна. Ну, разве что на шпионаж – за который, кстати, в военное время тоже вешают. И надо очень четко понимать, что казнены они были не за то, что «вместе думали», и не за «оппозиционную деятельность», а за то, что принадлежали к организации, которая задумала и организовала покушение на Гитлера и попытку государственного переворота. Но, конечно, сделано это было силами другой части заговорщиков – тех, кто носил мундиры, погоны и ордена.

Военное крыло заговора также состояло из нескольких групп.

Господа генералы

Мы уже видели, что заговор против Гитлера начинался среди высших офицеров вермахта. Впрочем, основные деятели того времени – Бек и Хаммерштейн-Экворд – находились уже в отставке. Под их началом не было никакой реальной военной силы, да и возраста они были преклонного (Хаммерштейн умер в 1943 году), так что все, что они могли реально делать – это составлять планы переворота да влиять своим немалым авторитетом на других офицеров.

С Беком были связаны и несколько генералов старшего поколения, отправленных в отставку уже во время Второй мировой войны или еще продолжавших служить. К их числу относятся генерал-фельдмаршал Эрвин фон Витцлебен и генерал-полковник Эрих Гопнер, Карл Генрих Штюльпнагель и другие.

Люди из спецслужб

Как мы помним, вторая группа заговорщиков возникла в германской военной разведке – абвере. Условно ее можно назвать группой Канариса – Остера. Отлично осведомленный начальник разведки отдавал себе отчет в том, к какому конечному результату могут привести планы фюрера. Уже в середине августа 1939 года, когда стало ясно, что Гитлер развяжет новую мировую войну, Канарис заявил своему ближайшему окружению: «Это будет концом Германии». Соответственно, оказывая услуги противникам своей страны, адмирал страховал себя на будущее.

Канарис, впрочем, уклонялся от конкретных действий, предоставив полную свободу рук своему помощнику Остеру. Может быть, он и выкрутился бы после провала заговора – но опытный и осторожный начальник военной разведки (!) совершил просто феноменальную глупость: он вел дневник (!!), в котором скрупулезно и тщательно записывал каждую услугу(!!!), оказанную иностранным разведкам или оппозиции внутри Германии. Когда после раскрытия заговора 1944 года дневник шефа абвера попал в руки следствия, он автоматически предопределил судьбу своего автора: Канариса арестовали, пытали и казнили. Должно быть, немало повеселился Сталин, еще в 1937 году говоривший, что наши заговорщики – опытные конспираторы и документов после себя не оставляют.

Остеру помогали, особенно в его контактах с Западом, такие сотрудники абвера, как Гизевиус, Донаньи, Мюллер, Бонхефер, Кип и другие. Очевидно, все же чувствуя неладное (при великих конспиративных талантах заговорщиков сигналов было более чем достаточно), 18 февраля 1944 года Гитлер издал указ об объединении разведывательной службы и подчинении ее Гиммлеру. Канарис был уволен в отставку, а военная разведка сведена к небольшому отделу в главном командовании вермахта. Впрочем, новый шеф разведки, полковник Георг Хансен, также являлся заговорщиком – однако возможности у него были уже не те.

Любопытно, что в июне 1944 года, уже после указа об объединении, между Гиммлером и Канарисом состоялась откровенная беседа, во время которой первый сказал, что хорошо информирован о заговорщицкой деятельности абвера и, когда придет время, примет необходимые меры. (Кстати, во время «большой чистки» наша военная разведка, равно как и НКВД, пострадала очень сильно.)

В органах государственной безопасности Германии оппозиция была представлена Артуром Небе, членом НСДАП и СС с 1931 года. В 1937 году он стал начальником всей криминальной полиции Германии (5-е управление РСХА). Венцом его карьеры было полученное в 1941 году звание генерал-лейтенанта полиции и группенфюрера СС. В этом качестве он осуществлял программу ликвидации берлинских цыган и был начальником «группы действий "Б"», творившей неслыханные зверства на территории Советского Союза.

Не совсем понятно, что привело такого человека в ряды противников Гитлера – не иначе как Небе решил подстраховать себя. Как бы то ни было, он вошел в контакт с оппозицией, при необходимости предостерегая ее от опасных шагов. Он же (возможно, с ведома Гиммлера) покрывал все попадавшие в РСХА концы генеральского заговора.

Другим видным нацистом, который также снабжал заговорщиков столь необходимой им информацией о том, насколько власти о них осведомлены, являлся полицай-президент Берлина, старый нацист и эсэсовец граф Вольф Генрих фон Гельдорф.

Армейские

Ну и наконец-то мы дошли до людей в погонах, самой дееспособной части заговорщиков. Непосредственно в армии сложилось четыре группы. Объединяло их то, что состояли они из офицеров «младшего» поколения, ставших в оппозицию к Гитлеру лишь после начала войны, во многом из-за поражений на восточном фронте.

Первая группа образовалась на советско-германском фронте, в штабе главнокомандующего группой армий «Центр», где в битве под Москвой вермахт впервые за всю войну потерпел тяжелое поражение. Главой ее стал офицер генерального штаба, наш старый знакомый Хеннинг фон Тресков, ставший к тому времени генерал-майором, и его ближайший помощник – Фабиан фон Шлабрендорф. А в саму группу входили адъютанты командующего центральным участком советско-германского фронта фон Харденберг, фон Лендорф и другие.

Вторая группа возникла в штабе командующего армией резерва, который находился на Бендлерштрассе в Берлине. Она-то и стала подлинным организационным центром заговора. Возглавлял ее генерал Фридрих Ольбрихт, а его главным сподвижником стал полковник Штауффенберг. Ольбрихт был фактически заместителем командующего резервной армией и благодаря этому распоряжался войсками, расквартированными на территории рейха.

Третья группа – уже, можно сказать, по традиции – находилась в генеральном штабе сухопутных войск в Цоссене. Ее руководящими деятелями были генерал-квартирмейстер Вагнер, начальник организационного отдела главного командования армии генерал Штифф и генерал Линдеманн.

Если офицеры на советско-германском фронте на себе чувствовали, что такое война с Россией и чем она чревата для немецкого солдата, то сотрудники штабов хорошо знали общее экономическое и военно-политическое положение Германии и все яснее осознавали, что война проиграна. Желание спасти хоть что-то (и себя в том числе) и побуждало их к активным действиям.

Еще одна – незначительная – оппозиционная группа сформировалась в Париже, в штабе командующего германскими войсками во Франции.

Ее возглавили генерал Штюльпнагель и полковник Цезарь фон Хофаккер – двоюродный брат Штауффенберга.

1942 год стал важной вехой в оформлении заговора против фюрера. Именно в это время оппозиционные группы находят друг друга и объединяются. Тогда же в общих чертах складывается и примерный план действий, равно как и круг участвующих в них лиц.

О возникновении кружка заговорщиков в штабе группы армий «Центр» неугомонный Остер узнал еще в 1941 году от своего друга адвоката Шлабрендорфа. Тот был призван в армию и попал на восточный фронт, прямо в подчинение полковнику Трескову – и сообщил помощнику Канариса о существовании этого полковника, готового на самые решительные действия.

Впрочем, уж кто-кто, а Тресков отлично знал, что такое немецкий военный, а особенно что такое немецкий офицер, его верность присяге, солдатской чести и беспрекословное повиновение начальству. Он понимал, что никакой переворот в Германии невозможен, пока жив верховный главнокомандующий – Гитлер. Вывод из этого несложного наблюдения для боевого офицера был очевиден: необходимо убить фюрера и тем самым освободить армию от данной ему присяги.

От чего уберегся Сталин

Группа Трескова разработала три варианта «акции»: Гитлера должен застрелить смельчак-одиночка, фюреру подложат бомбу, или же группа военных внезапно нападет на его ставку. Заговорщики выбрали бомбу, и подполковник барон фон Герсдорф даже достал подходящую взрывчатку. Однако вслед за тем организационная мысль военных натолкнулась на существенное препятствие. Даже если покушение на Гитлера пройдет удачно (что было крайне трудно само по себе), это отнюдь не гарантировало, что готовящийся переворот увенчается успехом. Власть в стране легко могли взять в свои руки ближайшие сподвижники нацистского вождя. Так что, кроме собственно теракта, необходимо было после убийства фюрера взять под свой контроль важнейшие центры и подавить сопротивление сил, верных режиму. На примете у Трескова была лишь кавалерийская часть Безелагера – резервный отряд группы армий «Центр», – но этого в масштабах Третьего рейха было явно мало.

Заговорщики на восточном фронте зашли бы в тупик, если бы Остер к этому времени не наладил контакт с группой генерала Ольбрихта, находившейся непосредственно в столице. После нескольких встреч в штабе командующего армией резерва Ольбрихт и Остер соединили прежние планы путчей 1938–1940 годов с замыслом Трескова, в результате чего родилась новая схема, которая и легла в основу знаменитого покушения на фюрера, состоявшегося 20 июля 1944 года. Ольбрихт планировал использовать в момент путча расположенные в Кельне, Мюнхене и Вене войска. Штаб-квартирой нового заговора стал в конце марта 1942 года дом находившегося в отставке Бека.

Самую большую проблему представляла собой столица, наполненная подразделениями СС и СД. Предполагалось, что восточную часть города займут войска, расквартированные во Франкфурте-на-Одере, но в целом сил на этом решающем участке у армейских заговорщиков явно не хватало. Остер постарался выйти из положения, задействовав в перевороте начавшую формироваться в столице дивизию «Бранденбург», для чего устроил на должность ее командира известного ему своими антигитлеровскими настроениями полковника фон Пфульштейна. Хайнц, другой знакомый заместителя Канариса, стал командиром 4-го полка в той же дивизии.

Однако и тут заговорщиков ждали неожиданности. Пфульштейн критически высказывался о фюрере, когда возглавлял ганноверское отделение абвера, и было это в конце 30-х. Но стоило Гитлеру наградить его, как полковник тут же вспомнил о верности присяге. В довершение всего, дивизию из ведения абвера забрал себе генерал Йодль, что окончательно спутало карты Остеру.

В том же 1942 году были установлены контакты и между основными силами гражданского и военного крыльев заговора. В августе 1942 года на восточный фронт, по выданным Остером фальшивым документам, отправился Герделер. В Кенигсберге он встретился с командующим группой армий «Север» генерал-фельдмаршалом фон Кюхлером, попытавшись побудить его примкнуть к генеральской оппозиции, а в Смоленске – с командующим группой армий «Центр» генерал-фельдмаршалом фон Клюге. Тот неоднократно критически высказывался о Гитлере, но говорить – не значит быть готовым, да и даже хотеть перейти к активным действиям.

Единственное, что порадовало Герделера, так это встреча с Тресковым. До тех пор он считал, что надо путем переговоров побудить Гитлера уйти в отставку. Однако более реалистичный и решительный Тресков, который с самого начала ориентировался на убийство, переубедил Герделера, и они принялись увлеченно обсуждать планы устранения Гитлера.

263

Этот взгляд на «проблему фюрера» разделяли и наиболее смелые офицеры, чем объясняется лавинообразное увеличение попыток покушения на Гитлера в 1943 году. В начале года Хеннинг фон Тресков планировал собственноручно застрелить его при докладе. Понимая, что шансы на успех у террориста-одиночки чрезвычайно малы, он склонил офицеров Шмидта-Зальцмана и фон Клейста втроем расстрелять диктатора из пистолетов, когда тот приедет на фронт. Однако в очередной раз сработала пресловутая военная дисциплина: при обсуждении этого плана с генерал-фельдмаршалом Клюге (!) последний резко высказался против, и этот запрет вышестоящего офицера автоматически положил конец идее застрелить Гитлера при посещении им войск группы армий «Центр».

Истолковав запрет командира в узком смысле и посчитав, что он распространяется только на пистолет, Хеннинг фон Тресков и Фабиан фон Шлабрендорф заложили два взрывных устройства в самолет фюрера, на котором он в середине марта 1943 года возвращался с восточного фронта. Однако почему-то ни одна из двух бомб так и не сработала.

Эстафету немедленно подхватили берлинские заговорщики во главе с генералом Ольбрихтом. Они решили предпринять новое покушение на фюрера все в том же марте, спустя всего лишь семь дней после провала попытки взрыва самолета. Исполнителем был назначен полковник фон Герсдорф, который недавно овдовел и теперь был готов пожертвовать своей жизнью ради убийства Гитлера. Акцию наметили на «день героев». Однако праздник перенесли с 15 на 21 марта, заговорщики не знали его сценария и не смогли точно рассчитать, в какое время следует зажечь запал. В конце концов, Герсдорф решил взорвать себя вместе с Гитлером и другими нацистскими руководителями, вооружился английской миной и занял позицию у входа. Однако фюрер, вопреки обыкновению, прошел в зал очень быстро, да и там пробыл всего десять минут, так что полковник попросту не успел взорвать свою бомбу.

Третью попытку избавиться от Гитлера предпринял полковник Штифф, который решил взорвать его во время обсуждения положения на фронте в ставке фюрера. Однако взрыв произошел раньше времени, так что провалилась и эта попытка.

Еще одна акция была назначена на день демонстрации нового военного обмундирования, в которой должен был принимать участие и предполагаемый исполнитель, капитан Аксель фон дер Буше. Чтобы гарантировать успех, решено было, что капитан во время демонстрации бросится на диктатора, схватит его и подорвет обоих. На сей раз покушение сорвали союзники, за день до намеченной даты разбомбившие приготовленные для демонстрации образцы. Когда же, к декабрю, обмундирование пошили заново, Гитлер неожиданно уехал на виллу в Берхтесгаден.

...Между тем заговорщики начинали испытывать немалые трудности. В январе 1943 года в Касабланке произошла встреча Черчилля и Рузвельта. Союзники решили не заключать никаких соглашений с деятелями немецкого Сопротивления, а добиваться полной и безоговорочной капитуляции Германии.

Осенью 1943 года Тресков всерьез подумывает о том, как установить контакт с Советским Союзом. Сделать это должен был лично знавший Сталина бывший немецкий посол в Москве Шуленбург. Он собирался пересечь линию восточного фронта или на участке группы армий «Центр», при содействии самого Трескова, или на участке группы армий «Юг» – при содействии полковника генерального штаба Шульце-Бюттгера. Однако все эти планы сорвались, как обычно, из-за малодушия высших чинов – на сей раз фельдмаршалов фон Клюге и Манштейна.

О возросшем влиянии восточной ориентации говорит и предназначенный для Рузвельта меморандум от декабря 1943 года: «Прорусское крыло оппозиции значительно сильнее, чем проанглосаксонское, особенно в вермахте: в авиации же преимущественно представлено только оно. В этих кругах отчасти действовали те побудительные мотивы, которые в свое время привели к заключению Рапалльского договора, а также традиции имевшего тогда место сотрудничества между рейхсвером и Красной Армией; ныне, находясь под крайне сильным впечатлением от мощи и успехов Красной Армии, эти круги хотели бы пойти вместе с нею лучше сегодня, нежели завтра... Проанглосаксонская оппозиционная группа слабее прорусской, однако тоже имеет своих первоклассных представителей в руководящих военных и гражданских учреждениях... (Последняя) группа... считает коммунистическо-большевистское развитие Германии и возникновение немецкого национал-большевизма самой крупной и наиболее угрожающей опасностью для будущего Германии и Европы, чему надо противодействовать всеми силами».

Тучи начали сгущаться и внутри страны – долго бездействовавшие органы безопасности наконец напали на след заговорщиков. В начале 1943 года об этом предупредил Канариса его старый знакомый, штурмбанфюрер СС Хартмут Плаас (кстати говоря, в Веймарской республике – видный национал-большевик). Аналогичная информация шла и от Небе.

Все началось с того, что в Праге полиция поймала валютного спекулянта с крупной партией долларов и драгоценностей. На конвертах с ценностями была написана фамилия Шмидхубер. Арестованный спекулянт признался, что провести сделку ему поручил этот человек – офицер абвера. Попав в гестапо, Шмидхубер быстро рассказал и о контактах с Ватиканом, к которым он имел некоторое отношение, и о заговоре против режима, организованном Беком и другими оппозиционерами. Однако Гиммлер распорядился в своем ведомстве дело прекратить, а собранные материалы отправить в военную юстицию. Ее следователи в апреле провели обыск в кабинете Донаньи и нашли у него в сейфе бумаги, которые поочередно неуклюже пытались спрятать сначала Донаньи, а затем и присутствовавший при обыске Остер. Разведчики, однако...

Да, немецкие генералы, в отличие от наших, никогда не делали революцию. Когда следователи ознакомились с изъятыми документами, они поняли беспокойство сотрудников абвера. Первая же страница начиналась со следующей декларации: «Военные Германии и круги христианской церкви полны решимости свергнуть национал-социалистский режим». Далее шло описание условий заключения мира и будущего территориального устройства Германии. Идиотизм немецких «конспираторов» просто поражает: один теряет список заговорщиков в казино, другой ведет дневник с подробным описанием собственной антигосударственной деятельности, третьи пишут и хранят в служебном сейфе бессмысленные теоретические декларации...

Донаньи и несколько его сподвижников были немедленно арестованы, а выдавший себя своим поведением Остер 15 апреля уволен из абвера и помещен, по сути дела, под домашний арест. Перепуганные Бек и Герделер категорически запретили остальным участникам заговора поддерживать с ним какой-либо контакт.

Изоляция заместителя Канариса – самого активного из заговорщиков – на какое-то время замедлила реализацию планов оппозиционеров. Прошел не один месяц, пока на первую роль не выдвинулся не менее энергичный деятель – полковник граф Клаус Шенк фон Штауффенберг.

Глава 12

ОПЕРАЦИЯ «ВАЛЬКИРИЯ»

Граф Клаус Шенк фон Штауффенберг родился 15 ноября 1907 года в замке Грейфенштейн в Геттингене, в старинной аристократической семье. Его отец был камергером баварского короля, мать – внучкой прусского генерала фон Гнейзе. Воспитанный в консервативном духе, молодой граф не принимал Веймарскую республику, зато с энтузиазмом воспринял идеи нацизма. Начало Второй мировой войны застало его офицером Баварского кавалерийского полка. Он служил в Польше, Франции, Северной Африке. В Тунисе получил тяжелейшее ранение, потерял правую руку, два пальца на левой и один глаз. После этого Штауффенберга уволили из действующей армии. Однако с военной службой он не порвал, и летом 1943 года был назначен начальником общего армейского ведомства, руководителем которого был генерал Ольбрихт, а 1 октября 1943 года стал начальником штаба армии резерва.

По взглядам Штауффенберг был «умеренным нацистом». Ему нравилась расовая теория, он одобрял удаление евреев из культурной жизни. Но когда он столкнулся с практикой нацизма, с геноцидом и массовыми убийствами, взгляды его изменились. Он решил, что Гитлер и его соратники предали идеалы 1933 года и их следует устранить, а во главе страны должно стать военное руководство. Но устранение Гитлера и его режима он рассматривал не как самоцель, а как начало далеко идущих политических и социальных перемен в Германии. Общавшийся с ним Герделер отмечал, что Штауффенберг стремился к политике с опорой на левых социалистов и коммунистов. Гизевиус утверждал, что он желал «военного социализма» и искал необходимую для этого опору.

И на самом деле программные заявления группы Штауффенберга и германской компартии полностью совпадали. В своей книге о заговоре

Ален Даллес рассматривает полковника как опасного революционера, подумывавшего о «революции рабочих, крестьян и солдат». Далее американец так пишет о Штауффенберге: «Он проявлял величайший интерес к проблеме отношений с Востоком и к возросшему значению России в Европе... Он надеялся, что Красная Армия поддержит организованную по русскому образцу коммунистическую Германию». Полковник фон Ганзен, ставший преемником Канариса на посту начальника абвера, утверждал: «Штауффенберг играл со мною в прятки. Если еще несколько недель назад он рассчитывал на то, что удастся столкнуть Запад с Востоком, то теперь он думает о совместном победном походе серо-красных армий против плутократии».

Естественно, придя к таким взглядам, полковник стал искать единомышленников, если не в «красной» части своих концепций, то хотя бы в «антикоричневой». Через родственника, Петера фон Вартенбурга, Штауффенберг связался с группой Крейзау, а когда в январе 1944 года граф Мольтке был арестован, принял на себя руководство заговором.

С его приходом попытки убийства Гитлера резко активизировались. Штауффенберг был сторонником плана убийства фюрера в его собственной штаб-квартире. В отличие от подавляющей массы военных, он обладал ясностью мысли и готовностью идти до конца. «Давайте посмотрим в суть дела, – сказал он однажды одному офицеру-заговорщику, – я при помощи всех имеющихся в моем распоряжении средств занимаюсь государственной изменой».

Предприятию, прозябавшему в бесчисленных маневрах мысли, Штауффенберг придал организационный фундамент и почти что революционную решимость. Дальнейшие события наглядно показали, что однорукий и одноглазый подполковник один сделал для свержения Гитлера больше, чем все остальные здоровые в физическом плане, но ущербные в волевом и в умственном отношении заговорщики.

«Валькирия» заносит меч

Окончательный план заговора оформился на встрече Герделера, Ольбрихта и Трескова в ноябре 1943 года. Ольбрихт изложил сподвижникам свой проект захвата власти в Берлине, Вене, Кельне и Мюнхене силами резервной армии. План предусматривал убийство Гитлера и немедленную организацию военного правительства. СС, гестапо и СД предполагалось нейтрализовать силами вермахта. Были даже заранее заготовлены три специальных секретных приказа на случай внутренних волнений в стране. Путчисты условились, что паролем к совершению военного переворота будет сигнал «Валькирия». Исполнителем самого главного во всем заговоре – теракта против Гитлера – должен был стать Штауффенберг.

Случай представился почти сразу же. 26 декабря 1943 года Штауффенберга вызвали в ставку Гитлера для доклада. Он приготовил и принес взрывное устройство замедленного действия. Однако фюрер в последний момент отменил совещание. Надо было ждать другой возможности...

...Тем временем заговор развивался. В феврале к нему примкнул командующий немецкими войсками на севере Франции генерал-фельдмаршал Эрвин Роммель. Один из крупнейших военачальников вермахта, прославившийся своими победами в Северной Африке, Роммель не мог не понимать, что положение Германии безнадежно. Однако верность присяге и личные симпатии к Гитлеру (Роммель знал фюрера с 1935 года, а в 1938–1939 годах возглавлял батальон его личной охраны) заставили его долго колебаться. С приходом в их ряды чрезвычайно популярного в войсках генерала заговорщики наконец получили военного лидера, способного в решающий момент действовать энергично и без промедлений.

Роммель был против убийства Гитлера. Он предложил арестовать фюрера и договориться с западными союзниками о сепаратном перемирии при условии отхода немецких войск за линию государственной границы 1939 года. Эмиссар заговорщиков Отто Йон встретился в Мадриде с американским военным атташе и передал предложения фельдмаршала главнокомандующему союзными войсками генералу Эйзенхауэру. Однако ответа он не получил. К тому времени США и Великобритания уже не рассматривали Германию в качестве опасного противника и твердо взяли курс на ее военный разгром.

Тем временем обстоятельства для заговорщиков складывались все более и более неблагоприятно. Свержение Муссолини в Италии сделало Гитлера еще более подозрительным, чем обычно. В его выступлении по радио прозвучал угрожающий подтекст о сомнительной лояльности «фельдмаршалов, адмиралов и генералов» и надеждах противника найти предателей в немецком офицерском корпусе. Вокруг заговорщиков сжималось кольцо гестапо. Продолжалось следствие по делу подчиненных Остера. Совершенно независимо от этого, по другой разработке, гестаповцы внедрили в кружок Зольфа своего шпика и в январе 1944 года арестовали многих его участников. Следствие быстро установило, что с кружком поддерживал связь Гельмут фон Мольтке, который также был немедленно арестован. Так гестапо напало на след «кружка Крейзау» и начало распутывать нить, ведущую к самым главным заговорщикам.

22 июня 1944 года в руки гестапо попали Юлиус Лебер и Адольф Рейхвейн. Они были арестованы на конспиративной квартире, где в тот момент как раз шли переговоры с руководителями компартии. 17 июля был отдан приказ об аресте Герделера – однако бывшего обер-бургомистра Лейпцига предупредили, и он успел скрыться.

Любопытно, что репрессиям в этот период подвергались исключительно лидеры левого крыла заговора, хотя отвечающий за безопасность государства рейхсфюрер СС и министр внутренних дел Гиммлер был достаточно осведомлен и о других путчистах. Вскоре после отставки Канариса Гиммлер откровенно заявил ему, что знает о носящихся с идеей восстания офицерах во главе с Герделером и Беком, которых скоро арестует. Впрочем, Гиммлера проинформировали о заговоре еще раньше – но он сам участвовал в сепаратных переговорах с союзниками и не спешил его пресечь. А вот в очистке рядов заговорщиков от левых, чтобы придать грядущей хунте максимально консервативный характер и прозападный курс, рейхсфюрер был очень даже заинтересован. Ведь при ином режиме виселица ему была гарантирована.

Тем не менее летом 1944 года стало ясно, что окончательное раскрытие всего заговора в более или менее полном объеме – вопрос времени, причем недолгого. Заговорщики встревожились и, напуганные, стали особенно опасны.

Вот уж не повезло!

К лету 1944 года военное положение гитлеровской Германии настолько ухудшилось, что среди заговорщиков стали появляться сомнения – имеет ли вообще сейчас смысл совершать государственный переворот? Не лучше ли подождать, когда все проблемы разрешатся сами собой – ведь конец нацистского режима уже близок.

В июне Штауффенберг спросил Трескова, что он думает по этому поводу. Ответ был характерным: «Покушение должно быть совершено, чего бы это ни стоило. Если же оно не удастся, все равно надо действовать в Берлине, ибо теперь речь идет не о практической цели, а о том, что немецкое движение Сопротивления перед лицом всего мира и истории отважилось бросить решающий жребий. А все остальное в сравнении с этим безразлично». Снова все та же песня: основная забота – не достижение конкретной цели, а собственный имидж перед лицом истории, моральное самооправдание, а не реальная победа.

Обстоятельства продолжают работать на заговорщиков. Ранним утром 6 июня первые английские и американские дивизии высаживаются во Франции. Взбешенный неудачными действиями командующего группой армий «Запад» Рундштедта, Гитлер заменяет его участником заговора генерал-фельдмаршалом Клюге. Таким образом, важнейшие командные посты на этом участке попадают в руки путчистов. Но главная удача была еще впереди. 20 июня Штауффенберг назначен начальником штаба командующего армией резерва генерал-полковника Фридриха Фромма, тем самым получая доступ на совещания в ставке Гитлера. Дорога открыта!

Первый раз ему удается пронести бомбу на заседание в ставке 6 июля. Но взрывать ее полковник не стал. На совещании отсутствовали Геринг и Гиммлер, которых, как он считал, необходимо было убрать вместе с фюрером. То же самое повторяется и 11 июля. 15 июля Геринг и Гиммлер наконец появляются, но теперь уже сам Штауффенберг не успевает вставить в бомбу запал, поскольку его срочно вызывают на другое совещание. (Хороша же была охрана в Ставке, если под носом у нее можно было сколько угодно бегать с бомбами!)

11 и 15 июля заговорщики дают войскам резерва сигнал «Валькирия», но по звонку Штауффенберга отменяют его. Для непосвященных все происходящее кажется учебной тревогой. Наконец, «время Х» настало...

18 июля полковник Штауффенберг получает приказ: подготовить к 20 июля доклад о возможности использования на Восточном фронте так называемых «народно-гренадерских» дивизий – «тотальных» дивизий, сформированных из лиц, ранее освобожденных от военной службы. Штауффенберг сообщает об этом Беку и Ольбрихту, пообещав на этот раз взорвать бомбу в любой ситуации. В свою очередь, те решают в случае неудачи открыто обратиться к союзникам за поддержкой и через фон Клюге открыть их войскам дорогу на Берлин.

20 июля, около **7 часов** утра Штауффенберг в сопровождении своего адъютанта и соратника по заговору обер-лейтенанта Вернера фон Хефтена вылетел с берлинского аэропорта Рангсдорф в Восточную Пруссию, где под городом Растенбург была расположена знаменитая ставка Гитлера «Вольфшанце» – «Волчье логово». Три поста охраны пропустили постоянного участника совещаний у фюрера без особых мер предосторожности. Спустя пять часов после вылета полковник доложил о своем прибытии начальнику штаба верховного главнокомандования вермахта генерал-полковнику Кейтелю, после чего оба направились на доклад.

Июль 1944 года выдался чрезвычайно жарким, и Штауффенберг попросил у Кейтеля разрешения переодеться. Адъютант Кейтеля предоставил ему свою спальню, куда вошел и Хефтен, который должен был помочь искалеченному полковнику. В спальне Штауффенберг и Хефтен раздавили щипцами химический взрыватель одной из привезенных бомб. Первоначально они собирались подготовить к взрыву обе бомбы, но вошедший в комнату с поручением дежурный фельдфебель помешал это сделать, и вторую адскую машинку Хефтен едва успел засунуть в свой портфель.

Кое-как переодевшись, заговорщики почти бегом бросились в зал заседаний. Оказалось, что от погоды в тот день страдали не только они. Гитлеру тоже было очень жарко, и он велел перенести заседание из подземного бетонного бункера в деревянный барак, служивший местом работы для картографов ставки. Более того, фюрер распорядился открыть настежь все окна. Перенос места совещания сильно уменьшил шансы заговорщиков. Действие взрывной волны в бараке с открытыми окнами намного меньше, чем в подземном бомбоубежище. Но отступать было уже поздно.

Опоздавший на несколько минут Штауффенберг, оставив Хефтена с машиной перед картографическим бараком, вошел внутрь. Совещание уже началось, и первый докладчик, начальник оперативного управления генштаба генерал Хойзингер, рассказывал о положении на Восточном фронте. Поздоровавшись с фюрером, Штауффенберг поставил свой портфель рядом с ним. Почти сразу после этого появился дежурный фельдфебель-телефонист, сообщивший, что начальник связи Верховного командования Фельгибель срочно вызывает полковника к телефону. И тут на заговорщиков обрушилась очередная роковая случайность. Заместитель Хойзингера полковник Брандт, желая подойти поближе к карте, наткнулся на портфель и задвинул его за массивную дубовую подставку стола.

В **12.50** Хойзингер завершил свой доклад словами: «Русские наступают крупными силами на запад. Их передовые части уже у Даугавпилса. Если мы немедленно не перебросим войска из района Псковского озера, произойдет катастрофа...» И катастрофа не замедлила произойти.

Мощный взрыв, равный по силе удару 150-миллиметрового снаряда, обрушился на комнату. Личного стенографиста Гитлера и одного из дежурных офицеров связи разорвало на части. Брандт, начальник управления личного состава сухопутных войск генерал-лейтенант Шмундт и начальник штаба оперативного управления ВВС генерал Кортен получили смертельные ранения. Тяжело раненного представителя главкома ВВС генерала Боденшанца взрывной волной выбросило в окно. Серьезно пострадал и адъютант Гитлера полковник Боргман. А вот сам фюрер остался невредим.

Близорукий Гитлер в момент взрыва нагнулся над столом, желая разглядеть карту, и это, наряду с заслонившей портфель подставкой стола, спасло ему жизнь. Рейхсканцлер в итоге отделался контузией, поврежденными барабанными перепонками и несколькими ссадинами. Гораздо сильнее пострадала его одежда, превратившаяся в лохмотья. С трудом выкарабкавшись из-под обломков и очумело глядя на царящий кругом разгром, Гитлер сокрушенно произнес: «О, мои бедные новые брюки! Я их только вчера надел!»

Однако наблюдавшие взрыв Хефтен и Штауффенберг были уверены, что покушение удалось, и тут же отправились обратно в Берлин. Обманув охрану сообщением о срочном вызове и выбросив по пути вторую бомбу, они вылетели в столицу.

Хроника трусости и разгильдяйства

> Меня, старого солдата, эти люди сделали антимилитаристом!
> *Генерал Курт фон Хаммерштейн-Эквод*

...Опираясь на руку Кейтеля, Гитлер, ковыляя, вышел из разгромленного барака. Увидев фюрера живым, начальник связи Фельдгибель растерялся. Вместо того чтобы сообщить в Берлин о случившемся и затем вывести узел связи из строя, что дало бы заговорщикам хоть какое-то время, он бросился за советом к своему приятелю, генерал-майору Хельмуту Штиффу. После недолгого обсуждения ситуации оба решили, что все провалилось и пора сматывать удочки.

Трусость Фельдгибеля была первым из роковых для заговорщиков обстоятельств, хотя далеко не единственным. Едва придя в себя, Гитлер распорядился сообщить о случившемся Геббельсу, замещавшему его в Берлине, после чего до 15.30 запретил передачу любой информации из ставки. Одновременно Гиммлер, поняв, что заговор провалился, срочно вылетел в Берлин для ареста его участников.

Лишь в **15.30**, с опозданием на два с половиной часа, глава собравшихся в здании министерства обороны заговорщиков генерал Ольбрихт сумел связаться с Фельдгибелем. Тогда-то он и узнал о неудаче покушения. Тем не менее генерал решил действовать и распорядился поднять по боевой тревоге внутренние войска. Военному коменданту Берлина фон Хазе он приказал, взяв охранный батальон «Великая Германия» и мобилизовав курсантов, занять правительственные здания, радиостанции и казармы СС. Поддержать его должен был полицай-президент Берлина Гельдорф, однако в последний момент тот отказался выступить до тех пор, пока город не будет полностью захвачен армией. Курсанты и офицеры пехотного училища в Дебёрице, унтер-офицерского училища в Потсдаме и танковых училищ в Крампнице, Вюндсдорфе и Гросс-Глинке, а также части потсдамского гарнизона получили приказ частью сил отрезать Берлин от остальной территории рейха. Остальные войска направили на помощь столичному гарнизону, на случай сильного сопротивления эсэсовцев.

В **16.05** Ольбрихт появился у Фромма и потребовал дать сигнал «Валькирия» войскам резерва по всей Германии. Однако тот уже связался по телефону со ставкой и, узнав, что Гитлер жив, отказался это сделать. Лишь в **16.45**, когда появились Штауффенберг и Хефтен, дело сдвинулось с места. Фромма арестовали, на его место поставили генерал-полковника Гёпнера. Затем были арестованы и заперты в служебных помещениях сохранившие верность присяге генералы и офицеры, в том числе начальник берлинского гарнизона генерал Кортцфляйш.

Однако, как бы ни превозносили хваленую немецкую организованность и предусмотрительность, в стане заговорщиков царили саботаж пополам с бардаком. Заговор формировался на уровне генералов и полковников, и о таком чине, как лейтенант, они попросту забыли. Тем не менее именно лейтенант, сохранивший верность присяге дежурный офицер узла связи Георг Рёриг, нанес им жестокий удар. Он намеренно задержал отправку приказов в военные округа, а в некоторые их вообще не передал. В результате командование всех округов, кроме Вены и Парижа, практически бездействовало, а после того, как в **18.45** по радио передали сообщение о провале покушения, полностью отказалось от участия в перевороте. Начальник крамницкого танкового училища полковник Глеземер, когда подчиненные ему войска ввели в Берлин, связался с Геббельсом и сообщил ему о происходящем. Командиры других танковых и пехотных училищ, овладев, согласно приказу, радиостанциями, не сделали ничего, чтобы помешать им передавать сообщения Геббельса, включая и парализовавшую многих заговорщиков информацию о провале покушения. Но самый страшный удар нанес командир охранного батальона «Великая Германия» Отто Ремер, которого никто из заговорщиков не додумался ни завербовать, ни снять.

Едва батальон получил приказ оцепить правительственный квартал, как прикомандированный к нему сотрудник министерства пропаганды лейтенант Хаген отправился к своему шефу, то есть к Геббельсу, и сообщил ему, что войска резерва подняты по тревоге. В отличие от заговорщиков, Геббельс не растерялся. Он тут же приказал поставить под ружье эсэсовский полк личной охраны фюрера «Адольф Гитлер» и вызвал к себе Ремера.

А вот дальше начинается скверный анекдот: Ремер, ничего не подозревавший о подоплеке событий, как и положено по субординации, попросил у своего непосредственного начальника, военного коменданта Берлина, разрешения отправиться к министру. Но тот запретил – и тогда Ремер, поняв, что происходит что-то не то, немедленно и уже не спрашивая ни у кого разрешения, отправился к рейхсминистру. Геббельс связался по телефону с Гитлером и передал трубку Ремеру. Фюрер приказал командиру батальона лично подавить путч, попутно произведя его в полковники (а впоследствии и в генерал-майоры). Одновременно, также по приказу Геббельса, начальник инспекции танковых войск полковник Больбринкер, которому подчинялись все танковые училища, отдал приказ вывести их подразделения из Берлина.

Так хромой от рождения коротышка Геббельс, никогда не служивший в армии и являвшийся мишенью для бесчисленных острот со стороны потомственной военной аристократии, проявил себя куда более решительным военачальником, чем противостоящие ему многоопытные генералы и полковники.

Лишь в Париже, где переворотом руководил командующий внутренними войсками во Франции генерал Штюльпнагель, а также в Вене, находившейся в зоне действия войск 17-го военного округа генерала Эзебека, действиям заговорщиков сопутствовал успех. К вечеру 20 июля были арестованы почти все высшие чины нацистской партии, СС и полиции Парижа. Части охранного полка под командованием военного коменданта города генерала Бойнебурга даже смогли без сопротивления захватить казармы войск СС и штаб-квартиру гестапо. Однако судьба переворота решалась не в Париже, а в Берлине. А там к тому времени уже все рухнуло.

Нерешительный Гёпнер не предпринимал активных действий. Он дожидался фельдмаршала фон Вицлебена, которого заговорщики назначили командующим сухопутными войсками. Тот появился только в семь вечера, и, узнав, что Гитлер жив, тут же уехал в свое поместье. Зато Ремер действовал четко. Первоначально он сосредоточил свой батальон возле резиденции Геббельса на Герингштрассе, чтобы в случае необходимости прикрыть правительственный квартал от атак заговорщиков. Когда же их войска в результате энергичных действий Геббельса и Больбриннера покинули Берлин, солдаты «Великой Германии» начали окружать здание министерства обороны.

А там к тому времени уже шел свой переворот. Если выступившие против заговорщиков офицеры были арестованы, то за теми, кто сохранил нейтралитет, никто не озаботился хоть как-то присмотреть. К вечеру они решили, что им с путчистами не по пути, выпустили на свободу запертых, но никем не охраняемых сторонников фюрера и пошли разбираться с заговорщиками. Кое-кого им удалось арестовать, остальные бежали.

История сохранила пронзительный штрих: вечером, когда уже было ясно, что все провалилось, Штауффенберг, преданный своими струсившими соратниками, сняв повязку, закрывавшую выбитый глаз, отрешенно бродил по комнатам. Впрочем, ему недолго пришлось предаваться отчаянию. Фромм, пытаясь спастись, тут же принялся создавать видимость борьбы с путчистами. Он организовал военно-полевой суд и оперативно расстрелял Штауффенберга, Ольбрихта, Хефтена и Квирцгейма. Бек, просидевший весь день в полном бездействии, попросил пистолет, чтобы застрелиться, но смог лишь ранить себя двумя пулями, и Фромм приказал его добить. Вслед за этим в министерство обороны вошли солдаты Ремера и эсэсовцы, арестовавшие самого Фромма, которого Гитлер успел сместить с должности командующего армией резерва.

Попытка открыть союзникам западный фронт также провалилась — фон Клюге наотрез отказался отдать соответствующий приказ. Между заговорщиками состоялся весьма драматический диалог. «Где ваша честь, фельдмаршал?! Вы же обещали нас поддержать!» – взывал Штюльпнагель. «Да – если бы эта свинья была мертва!» – орал в ответ Клюге.

Арестовать фельдмаршала и попытаться открыть фронт самостоятельно заговорщики не решились, тем более что к тому времени на стороне Гитлера в Париже выступили военные моряки. Штюльпнагель освободил арестованных эсэсовцев и попытался застрелиться, но неудачно. Тяжело раненного и ослепшего, его оперативно доставили в Берлин и после короткого разбирательства повесили.

Расправа

В этой попытке путча причудливо перемешались черты трагедии и комедии. Трагичность ей придавало то, что многие заговорщики, особенно прусские офицеры, искренне верили в свои идеи и были готовы отдать за них жизнь – что в конечном счете и произошло. Комичной же стороной было феноменально бездарное проведение переворота. Ярослав Гашек, наверное, не раз в гробу перевернулся от зависти, ибо ему, автору бессмертного «Швейка», такого не придумать. Если мужественного Штауффенберга подвел нелепый случай, то все остальные заговорщики самым позорным образом не справились со своими задачами. Позднее Геббельс не без основания презрительно издевался над «этим сборищем дураков», а всю их операцию совершенно точно окрестил «революцией по телефону».

Через несколько дней после покушения Гитлер заявил: «С этим пора кончать. Так дело не пойдет. Все эти наиподлейшие твари из числа тех, кто когда-то в истории носил военный мундир, весь этот сброд, спасшийся от прежних времен, нужно обезвредить и искоренить».

Кстати, в этой связи у фюрера появились весьма любопытные ассоциации. О Фрайслере, председателе Народного трибунала, суду которого были преданы арестованные заговорщики, он сказал: «Это – наш Вышинский». В другом случае Гитлер доверительно поделился с собеседниками: «Я уже часто горько жалел, что не подверг мой офицерский корпус чистке, как это сделал Сталин». Так что параллели между гитлеровской Германией и сталинским Советским Союзом придумал не пресловутый Виктор Суворов – впервые они пришли на ум фюреру.

Некоторое представление о масштабах заговора могут дать аресты, прошедшие после неудачного покушения. Естественно, как всегда в таких случаях бывает, кое-кто из путчистов сумел спастись. С другой стороны, наряду с действительными заговорщиками были арестованы люди, никогда не имевшие никакого отношения к покушению. Пользуясь случаем, сводили личные и политические счеты, избавлялись от неугодных и подозрительных – как оно обычно и бывает. По прямому приказу Гитлера были схвачены все родные и близкие основных заговорщиков. 3 августа Гиммлер заявил: «Семья Штауффенберга будет уничтожена до последнего колена».

Всего же специально созданная для расследования покушения комиссия арестовала 7 тысяч подозреваемых, из которых примерно 5 тысяч были осуждены. Около 700 человек приговорили к смерти, реально были казнены от 160 до 180 человек, из них 60 офицеров и 10 работников абвера, остальные – члены политических групп. К ним следует прибавить еще около 700 военнослужащих вермахта с фронтов и из военных округов, тоже приговоренных к смерти. Среди казненных – 20 генералов, в том числе один генерал-фельдмаршал.

Если соотнести число казненных военных с общей численностью офицерского корпуса Германии на конец войны, то мы получим следующее. Из 2 тысяч генералов фашистской армии первоначально к смертной казни было приговорено 20 человек – непосредственно в связи с покушением на фюрера. Впоследствии за оппозицию Гитлеру смертные приговоры были вынесены 36 генералам. Опасаясь расправы, еще 49 генералов покончили жизнь самоубийством. Среди казненных был один фельдмаршал, среди самоубийц – четыре.

А всего в Германии по обвинению в причастности к заговору были казнены или приговорены к тюремному заключению около 5 тысяч офицеров из 400-тысячного офицерского корпуса. Казалось бы, совсем немного. Но надо учитывать, что это в основном были кадровые офицеры в высоких чинах, потомственное прусское военное дворянство, элита армии. Вполне сопоставимая цифра арестованных советских офицеров заставила наших «независимых» историков кричать о полном истреблении командных кадров и разгроме армии. Ничего подобного по поводу немецкого заговора не писали. Вероятно, потому, что спецслужбы гитлеровской Германии и охрана ставки Гитлера работали куда хуже наших и довели дело до открытого покушения.

Часть четвертая

«КРАСНЫЕ МИЛИТАРИСТЫ» ПРОТИВ СТАЛИНА

> Он призывал вооруженных людей к действию против правительства –
> значит, надо его уничтожить.
>
> *Сталин*

11 июня 1937 года потрясенная страна читала «Правду»:

«...Дело арестованных органами НКВД в разное время Тухачевского М. Н., Якира И. Э., Уборевича И. П., Корка А. И., Эйдемана Р. П., Фельдмана Б. М., Примакова В. М. и Путна В. К. рассмотрением закончено и передано в суд.

Указанные выше арестованные обвиняются в нарушении воинского долга (присяги), измене родине, измене народам СССР, измене Рабоче-Крестьянской Красной Армии. Следственными материалами установлено участие обвиняемых, а также покончившего жизнь самоубийством Гамарника Я. Б. в антигосударственных связях с руководящими кругами одного из иностранных государств, ведущего недружелюбную политику в отношении СССР. Находясь на службе у военной разведки этого государства, обвиняемые систематически доставляли военным кругам этого государства шпионские сведения о состоянии Красной Армии, вели вредительскую работу по ослаблению мощи Красной Армии, пытались подготовить на случай военного нападения на СССР поражение Красной Армии и имели своей целью содействовать восстановлению в СССР власти помещиков и капиталистов. Все обвиняемые в предъявленных им обвинениях признали себя виновными полностью».

Понять, что чувствовали люди, читавшие это, мы, в нашу привычную к предательству эпоху, едва ли сможем. Армия была гордостью державы, а эти были гордостью армии, лучшими из лучших. Два заместителя наркома обороны, несколько командующих округами, легендарные полководцы Гражданской войны... Шпионы?! Изменники?!! Пораженцы?!!!

Не надо было никакой указки сверху, чтобы вызвать затопивший страницы газет взрыв возмущения – он был совершенно искренним. Тем более что в сообщении не было *ни слова о троцкизме*. И это во времена, когда об облеченном властью идиоте, заставлявшем своих подчиненных стричься наголо, писали: «троцкист издевается над рабочими». А тут – ни слова.

Кто же они такие?

Что происходит?

С тех пор прошло семьдесят лет, но яснее эта история, по правде сказать, не стала. Оба ответа – «чистка Красной Армии» и «необоснованные репрессии» равно не выдерживают критики. «Чистки» в те времена проводились постоянно – но чистили армию не расстрелами, а увольнениями. Более того – расстрел как превентивная мера в те времена был невозможен в принципе. Почему – о том речь впереди. Что же касается варианта номер два...

...Первым ту мысль, что никаких преступлений расстрелянные генералы не совершали, а Сталин попросту уничтожил цвет Красной Армии, вбросил в мировое информационное поле все тот же неуемный Троцкий, и мировая пресса тут же принялась склонять ее на все лады. Уже 17 июня германское посольство в Париже сообщало в свой МИД: «В связи с кровавым приговором нет ни одной газеты... которая решилась бы найти слова оправдания для самого действия. Трудно верить обоснованию приговора из-за чудовищности обвинения».

Затем идею Троцкого, уже из своих соображений, подхватил Хрущев и принялся развивать дальше. Третий пик обсуждения проблемы пришелся на 90-е годы, и там тоже были свои конъюнктурные соображения, не имеющие ничего общего с исторической правдой.

Между тем никто из тех, кто с воздеванием рук и придыханиями пишет о «необоснованных репрессиях», так и не смог объяснить, зачем это понадобилось Сталину. Если подходить к делу цинично, то Сталин мог «в порядке чистки» перестрелять своих политических противников: в конце концов, толку от этой публики было крайне мало, так что потеря для державы невелика. Но чтобы просто так, накануне надвигающейся войны, уничтожить высший командный состав собственной армии – надо быть безумцем. Сталин безумцем не был, никогда и ни в чем.

...28 июня 1937 года Джозеф Дэвис, посол США в Москве, отправил президенту Рузвельту телеграмму: «В то время как внешний мир благодаря печати верит, что процесс – это фабрикация... мы знаем, что это не так. И может быть, хорошо, что внешний мир думает так».

Нет, определенно, что-то там было.

Но что?!

Глава 13

«ПОРУЧИК ГОЛИЦЫН» В КРАСНОЙ РОССИИ

Есть такая работа – Родину защищать.

Из фильма «Офицеры»

...Взять власть в октябре 1917 года было нетрудно. Удержать ее после октября – немыслимо. Поначалу никто и не думал, что большевики продержатся долго. Девять из десяти – они и сами так не думали. Абсолютно неопытное, сверхдилетантское правительство во взбаламученной до дна стране. Правительство, до такой степени ни за что не отвечавшее, что посмело выкинуть сверхгениальные лозунги. «Чего вы хотите? Земли? Мира? Так берите!» После этого любой успех белых отзывался по стране стоном: «Придут баре, снова на шею сядут! На фронт погонят!! Землю отберут!!!» Никаким политическим путем сбросить красных после *такого* было невозможно. Оставалось одно – прийти и усмирить, утопив страну в крови. И не надо думать, что те, кто был выброшен за борт революцией, остановились бы перед этим. Ибо движущие силы были мощнейшие.

Нет, многого верхушка Российской империи, развязавшая в стране февральскую демократическую смуту, могла ожидать, но не такого – что все кончится *классовым подходом*, при котором она вся, в одночасье, лишится всего – собственности, положения, даже элементарного уважения, даже избирательных прав... даже продовольственных карточек! Вчерашние баре по общественному положению оказались ниже вчерашних поломоек. Можете себе представить, какой силы ненависть была у этой верхушки к «торжествующему хаму» и «жидам-комиссарам»? Ради того, чтобы вернуть свое, они пошли бы на все. Тем более что, говоря умными словами, геополитическое положение России заставляло каждую минуту ее государственного существования думать об обороне от милых соседей, и стоило государству чуть-чуть ослабнуть, как начиналось: шведы в Пскове, поляки под Смоленском, англичане в Баку, японцы во Владивостоке, немцы на Украине...

Европа – не то место, где можно отвлечься на зализывание ран. Сожрут-с!.. Тем более что армии у Советской России в первые полгода ее существования не было – вообще никакой.

И сожрали бы – однако тут большевикам попросту повезло. В восемнадцатом году, если бы кто-нибудь взялся за Советскую Россию всерьез, ее раздавили бы мгновенно. Но окружающие европейские хищники еще целый год были заняты собственной кровавой сварой. Ни у кого не было особого желания снимать войска с фронта приличной цивилизованной войны и отправлять в Россию, которая к тому времени была диким полем, где носились из конца в конец вооруженные банды, а озверевшее население встречало в топоры любого чужака. И это еще вопрос, как повлиял на судьбу Германии вроде бы выгоднейший для нее Брестский мир, по которому она получила огромный кусок российской территории. Получила, да – а потом вынуждена была вводить туда до зарезу необходимые ей войска, чтобы обеспечить хоть какой-то порядок.

Так что в начале 1918 года против красных банд (назвать эти отряды иначе язык не поворачивается) выступали точно такие же белые банды, так же плохо вооруженные и такие же неуправляемые. Отличались они друг от друга в основном тем, что у красных были ленточки на шапках, а белые рисовали себе на плечах погоны. Нормальной воинской частью была лишь двухтысячная армия генерала Корнилова, но она была исключением. Не имея сильного врага, Советы получили передышку, позволявшую им создать хоть какую-то армию.

Товарищ Троцкий и его военспецы

25 октября 1917 года русская армия и пальцем не шевельнула, чтобы спасти засевшее в Зимнем так называемое «правительство». Пусть оно ничем уже не управляло, кроме дворцовых лакеев, но оно было вроде как бы законным. Фон Сект в свое время все же чувствовал себя обязанным защищать режим, который он ненавидел. Наши военные этого делать не стали. Впрочем, их легко понять, если представить себе, *как* российские офицеры должны были это правительство ненавидеть. О нет, совсем не так, как немцы!

Ну, начнем с того, что нормальный офицер не любит либерала уже за одно то, что он либерал. Это как бы база, об этом мы говорить не будем. Но все же германские военные рассматривали деятелей Веймарской республики как ставленников победителей, как навязанный стране, по сути марионеточный режим. Этот режим уничтожал германскую армию по приказу стран-победительниц, но он же не мешал военным ее спасать, по возможности закрывая глаза на деятельность команды фон Секта. Шумел парламент, а правительство помалкивало и даже демократы из демократов, когда было надо, шли на сговор с военными.

Российское демократическое правительство уничтожало российскую армию по собственному почину – или по собственной глупости, значения не имеет. Дорвавшиеся в феврале до власти демократы стремились сделать демократическим все, на что падал взгляд. Одним из первых документов Временного правительства был пресловутый приказ № 1, которым оно ввело в армии столь любимую им демократию – солдатские комитеты. С этого момента армия как армия переставала существовать, и на ее месте появилась некая полуоформленная структура, которая хотела – подчинялась офицерам, не хотела – не подчинялась. И эту разваливающуюся на ходу машину по-прежнему бросали в пекло боев, в котором она, естественно, терпела поражение за поражением.

Не говоря уже о том, что в августе 1917 года Керенский спровоцировал генерала Корнилова на... назвать мятежом это нельзя, поскольку Корнилов собирался наводить порядок в стране с санкции премьер-министра. А потом Керенский его бросил и от всего отказался. Но это уже так, мелочи...

Поставьте себя на место офицеров этой армии и попытайтесь вообразить силу, с которой они ненавидели Временное правительство. Только поосторожней – современный человек не привык испытывать такие сильные чувства, можно попросту сгореть изнутри. Однако когда на место Временного правительства пришли большевики, все оказалось далеко не так однозначно.

С одной стороны, большевики были еще большими демократами, чем Временное правительство. Идею демократии они довели до своего логического конца – если кто еще не понял из опыта 90-х годов, поясним: логическим концом демократии является абсолютный ноль по шкале дееспособности. После того как главнокомандующий генерал Духонин на первое же распоряжение нового правительства почти открытым текстом ответил Ленину и компании, где он их видел, Ильич сделал поистине гениальный ход. Он назначил главнокомандующим оказавшегося под рукой *прапорщика* Крыленко и объявил о прекращении боевых действий. Исполнение приказа было гарантировано: после объявления *мира* солдаты снесли бы любого, кто попытался бы помешать новой власти. Духонин попытался – его тут же убили на месте.

Поначалу большевики были полны совершенно розовых иллюзий. Первым народным комиссаром по военным делам был назначен Подвойский – революционер с семинарским образованием, который военной службы и не нюхал. Вместе с Лениным они принялись делать в армии «революцию». 16 декабря 1917 года были опубликованы декреты: «Об уравнении всех военнослужащих в правах» и «О выборном начале и об организации власти в армии». Власть передавалась солдатским комитетам, командиры стали выборными, прежних офицеров ссылали в кухню и на конюшню. Армия окончательно перестала существовать, осталась масса, которая все еще сидела в окопах и потребляла определенное количество продовольствия. Впрочем, она таяла на глазах, солдатики бросали фронт и разбегались по домам, что немало радовало интендантов.

Однако при том, что новое правительство по опыту управления было не лучше старого, у него все же имелось одно серьезное отличие от прежнего. «Временные» так ничего и не поняли и ничему не научились. Новая же власть умнела прямо на глазах. И неудивительно: министры Временного правительства в случае неудачи рисковали разве что отставкой, а над этими болталась петля.

Начав с роспуска армии и прекращения выпуска оружия и боеприпасов, они очень быстро сообразили, что дела плохи и надо, чтобы их кто-то защищал. Уже 26 декабря Подвойский представил план создания новой армии, пока что трехсоттысячной. Напомним то, что сейчас прочно забыто: большевики поначалу не собирались воевать ни с кем – ни с немцами, ни с собственным народом. В декабре 1917 года речь шла об армии мирного времени. 15 января Совнарком принял декрет о создании РККА. Ленин подписал этот декрет 28 января.

Первоначально армия предполагалась добровольческой. Принимали в нее не вольным набором, а по рекомендации партийных, советских или профсоюзных органов. Бойцам, кроме полного государственного обеспечения, предполагалось платить по 50 рублей в месяц. Много это или мало? А кто его знает! Полное обеспечение в то время было куда важнее...

Впрочем, коммунарские иллюзии горели одна за другой. 4 марта 1918 года Ленин подписал постановление о создании Высшего военного совета. Военным руководителем этого органа назначили М. Д. Бонч-Бруевича, который являлся «фигурой компромисса» между делом и революцией: с одной стороны, генерал с опытом штабной работы, с другой – брат известного большевика. Первое, что предложил Бонч-Бруевич – отменить добровольческий принцип формирования армии, отменить выборность командиров и коллегиальное управление войсками, ввести единоначалие. Таков был конец демократии в армии, больше о ней не заикались, хотя сами вооруженные силы молодой республики пришлось «нормализовывать» еще очень долго, отучая от усвоенных за год торжествующей демократии привычек. А 13 марта наркомом по военным и морским делам был назначен Троцкий, а вместо Высшего военного совета появился Революционный военный совет республики, Реввоенсовет, РВС.

Назначить военным министром Троцкого – это был далеко не самый худший выбор. Могло быть и хуже. Правда, служить в армии Льву Давидовичу не приходилось, но в 1912–1913 годах он побывал военным корреспондентом на Балканах. Журналист Троцкий на должности военного министра был все же предпочтительнее прапорщика Крыленко в роли главнокомандующего, ибо любому прапорщику хочется поиграть в генерала, а любой более-менее толковый журналист отлично понимает разницу между собой и специалистом. И, паче всяких ожиданий, Троцкий справился. В мае 1918 года Рабоче-Крестьянская Красная Армия (РККА) насчитывала 300 тысяч бойцов, осенью ее численность дошла до миллиона, а к концу Гражданской войны это была уже армия, по численности соответствующая стране, – пять с половиной миллионов человек.

Начав все с той же идеи создания добровольческой армии, Троцкий практически сразу от нее отказался – набрать нужное количество добровольцев было немыслимо. Уже 19 мая 1918 года ВЦИК принял постановление о всеобщей мобилизации. Но проблема была не только в рядовых, а и в командирах, и здесь все оказалось куда сложнее. Ленин по-прежнему предавался мечтам о «классовой» армии. Даже осенью 1918 года, когда Сталин с Троцким уже полгода как препирались из-за «военспецов», он все еще говорил: «Теперь, строя новую армию, мы должны брать командиров только из народа. Только красные офицеры будут иметь среди солдат авторитет и сумеют упрочить в нашей армии социализм». А вы думаете, зря его прозвали «кремлевским мечтателем»?

Все бы ничего, но к тому времени жизнь уже показала, во что превращается добровольческая армия с выборными командирами из народа. 24 сентября 1918 года член Реввоенсовета 1-й армии С. П. Медведев писал Ленину: «Я убедился, что у нас есть толпы вооруженных людей, а не крепкие воинские части... Во всех этих вооруженных толпах не проявлялось никакого понятия о дисциплине, о подчинении командному составу во время операций. Сам же командный состав оказался настолько слабым, безвольным, терроризированным негодными элементами части, что не он командовал частями, а его части тянули, куда хотели...

Части нашей Красной Армии формировались в различных местах и совершенно по-разному. Большая часть из них состояла из добровольцев. Никакой военной выучке они не подвергались, и поэтому слишком трудно совершать с ними военные операции. Они могут совершить партизанский набег, но чуть только попадут под военный, а не партизанский огонь – они обнаруживают всю слабость свою и панически бегут от жалкой горстки опытного противника».

Воевать постепенно учились, что касается дисциплины – то чего-то приемлемого в этом отношении удалось достичь лишь к началу 30-х годов. Если же говорить об этике, о морали... то не было в этой войне ни этики, ни морали, ни милосердия. Война и сама по себе жестока – а за Каинов грех гражданской войны дается особое озверение. Об этом писал в своем дневнике Исаак Бабель, который был в польском походе с Первой Конной армией Буденного – право же, не самой худшей воинской частью РККА.

«Страшное поле, усеянное порубленными, нечеловеческая жестокость, невероятные раны, проломленные черепа, молодые белые нагие тела сверкают на солнце...»

Стало быть, после боя раненых добивали, мертвых раздевали – одежка еще пригодится...

«История – как польский полк четыре раза клал оружие и защищался вновь, когда его начинали рубить».

Это к вопросу о том, почему в 1920 году так отчаянно сопротивлялись поляки...

Житомир. «Полки вошли в город на три дня, еврейский погром, резали бороды, это обычно, собрали на рынке сорок пять евреев, отвели в помещение скотобойни, истязания, резали языки, вопли на всю площадь. Пожгли шесть домов, дом Конюховского на Кафедральной – осматриваю, кто спасал – из пулеметов, дворника, на руки которому мать сброси-

287

ла из горящего окна младенца – прикололи, ксендз приставил к задней стене лестницу, таким способом спасались...»

Сокаль. «Сапожник, сокальский сапожник, пролетарий. Сапожник ждал Советскую власть – он видит жидоедов и грабителей, не будет заработку, он потрясен и смотрит недоверчиво...

Лавчонки все открыты, мел и смола, солдаты рыщут, ругают жидов, шляются без толку, заходят в квартиры, залезают под стойки, жадные глаза, дрожащие руки, необыкновенная армия. Организованное ограбление писчебумажной лавки, хозяин в слезах, все рвут... Ночью будет грабеж города – это все знают».

Здесь комментарии излишни...

И как символ Гражданской войны: «Все бойцы – бархатные фуражки, изнасилования, чубы, бои, революция и сифилис».

Имелись, конечно, и исключения, но в целом красные были не лучше белых, белые не лучше красных, а все вместе не лучше и не хуже зеленых.

Когда мы говорим об офицерах и чекистах 30-х годов, надо помнить: они родом – отсюда. Бархатные фуражки, изнасилования, бои, революция и сифилис...

...С самого начала бывший военный журналист подошел к делу прагматически и принялся строить армию с опорой на профессионалов, офицеров царской армии. Это противоречило «классовому» подходу – а куда денешься!

Забегая вперед, надо сказать, что это его решение на каждом шагу отзывалось скандалами. «Военспецы» плохо уживались с партийным окружением и, что хуже всего, обнаруживали неистребимую склонность к саботажу и предательству. Сам же Троцкий в свое время говорил: «У нас ссылаются нередко на измены и перебеги лиц командного состава в неприятельский лагерь. Таких перебегов было немало, главным образом со стороны офицеров, занимавших более видные посты. Но у нас редко пишут о том, сколько загублено целых полков из-за боевой неподготовленности командного состава... И если спросить, что причинило нам до сих пор больше вреда: измена бывших кадровых офицеров или неподготовленность многих новых командиров, то я лично затруднился бы дать на это ответ».

Тем не менее он упорно продавливал свой принцип опоры на профессионалов – и продавил! Переломным стал день 23 ноября 1918 года, когда появился приказ Реввоенсовета о мобилизации бывших офицеров. По одним данным, в Красной Армии в Гражданскую войну служило пятьдесят тысяч офицеров царской армии, по другим – семьдесят пять тысяч, в том числе больше шестисот бывших офицеров Генерального штаба. Кадровыми офицерами были семнадцать из двадцати командующих фронтами, восемьдесят два из ста командующих армиями. А начальниками штабов практически везде были полковники и генералы царской выучки.

...Первые офицеры, служившие в Красной Армии, пошли туда добровольно. Тут надо понимать еще один момент. Сейчас расклад сил после октября 1917 года усиленно стараются представить следующим образом: новая власть большевиков против старой царской России, или же «России, которую мы потеряли». В том, чтобы вбить в голову наших людей такое представление, постарались все: и коммунисты, и демократы, каждый по своим причинам.

Однако на самом деле это было совершенно не так! Потому что и те, и другие почти всегда упускают из виду, считают «промежуточным» период с февраля по октябрь 1917 года. Да, этот период был коротким. Но совсем не промежуточным, отнюдь, а очень и очень важным. Настолько важным, что без него вообще ничего не понять!

На самом деле в то время *новую* Россию представляли не большевики, а Временное правительство. Именно оно противопоставлялось «старой», царской власти. А большевики в то время были «фактором Х», некоей силой, которая захватила власть в стране, но сама по себе совершенно неизвестно что представляет. Поэтому логично было бы видеть в ней – и многие именно так ее и воспринимали! – как раз силу, противную *новой* России. У большевиков была совершенно другая идеология, совершенно иные устои, но это была, во-первых, *власть*, а не кучка болтунов, а во-вторых, *власть центральная*. И, как только стало ясно, что большевики намереваются сохранить страну, многие патриотически настроенные офицеры пошли к ним на службу.

Очень четко выразил это помощник военного руководителя Высшего Военного совета генерал-майор С. Г. Лукирский. Уже в 1930 году он говорил: «Накануне революции февральской 1917 года в среде офицеров старой армии определенно сложилось недовольство монархическим строем... Поэтому февральская революция была встречена сочувственно в основной массе всего офицерства вообще. Однако вскоре наступило разочарование и в новой власти в лице временного правительства: волнения в стране даже обострились; ряд мероприятий правительства в сторону армии (в том числе подрывающие простых офицеров) быстро ее развалили; личность А. Керенского не возбуждала доверия и порождала антипатию...

Наступившая октябрьская революция внесла некоторую неожиданность и резко поставила перед нами вопрос, что делать: броситься в политическую авантюру, не имевшую под собой почвы, или удержать армию от развала как орудие целостности страны. Принято было решение идти временно с большевиками. Момент был очень острый, опасный: решение должно было быть безотлагательным, и мы остановились на решении: армию сохранить во что бы то ни стало. Поэтому крупнейшая часть офицерства перешла к сотрудничеству с большевиками, хотя и не уясняла еще в полной мере программу коммунистической партии и ее идеологию. Патриотизм явился одним из крупных побуждений к продолжению работы на своих местах и при этой новой власти».

После октября 1917 года офицерство раскололось. Другой высокопоставленный сотрудник Полевого штаба РВСР (так в сентябре 1918 года был назван штаб ВВС), К. И. Бесядовский, говорил: «Надо сказать, что поступление в Высший Военный Совет на службу к "большевикам" было сделано не без трудных внутренних переживаний: большинство офицеров... отворачивались от нас – добровольцев. Я же считаю, что в сложившейся обстановке, когда немцы хозяйничали в наших пределах, нельзя оставаться посторонним зрителем и потому стал на работу».

Раскол шел почти посередине. Из 250 тысяч офицеров царской армии около трети попало к большевикам, около 40% – к белым, остальные не примкнули ни к одной стороне – уходили за границу или, сняв форму, оставались в красной России, устраивались в ней, как могли. К середине июня 1918 года в Красной Армии было 9 тысяч офицеров-добровольцев.

Тут надо понимать еще одну вещь: противостояние Красной и Белой армий отнюдь не было противостоянием большевиков и монархистов. Как раз наоборот: исходя из вышеприведенных соображений, именно монархистам-государственникам было по дороге с большевиками, которые, кем бы они ни были, являлись все же властью центральной и стремились сохранить страну. И недаром в 1930 году, когда органы ГПУ распутывали дело «Весна» и в этой связи шерстили старых офицеров, те сплошь и рядом заявляли о себе именно как о монархистах.

А вот в Белой армии имелось всякой твари по паре. Если простые офицеры были движимы таким простым и понятным желанием – навести наконец в стране порядок, то «наверху» этот порядок видели по-разному. Например, деникинская пропаганда была в основном демократической, и получалось, что белые выступали как раз от имени этой самой «новой России», которую офицеры ненавидели с той же страстью, что и «красных хамов». И все они жили и воевали на иностранные деньги, которые, в случае победы, надо было отдавать – а после того, как русская армия три года воевала неизвестно за чьи интересы, иностранцев в ней тоже не очень-то жаловали...

Оставшиеся на «красной» стороне все это прекрасно видели и понимали. Об этом говорит тот же Лукирский: «...Победа белогвардейцев несла с собою вторжение иноземцев, деление России на части и угрожала закабалением нашей страны иностранцами. На стороне белогвардейцев не видели и базы, обеспечивавшей им симпатии народных масс».

О том, каким образом Белая армия собиралась отдавать долги своим заграничным кураторам, говорит тайный договор между бароном Врангелем и его французскими союзниками, опубликованный в английской газете «Дейли геральд» 30 августа 1920 года. В случае победы Врангель признавал все старые и новые долги России и ее городов и должен был уплатить их, исходя из 6,5% годовых, что по тем временам являлось совершенно грабительским процентом. Погашение долга вместе с процентами гарантировалось:

«а) Передачей Франции права эксплуатации всех железных дорог Европейской России на известный срок; б) передачей Франции права взимания таможенных и портовых пошлин во всех портах Черного и Азовского морей; в) предоставлением в распоряжение Франции излишка хлеба на Украине и в Кубанской области в течение известного количества лет, причем за исходную точку берется довоенный экспорт; г) предоставлением в распоряжение Франции трех четвертей добычи нефти и бензина на известный срок, причем в основание кладется добыча военного времени; д) передачей четвертой части добычи угля в Донецком районе в течение известного количества лет». Кроме того, для контроля «при русских министерствах финансов учреждаются официальные французские финансовые и коммерческие канцелярии, права которых должны быть установлены специальным договором»[1].

А еще говорят, что большевики страну распродавали. Куда им до этих...

---

[1] Цит. по: *Пыхалов И.* Великая оболганная война. М., 2005. С. 15–16.

...Если говорить совсем уж просто и грубо, то за белыми стояла верхушка российского общества, которая пыталась на иностранные деньги вернуть себе имения, заводы и всю свою прежнюю красивую жизнь. Любой ценой, даже если за это придется отдать половину России. А верхушка российского общества в начале XX века была невыразимо отвратительна. И некоторое количество идеалистов, одержимых «белой идеей», ничего тут не меняли. Для того и существуют фиговые листки идей, чтобы привлекать идеалистов и использовать их в качестве пушечного мяса. И стоит ли удивляться, что к концу Гражданской войны среди офицеров Красной Армии было около четырнадцати тысяч белогвардейцев-перебежчиков.

В целом настроения тех офицеров, которые служили большевикам *из принципа* (были и другие), выразил Деникин в своих «Очерках русской смуты». Высказывание, которое он приводит, приписывается Тухачевскому: «Социалистов, кричащих об Учредительном собрании, мы ненавидим не меньше, чем их ненавидят большевики. Мы не можем бить их самостоятельно, мы будем их уничтожать, помогая большевикам. А там, если судьбе будет угодно, мы и с большевиками рассчитаемся».

...Все, конечно, решалось индивидуально, иной раз настолько на примитивно-бытовом уровне... Кому-то нахамили при проверке документов, обозвали в лавке, глаза устали от постоянного лицезрения «торжествующего хама», и он подался к белым. Другой, поставленный в те же условия, пожал плечами – ну что поделаешь! – и вернулся к работе. А третий был полон лютой ненависти к мужикам, разорившим родовое имение. А четвертый стремился сделать карьеру и считал, что у красных это проще. Одни из мобилизованных служили из простой лояльности, другие – опасаясь за семьи. Кто-то стоял за Россию как патриот, а кто-то – за армию как профессиональный военный – эти, последние настроения лучше всех выразил знаменитый генерал Брусилов: «Я, как с малых лет военный, за эти годы страдал развалом армии, надеялся опять восстановить ее на началах строгой дисциплины, пользуясь красноармейскими формированиями. Я не допускал мысли, что большевизм долго продержится. В этом я ошибся, но я ли один? ...Убежден, что многие, помогавшие Троцкому воссоздать русскую армию, хотя бы она и называлась "Красной", думали так же, как я».

Разные бывали офицеры, совершенно разные, и судьбы у них были разными. Чего стоит один подполковник Муравьев! Крестьянин по происхождению, боевой офицер, левый эсер по партийной принадлежности, он 4 февраля 1918 года, перед штурмом Киева, отдал приказ: «Войскам обеих армий приказываю беспощадно уничтожить в Киеве всех офицеров и юнкеров, гайдамаков, монархистов и врагов революции». Но это было только начало, вскоре Муравьев уже откровенно «поплыл». Назначенный командующим Восточным фронтом (!), он 10 июля в Симбирске заявил, что прекращает борьбу с чехословаками, разрывает Брестский мир и объявляет войну Германии. По счастью, тогдашние власти комплексами приличия не страдали и, вызвав на переговоры, Муравьева попросту *шлепнули.* Бывали и такие офицеры...

А с другой стороны, возьмем того же царского полковника Шапошникова. Раз присягнув советской власти, он всю жизнь оставался непоколебимо лояльным, и, несмотря на происхождение и послужной список, никакие репрессии его не коснулись. Шапошников дослужился до очень больших высот, три раза был начальником Генерального штаба. В последний раз он сменил на этом посту Жукова в 1941 году, после июньского разгрома советской армии, и оставался на нем практически до смерти. Тоже офицер и даже почти в том же чине...

...Нельзя сказать, что им было легко служить. Но, с другой стороны, нелегко было и с ними. Фурманов, чапаевский комиссар, писал: «Спецы – полезный народ, но в то же время народ опасный и препотешный. Это какое-то особое племя – совершенно особое, ни на кого не похожее. Это могикане. Больше таких Россия не наживет: их растила нагайка, безделье и паркет». Конфликт «господ» и «хамов» стоял в Красной Армии остро – а куда денешься?

Впрочем, вопросы межличностных отношений худо-бедно, но как-то решались. Хуже было то, что «военспецам» элементарно нельзя было доверять. Они сплошь и рядом переходили из армии в армию, и порой не по одному разу. Если перейдет командир взвода или эскадрона – это, конечно, неприятно, но пережить можно. Если командующий или начальник штаба дивизии или армии – это уже беда немаленькая. Если же не перейдет открыто, а начнет работать на белых – такие случаи тоже бывали – то это настоящая катастрофа.

Власти обеспечивали их верность, как могли. Для надзора за старыми спецами еще в октябре 1917 года был введен институт комиссаров, и нигде он не был так распространен, как в армии. А вы думали, что комиссары должны были следить за «политической благонадежностью» командиров? Ага, заняться им было больше нечем! Комиссар должен был следить, чтобы вверенный его попечению командир не установил связей с белыми, не участвовал в разного рода заговорах, не дезертировал и не перебежал к противнику. (Ну и политработой, само собой, тоже занимались...) А кто виноват, если без надзирателей было не обойтись? Есть такая наука арифметика: так вот – из восемнадцати начальников объединений РККА (весьма крупная должность) в 1918 году восемь бежали к белым или были расстреляны, трое в 1919 году, с началом собственно Гражданской войны, оставили службу в войсках и лишь семь человек в конечном итоге остались в Красной Армии.

Тот же К. Бесядовский вспоминал: «Нелегка была и непривычная обстановка работы: тебе не доверяют, комиссар ходит по твоим пятам, следя за каждым твоим шагом. "Комиссар – это есть дуло револьвера, приставленное к виску командира" – так определил взаимоотношения командира и комиссара один из моих комиссаров. Партийная среда держалась от нас в стороне (партийцы почти сплошь были комиссарами), и мы, остальная масса, чувствовали себя бесправными... Ясно, что все эти черты нашего быта, службы не могли вызывать довольства... Коммунистические идеи были нам чужды, в марксизме мы не разбирались...»

А с другой стороны, как иначе, если в Постановлении ВЦИК от 29 июля 1918 года говорилось: «За побег или измену командующего комиссары должны подвергаться самой суровой каре, вплоть до расстрела»?

Еще одним способом был известный с древнейших времен институт заложников: ими стали семьи офицеров, остававшиеся в красном тылу. (Если кто-то видит в этом особое зверство красных, пусть вспомнит судьбу семьи Штауффенберга.)

Никто не спорит, 1917 год поставил офицеров перед жестоким выбором. Но и само время было жестокое. Впрочем, сплошь и рядом офицеры сражались не из-за каких-то убеждений, а просто потому, что *судьба* поставила их по ту или иную сторону баррикады. Когда в 1922 году проверяли политическую грамотность командного состава Западного фронта, уже командиры на уровне батальонов довольно слабо понимали, что такое советская власть. Как анекдот, рассказывали о командире роты, который на вопрос, чем отличаются красные от белых, ответил, что белые носят погоны, а красные – нарукавные знаки. При этом товарищ сначала послужил у Колчака, потом у Советов и так и не понял, у кого и за что боролся. И это те, которые прошли всю войну. Что же было в 1918-м?

Опять же, Тухачевскому приписывают слова: «Я – беспечный ландскнехт[1]».

«Помните ландскнехтов? – говорил он еще в 1914 году. – Дрались они, где и когда возможно за тех, кто их нанимает, и главное, не для каких-то высоких идей, а для себя, чтобы взять от войны все, что она может дать!»

И надо понимать еще одну вещь, без которой мы никогда не осознаем того, что было дальше: в любом обществе офицеры – это *каста*. Правительства всегда борются с этим, и всегда безуспешно. А если, паче чаяния, удается, то такая армия почему-то начинает стремительно разлагаться (пример – советская армия образца позднего социализма).

Еще и поэтому они с такой легкостью переходили из армии в армию, что зачастую коллеги по ту сторону фронта были им ближе, чем собственное начальство. И как в 1917-м, так и в 1937 году были такие – и немало, для которых присяга значила меньше, чем офицерская солидарность.

Публицист Ф. Степун так писал об обстановке в среде военспецов: «Слушали и возражали в объективно-стратегическом стиле, но по глазам и за глазами у всех бегали какие-то странные, огненно-загадочные вопросы, в которых перекликалось и перемигивалось все – лютая ненависть к большевикам с острою завистью к успехам наступающих добровольцев; желание победы *своей*, оставшейся в России офицерской группе над офицерами Деникина и явным отвращением к мысли, что победа *своей* группы будет и победой совсем *не своей* Красной Армии; боязнь развязки – с твердой верою: ничего не будет, что ни говори, наступают *свои*».

Впрочем, по мере озверения обеих воюющих сторон становилось ясно, что *будет*, и еще как! Практика была такой. Возьмут белые красную часть, солдатам меняют звездочки на кокарды, командиров – к стенке или в петлю. Возьмут красные белую часть – то же самое. С генералами поступали мягче, но все же среди убитых белыми можно назвать начальника Главного штаба командования Красной Армии в Сибири бывшего генерал-лейтенанта Таубе, генерал-майора Николаева, повешенного в Ямбурге. Они могли спасти жизнь, перейдя на службу к белым, – но не захотели. Другие захотели и остались живы.

В конце концов, из этих семидесяти пяти тысяч выкристаллизовались те, кто, наравне с «новыми» командирами, составил ядро Красной Армии.

---

[1] Ландскнехтами в эпоху Возрождения называли наемных солдат.

В десять раз

...Гражданская война заканчивалась. Еще шли последние бои, а правительство уже задумывалось о демобилизации. Армию в пять с половиной миллионов человек предполагалось сократить сперва до миллиона, потом до 500 тысяч – в одиннадцать раз! При этом заботой о людях правительство не заморачивалось. 5 апреля 1921 года Ленин писал Зиновьеву о том, что демобилизация проходит слишком медленно:

«Вся суть в том, что военная бюрократия желает сделать "по-хорошему": вези на железных дорогах! А на железных дорогах и два года провозят.

"Пока" давай одежу, обувь, хлеб.

Надо в корне изменить: перестать давать что бы то ни было. Ни хлеба, ни одежи, ни обуви.

Сказать красноармейцу: либо уходи сейчас пешком "без ничего". Либо жди год на 1/8 фунта (пайка хлеба. – Авт.) и без одежи, без обуви.

Тогда он уйдет сам и пешком».

(Этот документ, кроме прочего, великолепно показывает, *за что* на самом деле боролась эта компания. Они заботились о теории, об идее, а люди для них были расходным материалом до использования и мусором после. Такими они были, такими и остались, таким было и ленинское государство.)

Красноармейцев вышвырнули из армии, и они разошлись по домам или же кто куда, дав, кроме прочего, колоссальный всплеск уровня преступности, который традиционно связывают с нэпом. Логичнее было бы связать его с демобилизацией. Но, как бы то ни было, рядовые красноармейцы в жизни не пропали, вернулись к своим мирным профессиям. Надо полагать, с большим удовольствием демобилизовались и многие офицеры военного времени, которые имели гражданские специальности. Но все равно командиров оставалось слишком много. Между ними развернулась жесточайшая борьба за место в оставшейся крохотной армии мирного времени, в военных училищах и академиях. Борьба, в которой стороны не стеснялись в средствах.

Нетрудно было догадаться и об аргументах в этом споре за места. Еще в 1919 году любимец Троцкого, тогда командующий 5-й армией Восточного фронта Тухачевский (тот самый) подготовил для Политбюро доклад «Об использовании военных специалистов и выдвижении коммунистического командного состава». Всех «военспецов» он подразделяет на старое и «скороспелое» офицерство. Ничего нового тут нет, это разделение известно во всех армиях мира: «старые» – это кадровые, обученные офицеры, «скороспелые» – офицеры военного времени, прошедшие ускоренные курсы или произведенные непосредственно из нижних чинов. Но посмотрите, аргументация-то какова!

«Для того, чтобы понимать характер и формы гражданской войны, необходимо сознавать причины и сущность этой войны. Наше старое офицерство, совершенно незнакомое с основами марксизма, никак не может и не хочет понять классовой борьбы и необходимости диктатуры пролетариата. Поэтому генералам совершенно непонятны условия комплектования армии родственными классами при наступлении, условия обеспечения тылов в зависимости от классовой группировки населения, непонятна зависимость между шириной фронта армии и ходом общей классовой борьбы...» И далее: «При таком уровне развития офицерства в политическом отношении ему, конечно, трудно понять основы гражданской войны, а как следствие того, и вытекающие из них оперативные формы...»

О склонности товарища Тухачевского к дешевой демагогии мы еще поговорим. Здесь важно другое: еще в девятнадцатом году он четко наметил линию будущего противостояния. Пока шла война, без этих непродвинутых в классовом отношении военспецов почему-то получалось плохо. Самого «великого стратега» время от времени весьма чувствительно били, поскольку противник о великой роли классовой теории в ведении войны, по-видимому, не знал и воевал не как надо, а как лучше.

В армейских «низах» это противостояние доходило уже до полного неприличия. В справке ГПУ по Западному фронту говорится: *«Комсостав в своей среде сохранил старые привычки и замашки и третирует краскомов как лишний для армии элемент... В 27 дивизии создались две группировки – офицерская и краскомовская; среди краскомов была даже тенденция убить одного из старых офицеров; атмосфера была разряжена после переброски части комсостава в другие места. В бронебригаде Запфронта офицерский состав всячески выживает младший комсостав, краскомов и членов РКП(б)».*

Впрочем, «новые» командиры успешно перенимали от «старых» и некоторые особенности прежней армии. Читаем ту же справку: *«Случаи проявления грубости комсостава в обращении с красноармейцами, эксплуатация красноармейцев, использование их в качестве денщиков довольно распространены... Грубость комсостава в 3 пехотной запасной школе вызвала сильное возбуждение курсантов, и только благодаря умелому под-*

ходу политсостава удалось избежать эксцессов. В продбазе ВХУ Запфронта начбазы и военком[1] требуют от красноармейцев и служащих стоять навытяжку и отвечать: "так точно" и "никак нет". В бронебригаде Запфронта красноармейцы одного дивизиона объявили голодовку вследствие грубости комсостава... Отмечено много случаев использования красноармейцев в качестве денщиков, нянек, поломоек и т. п. ...»

И конечно же, все время, от одной части к другой, неизменное: *«Пьянство комсостава сильно распространено... В частях Запфронта пьянство также сильно распространено... В 16 армкорпусе пьянство сопровождается азартной и картежной игрой, что влияет разлагающе на красноармейцев. В 37 дивизии Запфронта имел место случай, когда пьяный начштаба одного из полков, обнажив шашку, кричал: "Бей жидов, спасай Россию"...»*

Естественно, переведенная на мирное положение, звереющая от непривычного безделья армия была горючим материалом для любой антиправительственной деятельности. *«В казармах эскадрона Белорусской дивизии отмечено распространение прокламации "Союза защиты родины и свободы". Антисоветские группировки комсостава отмечены на Запфронте – одна монархическая в частях 4 армкорпуса и анархо-интеллигентская в 37 дивизии... В 6 кавдивизии отмечается резкое отрицательное отношение к коммунистам, в 32 полку раздавались заявления: "В случае войны будем бить коммунистов". В частях связи имели место заявления, что в случае войны красноармейцы разбегутся или перейдут к белым. В 6 кавдивизии, 37 дивизии наблюдается рост антисемитизма... В 6 Чонгарской дивизии и 33 полку отмечены случаи отказа красноармейцев от исполнения распоряжений комсостава и падение дисциплины...»*

И так по всем «фронтам» – рост антикоммунистических настроений, грубость, падение дисциплины – и пьянство, пьянство без конца... Пили все, от бойцов до командармов. Помощник начальника информотделения разведчасти Западного фронта Довбор был в 1920 году исключен из партии за то, что в пьяном виде явился на переговоры с поляками. Куда уж дальше!

С подвигами на «пьяном» фронте могли бы соперничать подвиги на «женском фронте», если бы не определенная нехватка женщин в воинских частях. И все же...

---

[1] Военком – военный комиссар.

«В Приволжском военном округе помощник командира роты в пьяном угаре разделся сам и раздел проститутку, с которой начал плясать русского. Остальные подняли стрельбу из револьверов, подняв много шума...

В Уральском военном округе попойки носили характер оргии, где некоторые жены комсостава танцевали чуть ли не нагими. Была попойка специально женская, на которой присутствовали все жены комсостава 20-го полка. Попойка продолжалась танцами, дебошами, руганью, и дошло до того, что случайно попавший командир был повален на пол, были спущены брюки, и ему стоило много трудов вырваться оттуда неизнасилованным».

Впрочем, с «распущенностью» боролись, иногда не без успеха. В 1924 году коммунистическая ячейка одного кавалерийского полка выдала следующий документ: *«Заслушав доклад о коммунистической этике и классовой морали, постановили... воздержаться всем членам ячейки от половых сношений в течение двух лет для того, чтобы показать пример не на словах, а на деле беспартийным массам».*

Развлекались как могли. После окончания войны внезапно вспыхнула эпидемия дуэлей среди командиров. Даже в 1925 году в РККА произошло около 90 дуэлей. Из них 60 – со смертельным исходом: «товарищ маузер» и «товарищ наган» были получше традиционных дуэльных пистолетов, да и стреляли из них по-фронтовому. Положенное наказание – до 6 лет лишения свободы – само собой, командиров, только что прошедших тяжелейшую войну, не останавливало. (Любопытно, что такая же вспышка произошла в советской армии после введения в 1942 году новой формы с погонами и прочими атрибутами старого офицерства. Но тут уж явление задавили на корню, по законам военного времени.)

...С другой стороны, война окончилась, и хотелось жить красиво. Тот самый Довбор, которого исключили из партии за то, что пьяным явился на переговоры, в 1923 году после службы переодевался в штатский костюм, надевал шляпу, брал тросточку и шел развлекаться. Как – история умалчивает, но, должно быть, гулял хорошо, если его по этой причине обратно в партию так и не приняли. Но это, так сказать, развлечения армейской мелочи. «Наверху» все обстояло куда круче. После разгрома Колчака бывший начштаба Южного фронта И. Х. Паука был назначен начальником штаба войск Киевского округа. Прибыв в Киев, он первым делом занял губернаторский дом, где принялся давать приемы, на которые приглашал военную и партийную верхушку. Верхушка туда с удовольствием ходила. Бывший помощник Фрунзе В. А. Ольдерогге, ставший инспектором пехоты Украины и Крыма, привез с собой двух великолепных лошадей. Вскоре он стал устраивать на киевском ипподроме скачки, а его дочери держали там тотализатор, так что выручки хватало на красивую жизнь. Товарищи поняли революцию просто: были белые баре, а теперь будут красные баре, то есть мы...

Наверху была жестокая конкуренция за «места под солнцем» – мест было мало, особенно для «военспецов». Масла в огонь подлила новая политика большевиков, нацеленная на возвращение из эмиграции бывших белых офицеров. Их приглашали, обещая полное прощение и хорошую работу, и их коллеги, которые прошли всю войну в рядах Красной Армии, видели в них естественных конкурентов. Впрочем, те далеко не всегда стремились ввязаться в эту борьбу.

В свое время Михаил Булгаков написал роман «Бег» – о судьбах белой эмиграции. Прототипом генерала Хлудова в нем послужил генерал Слащев, имевший во время Гражданской красноречивое прозвище «Слащев-вешатель». После окончания войны большевики провели целую операцию, чтобы возвратить его в СССР – нет, не затем, чтобы свести счеты, а решив, что вслед за ним станут возвращаться и другие эмигрировавшие белогвардейцы. Зачем советским властям это было нужно – известно только им, а у них уже ничего не спросишь. В общем, Слащев действительно вернулся в Россию, никто его здесь не трогал, он спокойно преподавал себе на курсах усовершенствования комсостава «Выстрел» до тех пор, пока в 1929 году его не прикончил брат кого-то из повешенных им. Впрочем, несмотря на громадный авторитет в офицерской среде, приобретением Слащев оказался весьма сомнительным. Не знаем, каким он был педагогом, но вне школы он учил курсантов тому, в чем им совершенствоваться было не обязательно, да и не нужно – сами умели...

Один из его коллег по курсам, С. Харламов, когда его чекисты спросили, велись ли у Слащева антисоветские разговоры, честно сказал, что обстановка там была совершенно неподходящая не только для контрреволюционных, но и вообще для каких бы то ни было разговоров.

«И сам Слащев, и его жена очень много пили. Кроме того, он был морфинист или кокаинист. Каждый, кто хотел выпить, знал, что надо идти к Слащеву. Выпивка была главной притягательной силой всех попойках у Слащева. На меня не производило впечатления, что все вечеринки устраиваются с политической целью: уж больно много водки там выпивалось». Дошло до того, что командование курсов категорически запретило бывшему генералу приглашать к себе в гости слушателей – не потому, что «бывший», а чтобы не спаивал командиров.

...В начале 1924 года комиссия ЦК РКП(б) обследовала состояние Вооруженных Сил и пришла в ужас. «Красной Армии как организованной, обученной, политически воспитанной и обеспеченной мобилизационными запасами силы у нас в настоящее время нет. В настоящем виде Красная Армия небоеспособна».

С этой армией надо было срочно что-то делать. А время на дворе стояло веселое.

«Международное положение Советского Союза...»

С этой темы в бессмертном романе «Двенадцать стульев» начинались все митинги в городе Старгороде. И, надо сказать, правильно начинались. Потому что международное положение Советского Союза в то время было... До сих пор непонятно, как проскочили!

Почему-то принято думать, что угроза войны возникла с приходом к власти Гитлера, а до того все было мирно. Да ничего подобного! С приходом к власти Гитлера она как раз *уменьшилась,* поскольку европейское сообщество отвлеклось на новую Германию и на время отвело взоры от Советского Союза.

Гражданская война закончилась в 1921 году, к 1924-му страна кое-как оклемалась, начала армейскую реформу – и тут же разведка стала сообщать кремлевскому руководству об усилении агрессивных планов западных соседей СССР, в первую очередь Англии и Польши.

С Польшей Россия грызлась традиционно, тысячу лет, с переменным успехом: то мы их, то они нас. В 1920 году победили они, и Советская Россия лишилась значительных территорий. Как мы помним, в 1923 году грянул «германский красный октябрь», в ходе которого в советском посольстве в Берлине открытым текстом говорили о прорыве советских войск в Германию через Польшу. Одновременно молодой и резвый начальник Западного фронта Тухачевский, только что потерпевший от поляков позорное поражение, в самые горячие дни решил устроить маневры, и его войска демонстративно гуляли возле польской границы. Естественно, полякам это не нравилось, и их войска точно так же гуляли вдоль нашей границы. Так что слава немецким коммунистам с их нераспорядительностью!

Уже к 1924 году западные украинцы и белорусы поняли, что «под панами» им жить совсем не нравится, и стали роптать с такой силой, что дело шло к восстанию. Само собой, сразу же вслед за восстанием должна была начаться интервенция Красной Армии. Разведуправление РККА создало десятитысячную подпольную организацию, которая должна была поднимать «встречные» восстания и помогать красным брать города, по польской территории вовсю гуляли партизанские отряды, деятельность которых деликатно называли «активной разведкой», а ребята из Коминтерна устроили в Польше «большой террор» (впрочем, в те времена различить, где советская разведка, а где Коминтерн, было иной раз практически невозможно).

Результатом всех этих невинных развлечений стало то, что в 1926 году в Польше, где и без того русских традиционно не любят, пришел к власти матерый антисоветчик Пилсудский, видевший во сне Одессу в составе Великой Польши. После этого подготовка к войне уже как-то и не скрывалась. Не зря большинство политических переговоров между СССР и Германией вертелось вокруг системы совместной обороны против Польши.

Что же касается Англии, то тут снова удружили товарищи из Коминтерна. Когда ставки на Германию провалились, они принялись искать себе нового противника – и решили, что революцию надо делать в Британской империи. Еще в 1919 году Троцкий предлагал кавалерийский прорыв в Индию, а теперь о том, чтобы прибрать к рукам Восток, заговорили всерьез. Наши товарищи активно действовали в Китае, который был зоной британских интересов. А когда коминтерновцы вмешались в стачку британских шахтеров, едва не переведя ее в ранг гражданской войны, терпение у англичан лопнуло. (Кстати, Коминтерн был структурой, которой формально были обязаны подчиняться *все* входившие в него партии, включая ВКП(б). Так что, базируясь в Москве, эта контора творила, что ей угодно, и чихать хотела как на ЦК ВКП(б), так и на советское правительство. А отвечал за их фокусы, естественно, Советский Союз.)

В 1927 году Англия резко разрывает дипломатические отношения с СССР. По всему миру проходит серия провокаций против советских представительств, инспирированных англичанами: обыск в советском консульстве в Пекине, налет на торговое представительство в Лондоне. И, по различным данным, и легальным, и нелегальным, британский лев не собирался размениваться на провокации. Его целью было развязать против СССР полномасштабную войну. Причем, что вполне в английском духе, воевать не своими руками, а силами сопредельных с Советским Союзом государств, каждое из которых имело к нему территориальные претензии. Польша зарилась на Украину, Финляндия на Карелию, румыны боялись, что придется возвращать Бессарабию, и т. д. Каждое из этих государств по отдельности (кроме Польши) было слабее СССР, но вместе они были сильнее.

Начавшийся в конце 20-х годов мировой экономический кризис вызвал в Москве еще большие опасения. Сталин пришел к выводу, что капиталистические государства будут искать выход из кризиса на путях интервенции против СССР, чтобы решить свои экономические проблемы за наш счет. (Как известно, тогда это не удалось, зато было благополучно проделано в 90-е годы, на пороге нового кризиса, но уже без всякой интервенции.) Так что войны ждали со дня на день – до такой степени, что в 1927 году Ворошилов объявил призыв миллиона резервистов. Самые опасные точки были на Дальнем Востоке и на польской границе.

И в довершение радостей, в стране началась коллективизация – в 1942 году Сталин сравнивал это время по тяжести с Великой Отечественной войной. Да это и была внутренняя война – с тысячными армиями повстанцев, против которых приходилось применять войска. До сих пор непонятно, как армия, в основном состоявшая из крестьян, не сдетонировала. И это в условиях, когда война могла начаться со дня на день!

Само собой, в таких условиях и все антисоветски настроенные элементы внутри страны – а их было множество! – сразу подобрались. Ждали интервенции, которая снесет наконец ненавистную «хамскую» власть и, естественно, готовились встретить освободителей и по мере сил помочь им. Именно в 1927 году оппозиция, «вторая партия», а также заговоры резко активизировались.

Как ни парадоксально, похоже, что именно обилие опасностей и помогло. Заговорщики ждали иностранной интервенции, потенциальные интервенты ждали, когда крестьянское восстание снесет этот безумный режим с лица земли. Иные прогнозы даже не рассматривались, в то, что сталинский режим удержится, никто не верил. Сто лет русские цари, правители могучего стабильного государства, подступались к аграрной реформе – и как подступались, так и отступались. А *эти*, в разоренной, нищей, голодной стране, полагают, что им удастся то, что не по зубам было даже царям?

А когда поняли, что большевики проскочили и тут, что им удалось и это – момент был уже упущен. К власти в Германии пришел Гитлер, и бывшим товарищам по Антанте стало не до СССР – надо было думать, как самим уберечься от новой войны.

Если кто-то полагает, что изгнанные из страны «верхи» Российской империи так легко отступились от своего прежнего блестящего положения и от оставленной в стране собственности... Нет, речь шла отнюдь не об идеях, не о триаде «Вера, Царь и Отечество». Еще раз повторяем: речь шла о собственности, власти, положении в обществе бывших российских верхов – это был мотор всех процессов. Вот же она, Россия, которую они потеряли, с черт знает какой властью, которую только толкни... По крайней мере, так тогда казалось.

Основной тактикой эмигрантских центров, самым сильным среди которых был пресловутый РОВС, стала засылка в СССР агентов. Боевики-террористы – это так, мелкое развлечение, чтобы Советам жизнь медом не казалась. Серьезные дела, те, что с привлечением больших денег и иностранных разведок, во все времена делались иначе. Засылались агенты, которые вербовали внутри страны единомышленников и создавали подпольные организации – точно так же, как это делала наша разведка в немецком тылу во время Великой Отечественной войны, или как это делали большевики в Сибири во время Гражданской. Этот процесс шел все 20-е годы: чекисты с большим или меньшим успехом раскрывали разного рода контрреволюционные организации. В то время расстрельными приговорами не бросались, поэтому можно почти с абсолютной уверенностью сказать: если человек по политическому делу приговорен к расстрелу – значит, была вскрыта организация. С окончанием коллективизации и началом индустриализации, когда советское народное хозяйство стало хоть на что-то похоже, эмигрантские центры умерили активность, ибо все это стало явно нерентабельно. Тут уже пошли другие процессы. Но в 20-е годы надежды еще оставались, соответственно, была и подрывная деятельность, как же без нее?

Кроме того, в 20-х годах многие бывшие офицеры возвращались в Россию из эмиграции. Одно время большевики этот процесс всячески поощряли. Или вы думаете, что среди прибывающих в Россию не было агентов эмигрантских организаций и иностранных разведок? Нет-нет, конечно, все были движимы исключительно чистой любовью к Родине...

А теперь подумаем: в какой среде Российскому общевоинскому союзу естественнее всего было вербовать себе сторонников?

Вспомним еще раз: во все времена и во всех обществах офицеры были *кастой*. Еще в первой половине 20-х годов Деникин опубликовал свои мемуары, под названием «Очерки русской смуты», где писал о тех своих товарищах, которые пошли на службу к большевикам: «Почти все они находились в сношениях с московскими центрами и Добровольческой армией. Не раз к нам поступали от них запросы о допустимости службы у большевиков... Они оправдывали свой шаг вначале необходимостью препятствовать германскому вторжению, потом "недолговечностью большевизма" и стремлением "кабинетным путем" разработать все вопросы по воссозданию русской армии и пристроить так или иначе голодных офицеров...»

То есть, как видим, во времена Гражданской войны многие ощущали себя все еще частью единого *русского офицерского корпуса*. И если это ощущение сохранилось даже тогда, когда они были по разные стороны фронта, то уж точно потом оно никуда не делось.

На этом, как мы уже писали, строил важную часть своей работы РОВС. Пользуясь старыми знакомствами, засланные в СССР агенты Кутепова устанавливали связи с офицерами Красной Армии и готовили военный переворот в Москве. Эмиссары из РОВСа не так уж и рисковали, обращаясь к старым товарищам. Их могли принять или послать восвояси – но не донести, поскольку внутри *касты* понятие чести было не пустым звуком. Теперь это называется корпоративной солидарностью, а тогда честью – и честь офицера не позволяла бежать в ГПУ.

Чекисты и военные

...В начале 1990-х годов у нас много писали о судьбе поэта Николая Гумилева, который был расстрелян в 1921 году, по обвинению в участии в офицерском заговоре. Само собой, как и все тогда, он считался безвинно умученным большевиками. Эти стенания продолжались до тех пор, пока в Санкт-Петербург не приехала старая поэтесса Одоевцева, в свое время хорошо знавшая Гумилева. И, когда какая-то журналистка задала ей вопрос о том, мог ли Гумилев участвовать в заговоре, ожидая, само собой, очередной порции вздохов по поводу невинно убиенного поэта, девяностолетняя Одоевцева, просияв от воспоминаний, радостно ответила: «А как же! Я нисколько не сомневаюсь!»

Современным интеллигентам не стоило бы мерить Гумилева по себе. Биография его специфична. Сын корабельного врача, учился в Сорбонне, к двадцати пяти годам совершил три путешествия в Африку, непонятно зачем и на какие деньги – впрочем, предполагают, что он работал на русскую разведку, и это очень в его духе. На войну Гумилев пошел добровольцем, и не куда-нибудь, а в войсковую конную разведку, известен был невероятной храбростью, получил два Георгиевских креста, произведен в офицеры. Воин и авантюрист, он сам писал о себе и таких, как он, в стихотворении «Мои читатели»:

> *Я не оскорбляю их неврастенией,*
> *Не унижаю душевной теплотой,*
> *Не надоедаю многозначительными намеками*
> *На содержимое выеденного яйца,*
> *Но когда вокруг свищут пули,*
> *Когда волны ломают борта,*
> *Я учу их, как не бояться,*
> *Не бояться и делать, что надо.*

Мог ли такой человек тихо жить в Петрограде 1919 года и не ввязаться в борьбу? Он должен был или служить большевикам, или с ними бороться. Он выбрал последнее, проиграл и был расстрелян, как и положено по законам военного времени. Кто-нибудь из его любимых африканских вождей мог бы сказать: «Хорошая жизнь и хорошая смерть».

Такой подход к событиям был, в общем-то, типичен. Офицеры – люди с активной жизненной позицией. Кто не верит, посмотрите хотя бы на нынешних отставников: энергии одного бывшего полковника хватит на десяток штатских. При этом, как военные, то есть элементы машины для убийства, они не слишком отягощены моралью и не щепетильны в выборе средств.

Еще до окончания Гражданской войны чекисты раскрыли целый ряд контрреволюционных организаций, в том числе знаменитый «Тактический центр», а также «Петроградскую боевую организацию», по делу которой и был расстрелян Гумилев. Или, скажем, существовала некая «Добровольческая армия Московского района», насчитывавшая 700 (!) бывших офицеров. Это надо знать, чтобы понимать, почему ЧК–ОГПУ–НКВД чуть что, сразу бралось за бывших офицеров царской армии. У них были для этого все основания!

Никто не спорит, что чекисты фальсифицировали дела. Против этой болезни органов средства еще не найдено, и едва ли его когда-нибудь найдут. Но, с другой стороны, и среди бывших офицеров хватало активных борцов с советской властью. Так что, полагаем, за некоторым процентом исключений, в целом материалы следственных дел достаточно хорошо отражают то, что было на самом деле.

...Забавно читать некоторые книги. Вот, например, работа Н. Черушева «Невиновных не бывает», посвященная взаимоотношениям ОГПУ и военных. Хорошее название. Сейчас мы узнаем о колоссальных расправах злобных чекистов над невинными жертвами.

И в самом деле: «Не будем скрывать, что в годы Гражданской войны нередки были случаи, когда карающая десница пролетарского правосудия опускалась на головы невиновных людей, честных командиров Красной Армии, бывших офицеров, оболганных и оклеветанных подлыми доносчиками, завистниками, недоброжелателями. Достаточно сказать, что аресту и следствию подвергались по обвинению в принадлежности к контрреволюционной организации бывший главком Вооруженных сил Республики И. И. Вацетис, бывший помощник военного руководителя Высшего Военного Совета С. Г. Лукирский... и др. Названным лицам еще сравнительно повезло – после недолгого разбирательства их чекисты отпустили, и они продолжили свою службу в рядах Красной Армии...»

Погодите-ка! Если чекисты их отпустили, да еще «после недолгого разбирательства», то при чем тут «карающая десница пролетарского правосудия»? Кстати, и у нас сплошь и рядом в ходе следствия сажают людей в тюрьму, хотя нынче в России вроде бы демократия...

В той же книге тот же автор приводит конкретный пример работы начальника особого отдела группы войск Киевского направления Ф. Т. Фомина – пример, надо сказать, крайне неудачный. После взятия Киева в особый отдел попали фотографии, на одной из которых был изображен гетман Скоропадский со своим штабом. Среди офицеров на ней особисты опознали одного из заведующих отделом штаба их армии – должность, как сами понимаете, не из последних. И что же сделали звери-чекисты? Думаете, потащили несчастного полковника на допрос? Ничуть не бывало.

Сначала сообщили о неприятном открытии члену военного совета Щаденко и начштаба Дубовому. Потом подозреваемого полковника вызвали по какому-то делу, чтобы внимательно его рассмотреть и сравнить с фотографией. Вроде бы он! Но и после того его не арестовали – а вдруг все же ошибка! Сперва провели негласный обыск на квартире подозреваемого, и лишь обнаружив там секретные документы, взяли его. Полковник оказался офицером для особых поручений при гетмане Скоропадском, начальником нескольких карательных экспедиций, был заслан в красный штаб разведкой белых, а учитывая, сколько информации проходило через его руки... В общем, даже у насквозь ангажированного автора не хватило решимости записать его в «жертвы чекистов». Здесь другое: посмотрите, как тщательно проверяют особисты свои подозрения!

Не везде, наверное, было так. Поэтому мы и говорим, что для книги под названием «Невиновных не бывает» оба примера крайне неудачные. Можно было бы найти и получше.

...Но с историческими трудами бывает и еще веселей, так что уже не знаешь, плакать или смеяться. Возьмем, например, монографию Ярослава Тинченко: «Голгофа русского офицерства». Цитируем предисловие, написанное неким безымянным «редактором»: «После победы в Гражданской войне сама по себе прошлая служба в царской или белой армии, казалось бы, не должна служить поводом для репрессий. Однако ВЧК, а затем и ОГПУ не только продолжали тщательно следить за бывшими офицерами, но время от времени арестовывали кого-то из них... Действия, предпринимавшиеся ОГПУ по отношению к бывших офицерам, не ограничивались их учетом и "разработкой". Имели место и случаи арестов с предъявлением обвинений в контрреволюционной деятельности...»

Вот ведь сволочи-то чекисты, а? Русский офицер, он ведь против существующего строя даже во сне выступить не способен! Хоть бы спиритизмом занялся господин «редактор», тени Павла I, убиенного собственной гвардией, да Николая I, едва не разделившего его судьбу, вызвал, коли уж сам школьную программу забыл...

Но это еще что! Дальше он начинает приводить примеры. В ходе перечисления «зверств большевиков» рассказывается о расстреле в 1927 году двадцати человек, из которых двенадцать были бывшими офицерами. Делалось все абсолютно гласно, легально, в «Правде» об этом прошло сообщение за подписью Менжинского. Затем на нескольких страницах книги приводятся стенания некоего чешского «осведомленного дипломата» Й. Гирсы, который видит в этом начало нового «красного террора», повествует в донесении своему правительству о казнях, переполненных тюрьмах, о том, что советское правительство «хочет жестко подавить всякую попытку сопротивления и тем самым опять держать широкие массы в состоянии ужаса, чтобы сделать их легче управляемыми».

Да, но затем автор приводит имена тех, кто взошел на эту «голгофу». Не будем перечислять всех, они все ребята веселые. Назовем «номер второй», поскольку он хорошо известен по некоторым другим делам. Это Эльвенгрен, бывший штаб-ротмистр гвардейского кирасирского полка. Как пишет автор: «ему вменялось в вину организация Ингерманландского и Карельского восстаний в 1918–1919 гг., подготовка вместе с Сиднеем Рейли покушения на делегацию СССР на Генуэзской конференции, участие в контрреволюционных организациях, в кронштадтском мятеже, причастность к убийству В. В. Воровского».

И ничего себе, «невинная жертва»!

Но и это еще не все! Штаб-ротмистр кирасирского полка Эльвенгрен был в числе руководства савинковского «Союза защиты родины и свободы», террористической организации, перебрасывавшей боевиков на советскую территорию. Кто помнит ту серию фильма «Государственная граница» (третью, кажется), где показан налет банды боевиков на белорусское местечко – так это как раз те ребята!

Можем дать хороший совет, господа радетели за «умученных большевиками»: поменьше фамилий. Иначе можно так напороться!

Кстати, вопрос об этих двадцати расстрелянных (остальные из которых были не лучше) и об отношении к этому Запада был затронут даже на Пленуме ЦК и ЦКК. По этому поводу выступал сам Сталин. Что великолепно доказывает: никаких репрессий в СССР в то время *не было.* Потому что, когда идут репрессии, вопрос о двадцати расстрелянных террористах на таком уровне не решается. В 1934 году, после убийства Кирова, с тогдашними террористами разобрались на местном уровне в течение нескольких дней и без всякого шума.

Репрессий не было, а дела – были! Не очень много, но и не мало. Иные – совершенно безумные, такие как арест нескольких сотен морских офицеров после Кронштадтского восстания, из-за которых военный наркомат и сам нарком насмерть переругались с чекистами. Иные вполне правдоподобные.

Нас интересует одно из этих дел – большое, странное и до сих пор не проясненное...

Как ни странно, о деле «Весна» до сих пор писали очень мало, хотя конъюнктурно оно крайне выгодно «реабилитаторам» – целая волна арестов офицеров, да еще в начале 30-х годов, да еще с расстрельными приговорами. Возможно, не заинтересовало оно господ из «Огонька» и иже с ними потому, что эти люди не были им близки, то есть не относились к интеллигенции и «старым большевикам», возможно, и иная была тому причина. Как бы то ни было, дело «Весна» не трогали очень долго.

В чем же оно заключалось?

В 1930–1931 годах в СССР прошли крупные аресты, в основном среди бывших кадровых офицеров царской армии. Арестовано было более 3000 человек. Само собой, дело считается полностью сфабрикованным – а как же иначе? У нас вообще ни шпионов, ни заговорщиков после 1917 года не бывало... Тем более что как раз в это время в ОГПУ вспыхнул очередной крупный скандал, из тех, что время от времени сотрясали ведомство, и одна часть славного аппарата обвинила другую его часть в фальсификации дел. Склока была такой, что потребовалось вмешательство Политбюро. В первую очередь этим обвинением припечатали как раз украинских чекистов, ведущих дело «Весна».

Вообще-то тут черт ногу сломит. По первому впечатлению это дело представляет собой репрессии 1937 года, так сказать, в миниатюре. Судя по объективным обстоятельствам и по началу, в основе «Весны» лежит какое-то реальное дело о реальном заговоре, на которое наслоилось много всякой дряни. Тут и излишнее усердие следователей – а представление о законности и правопорядке в органах в те времена было весьма своеобразное. Тут и война группировок в Красной Армии, где противостояли друг другу кадровые офицеры и «красные командиры», делавшие друг другу разнообразные пакости, в том числе и с привлечением этих самых органов. Тут и сведение самых различных счетов: виновные могли оговаривать и запутывать в дело тех, кто отказался сотрудничать, невиновные – приплетать личных врагов. В общем, разобраться со всем этим на основе книг историков, пусть даже и читавших дела, но незнакомых со спецификой работы «органов», невозможно, да и по самим делам тоже не разобраться, тут нужны юристы. Так что займемся угадыванием...

Итак, что известно о предыстории этого дела?

После окончания войны бывшие царские офицеры потихоньку начали возрождать старые традиции. Уже с 1922 года стали появляться «полковые землячества», все чаще нынешние красные командиры вспоминали, кто в каком училище учился: «павлоны», «александроны» и пр. С ностальгией вспоминали о старых обычаях, даже нашивали на гимнастерки канты прежних полков.

Или, например, «георгиевские вечера» генерала Снесарева. На них приглашались лишь георгиевские кавалеры из высшего царского офицерства – генералы и полковники. Собирались в штатском, но непременно с орденом Св. Георгия. Когда один из генералов пришел с орденом Красного Знамени, ему мимоходом «поставили на вид», что это знак Сатаны. Ну и разговоры велись соответствующие, и на чью сторону встали бы эти люди в случае новой войны – это еще большой вопрос.

Таких «землячеств», «кружков», вечеров было множество. Естественно, разговоры за чаем не считались криминалом, но все же ОГПУ потихоньку присматривало за бывшими офицерами, особенно за кадровыми. Впрочем, проверяли их не на «благонадежность», как любят у нас говорить – для этого существовали совсем другие структуры, а отслеживали вполне конкретные вещи: связи с предполагаемым белым подпольем и с заграницей. В ОГПУ эти материалы были собраны в деле «Генштабисты», где фигурировало более 350 человек. Далеко не все были даже арестованы, не говоря уже об осуждении – например, того же Тухачевского еще десять лет никто не трогал (может, и зря, кстати...). Это был просто сбор информации – в основном с помощью осведомителей, именно *присматривали*, не более того... Но кое-какую информацию получали.

Некоторые сведения о деятельности подполья в СССР были получены и в эмигрантских кругах в ходе таких дел, как «Трест», «Синдикат» и других. До сих пор неясно, что именно дало толчок делу «Весна», но началось оно в 1930 году и, по некоторым данным, именно на Украине.

Какое-то время дело тлело себе потихоньку, а затем в один и тот же день – 14 августа 1930 года – в Москве и других городах прошли аресты бывших белых генералов и офицеров. То, что большинство арестов состоялось в один день, показывает, что дело было отнюдь не спонтанным, его не «разматывали», начиная с какого-нибудь доноса. Это говорит о долгой предварительной работе ОГПУ, которое отслеживало *организацию*. Многие из арестованных были реэмигрантами – в частности, например, Ю. Гравицкий, участник Ледяного похода 1918 года, человек, достаточно близкий к лидеру РОВС генералу Кутепову. (Кстати, именно в это время сам генерал был похищен чекистами – весьма интересное совпадение.)

Арестованным вменялись в вину подготовка вооруженного восстания и шпионаж. 31 человек был приговорен к расстрелу – очень много для такой группы! – и все они были на самом деле расстреляны, что для того времени не совсем типично.

Что там могло быть? Это нетрудно угадать, если вспомнить, в какое время все это произошло. 1930 год, самый пик коллективизации, правительство на пределе, у оппозиционеров уже элементарно сдают нервы. Кроме банальной борьбы за власть, все чаще прорезается другой мотив: «правительство гробит страну, его надо остановить»! Именно на этой почве легко могли и неизбежно должны были сойтись даже такие крайности, как «большевики-ленинцы» и бывшие офицеры.

А теперь посмотрим дату. Август 1930 года. Только что закончился XVI съезд партии, на котором был дан очередной бой правой оппозиции. И вдруг, внезапно, в самое горячее время, правительство разъезжается по отпускам, и каким – на два-три месяца. Конечно, они и на отдыхе работали – и все же как-то уж очень это похоже на то, что они не уехали, а *удалились* из Москвы в безопасное место. И, кстати, для оппозиции вполне естественно в случае поражения на съезде перейти к силовым действиям. А любое восстание в СССР было чревато неизбежной интервенцией.

И вот после этого стало раскручиваться дело «Весна».

Известно, что самые массовые «репрессии» по нему пришлись на Киевский военный округ. По уровню напряженности его можно было в то время сравнить разве что с Дальневосточным: здесь рядом была Польша, там – Япония. Если ждать интервенции, то скорее всего именно тут, на плодородной Украине, и сейчас, когда крестьяне радостно встретят любого, кто избавит их от коллективизации.

Всего в округе по делу «Весна» проходило 343 человека. В киевском гарнизоне арестовали 150 человек, из них обвинительное заключение было составлено на 121 человека. В Киеве вообще было все серьезно. Впрочем, чтобы не быть голословными, лучше процитируем Н. Черушева.

«В чем же обвиняли бывших генералов и офицеров? Какие из существенных обвинений им могли приписать? Конечно же, в первую очередь подготовку восстания сначала в Киеве, а затем и по всей Украине. Характерная деталь, разработанная "стратегами" из ОГПУ: восстание в Киеве должно было начаться с выступления стрелковых полков 14-го стрелкового корпуса при подходе к городу иноземных войск. В роли участников восстания, по версии ОГПУ, должны были выступать бывшие офицеры, домовладельцы, представители интеллигенции и часть студенчества. Таких "повстанцев" в Киеве к маю 1931 г. ОГПУ "выявило" и арестовало 740 чел. Около половины из них "оказались" бывшими офицерами царской армии...

Руководство таким восстанием в Киеве ОГПУ "возложило" на бывшего генерал-майора В. А. Ольдерогге, главного военного руководителя гражданских киевских вузов. Для удобства руководства Киев был разделен на секторы – "районные контрреволюционные организации" с назначенными руководителями. Всех повстанцев предполагалось вооружить за счет оружия военных кафедр гражданских вузов (это 200–250 винтовок, 5–6 пулеметов и до 100 тысяч патронов к ним). Оружие также должны были выделить полки 45-й и 46-й стрелковых дивизий и в первую очередь 135-й стрелковый полк».

А теперь давайте сравним этот отрывок с другим. Вспомним о восстании, которое готовилось на отошедших к Польше российских территориях в 1924 году, навстречу интервенции Красной Армии. Вот как описывает то, что получилось в результате, Г. Беседовский: «Главная работа... проводилась органами Разведупра, создавшими вдоль польско-советской границы ряд специальных пунктов. Эти пункты... *создали на польской Волыни большую боевую организацию, включавшую в свои ряды около десяти тысяч человек. Организация эта была создана по военному образцу: она делилась на полки, батальоны и роты, которые должны были служить кадрами развернутых повстанческих частей после первых успехов восстания...»*

Ну и что, скажите, такого уж невозможного в обвинениях по делу «Весна»?

Кстати, Владимир Александрович Ольдерогге – человек очень серьезный, не какой-то там отставной интендант. Его боевой путь начался еще в Русско-японскую войну. В Первую мировую он командовал пехотным полком, бригадой и затем Туркестанской пехотной дивизией. В Гражданскую некоторое время командовал Восточным фронтом, затем был командующим войсками Западно-Сибирского военного округа. Как раз там-то и применялся этот метод «встречных» восстаний, когда город иной раз сам падал в руки подходящих красных частей.

Ольдерогге признался в том, что был руководителем контрреволюционной организации, приговорен к расстрелу и действительно расстрелян, что в то время бывало не так уж часто. Даже приговоренных к высшей мере казнили далеко не всегда. Обычной практикой была замена высшей меры наказания десятью годами заключения, которое, как правило, даже не отбывали полностью. Через несколько лет заключенного освобождали. Если человек действительно был расстрелян, то для этого должны были быть очень серьезные основания.

По сведениям Я. Тинченко, всего в УВО было осуждено 328 командиров и еще почти столько же взято на учет ОГПУ. Из них одни были вскоре уволены из армии по политическому недоверию, другие переведены во внутренние округа, подальше от польской границы.

Прошли аресты бывших офицеров и в других округах. Форменный погром устроили в Военной академии им. Фрунзе, еще в некоторых высших военных учебных заведениях. Правда, смертных приговоров было мало. Обычный срок – пять лет, иногда десять, с почти неизбежным досрочным освобождением. Так в то время часто поступали с ценными специалистами, замешанными в какой-нибудь антигосударственной деятельности. Как правило, одного раза хватало, чтобы навсегда отбить охоту к любой подобной деятельности. (Многие из этих людей, впрочем, были арестованы и расстреляны позднее, во время ежовщины. Но это уже совсем другие «органы» и совсем другая история.)

Дело, как видим, непонятное, смутное. С одной стороны, учитывая обстановку в стране и вокруг нее, что-то подобное неминуемо должно было возникнуть. С другой стороны, почти все оно строилось на агентурных данных и показаниях арестованных, других доказательств практически не было. И если человек ни в чем себя виновным не признавал, то у него были хорошие шансы отбиться от следователей, как отбился А. И. Верховский, бывший военный министр Временного правительства. Был ли он замешан в чем-либо или нет – но он непоколебимо настаивал на своей невиновности и после трех лет следствия был освобожден. С третьей стороны, такие дела – степной простор для разного рода «липачей». С четвертой – тогда в органах ОГПУ еще не били. Об одном из самых упорных подследственных Н. Черушев пишет: «Верховскому грозили неминуемым расстрелом в случае дальнейшего запирательства, обещая всего лишь три-четыре года тюрьмы, если он "разоружится", то есть признает себя виновным... Следователь Николаев не раз обещал согнуть его в бараний рог и заставить на коленях умолять о пощаде...»

Уж на что не любит ОГПУ Ярослав Тинченко, и тот вынужден признать, что если подследственные держались стойко, то у следователей ничего не выходило. «Затем были арестованы преподаватели "Выстрела" из бывших белогвардейцев: полковник Б. А. Козерский, подполковник В. К. Головкин, поручик И.В.Медведков. Но и они ничего "интересного" сообщить следствию не пожелали: пьянки, мол, были, "Боже, царя храни" иногда пели, лясы точить – тоже было, но чтобы состоять в контрреволюционной организации – ни-ни. Не дал "нужных" показаний и арестованный 18 февраля 1931 года в прошлом полковник Генштаба и именитый красный командарм С. Д. Харламов, теперь занимавшийся скромной преподавательской работой. Его взяли на основе показаний ряда лиц, что Харламов, мол, бывший помещик и очень богатый человек, а главное – тоже любитель попеть старый русский гимн. Но Харламов вообще ни в чем не признался и в конце концов был приговорен к 3 годам тюрьмы условно, причем сразу же по выходе из тюрьмы восстановлен на всех должностях. В общем, с "Выстрелом"... у ОГПУ не сложилось».

Вот и спрашивается: что же говорили и почему признавались те, с кем у ОГПУ «сложилось»? Вопросов по персоналиям дела «Весна» больше, чем ответов. А вот по самому делу так не скажешь. Выглядит оно довольно убедительно, уже хотя бы по той причине, что что-то подобное в данной внутриполитической и международной ситуации неминуемо должно было возникнуть. Ну жизнь так устроена!

Впрочем, нас интересует не столько само дело, сколько два его маленьких эпизода, которые дошли до самых верхов и рассматривались членами Политбюро. Касались они двух высших чинов тогдашней военной иерархии – начальника штаба РККА Б. М. Шапошникова и начальника Ленинградского военного округа, бывшего начальника штаба М. Н. Тухачевского.

На первого показал помощник начальника штаба УВО Бежанов-Сакварелидзе. Будучи арестован, заговорил он сразу же, в тот же день – то есть ни о каком прессинге не может быть и речи, и говорил много.

«Первое мое свидание с Шапошниковым на почве контрреволюционной работы было осенью 1928 года во время маневров в Киеве. Здесь Шапошников сообщил мне, что настроение за границей, особенно во Франции, в определенных кругах все больше обостряется по отношению к Советскому Союзу, что в этих кругах все решительно готовятся к интервенции и что во французском генштабе план этой интервенции якобы уже проработан». Затем он заявил, что Шапошников собирался поднять восстание, чтобы помочь интервентам.

Дело дошло до самых верхов, и 13 марта 1931 года состоялась очная ставка Бежанова и Шапошникова, в присутствии Сталина, Молотова, Орджоникидзе и Ворошилова. Надо сказать, что Борис Михайлович отбился от всех обвинений – и неудивительно, если обвинения были такими.

Помогла эта очная ставка и арестованному бывшему начальнику Бежанова С. А. Пугачеву, которого после нее освободили.

А вот показания на второго из высших советских чинов, проходившего по делу «Весна», куда более интересны. Заговорил о нем полковник Какурин, преподаватель Военной академии РККА, сказав буквально следующее:

«В Москве собирались у Тухачевского, временами у Гая, временами у цыганки[1]. В Ленинграде собирались у Тухачевского. Лидером всех этих собраний являлся Тухачевский... В момент и после XVI съезда было уточнено решение сидеть и выжидать, организуясь в кадрах в течение времени наивысшего напряжения борьбы между правыми и ЦК. Но тогда же Тухачевский выдвинул вопрос о политической акции как цели развязывания правого уклона и перехода на новую высшую ступень, каковая мыслится как военная диктатура, приходящая к власти через вышеупомянутый правый уклон...

Далее Михаил Николаевич говорил, что, наоборот, можно рассчитывать на дальнейшее обострение внутрипартийной борьбы. Я не исключаю возможности, сказал он, в качестве одной из перспектив, что в пылу и ожесточении этой борьбы страсти и политические, и личные разгораются настолько, что будут забыты и перейдены все рамки и границы. Возможна и такая перспектива, что рука фанатика для развязывания правого уклона не остановится и перед покушением на жизнь самого тов. Сталина...

У Мих. Ник., возможно, есть какие-то связи с Углановыми, возможно, с целым рядом других партийных или околопартийных лиц, которые рассматривают Тухачевского как возможного военного вождя на случай борьбы с анархией и агрессией. Сейчас, когда я имел время глубоко продумать все случившееся, я не исключу и того, что, говоря в качестве прогноза о фанатике, стреляющем в Сталина, Тухачевский просто вуалировал ту перспективу, над которой он сам размышлял в действительности».

Похожие показания дал и друг Какурина И. А. Троицкий.

Дело кончилось, опять же, очной ставкой в присутствии Сталина, где оба арестованных повторили те же показания.

В тот раз история завершилась ничем. Тухачевского решили не трогать. Но что тут важно: еще в то время он заговорил о военной диктатуре

---

[1] Мелихова-Морозова, любовница полковника Какурина.

как некоей «высшей ступени». Далеко не каждую голову посещают подобные мысли. И об убийстве тоже – в таком контексте такие предположения просто так не делаются...

Досье: знаковые фигуры
СЧАСТЛИВАЯ ЗВЕЗДА НАПОЛЕОНА БОНАПАРТА

Более всего сказалась в его жизни вера в «свою звезду»,
в ниспосланную невесть откуда удачу. В «своей звезде» Наполеон
был с какого-то момента непоколебимо убежден. И всю свою
жизнь слово «судьба» (Fortune) писал он с большой буквы.
А. Щербаков. Как стать великим

Наполеон Бонапарт, будущий император Франции, родился 15 августа 1769 года на острове Корсика в городе Аяччо, в семье бедного дворянина, адвоката Карло Бонапарта, где, кроме него, было еще двенадцать детей. Десяти лет от роду его отдали в военное училище в городе Бриенне. В шестнадцать лет, став подпоручиком, он отправляется служить в артиллерийский полк в городок Валанс. Большую часть и без того нищенского жалованья он отсылал семье, оставшейся к тому времени без кормильца – так и прозябал до 1789 года, когда во Франции началась революция.

Всю свою жизнь Наполеон страстно любил армию. С самого начала он был на службе чрезвычайно усерден. По собственному почину, считая, что командир должен уметь все, он выполняет солдатскую работу – чистит лошадей, орудия. Все свободное время посвящает самообразованию, читает книги по самым разным областям знания – физике, математике, истории... Любит играть в карты – но не в интеллектуальные игры, а в... очко – эта игра была популярна и в тогдашней Франции не меньше, чем в России 20-х годов. Игра, где все зависит от удачи...

Впрочем, как бы подпоручик Бонапарт ни выполнял свои обязанности, больших перспектив это ему не сулило. Успех по службе во Франции того времени определялся происхождением, деньгами и связями, других путей не было. В лучшем случае дослужился бы до майора.

И тут грянула революция. Понимая, что от службы под королевскими лилиями ждать нечего, он без колебаний примкнул к революционерам, более того, к самому левому крылу – якобинцам, малопопулярным в то время ультрарадикалам. В прежнем обществе он сразу стал отверженным, а в случае победы роялистов его ждала неизбежная смертная казнь. Однако он – в первый раз, но не в последний – поставил на карту все. И в конечном итоге ему выпало именно «двадцать одно».

Побывав на родине, Наполеон в 1792 году возвращается во Францию. К тому времени революционная армия находилась в жестоком кризисе: у нее были солдаты, но почти не было офицеров. Подпоручик-корсиканец получает назначение, о котором в обычных условиях не мог бы даже мечтать: командовать артиллерией в войсках, осаждавших занятый роялистами Тулон. Там он берет командование на себя – и удачно: после трех дней артобстрела и двухдневного отчаянного штурма город взят. Наполеон сам ведет солдат в атаку, получает штыковую рану и громкую славу – но ненадолго.

Революция терпит поражение, к власти приходит так называемая Директория – нечто вроде Временного правительства в России, только еще хуже. Отсидев некоторое время в тюрьме, он выходит на свободу, но оказывается без работы. Ему предлагают командование пехотной дивизией, подавляющей восстание в Ванде, – эти войска получили прозвище «адских колонн» за совершенно запредельную жестокость. Однако стать карателем Наполеон отказывается и остается на половинном жалованье, всеми забытый.

И тут судьба второй раз улыбается Наполеону Бонапарту. В сентябре 1795 года роялисты поднимают восстание в Париже. Несколько десятков тысяч человек направляются штурмовать дворец Тюильри, где заседает Директория. Правительство к тому времени ненавидела вся страна, войска также не горели желанием защищать их. И тут кто-то вспомнил о молодом республиканском генерале. Наполеон не испытывает каких-то особенных симпатий к этому правительству – публика была на редкость мерзкой. Позднее он говорил о мятежниках: «Если бы эти молодцы дали мне начальство над ними, как у меня полетели бы на воздух члены Конвента!» Но позвали его другие, и Наполеон выступил на их стороне.

Солдат у него почти что не было, и тогда он — впервые в мире — решил применить артиллерию в уличных боях. Он приказал выкатить пушки на мост через Сену и разогнал повстанцев картечью. Теперь уж и новая власть — поневоле — тоже заметила генерала Бонапарта. В полном соответствии с его желанием, его назначили командующим французской армией, воевавшей в Италии, в Сардинском королевстве, которое входило в антифранцузскую коалицию. Кроме мелких итальянских государств, в коалиции участвовали Англия, Австрия и Россия.

Наполеону досталась армия, укомлектованная революционным сбродом, сидящая без финансирования, голодная и раздетая, к тому времени уже больше похожая на банду, — но это была армия, с солдатами Бонапарт всегда находил общий язык. Труднее было найти его с командованием. Возглавляли Итальянскую армию тогдашние «военспецы» — генералы еще королевских времен, к тому времени одержавшие несколько побед. И, что было особенно неприятно, высокие и громогласные (а Наполеон был росту очень и очень небольшого). Нового начальника они ни во что не ставили.

В этой ситуации победить можно было только психологическим «наездом». И у Наполеона это блестяще получилось. Он пригласил генералов к себе в палатку, предложил сесть, снял шляпу. Генералы тоже сняли головные уборы. И вдруг во время разговора Наполеон надел шляпу снова и посмотрел на генералов — так, что они сделать того же не посмели.

Кстати, именно тогда будущий император сказал свою знаменитую фразу. Адресовалась она Ожеро.

— Генерал, вы ростом выше меня ровно на одну голову. Но если вы будете мне грубить, то я немедленно устраню это отличие.

Кроме того, он всерьез взялся за снабжение, расстреливая без пощады воров-интендантов. Однако положение армии это улучшило мало — основные казнокрады сидели в Париже. Тогда Наполеон сказал:

— Солдаты, вы не одеты, вы плохо накормлены. Я хочу повести вас в самые плодородные страны на свете...

Теперь армия готова была идти за ним хоть к черту в зубы. Осталось всего лишь прийти и победить.

И тогда звезда Наполеона ярко засияла на небосклоне. Отчаянно рискуя, он провел солдат по берегу моря, где в любой момент могли появиться английские корабли — в этом случае армии пришел бы конец. Молодой генерал обрушился на итальянцев с той стороны, откуда его не ждали. 12 апреля 1796 года произошло первое сражение — победа! Он тут же бросил армию снова в бой — еще раз победа!

«Здесь впервые проявилось в действии золотое правило наполеоновской тактики — собирать свои силы в кулак и бить противника по частям, не давая ему собраться с силами. Главное тут — не заморачиваться на всякие сложные комбинации. Лупить всех, кто попадется на пути. Наполеон, а не Ленин сказал фразу: "главное — ввязаться в драку, а там видно будет".

Итальянская эпопея получила название "шесть побед в шесть дней" и является с тех пор одной из самых ярких страниц не только в биографии Наполеона — но и вообще в истории военного искусства. Ее изучают будущие офицеры всех стран. Как единодушно говорят историки, даже если бы Бонапарт больше ничего не совершил, он и этими битвами уже обеспечил бы себе почетное место в истории»[1].

Кроме полководческого гения, новый командующий демонстрировал и личную храбрость — но только тогда, когда это было необходимо. Армию того времени генералом, идущим в атаку впереди своих солдат, было не удивить. Бонапарт считал это глупостью: смерть командующего ставит под удар всю кампанию. Но когда войско три раза штурмовало Аркольский мост, и все три раза неудачно, Наполеон сам возглавил атаку. Судьба по-прежнему улыбалась ему. Почти все, кто шел рядом с ним, были убиты, а неистовый корсиканец не получил ни одной царапины.

Бонапарт блестяще выиграл итальянскую войну и прославился на весь мир как полководец. Его возвращение в Париж было триумфальным. (Кроме прочего, он получил самую дорогую для себя награду — Национальный Институт избрал его в число «бессмертных». Если пользоваться современными аналогиями, это что-то вроде звания академика.) Но он хотел большего. Молодой генерал все чаще задумывался: а с какой стати он должен работать на «этих адвокатов» из Директории?

Но прежде был Египет. Не правы те, кто считает, что молодой Бонапарт не знал поражений и все его неприятности начались с рус-

---

[1] *Щербаков А.* Как стать великим. СПб. 2005. С.80.

ского похода. Впервые это случилось в Египте, причем все было очень похоже на Россию. Он так же успешно завоевал страну, но...

Однако началось все с невероятной удачи. Суда, переправлявшие в Египет французские войска, были собраны с бору по сосенке, зато Англия, контролировавшая тогда эту территорию, имела лучший флот в мире. Узнав, куда на самом деле направляются французы, те рванули на всех парусах к египетскому побережью и... прибыли туда раньше Наполеона, который со своей «армадой» к тому времени дотуда попросту не дошел. Увидев, что противника нет, англичане ушли — и через два дня пришли французы. Если бы не эти два дня, им бы даже к берегу не дали подойти. Вот и не верь после этого в удачу!

Страну они захватили, но дальше все пошло плохо. Наладить взаимоотношения с местным населением французам так и не удалось. Начались восстания, их подавляли, они вспыхивали снова. 1 августа 1798 года англичане навязали-таки сражение на море и уничтожили французский флот — армия оказалась отрезанной от родины. Началась война с турками — правда, турок Наполеон разбил, но вот задуманный им сирийский поход провалился, пришлось возвращаться в Египет, где перспектив не было никаких. И тогда Наполеон совершил поступок, вообще-то для военного позорный: бросив голодную и раздетую армию на генерала Клебера, он вернулся во Францию[1].

Но на родине дезертировавший генерал неожиданно встречает такой же триумфальный прием, как и после итальянского похода. За время его отсутствия Директория окончательно развалила страну. Голод, разруха, бандитизм... Срочно необходим был «спаситель Отечества». Именно эту фигуру и увидели в знаменитом молодом генерале. А поражение в Египте никого, в общем-то, и не волновало — тем более что другой кандидатуры на роль спасителя отечества попросту не было.

Общество давно уже созрело для переворота. Были люди, готовые его финансировать, готовые работать в новом правительстве, народ ждал «сильной руки». Нужно было, чтобы кто-то *посмел.* Это было как в октябре семнадцатого — власть валялась на земле,

---

[1] Клебер продержался до 1801 года и в конце концов сдался англичанам.

оставалось только ее подобрать. Наполеон посмел, и дальше все пошло как по маслу. Подготовка государственного переворота — от начала до конца — заняла около трех недель. Директория развалилась сама, а с парламентом, который отказался признать «узурпатора», Наполеон разобрался просто: привел гренадеров и приказал: «Вышвырните отсюда всю эту сволочь!»

Вечером остатки парламента послушно утвердили декрет, согласно которому власть передавалась трем консулам. Первым консулом стал Наполеон, остальные два были фигурами чисто декоративными.

Так Наполеон Бонапарт стал главой Франции. Все остальное — как он наводил в стране порядок, как стал из консула императором, как завоевывал Европу — было уже делом техники[1]. Правда, кончил он плохо. «Построив» всю Европу, он совершил ту же самую ошибку, какую полтора века спустя совершил Гитлер, — и тогда счастливая звезда Бонапарта стала злой звездой. Но когда говорят о «бонапартизме» — имеют в виду, естественно, не конец, а начало...

---

[1] Желающим более подробно познакомиться с биографией Наполеона рекомендуем, кроме уже известных работ, книгу Алексея Щербакова «Как стать великим».

Глава 14

«КРАСНЫЙ БОНАПАРТ»

Ну вот, мы и добрались до главного героя. Михаилу Николаевичу Тухачевскому крупно не повезло: в середине 50-х годов он попал в центр политических разборок, и с тех пор, что бы о нем ни писали, это было так плотно завязано на политику, что человека за всем этим ворохом пропагандистских клише и не видно было (да никто им и не интересовался). Хрущевские времена воздвигли памятник репрессированному маршалу Тухачевскому, невинному герою-страдальцу тридцать седьмого года, гениальному стратегу и любимцу армии и народа. Разоблачения времен перестройки камень за камнем выбивали фундамент из-под ног монумента, пока не пришел Суворов (не фельдмаршал, а автор «Ледокола») и не заклеймил. И на месте многопудья хрущевской бронзы оказался амбициозный недоучка, бездарный карьерист, идеи которого едва не угробили Красную Армию, позер и палач, у которого руки по локоть в крови крестьян и кронштадтских матросиков. Узнаем незабвенный стиль нашей истории – мазать все одной краской: розовой ли, черной – главное, чтобы в одном цвете. И все правильно, так и должно быть: когда история становится дворовой девкой в передней у политиков, иначе и не бывает.

Между тем Тухачевский – это была-таки *личность*. И еще какая! По масштабу и яркости он вполне вписывался в созвездие персонажей того времени. В основах своих он с детства до самой смерти так и остался неизменен. Извилистый, как ствол ружья, маневренный, как асфальтовый каток, и деликатный, как мина на душманской тропе: задел растяжку – получи! Вот что позер – это верно, но при этом умный, страстный, упорный. И карьерой своей был сильно озабочен, да... но для военного это только плюс – плох тот солдат, который не хочет стать генералом.

А может быть, кстати, и не был озабочен карьерой, а она шла сама, как следствие преданности делу. Но когда говорят о том, что Тухачевский *приспосабливался,* что он мог вести хоть какую-то *политическую* игру – это просто смешно. Ну не такой был человек!

А еще это персонаж безусловно трагический. Жизнь, даже в самые жестокие времена, богата на драмы, но небогата трагедиями, ибо для трагедии требуется величие души – или хотя бы ее *величина...*

Нынешние времена – *мелкие,* и мелкие люди задают в них тон. И они, эти люди, все желают мерить по себе. Отсюда, кстати, и безумное увлечение мелкой политикой, которой прямо-таки больна наша история. Любое событие в ней рассматривается сквозь призму партийно-парламентских разборок, жизни под микроскопом в ложке воды – кто с кем против кого группируется, и прочее... и подается это так, как будто важнее ничего прямо-таки в жизни не бывает. А те времена были эпическими, и личности там были крупные, яркие, и у большинства из них на первом месте было *дело.* Доказательство? Да хотя бы то, что они удержались. Каких еще надо доказательств? Это первое.

А второе: все-таки трагедия – категория внутренняя. Троцкий получил по голове ледорубом, но это не трагедия, ибо можно сказать определенно: в жизни он был счастлив. Не стереотипным обывательским счастьем, а своим, особым: его жизнь ему соответствовала.

Тухачевский же недотянул до той жизни, которую избрал для себя, – а человеком он был страстным, максималистом и на *процент* был не согласен. Мы не зря предпослали рассказу о нем главку о Наполеоне. С самого начала карьеры его постоянно сравнивали с великим корсиканцем, и с полным основанием – именно этот человек был для него идеалом и путеводной звездой.

И для Тухачевского все могло бы быть иначе, если бы не злая звезда Бонапарта – в христианстве это называется *соблазном.* Идя за этой звездой, он забрался на очень большую высоту... и погубил ту жизнь, которой жил, докатился до того, что стал маршалом, который готовит поражение собственной армии. Жаль его безумно – таких всегда жаль. Но иначе быть не могло, поскольку Бог все-таки пока что хранит Россию. И то, что у него не вышло, – это хорошо. Для нас, для страны – хорошо. Для него это было трагедией.

Да и Наполеон ведь кончил не лучше. И много ли счастья он принес своей стране?

«Хочу стать генералом!»

> Война для меня все!
> *М. Тухачевский*

Михаил Николаевич Тухачевский родился в 1893 году, в Москве, в небогатой дворянской семье, а вырос в Пензе, где у его отца было имение. По тем временам в его происхождении имелся серьезный изъян: мать будущего маршала была крестьянкой. Отец женился на ней по страстной любви, долго боролся за свое счастье, и первые четверо из девяти детей были незаконнорожденными. Лишь в восемь лет Михаила причислили к роду отца. Все это сказалось на его судьбе.

Мальчик с самого раннего возраста был отчаянно непоседливым, так что для него пришлось даже взять отдельную няньку – невозможно было следить одновременно и за другими детьми, и за Мишей. А когда он подрос, то был совершенно неистощим на шалости и проказы. Сестры вспоминали, что он был очень сильным и, как теперь бы сказали, спортивным: прекрасно ездил верхом, любил разные игры, а пуще всего – борьбу. Много читал по-русски и по-французски. В доме любили музыку, один из братьев, Александр, стал впоследствии пианистом. Рояль в доме был, но...

«Маленьким Михаил Николаевич мечтал научиться играть на скрипке, – рассказывала его сестра. – Но скрипку ему так и не купили, и, будучи кадетом, он достал руководство по изготовлению скрипок и по этому руководству сам сделал себе скрипку. Делал он ее только по воскресеньям, когда приходил домой... В то время у него не было никаких приспособлений, как впоследствии, все делалось примитивно. Например, обечайки он выгибал на разогретом пестике от медной ступки. Скрипка была очень быстро готова, и я не знаю, кто больше радовался, сам создатель ее или все окружающие...»[1] Вообще воспоминания родных о нем – очень светлые, теплые, проникнутые горячей любовью. И сам он тоже очень любил свою семью, всегда заботился о ней, а их ведь было много – девять братьев и сестер.

И еще: семья была атеистической, в этом духе отец воспитывал детей. Миша и тут отличался – каким-то особым кощунством. Вообще о нем нельзя говорить, если не учитывать эту неистребимую страсть к шалос-

---

[1] Цит. по: *Кантор Ю.* Война и мир Михаила Тухачевского. М., 2005. С. 25.

тям, позднее – к эпатажу. С годами она видоизменялась, конечно, но не исчезала никогда...

Но музыка музыкой, а настоящая его любовь проявилась с самого детства и прошла через всю жизнь. Тухачевский любил армию огромной, всепоглощающей любовью, со всей страстностью своей натуры. Возможно, именно в этом один из секретов его быстрой карьеры: за эту любовь, за горение сердца ему *в кредит* давали высокие назначения. 1918 год в этом смысле был уникальным, да и сталинское правительство любовь к своему делу ценило высоко, видя в ней залог профессионализма.

Еще в раннем детстве его впервые прозвали Бонапартом. Как-то раз двоюродный дед, генерал, спросил семилетнего Мишу, кем он хочет быть, и тот, не задумываясь, ответил: «Генералом». – «Да ты у нас Бонапарт, – засмеялся дед, – сразу в генералы метишь». Имя было произнесено, и не зря: вскоре великий корсиканец стал кумиром русского мальчика, мечтавшего о подвигах и военной карьере. И когда пришла пора выбирать дорогу в жизни, сомнений для него не было.

Отец Тухачевского, в основном из-за «неположенной» женитьбы, вопреки семейной традиции, так и не стал офицером. А Михаил, не будучи сыном офицера, с изъяном в родословной и не имея состояния, не мог рассчитывать на хорошую карьеру – не то было время на дворе. После гимназии он блестяще заканчивает кадетский корпус и в 1912 году поступает в известное, хотя и не самое престижное Александровское военное училище в Москве. Ни на что большее он, по причине происхождения, отсутствия нужных связей и семейной бедности, рассчитывать не может. А бедность была отчаянная (по дворянским, конечно, меркам) – до того, что отцу пришлось подать прошение о том, чтобы младших детей обучали на казенный счет.

Перспективы удачного назначения и дальнейшей карьеры в Александровском училище были куда беднее, чем в Петербурге, но обучать сына в столице семья бы просто «не потянула». В гимназии он учился кое-как, «прилежание – 3, поведение – 2», но в военном училище с таким отношением можно было рассчитывать разве что на какой-нибудь Урюпинский гарнизон, и Михаил становится первым и по учебе, и по поведению.

Способный к военному делу и одновременно ретивый службист, он быстро выделился из среды прочих юнкеров. Как писал его дядя, он уже тогда «был очень способен и честолюбив, намеревался сделать военную карьеру, мечтал поступить в Академию Генерального штаба». Чтобы сделать карьеру, надо было попасть в гвардию, а для начала зарекомендовать себя в училище, поскольку хороших гвардейских вакансий для выпускников Александровского училища было немного. Уже на младшем курсе Тухачевский становится портупей-юнкером, а на старшем – фельдфебелем роты.

До какой все же степени разным бывает человек и как по-разному оценивают его люди! Дома это был всеобщий любимец, душа семьи и компании. И совсем по-другому все пошло в военной среде. Начать с того, что еще в кадетском корпусе Михаил категорически не принял так называемого «цука». «Цук» – это неуставные отношения, хотя и не такие жесткие, как в Советской Армии. Во многих военных заведениях бытовал такой обычай: вновь поступивших спрашивали, как они хотят жить: по уставу или «по старым славным традициям». Тот, кто выбирал жизнь по уставу, был избавлен от «цука», но становился в среде юнкеров изгоем. Михаил выбрал устав и держался от всех особняком, очень сдержанно, несколько высокомерно. Ничего в жизни не бывает просто так – неуставные отношения в училище формируют иерархические инстинкты будущего офицера, а армия без иерархии – толпа. И в будущем у него были серьезные проблемы с иерархичностью. Проще говоря, Михаил Николаевич хамил вышестоящим начальникам (очень изысканно, по-дворянски, но все равно хамил) – и ни окружающие, ни он сам ничего не могли с этим поделать. Ну не мог он полноценно встроиться в систему! В училище над ним посмеивались, называли новоявленным Андреем Болконским – и держались в стороне.

Начальство его любило, чего не скажешь о товарищах по училищу. Причиной были те самые свойства, за которые его так любило начальство, ибо не мог он совместить безмерную преданность букве устава, положенную им в основание карьеры, и внимание к ближнему своему. В 1920 году вышли воспоминания одного из его тогдашних товарищей, Владимира Посторонкина. Правда, их нельзя принимать безоговорочно. Посторонкин после Октября эмигрировал из России, был убежденным противником советской власти, а Тухачевский был воплощением победоносного шествия большевизма по земле. Так что надо учитывать, что это свидетельство врага. И все же...

«Дисциплинированный и преданный требованиям службы, Тухачевский был скоро замечен своим начальством, но, к сожалению, не пользуется любовью своих товарищей, чему виной является он сам, сторонится сослуживцев и ни с кем не сближается, ограничиваясь лишь служебными, чисто официальными отношениями. Сразу, с первых же шагов, Тухачевский занимает положение, которое изобличает его страстное стремление быть фельдфебелем роты или портупей-юнкером... Великолепный строевик, стрелок и инструктор, Тухачевский тянулся к "карьере", он с течением времени становился слепо преданным службе, фанатиком в достижении одной цели, поставленной им себе как руководящий принцип: достигнуть максимума служебной карьеры, хотя бы для этого принципа пришлось рискнуть, поставить максимум-ставку».

«Властный и самолюбивый, холодный и уравновешенный» – так говорит о Тухачевском Посторонкин, да и многие другие, соприкасавшиеся с ним на поле, очерченном уставом. Горячий, страстный, увлекающийся, невероятно обаятельный, нежно любящий свою семью и этой семьей любимый – таким видели его за ограждением этого поля. Ну, и как все это совместить?

В воспоминаниях Посторонкина проскальзывает один момент, очень важный для понимания натуры Михаила Тухачевского, – случай, после которого он стал портупей-юнкером. «На одном из тактических учений... будучи назначенным часовым в сторожевое охранение, он по какому-то недоразумению не был сменен и, забытый, остался на своем посту. Он простоял на посту сверх срока более часа и не пожелал смениться по приказанию, переданному ему посланным юнкером. Он был сменен самим ротным командиром, который поставил его на пост сторожевого охранения 2-й роты. На все это потребовалось еще некоторое время. О Тухачевском сразу заговорили, ставили в пример его понимание обязанностей по службе и внутреннее понимание им духа уставов, на которых зиждилась эта самая служба».

Это, конечно, еще игра. Но в военной службе вообще игровой момент силен, как нигде, – от того, что эти игры ведутся на поле, сплошь залитом кровью, они не теряют своей сущности. И Тухачевский всегда, всю жизнь соблюдал эти правила, даже тогда, когда этого не требовалось, и даже тогда, когда это возбранялось. Но, еще раз повторим, он был так же извилист, как ствол ружья.

Иной раз игры были жестокими. Тот же Посторонкин пишет:

«...Все сторонились его, боялись и твердо знали, что в случае какой-нибудь оплошности ждать пощады нельзя... С младшим курсом фельдфебель Тухачевский обращался совершенно деспотически: он наказывал самой высшей мерой взыскания за малейший проступок новичков, только что вступивших в службу и еще не свыкшихся с создавшейся служебной обстановкой и не втянувшихся в училищную жизнь... Обладая большими дисциплинарными правами, он полной мерой и в изобилии раздавал взыскания, никогда не входя в рассмотрение мотивов, побудивших то или иное упущение по службе». Как считали злые языки, его службистское рвение стало причиной двух увольнений и трех самоубийств.

И, что не менее важно, в училище он так же запоем читает, но теперь это уже другие книги – военные. В Академию Генерального штаба, о которой Михаил мечтает, он так и не попадет, но когда судьба бросит его, имеющего полгода боевого опыта, на генеральскую должность – справится не хуже прочих. Учился он всегда: и в бесконечных разговорах в плену, и позже, когда в его штабном вагоне рядом с картами лежали неизменные книги по военному искусству.

...Первой своей цели Тухачевский достиг. Для успешного начала надо было попасть в гвардию – и он, закончив училище первым по баллам, попал в гвардию, стал подпоручиком знаменитого Семеновского полка (кстати, в этом же полку служили и его предки-офицеры). Его ждала блестящая служба в столичном гарнизоне, если бы не дата выпуска, который состоялся 12 июля 1914 года.

Уже 1 августа их полк был брошен в бой. В первом же бою под фольварком Викмундово рота, в которой он служил, отличилась: преследуя врага, они прорвались через реку по горящему мосту. Оба офицера, бывших на этом мосту, получили награды: командир роты – орден Св. Георгия 4-й степени, Тухачевский, как младший офицер, – Св. Владимира 4-й степени. Награда в первом же бою – о чем еще мечтать! Впрочем, Тухачевский был не слишком-то доволен, считая, что тоже заслужил Георгия – как вспоминали потом товарищи по службе, огорчен он был до слез, в прямом смысле...

...И тут опять споры. В 1918 году Тухачевский в автобиографии упомянул, что имеет пять орденов. Почему-то все, кто пишет о нем, упорно ему в этом отказывают – не вписывается в образ, что ли? Уже почти официально считается, что орден у него один, остальные он себе приписал для карьеры. И наконец, произошло то, что и должно было произойти – петербургский журналист Юлия Кантор решила выяснить этот вопрос там, где такие вопросы выяснять положено. В Российском военно-историческом архиве сохранился послужной список Тухачевского. Да, так и есть – пять орденов и представление к шестому.

«Даже лаконичное описание в штабных документах подвигов Михаила Тухачевского читается как панегирик. Орден Св. Станислава 3-й степени с мечами и бантом – за то, что, "переправившись 26 сентября 1914 года на противоположный берег реки Вислы, нашел и сообщил место батареи неприятеля у костела и определил их окопы. На основании этих сведений наша артиллерия привела к молчанию неприятельскую батарею". С 4 по 15 октября полк воевал в Ивангородской области: за бой 10–13 октября под Ивангородом Тухачевский удостоен ордена Св. Анны 3-й степени с мечами и бантом. С 16 октября по 30 ноября – семеновцы брошены в бои под Краковом, и подпоручик Тухачевский "зарабатывает" орден Св. Анны 4-й степени с надписью "За храбрость" – за бой 3–5 ноября под Посадом "Скала". Таким образом, график боев точно совпадает с перечнем боевых заслуг. Упоминание еще об одной награде – ордене Св. Анны 2-й степени с мечами содержится в "списке офицеров лейб-гвардии Семеновского полка по старшинству в чинах" за 1917 год. В этом документе получение награды датировано 1915 годом. Наградной лист свидетельствует "о высочайшем утверждении пожалования командующим 9-й армии... ордена Анны 2-й степени... за боевые отличия, отлично-усердную службу и труды, понесенные во время военных действий". Для подпоручика получить такой орден – событие почти невозможное. По существовавшей тогда практике на него могли рассчитывать чины не ниже капитана».

Просим простить за длинную цитату, но с этим вопросом надо разобраться. Ясно, почему большинство тех, кто пишет о Тухачевском, считают, что четыре из пяти орденов он себе приписал – такой послужной список не выглядит правдоподобным. Пять орденов за полгода службы! Но теперь с этим все ясно, ведь так?

Ведет он себя на фронте так же, как и в училище: серьезный, сухой в общении, несколько отстраненный от всех – впрочем, ничего недостойного за ним никто не заметил. «Бросалась в глаза его сосредоточенность, подтянутость, – вспоминал один из его однополчан. – В нем постоянно чувствовалось внутреннее напряжение, обостренный интерес к окружающему». В наше время этот комплекс свойств называется «пассионарностью».

...И вдруг все кончилось. В феврале 1915 года в тяжелом ночном бою он попадает в плен. Вместо побед, чинов и наград – лагерь, вынужденное безделье и жестокое разочарование.

Узнав, что Михаил в плену, в семье не сомневались, что он очень скоро убежит. Однако не все оказалось так просто. Если составлять хронику его пребывания в плену, то в ней будут сплошные побеги и конфликты с администрацией лагерей, побеги и конфликты.

«Через два месяца я бежал с подпоручиком Пузино... случайно мы были пойманы охраной маяка на берегу... В Бескове я был предан военному суду за высмеивание коменданта лагеря... 6 сентября 1916 года я убежал с прапорщиком Филипповым, спрятавшись в ящики с грязным бельем, которое отправили в город для стирки... после этого мы шли вместе 500 верст в течение 27 ночей, после чего я был пойман на мосту через реку Эмс... пока обо мне наводили справки, меня посадили в близрасположенный лагерь Бекстен-Миструп... я опять убежал...»

Юлия Кантор проверила по немецким архивам – все точно. Ничего не придумано, все головокружительные побеги на самом деле были.

Кончилось дело тем, что Тухачевского отправили в форт Ингольштадт, куда собирали неуемных «бегунов», – мрачную старинную крепость, побег из которой считался невозможным. Он был одним из знаменитых узников этого лагеря. Вторым был Шарль де Голль.

...Французский лейтенант Реми Рур, сидевший с ним в крепости, спустя десять лет вспомнил о своем русском товарище и, под псевдонимом Поль Фервак, выпустил о нем книгу.

Впервые они встретились осенью 1916 года.

«Это был молодой человек, – вспоминал Фервак, – аристократически раскованный, худой, но весьма изящный в своей потрепанной форме. Бледность, латинские черты лица, прядь волос, свисавшая на лоб, – придавали ему заметное сходство с Бонапартом времен Итальянского похода».

Условия в крепости по тем временам считались тяжелыми – но это только по тем временам. Кормили вполне прилично, пленные могли общаться между собой, гулять во дворе крепости, имелись мастерские, отличная библиотека, устраивались даже спектакли. Кстати, русские эмигранты посылали пленным политическую литературу, в том числе и социал-демократические брошюры – администрация лагеря этому не препятствовала, воспрещена была только литература, нелояльная к Германии. (Это к вопросу о том, как мог Тухачевский еще до 1917 года познакомиться с марксизмом.) Вообще все было не так, как тридцать лет спустя.

Тухачевский и тут не унимается. Роет подкоп в духе графа Монте-Кристо – правда, в реальной крепости из этого ничего не вышло. Потом он наорал на унтер-офицера, за что получил шесть месяцев тюрьмы и... тут же подал апелляцию в высший военный суд. Дело тянулось до 1917 года и прекратилось потому, что подсудимый снова удрал, на сей раз уже окончательно. Большое удовольствие пленным доставил другой инцидент. Во дворе форта Тухачевский столкнулся с комендантом. Комендант потребовал, чтобы русский подпоручик отдал ему честь. Тот не обратил внимания. «Лейтенант, вам это дорого обойдется!» – вскипел комендант. Тухачевский поднял глаза и осведомился: «Сколько марок?»

А что мог сделать комендант? Подал в суд...

...Пленные в крепости вели бесконечные разговоры – не только о войне, картах и женщинах, но и об истории, религии, искусстве. Впрочем, болтовня ради болтовни абсолютно ни к чему не обязывает, особенно в случае с нашим героем, который любил *фразу*. Ради красного словца в таких разговорах можно наплести чего угодно, и не стоит так уж серьезно ко всему этому относиться. Но кое-что все же любопытно:

«История была одним из больших увлечений Тухачевского, – вспоминал тот же Фервак. – Ему не наскучивали знаменитые личности, которые благодаря их энергии либо отсутствию посредственных качеств, либо игнорированию ими предрассудков, либо, наконец, благодаря их гениальности подавляли людей. Он восхвалял Бонапарта за то, что тот использовал в своих целях якобинцев и сумел найти защиту у Робеспьера...» Хотя француз, отлично знавший свою нацию, считал, что великий корсиканец был человеком практическим, а Тухачевский «шел туда, куда его влекло собственное воображение». Впрочем, это все тоже были разговоры, а в жизни Тухачевский, когда надо, проявлял отменный практицизм. Ему не хватало другого: образования, опыта, расчета – но не практичности, отнюдь...

Десять лет спустя Фервак вспоминал, что говорил Тухачевский о самых разных предметах: о религии, искусстве, России... Впоследствии к этим отрывочным воспоминаниям применяли самые разные методы, вплоть до психоанализа, и все равно будущий «красный маршал» оставался личностью загадочной. Но тот же Фервак дает один ключик. Он вспоминал, как его русский товарищ легко и непринужденно изрекал самые ужасные кощунства. А потом невинно спрашивал собеседника: «Я вас не шокирую? Мне было бы очень досадно...»

«Латинская и греческая культура – какая это гадость! Я считаю Ренессанс, наравне с христианством, одним из несчастий человечества... гармонию и меру – вот что нужно уничтожить прежде всего! В России, у себя в литературе я любил только футуризм». (А как же скрипка и Достоевский с Толстым?)

«Я вас не шокирую?..»

«– Мсье Мишель, скажите, вы верите в Бога?

– В Бога? Я не задумывался над Богом... Большинство русских вообще атеисты. Все наше богослужение – это только официальный обряд... Однако мы все верующие, но именно потому, что у нас нет веры».

«Я вас не шокирую?»

«Все великие социалисты – евреи, и социалистическая доктрина, собственно говоря – ветвь всемирного христианства. Мне же мало интересно, как будет поделена земля между крестьянами и как будут работать рабочие на фабриках. Царство справедливости не для меня. Мои предки-варвары жили общиной, у них были ведшие их вожди. Если хотите – вот философская концепция... Нам нужны отчаянная богатырская сила, восточная хитрость и варварское дыхание Петра Великого. Поэтому нам больше подходит одеяние деспотизма...»

«Я вас не шокирую?»

«У нас была француженка-гувернантка, которую я выводил из себя. Я и мои братья дали трем котам в доме священные имена Отца, Сына и Святого Духа. И когда мы их искали, мы издавали ужасные вопли: "Где этот чертов Бог Отец?" Мама сердилась, но не очень, а гувернантка-француженка осыпала нас проклятиями...»

«Мне было бы очень досадно...»

Он и позднее иногда выдвигал самые дикие идеи, бредовые настолько, что это заставляло сомневаться в его умственной полноценности. Так, друг семьи Тухачевских, музыкант Л. Сабанеев рассказывал, что Тухачевский как-то раз составил докладную записку, в которой предлагал объявить государственной религией РСФСР... славянское язычество. Записку он подал в Совнарком. Сабанеев хорошо знал Тухачевского и считал, что тот попросту издевался. Когда в малом Совнаркоме принялись всерьез обсуждать его проект, Тухачевский был счастлив, «как школьник, которому удалась шалость».

«Я вас не шокирую?»

А что он на самом деле думал – кто ж его знает...

...Из Ингольштадта Тухачевский бежит в пятый раз, и снова как во французском романе. Пленных время от времени выводили на прогулку в город, при этом они давали честное слово, что во время прогулки не будут пытаться бежать. Обещание расценивалось серьезно – те, кто нарушал слово, приговаривались к смертной казни. Тем не менее из девяти офицеров, вышедших как-то раз на прогулку, двое не вернулись. Один из них был – угадайте, кто?

Впрочем, и тут не обошлось без изысканной проделки. На следующий день лагерная администрация получила письмо – на русском языке, хотя Тухачевский владел немецким. Письмо – тоже замечательный документ и вполне характеризует автора:

«Милостивый государь!

Я очень сожалею, что мне пришлось замешать Вас в историю моего побега. Дело в том, что слова не убегать я не давал. Подпись моя на Ваших же глазах была подделана капитаном Чернивецким, т. е. попросту была им написана моя фамилия на листе, который Вы подали ему, а я написал фамилию капитана Чернивецкого на моем листе. Таким образом, воспользовавшись Вашей небрежностью, мы все время ходили на прогулки, никогда не давая слова. Совершенно искренне сожалею о злоупотреблении Вашей ошибкой, но события в России не позволяют колебаться.

Примите уверения в глубоком почтении.

Подпоручик Тухачевский.

10 августа 1917 г.»

Удрал, да еще и рукой конвоиру помахал на прощание!

В основном это письмо трактуют как заботу беглецов о своей репутации – как же, *нарушили честное слово*! Но у него был и сугубо практический смысл. Письмо спасло жизнь товарищу Тухачевского по побегу, капитану Чернивецкому, которому убежать не удалось. Немцы запутались в утонченной казуистике русского лейтенанта, и в итоге капитан вместо смертной казни получил три месяца тюрьмы «за подделку документов».

А Тухачевский добрался до Швейцарии, затем отправился во Францию. В Петроград он приехал 16 октября 1917 года, в канун октябрьского переворота. Над горизонтом поднималось целое созвездие удачи, и одним из самых ярких светил в нем была звезда Михаила Тухачевского. Красная звезда – цвета крови и большевистского знамени.

Генерал-подпоручик

И так сладко рядить Победу,
Словно девушку, в жемчуга,
Проходя по дымному следу
Отступающего врага.
Н. Гумилев

Что может быть лучше для карьеры, чем революция, перемешивающая все табели о рангах? Главное – выбрать ту сторону, которой следует держаться. Так это кажется со стороны.

На самом деле возможности-то открываются перед всеми, но далеко не все за них хватаются. Потому что делать карьеру в революцию – занятие чрезвычайно опасное. Для этого надо посметь все поставить на карту в игре, которая зависит не от тебя. Если твоя сторона выиграет, ты получаешь все, если проиграет, теряешь не только все, но и саму жизнь. Наполеон ведь тоже прошел в двух шагах от гильотины – то, что он не разделил судьбу своих друзей-якобинцев, так это просто повезло. Поэтому большинство людей, имея все шансы, предпочитает тихо служить на таком месте, на котором, если что, *пощадят.* Однако Тухачевский был не из их числа. Он поставил на революцию.

Когда читаешь рассуждения на тему: почему он, дворянин и русский офицер, выбрал революцию, становится забавно. Психологи иной раз нагромождают выше крыши. Например, чтобы обосновать большевистский выбор будущего маршала, тот же Поль Фервак вспоминает его слова: «Задача России сейчас должна заключаться в том, чтобы ликвидировать все: отжившее искусство, устаревшие идеи, всю эту старую культуру... Мы выметем прах европейской цивилизации, запорошивший Россию, мы встряхнем ее, как пыльный коврик, а затем мы встряхнем весь мир... Мы войдем в хаос и выйдем из него, только полностью разрушив цивилизацию».

Не стоит искать в этих словах того, чего в них нет – а именно, каких-то особых большевистских симпатий молодого офицера. Это предощущение грядущего апокалипсиса в то время было всеобщим. Отражая то же ощущение, писал Маяковский:

Где глаз людей обрывается куцый,
главой голодных орд,

ДВОЙНОЙ ЗАГОВОР. ТАЙНЫ СТАЛИНСКИХ РЕПРЕССИЙ

в терновом венце революций
грядет шестнадцатый год.

О том же «Двенадцать» Блока, о том же – стихи Волошина, где русская смута получает уже космический масштаб, о том же писал по другую сторону баррикады Сергей Нилус, о том же говорили философы, о том же грозно молчали мужики в серых шинелях и пьяно кричали узкогрудые фабричные. В России начала XX века элементарно не хватало воздуха, в ней задыхались все – и пленный подпоручик был всего лишь одним из миллионов голосов русской смуты.

Несерьезны как-то и разговоры о карьеризме. Какой там, к растакой бабушке, карьеризм! Да кто в начале 1918 года всерьез воспринимал большевиков? К ним шли из разных побуждений, но карьерные были на самом последнем месте.

На самом деле все проще. Человек, с детства зачитывавшийся биографией Бонапарта, просто *не мог* сделать другого выбора.

...Вернувшись из плена, он какое-то время покрутился в полку, даже получил звание капитана с дивной формулировкой: «Для уравнения в чинах со сверстниками». Подачка была унизительной, все карьерные перспективы, связанные с войной, потеряны, время на дворе стояло смутное. Полк вернулся с развалившегося фронта в Петроград, и Тухачевский решил отправиться домой, в Москву.

Жена полковника Бржозовского уже много лет спустя, в эмиграции, вспоминала:

«В 1917 году Тухачевский завтракал у нас, во флигеле Семеновского полка... Тухачевский произвел на меня самое отрадное и неизгладимое впечатление. Красивые лучистые глаза, чарующая улыбка, большая скромность и сдержанность. За завтраком муж шутил и пил за здоровье "Наполеона", на что Тухачевский только улыбался. Сам он мало пил. После завтрака мой муж, я и еще несколько наших офицеров уехали провожать его на вокзал, так как он уезжал в Москву... После предыдущих разговоров я была полна энтузиазма и мне почему-то казалось, что он способен стать "героем". Во всяком случае, он был выше толпы. Я редко ошибаюсь в людях, и мне было особенно тяжело, когда впоследствии я узнала, что он будто бы вполне искренне стал большевиком...

После второго звонка, в отделении второго класса, я сказала ему, когда мы расставались: "Прощайте! Благословляю вас на великие дела!" Поцеловала его в лоб и три раза мелко перекрестила. Он поцеловал мне руку, посмотрел на меня искренним серьезным взглядом и сказал: "Постараюсь". Поезд тронулся после третьего звонка. Тухачевский стоял у окна и смотрел серьезно и грустно на нас...»

Какие там великие дела? Армия развалилась, впереди позорный мир. Казалось, «о доблести, о подвигах, о славе» можно забыть. Тухачевский, не найдя родных в Москве, отправился в деревню, куда, спасаясь от голода, переехала семья. Прислуги не было, сами занимались всеми хозяйственными делами, топили большой барский дом, ездили в лес за дровами...

Там, в деревне, где было время опомниться и подумать, он, по всей видимости, и принял решение. Тухачевский не отправился к Корнилову, а вернулся в Москву и поступил на службу к новой власти, выбрав своей звездой красную, пятиконечную, большевистскую.

В Москве, куда в марте 1918 года переехало правительство, фортуна вспомнила о нем. Один из старых знакомых семьи – Кулябко, которого Тухачевский знал раньше как музыканта, оказался видным революционером, членом ВЦИК и военным комиссаром штаба обороны Москвы! (Кстати, и в историю-то этот персонаж вошел, кажется, только тем, что дал характеристику Тухачевскому.) Вскоре с его помощью Михаил познакомился с тогдашним заведующим Военным отделом ВЦИК Авелем Енукидзе. Молодой офицер Енукидзе понравился и был зачислен в аппарат отдела, который руководил всей военной деятельностью Советов. Одно препятствие стоит перед Тухачевским – беспартийность. Впрочем, это дело поправимое: уже 5 апреля он становится членом РСДРП(б). Большевики того времени были в основном люди глубоко штатские, офицеров с партбилетами – считанные единицы, их ценили и любили.

И тут снова та же самая особенность исторического зрения. Если промежуток времени маленький, то он и не важный, и нечего на него обращать внимание. Понравился парень Троцкому, дал ему нарком армию: кому хочу – тому даю, вопросы есть? На самом же деле именно работа в Военном отделе и дала старт ослепительному взлету «красного маршала».

Как раз в это время формировался институт военных комиссаров[1], занимался этим все тот же его приятель Кулябко. И вот первое задание:

---

[1] Не путать с политкомиссарами: политическим комиссаром Тухачевский никогда не был.

нового работника командировали в Рязанскую, Тамбовскую и Воронежскую губернии, а также на Дон с инспекцией: как идет формирование Красной Армии. Вернувшись, он предоставил по-военному подробный отчет, как было написано в характеристике, «с полным знанием дела, добросовестно и аккуратно». Енукидзе посчитал, что он сможет справиться с должностью губернского комиссара, дал соответствующую рекомендацию, и Тухачевский стал военным комиссаром Московского района, где тоже зарекомендовал себя хорошо.

А Гражданская война тем временем разворачивается все шире. Летом 1918 года «фронтом № 1» молодой республики был Восточный фронт. Конец июня уже застает нашего героя в Казани с мандатом, в котором написано: «...командирован в распоряжение главкома Восточного фронта Муравьева для исполнения работ исключительной важности по организации и формированию Красной Армии в высшие войсковые соединения и командования ими».

Много пишут и спорят о достоинствах и недостатках Тухачевского как командующего. А его работа по строительству армии никем, кажется, и не замечена. Между тем уже в отчете о первой поездке он предлагает создавать военные училища по ускоренной подготовке командиров, наладить обучение прямо в войсках. (Забегая вперед, скажем, что в 1919 году он реализовал свою идею, первым в республике открыв на Восточном фронте командные курсы.) В июне 1918 года он разрабатывает проект организации курсов военных комиссаров – и они действительно были созданы. А когда говорят, что из подпоручиков он «прыгнул» сразу в командармы, то забывают, что перед словом «командование» в мандате написано «организация и формирование». Сможешь организовать – будешь командовать, не сможешь – так с товарища Троцкого станется и к стенке поставить!

Отдельный разговор – *из чего* предстояло эту армию организовывать. Обстановка на Восточном фронте летом 1918 года была невообразима и неописуема. Великолепное описание того, что представляла собой эта война, оставил сам Тухачевский.

«Когда 27 июня я прибыл на ст. Инза для вступления в командование 1-й армией, штаб армии состоял только из пяти человек: начальника штаба Шимупича, начальника оперативного отдела Шабича, комиссара штаба Мазо, начальника снабжения Штейнгауза и казначея Разумова. Никаких аппаратов управления еще не существовало; боевой состав армии никому не был известен; снабжались части только благодаря необычной энергии и изобретательности Штейнгауза, который перехватывал все грузы, шедшие через район армии, как-то сортировал их и всегда вовремя доставлял в части.

Сами части, почти без исключения, жили в эшелонах и вели так называемую «эшелонную войну». Эти отряды представляли собой единицы чрезвычайно спаянные, с боевыми традициями, несмотря на короткое свое существование. И начальники, и красноармейцы страдали необычайным эгоцентризмом. Операцию или бой они признавали лишь постольку, поскольку участие в них отряда было обеспечено всевозможными удобствами и безопасностью. Ни о какой серьезной дисциплине не было и речи. Эти отряды, вылезая из вагонов, непосредственно и смело вступали в бой, но слабая дисциплина и невыдержанность делали то, что при малейшей неудаче или даже при одном случае отхода эти отряды бросались в эшелоны и сплошной эшелонной «кишкой» удирали иногда по нескольку сотен верст... Были и такие части (особенно некоторые бронепоезда и бронеотряды), которых нашему командованию приходилось бояться чуть ли не так же, как и противника».

Это был тот материал, из которого предстояло создавать воинские части. О профессионализме этой публики и речи не было, это была партизанская вольница, и Тухачевский, первым в Советской России, 4 июля 1918 года издает приказ о мобилизации офицеров.

Уже к началу июля ему удалось наловить достаточно народу, чтобы получилось три дивизии, которыми он и стал командовать. Дивизии были вполне боеспособны – 13 сентября 1-я армия форсировала Волгу по мосту под непрерывным обстрелом, и уж коль скоро бойцы туда пошли, значит, дисциплина у них к тому времени была превыше «эгоцентризма». Добивался ее новый командующий всеми способами, от патетических приказов до военно-полевых судов. И еще кстати: одним из первых, если не первым, он стал перевербовывать пленных белогвардейцев – причем не только рядовых, но и офицеров. Позднее это делали почти все, но летом восемнадцатого такая практика была далеко не повсеместной. Он сколачивал свое войско, как молодая овчарка сгоняет стадо, – может быть, и без должного опыта, но на хороших рефлексах.

В общем, с армией все обстояло прилично. Хуже было с личными отношениями. Вообще Михаил Николаевич отличался тем еще характером – на любого, кто, по его мнению, мешал ему воевать, он обрушивался всеми видами оружия – от ехидных замечаний до гневных рапортов «наверх». Хотя и ему приходилось нелегко – в свои двадцать пять лет командарм-1 выглядел еще моложе, совсем мальчишкой, и место в сообществе «красных генералов» приходилось брать лихой кавалерийской атакой.

Во главе Восточного фронта был в то время поставлен подполковник царской армии, левый эсер, лихой командир матросской братвы и отчаянный авантюрист М. А. Муравьев – тот самый, который единолично объявил войну Германии. Отношения нового командарма и его комфронта продолжались всего две недели, однако успели «не сложиться». Позднее Тухачевский дал Муравьеву совершенно убийственную характеристику: «...Теоретически Муравьев был очень слаб в военном деле, почти безграмотен... Мысль сделаться Наполеоном преследовала его, и это определенно сквозило во всех его манерах, разговорах и поступках. Обстановки он не умел оценить. Его задачи бывали совершенно безжизненны. Управлять он не умел. Вмешивался в мелочи, командовал даже ротами. У красноармейцев он заискивал... Был чрезвычайно жесток. В общем, способности Муравьева во много раз уступали масштабу его притязаний».

Скорее всего, во многом так оно и было. А уж что касается притязаний комфронта и его жестокости – однозначно. Страшноватая, по правде говоря, была личность. Однако все же Муравьев был подполковником царской армии, прошел всю мировую войну и считался в то время одним из лучших командиров. Впрочем, понять ситуацию можно: два Наполеона на один фронт – это уже многовато.

Субординации Тухачевский не признавал в принципе, ему ничего не стоило «поправить» приказ – мол, мне на месте виднее. (Лишь командующий Восточным фронтом Ольдерогге сумел его взнуздать – но Ольдерогге был все-таки генералом царской армии с опытом японской и Первой мировой войны, тут уж весовые категории были слишком неравными.)

Конфликт «бонапартов» разрешился сам собой. 10 июля 1918 года произошло восстание левых эсеров в Москве. Муравьев пошел против правительства и был убит во время переговоров в здании Симбирского губкома. Попутно едва не закончилась раньше времени и карьера командира 1-й армии. Отчего они поругались на этот раз – непонятно: то ли из-за строптивости Тухачевского, то ли из-за того, что он отказался поддержать восстание. Как бы то ни было, Муравьев решил вопрос по-своему – приказал арестовать надоевшего ему командарма. А красноармейцы, судившие обо всем по-простому, вознамерились тут же арестованного и расстрелять. По счастью, перед тем, как поставить к стенке, его все-таки спросили, за что арестован. «За то, что большевик!» – ответил Тухачевский. Ошалевший от такого заявления конвой предпочел его отпустить.

...После убийства Муравьева Тухачевский стал исполняющим обязанности командующего фронтом. Это был тот самый *шанс*, о котором мечтает любой честолюбивый молодой человек.

Впрочем, надо сказать, что Тулона не получилось, да и получиться не могло. Измена и убийство Муравьева, которого бойцы любили, шквал противоречивых приказов и полное непонимание того, кто на самом деле кого предал, дезорганизовали фронт. За десять дней белые взяли Сызрань, Бугульму, Мелекес, Сенгилей и сам Симбирск. Приехавший новый комфронта, бывший полковник Вацетис, тоже положения не улучшил.

Дела были катастрофически плохи. И тогда на Восточный фронт, к тому времени объявленный главным фронтом Республики, отправился наводить порядок сам наркомвоен Троцкий. По ходу наведения этого самого порядка он обругал практически весь руководящий состав, командиров и комиссаров. Понравился ему один Тухачевский, и нарком обещал ему всемерную помощь и поддержку, впоследствии даже писал письма. Чем так приглянулся ему этот «задумчивый, почти рассеянный юноша в тужурке хаки» (так спустя несколько лет охарактеризовал его Михаил Кольцов)? Чем бы ни приглянулся, но Тухачевский стал одним из любимцев Троцкого, и с этим многие связывают его дальнейшую карьеру. Связывают справедливо: пиар Михаилу Николаевичу был сделан отменный, и с назначениями ему явно помогали, отправляя туда, где он мог с наибольшим блеском проявить себя.

Хотя все это несколько однобоко... Армия того времени все же отличалась от советского учреждения 70-х годов, где главное, действительно, было понравиться шефу. Отличалась она тем, что ее командующие не только выстраивали свои отношения с партийными начальниками, но все-таки еще и воевали. И если человек воевал плохо, то никакие связи ему бы не помогли. Разжаловали бы, а то и расстреляли – тогда с этим было легко.

Выяснять, кто воевал лучше на той войне, а кто хуже, как надо было и как не надо – это все гнилые военные разборки, поскольку на самом-то деле никто толком не знает, как надо было маршировать по тому болоту, которое представлял собой в военном отношении восемнадцатый год. В теоретическом плане русская армия попала в сложное положение: сначала одна война, какой еще не бывало, и тут же, без передышки, – другая, совсем уже безумная. А практически каждый справлялся, как умел, и Тухачевский командовал не хуже прочих. Ну, правда, характер был сильно не подарок – что есть, то есть...

Передвижение Тухачевского по фронтам отмечается радужным хвостом склок и жалоб. Сторонники видят в этом его принципиальность, борьбу за единоначалие в армии и прочие высокие мотивы. Действительно, за власть он с комиссарами боролся – впрочем, не он один. В том-то и дело, что все, происходившее с Тухачевским и вокруг Тухачевского, не было чем-то необычным для того времени. На всех фронтах командиры собачились с комиссарами, и устраивались на фронте сплошь и рядом с совершенно старорежимным комфортом, и приказы выполняли так, как им самим того захочется. Впрочем, Тухачевский на общем фоне все же несколько выделялся. Самому Троцкому как-то раз досталось от его протеже – мы ведь уже говорили, что у Михаила Николаевича были серьезные проблемы с иерархичностью. Троцкий приехал на фронт и застал Тухачевского, когда тот наносил на карту план сражения. Нарком сделал пару замечаний. Тогда командарм положил перед ним свой карандаш и вышел. «Куда вы!» – крикнул в окно Троцкий. «В ваш вагон, – ответил ему Тухачевский. – Вы, Лев Давидович, видимо, решили поменяться со мной постами».

...И все же Тухачевский считался одним из лучших военачальников молодой республики, хотя даже Троцкий, отнюдь не образец сдержанности и расчета, говорил, что «в его стратегии был явственный элемент авантюризма». А с другой стороны – у многих тогда было иначе? Начиная с собственно 25 октября авантюра была всеобщим стилем того времени, а военная наука по поводу такой войны, когда разноцветные отряды гоняются друг за другом по необъятным просторам матушки-России, сказать ничего не могла. Тут уж кому как повезет...

Наиболее успешно Тухачевский воевал в Сибири. Противник был к тому времени деморализован, и гнать его оказалось не так уж трудно. Во многом своими успехами красные были обязаны, кстати, одному из членов РВС 5-й армии, Ивану Никитичу Смирнову (тому самому Смирнову, который в 30-е годы пытался создать оппозиционный блок). Он поддерживал связь с мощным сибирским подпольем, которое руководило партизанским движением, а к подходу красных частей готовило восстания в городах. (Но все же называть Смирнова победителем Колчака, как иногда делают, было бы явным преувеличением: армия тоже не мух ловила.)

Результатом войны в Сибири стало то, что 5-я армия была признана лучшей армией Республики, а ее двадцатипятилетний командарм награжден орденом Красного Знамени. К тому времени он был самым популярным полководцем Гражданской войны. И если кто считает *его плохим командиром и бездарным стратегом*, то пусть объяснит: почему его карьера развивалась с таким блеском? Только не надо говорить, что все это «волосатая рука Льва Давидовича» – возможности наркомвоена тоже были ограничены. Можно раздуть чью-то славу, но создать ее из ничего партийная обстановка не позволяла.

На самом деле есть и вторая причина, куда проще: Тухачевский не был плохим командиром и бездарным стратегом. Если человек не гений, это еще не значит, что он бездарь! Между этими крайностями существует множество градаций...

Троцкий, который, кто бы что ни утверждал, в военном деле понимал, говорил: «Тухачевский, несомненно, обнаружил выдающиеся стратегические таланты». Высоко его оценивал и Сталин. 3 февраля 1920 года он телеграфирует Буденному и Ворошилову по поводу Кавказского фронта: «Я добился... назначения нового комфронта Тухачевского – завоевателя Сибири и победителя Колчака...» А в 1930 году он же писал Ворошилову, что очень уважает Тухачевского как «необычайно способного товарища». И, несмотря на вызывающее поведение «красного маршала», снова и снова назначал его на высокие посты, прикрывал от неприятностей – вплоть до 1937 года, когда уже пришлось...

Варшавское безумие

...Кавказским фронтом Тухачевский командует успешно. К тому времени Белая армия была деморализована, и новый командующий, объявив наступление, в конце марта вышел к Черному морю и взял Новороссийск. Но совсем иного рода противник встретился ему, когда началась война с Польшей. И первое же столкновение с поляками, майское наступление своего нового, Западного фронта, Тухачевский фактически провалил. Лишь после того, как успешное наступление Юго-Западного фронта и прорыв конницы Буденного в польский тыл вынудили поляков перебросить часть войск из Белоруссии на Украину, повторное наступление Западного фронта увенчалось успехом. Зато что было потом! В ходе июльской операции стремительным ударом Красная Армия выбила поляков из Минска и Вильнюса и погнала их на запад. Пилсудский вспоминал позднее, что один из его генералов каждый день начинал доклад словами: «Ну и марш! Какой марш!»

Казалось, противник разбит и полностью деморализован. Но это только казалось. Под Варшавой Красную Армию ждал страшный разгром, который очень дорого обошелся Советской России.

И что удивительно: командующий Западным фронтом никак за него не поплатился. Дальнейшая его карьера развивалась так, словно и не было никакого поражения. Будь он хоть сто раз любимцем Троцкого, это все равно странно. В чем же дело?

Что еще интересней, в 1932 году в Военной академии им. Фрунзе состоялась дискуссия, посвященная Варшавской операции, участники которой возложили *часть* вины за ее провал на комфронта Тухачевского. На ком же лежит другая часть этой вины?

Мы никогда этого не поймем, если будем рассматривать эту кампанию (впрочем, как и любую другую) «в безвоздушном пространстве», очерченном стрелочками на карте. Кроме стрелочек, было еще и много всего другого...

...Едва после подписания Версальского мирного договора Польша появилась на карте, как тут же предалась своему любимому занятию – войне с Россией. В начале 1919 года польские войска начали наступление и вскоре заняли пол-Белоруссии, часть Украины и Литвы. В 1919 году, когда Советская Россия находилась в тяжелом положении, ее правительство готово было, в обмен на мирный договор, отдать Польше всю захваченную ею территорию, но ответа не дождалось. Поляки хотели большего. 25 апреля 1920 года они начали наступление на Украину и 6 мая взяли Киев[1]. Договориться не получилось, и Красная Армия стала готовиться к наступлению.

---

[1] К сведению тех, кто любит сокрушаться о «братьях поляках» и осуждать Сталина за 1939 год: когда в 1928 году красноармейские части проходили через Киев, их в прямом смысле *засыпали* цветами. Ворошилов по этому поводу писал Орджоникидзе: «Весь буквально город был на улице. Я не преувеличу, если скажу, что у семидесяти процентов народа, запрудившего улицы и тротуары, были цветы. Цветов было столько, что не только красноармейцы несли огромные букеты, но даже лошади, тачанки, автомобили, повозки – все тонуло в цветах, которыми засыпало население проходившие войска. Части двигались по ковру живых цветов...» Это было время, когда со дня на день ждали польской интервенции, и такая встреча о многом говорит. Киевляне помнили, как это было в 1920-м...

Польским войскам к тому времени противостояли два фронта: Юго-Западный – на Украине и Западный – в Белоруссии. Согласно плану наступления, главный удар должен был нанести Западный фронт в направлении на Варшаву, удар Юго-Западного приходился на Брест и был вспомогательным. 20 марта по предложению главнокомандующего Красной Армией С. Каменева Тухачевский был назначен командующим Западным фронтом.

К тому времени партизанщину первых лет войны удалось изжить, и уже никто не делал, что левая нога захочет... или, по крайней мере, не всегда действовал по ее указке. Тухачевский честно согласовывал свои действия с главкомом. Он предложил атаковать поляков сразу всеми силами – то самое «необеспеченное наступление», которым его потом будет подкалывать Троцкий. План был одобрен, и 14 мая Западный фронт начал свое первое неудачное наступление. Затем фронт усилили, и 4 июля началось столь триумфальное и столь трагическое наступление номер два. Начиналось оно великолепно: красные войска выбили поляков из Минска и Вильно, освободили почти всю Белоруссию и вышли к границе.

А затем идет первая ложь нашей истории. Что говорят и о чем умалчивают? Говорят так: видя, что все хорошо, поляки бегут, Тухачевский, поддержанный своим Реввоенсоветом (И. С. Уншлихт, А. П. Розенгольц и И. Т. Смилга), предлагает брать Варшаву силами одного лишь Западного фронта, а не двух фронтов, как предполагалось поначалу. Комфронта не хочет делиться славой. Ему удается убедить Политбюро, и Юго-Западный фронт получает приказ идти не на Брест, а на Львов.

А теперь о чем умалчивают. В первую очередь о том, что, кроме Политбюро, существовал еще главком Каменев, бывший царский полковник, который и санкционировал предложение Тухачевского. А вы думаете, этот вопрос решали Ленин с Троцким, которые доверились «гениальному стратегу»?

Еще умалчивают, что 22 июля такое же предложение поступило и с Юго-Западного фронта (командующий А. И. Егоров, члены Военного совета И. В. Сталин, Р. И. Берзин, Х. Г. Раковский) – наступать на Львов. Им тоже не хотелось быть «на подхвате». И Каменев, с согласия Реввоенсовета Республики, отдал роковое распоряжение – раз они все так этого хотят, начать операции фронтов в расходящихся направлениях.

Согласны: Тухачевский, самый молодой и амбициозный из командующих фронтами, увлекся, рассчитывая пройти всю Польшу одним броском. Ну а опытный главком Каменев о чем думал? Или он не знал, что такое молодой генерал? А может быть, ему было неизвестно о том, что «необеспеченное наступление» представляет собой фирменный стиль Тухачевского: ввязаться в драку, по доброму наполеоновскому принципу, а там видно будет... Несколько раз от разгрома его спасало только вовремя подошедшее подкрепление. Какие у Каменева были основания думать, что под Варшавой этого не случится?

Именно так все и получилось. К 14 августа красные войска вышли на подступы к Варшаве и ввязались в тяжелые бои. Люди были измотаны тяжелейшим наступлением, тылы отстали, не было боеприпасов, продовольствия, даже обмундирования – кое-где бойцы были элементарно разуты. А поляки, отступая в глубь своей территории, наоборот, копили силы. Хотя инерция наступления у красных еще оставалась, и чем все кончится, не смог бы предсказать никто...

И вот тут сказались все недостатки Красной Армии сразу. И самый главный – вышеупомянутое «правило левой ноги».

Главком Каменев считал, что поляки сосредоточат силы южнее Варшавы, для обороны города. Основания такие у него были. Тухачевский же полагал, что польские войска сосредоточены севернее, и директивы главкома попросту проигнорировал. Сам он находился в Минске, а ведь радиосвязи тогда не было, так что достаточно было прервать телеграфную связь, и командующий оказывался отрезанным от своих войск.

Прав оказался все-таки Каменев, хотя радости это никому не принесло. Когда красные войска, завязнув в боях, что было для них губительно, предприняли отчаянное, из последних сил, наступление на Варшаву, поляки ударили. К 19 августа Западного фронта больше не существовало.

Это было не поражение, а полный и сокрушительный разгром. Удар был жесточайшим. Г. Иссерсон, биограф маршала, писал: «Когда Тухачевскому стала ясна картина уже разразившейся катастрофы и когда он уже ничего не мог сделать, он заперся в своем штабном вагоне и весь день никому не показывался на глаза... Долгие годы спустя в частной беседе он сказал только, что за этот день постарел на десять лет».

...Но это только половина правды. А вот и ее вторая половина. Дело в том, что директивы главкома плохо выполнял не только Западный, но и Юго-Западный фронт. Вдобавок если Тухачевский каким-то образом справлялся со своим Военным советом, то Егоров или не мог с ним справиться, или же не хотел. 10 августа, отдав приказ о форсировании Вислы, Тухачевский попросил главкома передать ему 1-ю конную и 12-ю армии Юго-Западного фронта. 13 августа Каменев отдал приказ. Однако шло наступление на Львов, и Сталин отказался утвердить директиву. Армию он соглашался отдать только после взятия Львова. В итоге Буденного все-таки заставили выступить на помощь Западному фронту, но в конце августа это уже никому не было нужно. К тому времени то, что осталось от войск фронта, поляки даже и не преследовали.

У нас говорят, что Первая Конная уже не могла повлиять на судьбу кампании. Но есть и другие мнения – например, полковника Луара, одного из помощников генерала Вейгана, французского военного советника при Пилсудском. В 1925 году в польском журнале «Беллона» тот писал: «Что стало бы с польским маневром, если бы Буденный всей Конной армией обрушился на контратакующие с Вепржа войска, ничем не обеспеченные с юга, а не упорствовал в своем желании пожать лавры, ведя бесполезные боевые действия под Львовом? Операция польских войск потерпела бы полный крах. Какие бы это имело последствия, даже трудно себе представить».

Это вторая сторона правды. Но есть и третья ее сторона. Мы ведь забыли о мировой революции.

В мировую революцию тогда верили все: и теоретик Ленин, и трезвый Сталин, и неистовый Троцкий – едва ли среди большевистской верхушки нашелся бы кто-то сомневающийся в ней. Тем более буквально только что отгремели восстания в Венгрии и Германии, да и в других странах было неспокойно. Казалось, достаточно лишь чуть-чуть подтолкнуть – и покатится! Бухарин, теоретик «революционной войны», говорил о красной интервенции, которая принесет в Европу коммунизм. Ленин смотрел дальше. В падении Польши он видел крушение Версальского мира и объединение с Германией, с которой к тому времени уже вовсю шли переговоры о совместных действиях против той же Польши. А уж советизировать Германию по тем временам казалось проще простого. Если же Советская Россия и Советская Германия объединятся – то где взять силы, которые смогли бы им противостоять?

Ставка была колоссальной. И на самом острие этой грандиозной игры находился Тухачевский со своим фронтом. Его постоянно гнали вперед, даже не столько приказы, сколько сама обстановка. Да и первый он, что ли, генерал, который теряет соображение, видя отступающего врага, и на полном ходу влетает в ловушку?

О чем, спрашивается, все они там, в Москве, думали, оставляя его в одиночестве? Уж коль скоро с этим человеком и с этим фронтом связаны такие грандиозные планы, то и надо кидать все, что только можно, в топку этого паровоза! Тем более командир там мальчишка – а вдруг он неверно оценил свои силы, у него и раньше такое бывало, и не раз...

Может быть, поэтому его и не наказали? Большевики были отнюдь не образцом человеческой добродетели, но одно хорошее качество у них было – свои ошибки они на чужие плечи не сваливали. А Сталин, кстати, поплатился за невыполнение приказа. После жестокой публичной критики его сняли с поста члена РВС фронта.

Польская катастрофа дорого обошлась Советской России. Наша армия потеряла около 25 тысяч убитыми и ранеными, 66 тысяч пленными, и 45 тысяч были интернированы в Восточной Пруссии – это около 70% личного состава войск Западного фронта. Страна потеряла Западную Украину и Западную Белоруссию, не считая репараций в размере 30 миллионов золотых рублей и обязательств возвратить военные трофеи и ценности, вывезенные из Польши аж с 1772 года. И не считая того, что 40 тысяч пленных красноармейцев погибли в лагерях той самой страны, которая нынче предъявляет нам счет за несколько тысяч якобы расстрелянных офицеров. А мы счет не предъявляем, мы оправдываемся...

И Львов, кстати, тоже потеряли...

...Трудно сказать, какие выводы сделал Тухачевский для себя – у него не было привычки каяться вслух. Сам он обвинял в неудаче соседний фронт – но не жаловался на понукания из Москвы, хотя, как известно, особым чинопочитанием не страдал. Говорил, что виноваты не политики, а военные, которые могли выполнить поставленную им задачу, но не сумели...

Не менее трудно сказать, какие выводы сделал для себя Сталин. Можем высказать парочку абсолютно безответственных предположений. Может быть, именно польская кампания стала результатом странной «непотопляемости» Тухачевского? Ведь вторая половина вины за страшное поражение лежала на Сталине, который всю войну считал себя умнее военных, – и вот результат! И ничего нет удивительного в том, что его отношение к военачальнику, которого он, как ни крути, так жестоко подставил, могло быть необъективным. В сторону улучшения, конечно, – а вы как подумали?

...Доблестные действия против мятежного Кронштадта, а особенно «героическое» подавление крестьянских восстаний с многочисленными расстрелами заложников нельзя сказать, чтобы характеризовали Тухачевского как какого-то исключительного палача. Кронштадтское восстание само по себе чрезвычайно интересно – но как-нибудь в другой раз... Зададим лишь один вопрос: с чего это вдруг «братишки» начали протестовать против продразверстки и продотрядов? И вообще этот инцидент настолько пахнет эсерами...

Что же касается крестьянской войны... то, во-первых, время было не слишком-то гуманное. Во-вторых, то, как сами мужички зверствовали, очевидцы спустя десятилетия не могли вспоминать без содрогания. В-третьих, когда после расстрела пяти заложников деревня выдает 68 повстанцев и 88 дезертиров... В-четвертых – а что с «лесными братьями»[1] прикажете делать?

Штрих к портрету: два диалога после подавления Кронштадтского восстания. Первый – между главкомом С. Каменевым и Тухачевским.

«**Тухачевский**: ...В общем, полагаю, что наша гастроль здесь закончилась. Разрешите возвратиться восвояси.

Каменев: Ваша гастроль блестяще закончена, в чем я и не сомневался, когда привлекал вас к сотрудничеству в этой истории...

Тухачевский: Я очень прошу меня не задерживать дольше завтрашнего дня...»

Второй – между главкомом и наркомвоенмором.

«**Каменев**: Только что по прямому проводу у меня состоялся разговор с Тухачевским. Он сказал, что его гастроль здесь окончилась, и просит разрешения убыть на Западный фронт.

Троцкий: Как, вы сказали, назвал Михаил Николаевич свое пребывание под Кронштадтом – гастролью?

Каменев: Да, так и сказал: гастроль.

Троцкий: Интересное сравнение, но для Тухачевского вполне объяснимое, он же увлекается игрой на скрипке, а в Кронштадте первая скрипка принадлежала ему. Передайте Михаилу Николаевичу мое поздравление и разрешение убыть к прежнему месту службы».

---

[1] Банды, сидевшие в Тамбовских лесах, так себя не называли, но по сути были тем же самым, что и послевоенные «лесные братья».

Еще штрих к портрету: Ольга Тухачевская, сестра Михаила, вспоминает:

«...Миша молчал весь вечер, таким расстроенным я до тех пор никогда его не видела, потому и запомнила этот случай. Потом, уступив нашим просьбам, все-таки назвал причину: "Меня посылают в Тамбов, там крестьяне бунтуют. Владимир Ильич приказал покончить". Брат повторил: "Теперь – крестьян", – ушел к себе и двое суток пил. Миша всю жизнь был равнодушен к спиртному, это единственный случай, когда он стал смертельно пьяным. Это тоже врезалось в память. Я мало что поняла, но почувствовала, что происходит что-то очень страшное. Больше Миша эту тему с нами никогда не обсуждал»[1].

Загадочное назначение

Варшавское поражение стало для Тухачевского незаживающей раной. Если раньше у него не было «идеи фикс», то теперь она появилась – рассчитаться с Польшей! Один раз эта его мечта едва не обернулась войной.

...Весной 1924 года Тухачевского переводят на работу в Штаб РККА, помощником начальника, хотя опыт штабной работы у него был нулевой. Одни считают это назначение повышением, другие – понижением. Но суть не в этом. Главное – почему? Вот уж опытных штабных-то в Красной Армии было немерено, большая часть царского генштаба в ней осталась...

О, это совершенно замечательная история!

После Варшавского поражения Тухачевский остается командующим Западным фронтом и в этой должности встречает 1923 год, знаменательный двумя вещами: троцкистской оппозицией и несостоявшейся революцией в Германии.

15 марта его внезапно отстраняют от должности, а 29 марта так же внезапно восстанавливают. В этом странном карьерном вираже чего только не усматривают – и какие-то интриги вокруг командующего, и борьбу за власть. На самом деле все было проще: эти две недели он провел в Берлине, где набирало обороты советско-немецкое сотрудничество. А поскольку миссия была чрезвычайно скользкой, лучше было, чтобы он поехал туда как частное лицо. Вспомним, как немецкие лет-

---

[1] Цит. по: *Кантор Ю.* Война и мир Михаила Тухачевского. М., 2005. С. 255.

чики, которых направляли на обучение в СССР, на время поездки исключались из рядов рейхсвера, а после обучения восстанавливались. Обычная практика.

В августе 1923 года Тухачевского вызывают в Москву, предлагая должность в столице и одновременно командировку в Берлин для формирования «германской Красной армии». Казалось бы, карьерист должен ухватиться за такой шанс, да и с военной точки зрения это интересней, чем киснуть в округе. Но он почему-то не соглашается – несмотря на то, что в Германии предполагалась самая настоящая война. Осенью его несколько раз вызывают в столицу, но он попросту отказывается повиноваться и остается в Смоленске. С чего вдруг? Что произошло-то?

А теперь надо вспомнить, какими были планы «германского красного октября». Как только, в ответ на выступление немецких рабочих, Франция введет в Германию войска, на помощь должна выступить Красная Армия. Правда, чтобы дойти до Германии, ей надо было – в том-то все и дело! – пройти через Польшу. В этом и была проблема. Потому что храбрые заявления, которые делались в советском посольстве, вроде того, что «если Польша не сдастся, она будет раздавлена», нимало не соответствовали действительности. Совсем недавно поляки нанесли Красной Армии жесточайшее поражение, а с тех пор они слабее не стали. Даже горячий Троцкий считал, что надо любой ценой избежать этой войны, договорившись о том, чтобы Польша просто пропустила красные войска через свою территорию. (Насколько это было реально – уже второй вопрос.)

Да, но войсками Западного фронта, непосредственно у польской границы, командовал Тухачевский, как раз и проигравший войну. С тех пор самой заветной его мечтой был реванш. Победить поляков, смыть с себя позорное пятно проигранной кампании. Еще 20 августа 1920 года, когда его армия бежала из-под Варшавы, он издал известный приказ по Западному фронту № 1847, где говорилось, что мир может быть заключен только «на развалинах белой Польши». Нашей делегации на советско-польских мирных переговорах пришлось бы долго и трудно объясняться с поляками по поводу этого приказа...

Ну и как он мог теперь оставить, хотя бы на несколько дней, свой округ, если вот-вот войска перейдут границу? А вдруг это случится без него?!!

Вот только второго подполковника Муравьева на западных рубежах в то время и не хватало!

Если советское правительство хотело мира, надо было любой ценой убрать оттуда Тухачевского. Мало того, что с него станется объявить собственную войну. В той обстановке, которая была в Восточной Европе летом 1923 года, тот факт, что Западным фронтом командует Тухачевский, ни в коей мере не способствовал спокойствию польского правительства. У поляков тоже могли не выдержать нервы...

Еще менее успокаивало то, что творилось на этой границе в сентябре. С 16 сентября по 3 октября командующий фронтом решил провести маневры, и вот почти двадцать дней, в самое напряженное время, войска округа гарцуют вдоль границы. Более того, выстраиваются так, словно бы собираются нанести удар по Варшаве. Естественно, занервничали и поляки, также выдвигая к границе войска. Мир висел на волоске. Одно провокационное или просто неосторожное движение – и войны будет уже не избежать. И, учитывая личность комфронта, можно ли сомневаться, что Берлин интересовал его во вторую очередь, а политические разборки в Москве – в пятую (если не в двадцать пятую)?

В Кремле занервничали всерьез. Но как его убережешь? Нужен предлог. И вот 18 сентября, в самое горячее время, на заседании Политбюро вдруг слушают доклад Молотова о Красной Армии, в основу которого положена справка ОГПУ о безобразиях на Западном фронте. Самое время заниматься моральным состоянием армии, ничего не скажешь! 20 сентября Троцкий предлагает передать материалы на Тухачевского в Центральную контрольную комиссию на то время, пока идет разбирательство, заменить его и срочно назначить авторитетный РВС Западного фронта. А уж в Москве справиться с непослушным командующим будет легче: в конце концов, можно и под арест посадить за неповиновение, подержать под замком, пока все не закончится.

А маневры продолжаются!

Впрочем, вызов в ЦКК был настолько явным *предлогом*... Хотя и тут вышла любопытная штука. Когда ЦКК попросила заместителя председателя РВС Склянского прислать имеющиеся у него материалы на Тухачевского, единственное, что удалось накопать, так это то, что он возил семью в вагоне спецназначения, поселил ее в усадьбе, которая некогда принадлежала его отцу, и прилетал туда на аэроплане. Фактически никакого компромата, а ведь в то время командующие вели себя по-разному – чего стоит одна история с киевским ипподромом! Тухачевского вызвали в Москву, к члену ЦКК Сахаровой, которая должна была выслушать его объяснения и сдать дело в архив. Но он ведь был далеко не дурак! Прекрасно поняв, что означает сей вызов, Тухачевский отправил «объяснения» почтой, коротко и исчерпывающе: «1. Провозка семьи действительно имела место. 2. На аэроплане никогда не прилетал. 3. Усадьба, где живет моя мать, действительно принадлежала моему отцу до 1908 г., потом он ее продал. Поселилась мать с сестрами во время революции»[1]. Сам же приехать и не подумал, наоборот – закончив маневры, отправился в поездку по «фронту».

Лишь в конце октября, когда стало ясно, что ничего не произойдет, он отправляется в Москву, выслушивает на ЦКК обвинения в пьянстве и разлагающем влиянии на подчиненных и получает за это свой строгий выговор. Ему это достаточно безразлично, всем остальным тоже – обвинения явно риторические, если бы в этой армии судили за пьянство, в ней бы офицеров попросту не осталось.

В ноябре Тухачевского направляют в Берлин, устанавливать контакты с «черным рейхсвером». Теперь он послушно едет – не все ли равно, раз войны не будет? Пробыл он там недолго. Уже в середине декабря все заканчивается обычным образом: поссорившись с Крестинским, наш герой возвращается в Россию, в свой округ.

Вся эта история совпала с конфликтом между троцкистами и правительством в Москве, и белые эмигранты, а следом за ними и некоторые современные исследователи, замороченные политикой, увидели в ней выступление Тухачевского против власти (или же за власть – кто как трактовал). Однако позвольте не согласиться. Напомним еще раз: он был военным и, как нормальный генерал, относился к политикам соответственно. И впоследствии он, точно так же как фон Сект, будет видеть вершиной устройства общества военную диктатуру. Притворяться этот человек совершенно не умел или не желал, и поразительно: насколько он, невероятно активный во всем, что касается армейских дел, бомбардировавший начальство докладными по любому поводу, едва дело доходит до политики, становится похожим на устрицу. Что доказывает лишь одно: ему было глубочайшим образом наплевать на все склоки этих штатских болтунов...

Нет, у этой истории есть куда более простое объяснение.

Польша!

---

[1] На самом деле часть имения семье выделили крестьяне села Вражское, «в память их отца и бабушки» – должно быть, хорошими людьми были прежние помещики...

...Да, но Тухачевского с польской границы надо было убирать, а то ведь он действительно мог устроить собственную войну. И весной – не без труда, не без сопротивления (по некоторым предположениям, его даже пришлось арестовать) – его из округа изъяли. Он был назначен вторым помощником начальника штаба РККА – по организационно-административным вопросам. Помощником по оперативному планированию был Б. М. Шапошников. Такое назначение можно рассматривать только одним образом – как наказание за все его фокусы. Уж больно много нервов стоил он правительству в минувшем году.

Еще штрих к портрету: воспоминания одного из подчиненных Тухачевского.

«Командарм очень часто и неожиданно появлялся в расположении того или иного полка. Прежде чем идти в штаб, он осматривал материальную часть, заглядывал в конюшни, говорил с бойцами, потом появлялся на полковых занятиях и, попросив продолжать их, садился и внимательно наблюдал. Оттуда он шел на кухню, в склады. Докладывать о своем прибытии он запрещал. Когда до командира доходила весть о визите командарма, Тухачевский уже успевал все осмотреть и сделать свои выводы. Найдя в части большие упущения, Тухачевский уезжал, не повидавшись с ее командиром. Командир вызывался к командарму. Тухачевский не распекал его, а говорил очень коротко:

– Ваш полк в безобразном состоянии. Если не приведете его в течение трех недель в полный порядок – поедете командовать "полчком"...

Возражать и оправдываться в таких случаях было бесполезно. Тухачевский поднимался, одергивал свой пояс и сухо бросал:

– Это все. Вы свободны!»

От «военного марксизма»...

> Как говорил кто-то из вождей лунной революции:
> «Добрым словом и бластером можно добиться
> куда большего, чем просто добрым словом».
> *А. Уланов. Серебряные пули с урановым сердечником*

В 1937 году, едва отзвучало по европейским газетам первое сообщение о «деле генералов», не кто иной, как Троцкий, разразился сожалениями об уничтоженном Сталиным «цвете Красной Армии». Впрочем, с этим-то демаршем все ясно: стоило Сталину сделать хоть какой-нибудь шаг – Троцкий тут как тут с язвительной критикой. Но любопытно, что первым назвал Тухачевского «блестящим стратегом» именно Лев Давидович, и значительно раньше...

Едва закончилась Гражданская война, как товарищ Троцкий начинает *чудить*. Про его развлечения на ниве охоты и французских романов мы уже писали. В военном ведомстве тоже было не скучно. Одним из его финтов, о котором не знаешь, что и думать, было назначение Тухачевского, еще не остывшего от позорного поражения, начальником Военной академии Красной Армии. Как хотите, но есть в этом что-то от гладиаторских боев: выставить бойца на арену против десятка хищников и держать пари: кто кого? Подпоручик царского времени, не имевший не только теоретических трудов, но даже высшего военного образования (22 мая 1920 года, в самый разгар наступления на поляков, он приказом Реввоенсовета республики был *причислен* к лицам с высшим военным образованием, и только) становится во главе самого престижного военного учебного заведения России, где такие зубры собраны...

Произошло это эпохальное событие 5 августа 1921 года.

Впрочем, как творец военной науки Тухачевский дебютировал несколько раньше, еще в начале 1920 года, когда его на некоторое время отозвали в Москву. Делать в столице было особенно нечего, и ему предложили прочитать ни больше ни меньше как в Академии Генерального штаба лекцию на тему: «Стратегия национальная и классовая». Лекция представляла собой рассуждения о классовом характере гражданской войны, перемешанные с выпадами в адрес старых офицеров, которые-де этот классовый характер «не поняли» и потому воюют плохо, и восхвалениями молодых командиров, которые ее «поняли» и оттого воюют хорошо. Ну, прочел и прочел. Мало ли ерунды несли многочисленные выдвиженцы того времени. Тем более что Тухачевский обожал взять какую-нибудь идею и, преувеличив ее, довести до полного абсурда – так он развлекался. Сам же, едва дело доходило до конкретных дел, на любое классовое деление попросту плевал, да и выглядел и держал себя даже не барином – аристократом.

Эпатирующее всех и вся назначение становится более понятным, если вспомнить о постоянном противостоянии «старых» и «молодых» командиров Красной Армии, «военспецов» и «краскомов». Тухачевский в этой компании был фигурой странной. С одной стороны, как бы вроде кадровый офицер и ведет себя соответственно, «аристократически», с другой –

самый типичный выдвиженец Гражданской войны. Хотя сам себя он явно видел краскомом, не уставая обвинять кадровых офицеров в профессиональной непригодности, и даже подводил под эти обвинения теоретическую базу. Еще в июле 1919 года он писал в Реввоенсовет: «Эта война слишком трудна и для хорошего командования требует светлого ума и способности к анализу, а этих качеств у русских генералов старой армии не было... Среди старых специалистов трудно найти хороших командующих. Уже пришло время заменить их коммунистами...»

И наконец, ситуация окончательно проясняется, если вспомнить о политических амбициях Троцкого. Имея на своей стороне Военную академию, кузницу офицерских кадров, «демон революции» мог чувствовать себя гораздо уверенней. Пройдет совсем немного времени, и выпускники академии разойдутся по дивизиям и армиям, по штабам, сядут на кадры (!), унося с собой, в числе прочих знаний, и полученные в академии симпатии к Троцкому. Действительно, двумя-тремя годами позже академия станет настоящим оплотом троцкизма. Уж наверное, не старые царские служаки выступали на стороне «демона революции», а те, кого привел с собой в академию новый начальник и кто остался там, когда начальника давно уже и след простыл.

...От дебюта славного командарма в качестве преподавателя все, кто хоть что-то понимал в военном деле, как бы поточнее выразиться... обалдели, иначе не скажешь. Мало того, что он снова и снова заявлял, что старые генералы не сумели понять Гражданской войны – в конце концов, в этом есть какая-то сермяжная правда, чтобы воевать в условиях всепоглощающего хаоса, нужно иметь совершенно особые способности. Мало того, что он обвинял военспецов в неумении руководить войсками – он, только что потерпевший позорнейшее поражение! Но дальше он заявляет: «Лишь на базе марксизма можно обосновать теорию гражданской войны, то есть создать классовую стратегию». И начинает эту самую стратегию развивать, и присутствующие преподаватели не могут понять – это всерьез, или товарищ начальник так шутит?

Если исторический материализм есть применение марксизма к истории, то «классовая стратегия» – применение его же к военному делу. Но если история – предмет гуманитарный и в ней есть место для любых, самых бредовых теорий, то военное дело все-таки достаточно точная наука с весьма конкретными результатами, которые и сказались в 1941 году.

«Классовая стратегия» основывается на утверждении, что войны, которые ведет Красная Армия, – войны совершенно нового типа. Равно как и сама Красная Армия – армия нового типа, поскольку она классово однородна. А вооруженные силы потенциального противника имеют смешанный классовый состав, и потому некрепки. (В устах дворянина на пролетарской службе эти слова звучат как-то особенно убедительно.) В их рядах немало пролетариев, еще больше их в тылу, и они естественным образом тяготеют не к своим буржуазным правительствам, а к классово близкой Советской России. Поэтому Красная Армия должна нанести только первый, достаточно сильный удар по капиталистической стране, и в ней тут же восстанет рабочий класс, свергнет власть угнетателей, и буржуазный строй падет под двойным натиском. (При этом данная теория только что блистательно провалилась при первом же испытании за границей – в Польше.) Из этой теории вытекали и специфические задачи армии – не столько победить военной силой, сколько вызвать восстание рабочего класса в тылу противника. Ну и так далее...

Нельзя сказать, чтобы все это было уж совершеннейшим бредом. В первые послевоенные годы, когда в Европе то и дело вспыхивали революции, у такого подхода были основания – другое дело, что строить на этом стратегию, а тем более военную доктрину...

Впрочем, Тухачевский, даже не будучи убежденным большевиком, вполне мог увлечься марксизмом, хотя бы чисто эстетически. Какие он приказы писал! «Бойцы рабочей революции! Устремите свои взоры на Запад. На Западе решаются судьбы мировой революции. Через труп белой Польши лежит путь к мировому пожару. На штыках понесем счастье и мир трудящемуся человечеству. На Запад! К решительным битвам, к громозвучным победам!» Это же поэмы, а не приказы...

Но не в академии же все это развивать! Нет, что ни говори об увлечении марксизмом, но так и кажется, что сейчас из уголков по-профессорски серьезных глаз нового начальника начнут выглядывать веселые чертики:

«Я вас не шокирую, товарищи? Мне было бы очень досадно...»

На этот фокус купился даже Троцкий. «Мне приходилось также подвергать критике, – писал он в 1937 году, – попытку Тухачевского создать "новую военную доктрину" при помощи наспех усвоенных элементарных форм марксизма. Не забудем, однако, что Тухачевский был в те годы очень молод и совершил слишком быстрый скачок из рядов гвардейского офицерства в лагерь большевизма».

Последствия игр с марксизмом, впрочем, были довольно серьезны. От применения классовой теории к военному делу родилась специфи-

ческая стратегия – позднее она получила название стратегии сокрушения. Точнее, *принято считать*, что в основу «стратегии сокрушения»
была положена именно «классовая стратегия» товарища Тухачевского.
А на самом деле это еще вопрос, от чего именно она родилась. У немецких военных, относящихся совсем к другому классу – сплошь «фоны»,
тоже было что-то подобное, и называлось оно «молниеносная война»,
или, более привычно для русского уха, «блицкриг»[1].

...Приход Тухачевского в военную академию – а пришел он не один, с
ним появились его единомышленники – тут же разделил военных специалистов на два лагеря. Впоследствии их условно называли сторонниками
«стратегии сокрушения» и «стратегии истощения», или «измора».

Тухачевский, естественно, принадлежал к числу сторонников «стратегии сокрушения». Согласно ее варианту образца 1921 года, характер
боевых действий Красной Армии в будущей войне будет чисто наступа-
тельным. Основывались эти умозаключения на внутренних свойствах
Красной Армии, ее классовой сущности, революционном духе и пр. Подобные действия вместе с действиями естественных союзников во вра-
жеских тылах обещали скорую победу и делали ненужными как сложные
стратегические расчеты, так и попечение об обороне. На стороне этой
теории выступили в основном молодые красные офицеры, «поручики-
командармы», с их специфическим опытом Гражданской войны и крайне
слабой теоретической подкованностью. Зато они были вооружены полным набором революционной фразы, в которую более или менее искренне верили. Над этими теориями образца 1921 года посмеивался даже Троцкий, который говорил: «Побеждает тот, кто наступает тогда, когда нужно
наступать, а не тот, кто наступает первым».

Лидером противоположного лагеря был бывший генерал А. А. Свечин, выпустивший в 1926 году книгу «Стратегия». Постепенно на его
стороне оказывались и многие остепенившиеся военачальники из противоположного лагеря. Уже в 1924–1925 годах фактически на стороне этой
же теории выступил преемник Троцкого на посту наркома обороны
М. В. Фрунзе, который называл войну между равными противниками
«длительным и жестоким состязанием». Фрунзе никто не осмелился об-
винить в контрреволюционности и непонимании сути РККА, зато на Све-
чина обвинения сыпались градом, тем более что характер у него был еще
похуже чем у Михаила Николаевича. Впрочем, до 30-х годов они друг

---

[1] А вообще-то так воевал еще Наполеон.

друга уважали и ставили достаточно высоко, потом какая-то кошка все же пробежала, потому что в 1931 году Тухачевский уже говорил: «Свечин марксистом не был и никогда им не хотел быть... В теоретических своих положениях Свечин всячески восстает против возможности наступления Красной Армии против капиталистических стран. Сознательно или бессознательно он является агентом империализма», – клеймит он уже арестованного профессора: достойное поведение, нечего сказать!

Впрочем, если есть что хуже, чем выяснять, кто правильней воевал, так это разбираться в военных теориях. Но кое в чем разобраться все-таки надо. Поскольку с легкой руки все того же Виктора Суворова Тухачевского стали считать едва ли не главным виновником разгрома Красной Армии в июне 1941 года. Мол, он продавил порочную доктрину «войны малой кровью на чужой территории», из-за которой наша армия была не так вооружена, не так подготовлена и вообще все было не так...

Только не надо особенно зацикливаться на словах. Такая война является мечтой любого военачальника. Немцы тоже воевали «малой кровью на чужой территории», однако их военную доктрину никто не объявлял изначально порочной, пока они на Россию не полезли...

Тем не менее на Тухачевского-теоретика вешают даже тех собак, которые родились уже после его смерти. Герман Смирнов, например, в своей книге «Правда о кровавом маршале», вышедшей в начале 90-х годов, пишет: «За "рейдовую психологию", усиленно внедрявшуюся в сознание молодых командиров-танкистов, пришлось заплатить большой кровью в первые дни войны. Действуя в соответствии с наставлениями, выработанными Тухачевским, они бросали свои непереформированные танковые корпуса, состоявшие из легких танков Т-60, Т-26 и БТ, во встречные контратаки на фашистские танковые колонны. И в первые же часы боя теряли до 90% боевого состава...»

Вот ведь странно: нам почему-то всегда казалось, что не «молодые командиры» бросают корпуса в бой, а как минимум командующие дивизиями и фронтами. А наставления пишет и рассылает Генеральный штаб, начальником коего, кстати, в то время был генерал армии Жуков (тот самый!), которого постоянно противопоставляют Тухачевскому. И доктрина была тут абсолютно ни при чем, а просто наши генералы за десять лет не удосужились разработать тактику танкового боя... А если мозг нашей армии в 1941 году руководствовался наставлениями двадцатилетней давности, то что тут можно сказать...

...«Теоретическая» гастроль Тухачевского была непродолжительна. Академия терпела его не более полугода, после чего он вернулся на знакомый ему пост командующего фронтом. А в 1924 году он был назначен руководителем по стратегии всех академий РККА. Время было безумное...

Кстати, финт Троцкого на самом-то деле был «медвежьей услугой» его любимцу. Тухачевскому очень не помешало бы систематическое образование. Но как он мог прийти учиться в академию, которую раньше возглавлял?

...К «красному милитаризму»

...В конце 20-х годов, по воспоминаниям Л. А. Норд[1], Тухачевский как-то раз сказал ей: «...Никто из военного руководства, кроме Фрунзе, не жил и не живет так армией, как живу ею я. Никто так ясно не представляет себе ее будущую структуру, численность и ту ступень, на которую армия должна стать... Поэтому теперь мне надо добиваться того, чтобы стать во главе руководства армией, иначе ее развитие будет идти не так, как надо, и к нужному моменту она не будет готова...»

Одной черты у Тухачевского не отнимешь ни при каком раскладе – страстную любовь к армии. Это еще одна причина того, почему он едва ли был замешан в возне вокруг Троцкого. Когда Троцкий выдал свой план перевода армии на милиционную систему, он для Тухачевского, при страстности его натуры, мог и вовсе перестать существовать. (Для сравнения: при каких условиях православный станет поддерживать политика, который предлагает закрыть храмы, а богослужения проводить на квартирах прихожан?)

А кто для него существовал? Кто был для него авторитетом, притом что руководство СССР было поголовно штатским? Он уважал Фрунзе – за ту же любовь к их общему делу, которую испытывал и сам, но Фрунзе не был профессиональным военным, к *касте* он не принадлежал. Зато совсем недалеко, в Германии, существовал человек, который был ему близок по духу и по взглядам – генерал фон Сект. Тухачевский наверняка был знаком с его трудами, да и немецкие коллеги в то время прикладывали очень большие усилия, чтобы воспитывать советских офицеров в сво-

---

[1] Псевдоним Л. А. Норд до сих пор не расшифрован. Предположительно, она была женой советского военачальника из окружения Тухачевского.

ем духе, такова была тогда политика рейхсвера. И, как показали последующие события, особенно близка оказалась Тухачевскому стержневая концепция политических взглядов Секта – военно-политическая диктатура.

Но это еще впереди. Пока что идет 1924 год, и наш герой вживается в работу Штаба РККА. А на западных границах СССР уже назревает очередной кризис. Даже германскому национализму далеко до польского, и жители Западной Украины и Белоруссии за четыре года польского владычества натерпелись от панов достаточно, чтобы дойти почти до точки кипения... ну, и Коминтерн с Разведупром тоже руку приложили. В случае, если бы восстание все же началось, само собой, Красная Армия мгновенно вмешалась бы в конфликт и занялась отвоевыванием переданных Польше территорий. Конечно, Тухачевский не мог остаться в стороне, и осенью 1924 года он едет в свой любимый Западный округ «по делам службы». Ему это позволяют. Более того, в 1925 году на съезде Советов Белоруссии он призывает правительство республики «поставить в повестку дня вопрос о войне».

Однако новая работа быстро охладила эту горячую голову. Уже 26 декабря 1926 года в докладе «Оборона Союза Советских Социалистических Республик» он делает горестный вывод: «Ни Красная Армия, ни страна к войне не готовы».

Впрочем, можно подумать, кто-то спрашивал о готовности! В 1927 году страна опять стоит на грани войны. Тогда всерьез ожидали, что Англия блокирует СССР на море, одновременно спровоцировав нападение Польши, Румынии и Финляндии. В июне 1927 года Красная Армия уже заняла позиции вдоль западной границы, приготовившись к отражению нападения. Пронесло. Тогда не рискнули. Тем не менее советское правительство занервничало, о чем говорит форменная чехарда со смещениями и назначениями в ближайшие три года.

...А Тухачевский сидит в Штабе РККА и бомбардирует наркома и правительство предложениями об улучшении его работы – раз уж он оказался прикован к этой структуре, то ее переустройством и занялся. Не будем их обсуждать: во-первых, все равно ответа мы не получим, поскольку по этим вопросам даже у военных на двух человек приходится три мнения; а во-вторых, к нашей теме это отношения не имеет. Важно то, что его ни в коей мере нельзя было назвать равнодушным служакой и что он был недоволен отношением правительства к армии. По его мнению, страна могла дать ей больше, чем она давала.

Осенью 1925 года Тухачевский был назначен начальником Штаба РККА. В конце октября умер Фрунзе, и наркомом стал Ворошилов. Затем начались бесконечные реорганизации – методом «тыка» искали наилучшую форму управления тем, что в СССР называлось армией. Тухачевскому все это не нравилось, он вообще стоял за то, чтобы из Штаба РККА сделать орган, управляющий армией, – то есть фактически преобразовать его из рабочего органа при наркоме в Генеральный штаб.

И вдруг, в мае 1928 года, он из начальников штаба отправляется командующим в не самый большой и не самый престижный Ленинградский военный округ. По этому поводу каких только догадок во всем мире не строили. Полковник Бломберг, например, считал: «Существует две версии отставки Тухачевского. Согласно первой, он был сторонником превентивной войны против Польши, что не могло удовлетворить правительство; согласно второй – его политическая благонадежность была поставлена под сомнение, и в военном вожде кое-кто увидел тень вождя возможного мятежного движения».

Впрочем, есть еще и третья версия, самая простая... Михаил Николаевич был человек чрезвычайно активный и чрезвычайно язвительный. Сочетание этих двух качеств создавало ему множество врагов. В конце концов, и из его работы в Штабе РККА снова вышел скандал. 16 апреля 1928 года три «генерала» – Егоров, Буденный и Дыбенко – направили Ворошилову письмо, в котором обвиняли Тухачевского в стремлении захватить власть в армии. Ворошилов вызвал начштаба для разговора, но ничего из этого не вышло, только хуже переругались. 8 мая 1928 года Тухачевский пишет наркому: «Мое дальнейшее пребывание на этом посту неизбежно приведет к ухудшению и дальнейшему обострению сложившейся ситуации». И отправляется командовать Ленинградским военным округом, одновременно размышляя над перевооружением армии.

Тут надо понимать еще один момент. Это только в фильмах военные молча повинуются начальству, а если и спорят друг с другом, то строго по уставу. А в реальности в 20–30-х годах по склочности военная среда могла сравниться разве что с Союзом писателей. Просто у тихого Шапошникова были одни методы, у прямолинейного Тухачевского – другие, а у громогласного Дыбенко – третьи.

Вот и пример. В начале 1930 года вышла книга В. К. Триандафиллова «Характер операций современных армий». Книга вызвала интерес, и решили устроить ее публичный разбор. Причем аудитория была достаточно широкая: многие военачальники и слушатели военных академий. Все шло прилично до тех пор, пока собравшиеся не схлестнулись по вопросу о коннице. Начали Буденный и Тухачевский, недолюбливавшие друг друга еще с 1920 года... Вот как развивались события дальше (просим читателя учесть, что изложивший эту историю Г. Иссерсон – горячий сторонник «красного маршала»).

«Тухачевский... сказал, что конница, не оправдавшая себя уже в Первую мировую войну, не сможет в будущей войне играть какую-нибудь важную роль. Это вызвало бурю негодования со стороны Буденного, сидевшего в президиуме. Он бросил реплику, что "Тухачевский гробит всю Красную Армию!" На это Тухачевский, обернувшись к Буденному, с вежливой улыбкой сказал: "Ведь вам, Семен Михайлович, и не все объяснить можно!" – что вызвало смех в зале.

Обстановка накалялась и достигла высшего предела, когда выступил Т.[1] ... Конница, по мнению Т., сохранила все свое значение, доказав это в Гражданскую войну, в частности в Польскую кампанию 1920 г., когда она дошла до Львова. И если бы она не была отозвана оттуда Тухачевским, то выиграла бы операцию. И тут, обратившись к Тухачевскому, который тоже сидел в президиуме, и подняв сжатые кулаки, Т. высоким голосом выпалил: "Вас за 1920-й год вешать надо!!"

В зале наступила гробовая тишина. Тухачевский побледнел. Буденный ухмылялся. Гамарник, нервно пощипывая бороду (его обычная привычка), встал и незаметно ушел из президиума.

Был объявлен перерыв, после которого Гамарник, переговоривший по телефону с Ворошиловым и получивший указания, объявил, что так как дискуссия... получила неправильное направление и приняла нежелательный оборот, считается необходимым собрание закрыть...»

В общем, поговорили...

Так что обмены любезностями, кляузы, а при случае доносы и подставы были у нас армейскими буднями. Просто каждый хамил по-своему, только и всего...

Ну а теперь дошли мы и до сорока тысяч танков, которые будто бы предлагал изготовить Тухачевский в течение одной пятилетки, за что его и прозвали «красным милитаристом». Это вопрос любопытный, поскольку эти сумасшедшие тысячи являются козырным тузом компромата против

---

[1] Вероятней всего, комкор А. И. Тодорский.

«красного маршала». И тут, совершенно неожиданно, исследование такого простого вопроса превратилось в форменный детектив. Вроде бы в декабре 1927 года Тухачевский направил Сталину записку, где говорил о технической отсталости нашей армии и предлагал планы перевооружения, а в 1930 году – еще одну. Для начала оказалось, что ни одну из этих докладных записок никто целиком не видел. Виктор Суворов, запустивший эту информацию, не озаботился сказать, где именно он ее прочел. Провещал – и все поверили.

Дальше – интересней. Вот что пишет об этой записке Иссерсон:

«Узкому кругу работников Штаба РККА было известно, что в 1928 г. он написал докладную записку о необходимости перевооружения нашей армии и развития военно-воздушных и бронетанковых сил. В записке Тухачевский говорил, что наша армия в техническом оснащении и развитии авиации отстала от европейских армий. Необходимо, писал он, немедленно приступить к ее полному техническому перевооружению, создать сильную авиацию с большим радиусом действий и бронетанковые силы из быстроходных танков, вооруженных пушкой, и перевооружить пехоту и артиллерию, дать армии новые средства связи (главным образом радиосредства) и новые переправочные имущества. Для решения этих задач нужно развивать нашу военную промышленность и построить ряд новых заводов».

Как говорится: кто бы спорил!

Затем Иссерсон пишет: «Далее давался расчет количества новых средств вооружения всех видов. Для того времени предлагаемые цифры были действительно грандиозными...»

Да, грандиозными – но какими? С. Минаков, автор книги «Сталин и его маршал» – единственный, кто эти докладные читал, утверждает, что ничего грандиозного в этих цифрах не было. Зато резюме чрезвычайно интересное: «Он (Тухачевский) предлагал альтернативный правительственному оборонный проект. Он предлагал программу, которая смещала военно-экономическую доминанту в оборонную сферу. Это уже была особая концепция развития страны и государства».

И что же это за концепция?

Споры о модернизации армии шли вовсю, концепций было несколько, они жестко конкурировали между собой. 11 января 1930 года Тухачевский, который и в округе не может успокоиться, пишет еще одну докладную записку на имя Ворошилова, с программой модернизации РККА. К концу пятилетки, согласно этому плану, Красная Армия должна была насчитывать 260 стрелковых и кавалерийских дивизий, 50 дивизий артиллерии и минометов, и вот тут снова вылезают эти 40 тысяч танков и 50 тысяч самолетов. Что странно, поскольку он еще с 1921 года ратовал за то, что страна в мирное время должна иметь небольшую высокопрофессиональную армию. И вдруг – такое «планов громадье»...

Чуть ниже разберемся и в этом противоречии. Однако суть предложения-то была не в этом.

«Существо концепции модернизации М. Тухачевского, – пишет С. Минаков, – заключалось, как он предлагал, в необходимости "ассимиляции производства, которая должна представлять из себя двусторонний процесс: военные производственные мощности, частично занимающиеся выпуском мирной продукции, и гражданские производства, которые путем дополнительных затрат приспосабливаются к быстрому переходу на военные рельсы"».

Оп-паньки! *Так это что – не Сталин придумал? Тот способ организации производства, который в войну, по сути, спас страну – не сталинский?!!*

Но дальше – еще интересней. Вокруг плана творится что-то странное. Наркому для того, чтобы разобраться с этим документом, понадобилось почти два месяца. 5 марта 1930 года он пишет Сталину: «*...Направляю для ознакомления копию письма Тухачевского и справку штаба по этому поводу. Тухачевский хочет быть оригинальным и радикальным. Плохо, что в КА[1] есть порода людей, которая этот радикализм принимает за чистую монету...*» 23 марта Сталин отвечает: «*Я думаю, что "план" т. Тухачевского является результатом увлечения "левой" фразой, результатом увлечения бумажным, канцелярским максимализмом. Поэтому-то анализ заменен в нем "игрой в цифири", а марксистская перспектива роста Красной Армии – фантастикой. "Осуществить" такой "план" – значит наверняка загубить и хозяйство страны, и армию. Это было бы хуже всякой контрреволюции...*» Нарком тут же сообщил Тухачевскому об оценке Сталина, добавив: «*Я полностью присоединяюсь к мнению т. Сталина, что принятие и выполнение Вашей программы было бы хуже всякой контрреволюции, потому что оно неминуемо повело бы к полной ликвидации социалистического строительства и к замене его какой-то своеобразной и, во всяком случае, враждебной пролетариату системой "красного милитаризма"*». И всю

---

[1] Красная Армия.

эту историю, включая оценку Сталина и свою собственную, он огласил на расширенном заседании Реввоенсовета.

Эта часть истории широко известна. Менее известно ее продолжение.

...Михаил Николаевич обиделся всерьез. 19 июня он пишет уже лично Сталину: *«Я не собираюсь подозревать т. Шапошникова в каких-либо личных интригах, но должен заявить, что Вы были введены в заблуждение, что мои расчеты от Вас были скрыты, а под ширмой моих предложений Вам были представлены ложные, нелепые, сумасшедшие цифры»...*

Хотите знать, чем кончился этот «роман в письмах»? В конце концов, 9 января 1931 года Сталин вызвал Тухачевского в Кремль и принял его предложения. Тухачевский вскоре был назначен начальником Красной Армии по вооружениям, а Шапошников отправился командовать Приволжским военным округом. Вот об этом Суворов не пишет.

Кроме того, два года спустя, когда уже была принята танковая программа Тухачевского, Сталин написал еще одно письмо, завершающее эту эпистолярную эпопею.

«Т. Тухачевскому. Копия Ворошилову.

Приложенное письмо на имя т. Ворошилова написано мной в марте 1930 г. Оно имеет в виду два документа. а) вашу "записку" о развертывании нашей армии с доведением количества дивизий до 246 или 248 (не помню точно).

б) "Соображения" нашего штаба с выводом о том, что Ваша "записка" требует, по сути дела, доведения численности армии до 11 миллионов душ, что "записка" ввиду этого нереальна, фантастична, непосильна для нашей страны.

В своем письме на имя т. Ворошилова, как известно, я присоединился в основном к выводам нашего штаба и высказался о вашей "записке" резко отрицательно, признав ее плодом "канцелярского максимализма", результатом "игры в цифры" и т. д.

Так было дело два года назад.

Ныне, спустя два года, когда некоторые неясные вопросы стали для меня более ясными, я должен признать, что моя оценка была слишком резкой, а выводы моего письма – не совсем правильны...

Мне кажется, что мое письмо не было бы столь резким по тону и оно было бы свободно от некоторых неправильных выводов в отношении Вас, если бы я перенес тогда спор на эту новую базу. Но я не сделал этого, так как, очевидно, проблема не была еще достаточно ясна для меня.

Не ругайте меня, что я взялся исправить недочеты моего письма с некоторым опозданием.

7.5.32.

С ком. прив. Сталин»[1].

После истории с «красным милитаризмом» дела Тухачевского снова пошли в гору. 7 ноября 1933 года он принимал военный парад на Красной площади. Что тут такого? Да ничего особенного... но вообще-то это делает нарком обороны. В том же году он получил орден Ленина, а в 1935 году стал одним из пяти первых маршалов Советского Союза.

...Но все же – сколько там танков-то было? Неужели сорок тысяч? И что, он вправду предлагал в случае войны бронировать трактора, делая из них танки?

Нет. Не сорок, а сто тысяч. Что же касается бронированных тракторов...

Впрочем, вот выдержки из текста записки от 30 декабря 1930 года.

«Уважаемый товарищ Сталин!

В разговоре со мной во время 16-го партсъезда по поводу доклада Штаба РККА, беспринципно исказившего и подставившего ложные цифры в мою записку о реконструкции РККА, Вы обещали просмотреть материалы, представленные мною Вам при письме, и дать ответ.

Я не стал бы обращаться к Вам с такой просьбой после того, как вопрос о гражданской авиации Вы разрешили в масштабе большем, чем я на то даже рассчитывал, а также после того, как Вы пересмотрели число дивизий военного времени в сторону значительного его увеличения. Но я все же решил обратиться, т. к. формулировка Вашего письма, оглашенного тов. Ворошиловым на расширенном заседании РВС СССР и основанного, как Вы мне сказали, на докладе Штаба РККА, совершенно исключают для меня возможность вынесения на широкое обсуждение ряда вопросов, касающихся проблем развития нашей обороноспособности...»

Это уже интересно! Выходит, Сталин, самый трезвый из глав государств, стал более милитаристом, чем сами «красные милитаристы», пусть даже по отдельным вопросам...

«В дополнение к ранее посланным материалам, я хочу доложить о последних данных, которые мне удалось подработать по вопросу о мас-

---

[1] Цит. по: *Кантор Ю.* Война и мир Михаила Тухачевского. М., 2005. С. 308–309.

совом танкостроении. В моем первом письме к Вам я писал о том, что при наличии массы танков встает вопрос о разделении их по типам между различными эшелонами во время атаки [1]. *В то время как в первом эшелоне требуются первоклассные танки, способные подавить противотанковые пушки, в последующих эшелонах допустимы танки второсортные, но способные подавлять пехоту и пулеметы противника.*

Устоявшаяся на опыте империалистической войны консервативная мысль представляет себе развитие танков в тех, сравнительно небольших массах, в каких их видели в 1918 году. Такое представление явно не правильно.

Уже к 1919 году Антанта готовила 10 000 танков, и это почти на пороге рождения танка. Представление будущей роли танков в масштабе 1918 года порождает стремление соединить в одном танке все, какие только можно вообразить, качества. Таким образом танк становится сложным, дорогим и неприменимым в хозяйстве страны. И наоборот, ни трактор, ни автомобиль не могут быть непосредственно использованы как основа такого танка.

Совершенно иначе обстоит дело, если строить танк на основе трактора и автомобиля, производящихся в массах промышленностью. В этом случае численность танков вырастет колоссально...

...''Красный путиловец'' с марта 1931 года будет выпускать новый тип трактора, в полтора раза более сильный. Нынешняя модель слишком слаба. Новый трактор даст отличный легкий танк. Модель Сталинградского завода и Катерпиллер также приспособляются под танк...''

Извините, но ведь это совсем не то, что писали – будто бы он предлагал бронировать трактора. Историкам простительно, они гуманитарии... но все же модель трактора – это далеко не сам трактор. Это просто-напросто «рецепт» его производства. И все сказанное означает не то, что из уже готовых тракторов будут делать танки, а то, что тракторный или автомобильный завод можно без серьезной перестройки производства приспособить под танковый, только и всего...

Но наконец-то мы подошли и к цифрам...

«Итак, мы обладаем всеми условиями, необходимыми для массового производства танков. Причем в моей записке о реконструкции РККА я не преувеличил, а приуменьшил возможности производства у нас танков.*

---

[1] Напоминаем, что в то время тактика действий танковых частей только разрабатывалась, а реального опыта боев с применением современных танков не имел никто.

а) в 1932 г. – 40 000 по мобилизации и 100 000 из годового производства и

б) в 1933 эти цифры могли бы возрасти раза в полтора.

...Вряд ли какая-либо капиталистическая страна или даже коалиция в Европе на данной стадии подготовки антисоветской интервенции смогла бы противопоставить что-либо равноценное в этой новой, массовой подвижной силе...»[1]

И все же странно: неужели автору записки неясно, что через несколько лет эти танки устареют и будут ни на что не годны? И снова надо будет клепать новые, а потом еще и еще?

Да, но при чем тут несколько лет? Ясно ведь сказано: *на данной стадии подготовки антисоветской интервенции.*

А полезно все-таки читать документы в оригинале!

Потому что из записки ясно следует, что Тухачевский не предлагает разогнать производство и штамповать по 40 тысяч танков в год. Он предлагает его приготовить к тому, чтобы в случае необходимости выдать 40 тысяч по *мобилизации.* А мобилизация, если нам память не изменяет, вещь вполне конкретная и проводится в конкретном случае – «если завтра война». И записка эта явно, черным по белому, предлагает: подготовить автомобильные и тракторные заводы к тому, чтобы *в случае, если война начнется в 1931–1932 годах,* немедленно начать выпускать легкие танки «второго эшелона» на базе уже существующего производства.

Вот в чем подлинный смысл этой записки, а вовсе не в том, чтобы в мирное время наводнить страну переклепанными тракторами. Неудивительно, что Сталин извинился.

Дело в том, что именно это время было временем наибольшей «военной тревоги» для Советского Союза. Отношения с Германией потихоньку стали разлаживаться. В начале 1931 года Франция готова была предоставить Германии заем в 2–3 миллиарда золотых франков на условии пересмотра советско-германских отношений. 23 июня 1932 года советская разведка, например, получала из Берлина сообщения такого рода: «Генерал Шлейхер и командование рейхсвера считают момент для интервенции против России назревшим. Генерал Шлейхер стоит за то, что интервенция должна быть начата еще в этом году. Внутренние трудности Советского Союза настолько велики, что уже факт объявления войны может

---

[1] Цит. по: *Кантор Ю.* Война и мир Михаила Тухачевского. М., 2005. С. 306–308.

привести к антикоммунистическому перевороту... В стране установится военная диктатура, которая свергнет Сталина»[1]. И эти тоже ждали Наполеона...

Остальные милые соседи своего отношения к СССР не изменили, а единственный союзник стремительно становился врагом. Момент ударить был более чем удачный. Советский Союз полностью, как казалось, увяз в коллективизации, индустриализация была в самом начале, в стране существовала мощнейшая «пятая колонна».

Уборевич, предшественник Тухачевского на посту начальника вооружений, в 1936 году писал Орджоникидзе: «Я знаю сейчас, в 1936 году, что много было сделано, очень много ошибок. Оправданием мне служит одно – я чертовски боялся войны в 1930 и 1931 годах, видя нашу неготовность. Я торопился...»

Тухачевский тоже торопится, и по той же причине – он боится войны в 1931 и 1932 годах.

Кстати, и эти фантастические цифры он ведь тоже не с потолка взял. Они были увязаны с пятилетним планом. Существовало два плана: «оптимальный», то есть план как таковой, и «пересмотренный». Так вот: по первому варианту в 1932–1933 годах предлагалось произвести 50 тысяч тракторов и 130 тысяч автомобилей, а по второму – соответственно 197 и 350 тысяч. Так что Тухачевский в своем максимализме не одинок. В этом «громадье планов» ему принадлежит вторая скрипка, а первую партию исполняет Госплан...

...Война не состоялась. Во многом «помог» пришедший к власти Гитлер. Германия была еще слишком слаба, чтобы немедленно напасть на СССР, зато западные соседи, особенно Польша и Франция, теперь были озабочены проблемами сосуществования с Третьим рейхом. Французское правительство вдруг стало искать дружбы Страны Советов. Война была отсрочена, и 40 тысяч танков Тухачевского попросту не понадобились. В рамках обычной программы к концу 1931 года предполагалось

---

[1] Не надо обольщаться тем фактом, что Шлейхер был «восточником». Смысл этого термина в том, что с Россией надо дружить, пока это выгодно Германии, и с Россией нельзя воевать, когда она в силе. Против того, чтобы «подтолкнуть» падающий режим, «восточники» ничего не имели. Более того, как следует из некоторых документов, именно «восточник» Хаммерштейн-Экворд руководил разведработой против СССР и формировал в нем «пятую колонну».

иметь в армии около 1000 танков, к концу 1932 года – около 4000, к концу 1933-го – до 8500 танков. А вот мобилизационная мощность промышленности – на случай войны – была и вправду рассчитана на сорок тысяч.

Но об этом Суворов (не фельдмаршал) почему-то тоже не написал...

Еще раз повторим: Тухачевскому не повезло. В середине 50-х годов его имя попало в центр грязной политической кампании, и так с тех пор там и пребывает. И каждый, кто берется писать об этом человеке, сначала формирует свое отношение к нему, а уж потом подбирает под него факты. Интересно, когда-нибудь кто-нибудь напишет о его работе и о его вкладе в строительство Красной Армии объективно?

Что можно сказать в заключение этой главы? Все то же самое: Тухачевский, может быть, и не был «блестящим стратегом» и гениальным строителем армии. Он, может быть, был просто стратегом и просто строителем, возможно, хорошим. Может статься, были и лучше – но это еще большой вопрос, учитывая, в каком состоянии находилась Красная Армия к 1941 году (об этом, кстати, много пишет Ю. Мухин, рекомендуем...). У немцев, основного противника, была преемственность поколений и выработанная веками культура войны. Красная Армия начинала все если не с чистого листа, то, по крайней мере, с листа мало исписанного. Легко судить спустя семьдесят лет, зная ход войны и понимая, что надо было делать. Там, внутри времени, все было несколько труднее...

Впрочем, все эти разговоры, как мы уже говорили, не имеют значения. Если генерал становится заговорщиком – что толку обсуждать, насколько он хорош как генерал? А к тому времени Тухачевский уже давно снова шел за злой звездой Наполеона к тому режиму, который он, вслед за фон Сектом, считал высшей формой государственного устройства – к военно-политической диктатуре.

Досье: информагентство «желтая утка»
СУЕТА ВОКРУГ «КРАСНОЙ ПАПКИ»,
или
КАК ГЕЙДРИХ СТАЛИНА ОБДУРИЛ

О спецслужбах сказок сочинено не меньше, чем о чертях. В числе распространенных и совершенно непотопляемых легенд – история о «красной папке», вот уже полвека кочующая по страницам прессы, словно фамильное привидение. Какую книгу ни открой — если она хотя бы каким-то боком касается 1937 года, немецких спецслужб или маршала Тухачевского — «красная папка» тут как тут. Каждый автор считает своим долгом повторить старую сказочку о зловредном Шелленберге, глупом Бенеше и легковерном Сталине, о том, что компромат на Тухачевского подсунули «вождю народов» немецкие спецслужбы, и он вот так прямо взял да и поверил...

Кто запустил эту версию в оборот? В Советском Союзе она всплыла в ходе хрущевской реабилитации. Ранее достаточно подробно она описывается в изданных вскоре после войны мемуарах бывшего руководителя зарубежной разведки фашистской Германии Вальтера Шелленберга. Мемуары разведчиков редко имеют отношение к тому, чем они на самом деле занимались, — баек в них, как правило, куда больше, чем информации. А уж запихнуть туда несколько популярных легенд, чтобы они лучше продавались, — самое милое дело... (Кстати, бравый начальник немецкой разведки славился среди коллег любовью к невинным розыгрышам.)

Наш легендарный разведчик, генерал-лейтенант Павел Судоплатов, пишет:

«Миф о причастности немецкой разведки к расправе Сталина над Тухачевским был пущен впервые в 1939 г. перебежчиком В. Кривицким, бывшим офицером Разв/едупра Красной Армии, в книге "Я был агентом Сталина". При этом он ссылался на белого генерала Скоблина, видного агента ИНО НКВД в среде белой эмиграции. Скоблин, по словам Кривицкого, был двойником, работавшим на немецкую разведку. В действительности Скоблин двойником не был. Его агентурное дело полностью опровергает эту версию. (Более того, нынешние сотрудники службы внешней разведки числят его одним из лучших агентов за всю историю этой службы. – Авт.)

Выдумку Кривицкого, ставшего в эмиграции психически неустойчивым человеком, позднее использовал Шелленберг в своих мемуарах, приписав себе заслугу в фальсификации дела Тухачевского».

Впрочем, не то важно, кто сказку придумал, а то, сколько народу в нее поверило. На Западе она до сих пор гуляет по книжкам о спецслужбах, а у нас долгое время вообще была *официальной* версией.

Если собрать воедино перемещающуюся вот уже пятьдесят лет из издания в издание информацию, то выглядит эта история так...

...16 декабря 1936 года в Париже белоэмигрант, бывший царский генерал Скоблин сообщил представителю немецкой разведки, что в СССР готовится военный заговор, во главе которого стоит первый заместитель наркома обороны маршал Тухачевский, и что верхушка заговорщиков находится в контакте с генералами вермахта и разведывательной службы. Сообщение, в общем-то, вполне правдоподобное. Такой информации в то время, разным адресатам и по разным каналам, поступало немало.

Получив сообщение Скоблина, начальник службы безопасности Германии СД (аналог нашего КГБ) Гейдрих... Предоставим дальше слово Шелленбергу:

«...Правда, Скоблин не смог представить документальных доказательств участия германского генералитета в плане переворота, однако Гейдрих усмотрел в его сообщении столь ценную информацию, что счел целесообразным принять фиктивное обвинение командования германского вермахта, поскольку использование этого материала позволило бы приостановить растущую угрозу со стороны Красной Армии...

Янке (сотрудник аппарата Гейдриха. – Авт.) предостерегал Гейдриха от поспешных выводов. Он высказал большие сомнения в подлинности информации Скоблина. По его мнению, Скоблин вполне мог играть двойную роль по заданию русской разведки. Он считал даже, что вся эта история инспирирована. В любом случае, необходимо было учитывать возможность того, что Скоблин передал нам планы переворота, вынашиваемые якобы Тухачевским, только по поручению Сталина. При этом Янке полагал, что Сталин при помощи этой акции намеревается побудить Гейдриха, правильно оценивая его характер и взгляды, нанести удар командованию вермахта, и в то же время уничтожить генеральскую "фронду", возглавляемую Тухачевским, которая стала для него обузой; из соображений внутрипартийной политики Сталин, по мнению Янке, желал, чтобы повод к устранению Тухачевского и его окружения исходил не от него самого, а из-за границы. Свое не-

доверие Янке обосновывал на сведениях, получаемых им от японской разведки, с которой он поддерживал постоянные связи, а также на том обстоятельстве, что жена Скоблина, Надежда Плевицкая, была агентом ГПУ...

Гейдрих не только отверг предостережение Янке, но и счел его орудием военных, действовавшим беспрекословно в их интересах, конфисковал все его материалы и подверг трехмесячному домашнему аресту...»

Короче говоря, Янке решил, что это все – провокация Сталина, который хотел, чтобы Гитлер расправился со своими генералами и дал ему повод расправиться со своими. А Гейдрих посадил его под арест и начал действовать. Он довел дело до сведения Гитлера. Фюрер почему-то не стал трогать собственных генералов, зато решил расправиться с их советскими партнерами. После того как вождь германского народа решил судьбу советского маршала, коварные немецкие спецслужбисты начали готовить провокацию.

«...В соответствии со строгим распоряжением Гитлера, – продолжает Шелленберг, – дело Тухачевского надлежало держать в тайне от немецкого командования, чтобы заранее не предупредить маршала о грозящей ему опасности. В силу этого должна была и впредь поддерживаться версия о тайных связях Тухачевского с командованием вермахта; его как предателя необходимо было выдать Сталину. Поскольку не существовало письменных доказательств таких тайных сношений в целях заговора, по приказу Гитлера (а не Гейдриха) были проведены налеты на архив вермахта и на служебное помещение военной разведки... (Имелся в виду секретный архив вермахта, где хранились документы «Спецотдела R», организации рейхсвера, которая в 1923–1933 годах курировала дела с Россией. – Авт.). На самом деле, были обнаружены кое-какие подлинные документы о сотрудничестве немецкого вермахта с Красной Армией. («Досье» содержали записи бесед между немецкими офицерами и представителями РККА, в том числе Тухачевским. – Авт.) Чтобы замести следы ночного вторжения, на месте взлома зажгли бумагу, а когда команды покинули здание, в целях дезинформации была дана пожарная тревога.

Теперь полученный материал следовало надлежащим образом обработать. Для этого не потребовалось производить грубых фальсификаций, как это утверждали позже; достаточно было лишь ликвидировать "пробелы" в беспорядочно собранных воедино документах. Уже через четыре дня Гиммлер смог предъявить Гитлеру объемистую кипу материалов. После тщательного изучения усовершенствованный таким образом "материал о Тухачевском" следовало передать чехословацкому генеральному штабу, поддерживавшему тесные связи с советским партийным руководством. Однако позже Гейдрих избрал еще более надежный путь. Один из его наиболее доверенных людей, штандартенфюрер СС Б., был послан в Прагу, чтобы там установить контакты с одним из близких друзей тогдашнего президента Чехословакии Бенеша. Опираясь на полученную информацию, Бенеш написал личное письмо Сталину. Вскоре после этого через президента Бенеша пришел ответ из России с предложением связаться с одним из сотрудников русского посольства в Берлине. Так мы и сделали. Сотрудник посольства тотчас же вылетел в Москву и возвратился с доверенным лицом Сталина, снабженным специальными документами, подписанными шефом ГПУ Ежовым. Ко всеобщему изумлению, Сталин предложил деньги за материалы о "заговоре". Ни Гитлер, ни Гиммлер, ни Гейдрих не рассчитывали на вознаграждение. Гейдрих потребовал три миллиона золотых рублей – чтобы, как он считал, сохранить "лицо" перед русскими. По мере получения материалов он бегло просматривал их, и специальный эмиссар Сталина выплачивал установленную сумму. Это было в середине мая 1937 года... 4 июня Тухачевский после неудачной попытки самоубийства был арестован...

Часть "иудиных денег" я приказал пустить под нож, после того как несколько немецких агентов были арестованы ГПУ, когда они расплачивались этими купюрами. Сталин произвел выплату крупными банкнотами, все номера которых были зарегистрированы ГПУ».

Другие источники дополняют Шелленберга некоторыми пикантными подробностями. Например, Гейдрих будто бы, перед тем как начать действовать, заявил: «Даже если Сталин хотел просто ввести нас в заблуждение этой информацией Скоблина, я снабжу дядюшку в Кремле достаточными доказательствами того, что его ложь – это чистая правда». Хотя «дядюшка» – это, скорей, в духе наших англоязычных союзников, которые называли Сталина «дядюшка Джо».

Так состоялась эта суперсделка, в ходе которой фальшивое досье было продано за меченые деньги.

Что в этой истории может быть правдой? Основополагающий факт: то, что советские генералы готовили заговор и что они поддерживали контакты с германским генеральным штабом. Эта информация шла из многих источников. Что же касается всего остального — то изъянов, видимых даже невооруженным глазом, у этой романтической сказки предостаточно.

Самый мелкий из них — тот подмеченный Виктором Суворовым факт, что переписать номера золотых рублей при всем желании невозможно, так как монеты номеров не имеют. Ну да ладно, спишем на то, что немецкий генерал золото с червонцами перепутал. Зачем ему вообще рубли понадобились? Мог бы фунты спросить... Но, согласитесь, если немецкие спецслужбы все-таки требуют рубли, а потом не могут найти им легального употребления, то это диагноз под названием «клиническая глупость». И такие спецслужбы обыграли Сталина? Не говоря уже о том, что запись разговоров, сделанную одной стороной, не примет в качестве доказательства даже сержант отделения милиции, не говоря уж о советской контрразведке.

Следующий изъян — побольше. Пресловутая «красная папка», великолепный козырь в руках обвинения, не фигурировала ни на процессах 1937 года, ни позже. Ни в следственных, ни в судебных делах арестованных нет даже упоминаний об этих документах, их нет в архивах ЦК КПСС, архивах Советской Армии, ОГПУ-НКВД — их нет нигде. Никто этой папки в глаза не видел, в руках не держал и даже не слышал, чтобы кто-то видел или держал. Объясните, какой смысл платить колоссальную сумму в три миллиона рублей за компромат, судьба которого — испариться сразу по получении?!

Судоплатов, работавший в то время в НКВД, пишет:

«Как непосредственный куратор немецкого направления наших разведорганов в 1939–1945 гг. утверждаю, что НКВД никакими материалами о подозрительных связях Тухачевского с немецким командованием... не располагало. Сталину тоже никто не направлял материалов о Тухачевском по линии зарубежной разведки НКВД.

В архиве Сталина были обнаружены данные о том, что так называемые компрометирующие материалы об амбициях Тухачевского, поступившие из-за рубежа, были не чем иным, как выдержками из материалов зарубежной прессы...»

Более того, есть данные, что немцы не только не делали фальшивки под названием «красная папка», но и были не в состоянии ее изготовить. Дадим слово генералу-майору в отставке Карлу Шпальке, который в то время был начальником отдела «Иностранные войска Восток» в германском генеральном штабе.

«Ни господин Гейдрих, ни СС, ни какой бы то ни было партийный орган не были, по-моему, в состоянии вызвать или только запланировать подобный переворот – падение Тухачевского или его окружения. Не хватало элементарных предпосылок, а именно, знания организации Красной Армии и ее ведущих личностей. Немногие сообщения, которые пересылались нам через «абвер 3» партийными инстанциями на предмет проверки и исходившие якобы от заслуживающих доверия знатоков, отправлялись нами почти без исключения обратно с пометкой «абсолютный бред»![1]

При подобном недостатке знаний недопустимо верить в то, что господин Гейдрих или другие партийные инстанции смогли-де привести в движение такую акцию, как афера Тухачевского. Для этого они подключили якобы еще и государственных деятелей третьей державы – Чехословакии. И напоследок немыслимое: о подготовке, проведении и в конечном результате успешном окончании столь грандиозной операции не узнал никто из непосвященных! Другими словами: вся история Тухачевский – Гейдрих уж больно кажется мне списанной из грошового детектива, историей, сконструированной после событий на похвалу Гейдриху и СС, с пользой и поклонением Гитлеру».

Теперь о президенте Чехословакии Бенеше, который будто бы передал компромат Сталину. Если так, то он человек совершенно невероятной выдержки – держал в руках документ такой важности

---

[1] Шпальке утверждает лишь то, что знаний о Красной Армии не было у СС и партийных органов, но отнюдь не то, что их не было у немцев вообще. Наоборот, если генеральный штаб рейхсвера был в состоянии анализировать поступающую информацию, значит, у него-то эти знания как раз имелись.

и даже в него не заглянул. Потому что есть свидетельство, что до рокового июня 1937 года он не имел о «заговоре Тухачевского» ни малейшего представления.

По крайней мере, это следует из письма, которое прислал советский посол в Праге Александровский 15 июля 1937 года, уже после «процесса генералов»:

«...Усиленные разговоры о возможности чехословацко-германского сближения... относятся к началу этого года. В конце апреля у меня был разговор с Бенешем, в котором он неожиданно для меня говорил, почему бы СССР и не договориться с Германией, и как бы вызывал этим меня на откровенность... Весь этот период я решительно опровергал какую бы то ни было особую нашу связь с Германией.

Мой последний разговор (3 июля 1937 г. – Авт.)... разговор с Лауриным 13.VII (Лаурин – доверенное лицо Бенеша. – Авт.), мне кажется, не оставляет на этом фоне сомнений в том, что чехи действительно имели косвенную сигнализацию из Берлина о том, что между рейхсвером и Красной Армией существует какая-то особая интимная связь и тесное сотрудничество. Конечно, ни Бенеш, ни кто бы то ни было другой не могли догадаться о том, что эта сигнализация говорит об измене таких крупных руководителей Красной Армии, как предатели Гамарник, Тухачевский и др. Поэтому я легко могу себе представить, что Бенеш делал из этих сигналов тот вывод, что советское правительство в целом ведет двойную игру и готовит миру сюрприз путем соглашения с Германией... Никто из нас не понял и не мог понять этого смысла поведения Бенеша и его клеврета Лаурина, на зная о том, что против нас работает банда изменников и предателей. Зная же теперь это, мне становится понятным очень многое из тех намеков и полупризнаний, которыми изобиловали разговоры со мною не только Лаурина, Бенеша, Крофты, но и ряда других второстепенных политических деятелей Чехословакии».

Из этого письма следует, что Бенеш никаким посредником в передаче «красной папки» быть не мог. Иначе его бы так не волновали странные советско-германские контакты.

Да, сказок о спецслужбах придумано не меньше, чем о чертях...

Глава 15

СУЩЕСТВОВАЛ ЛИ В РЕАЛЬНОСТИ «ЗАГОВОР ТУХАЧЕВСКОГО»

«Вы спрашиваете, "майн либер Август, – (он так продолжал разговор, похлопав меня по плечу), – куда мы направим свои стопы? Право, надо воздать должное нашим прекрасным качествам солдата, но знайте, солдаты не всегда привлекаются к обсуждению всего стратегического плана. Одно только мы с вами должны твердо помнить: когда претендентов на власть становится слишком много – надо, чтобы нашлась тяжелая солдатская рука, которая заставит замолчать весь многоголосый хор политиков». Намек, который при этом Тухачевский делал на Наполеона, был так ясен, что никаких комментариев к этому не требовалось...

Из показаний А. И. Корка от 16 мая 1937 года

Первым ту мысль, что никаких преступлений расстрелянные генералы не совершали, а Сталин попросту по злобе своей уничтожил цвет Красной Армии, вбросил в мировое информационное поле все тот же неуемный Троцкий. Хрущев, уже из своих соображений, подхватил ее и принялся развивать дальше. Третий пик обсуждения проблемы пришелся на 90-е годы. При этом больше всех досталось Тухачевскому, поскольку информации о процессе к тому времени просочилось много, и, как ни поверни дело, он выглядел достаточно неприглядно. Одна сторона представляла его великим военачальником и гениальным стратегом, но при этом с такими морально-волевыми качествами, что чекисты «сломали» его на первом же допросе. Другая вообще отказывала ему в каких бы то ни было талантах и хороших свойствах души, представляя бездарным амбициозным карьеристом, от которого, в порядке «очищения» Красной Армии следовало избавиться, – ну и избавились.

Кто прав – вопрос риторический[1].

И человек не такой, и дело совсем не в этом, да и вообще все было совершенно иначе...

...Иной раз математики, когда имеется несколько взаимоисключающих утверждений, применяют такой прием: давайте предположим, что каждое из них верно. И посмотрим, что в том и в другом случае получается.

Если предположить, что Тухачевский не хотел повторить путь Наполеона Бонапарта, то мы выходим все в тот же сериал под названием «необоснованные репрессии». В нем много эмоций, но мало смысла, поскольку ни один из тех, кто пишет на эту тему, так и не смог объяснить, зачем это понадобилось Сталину. Что он, с ума сошел?

Да, с ума сошел – достаточно открытым текстом говорили со страниц «демократических» изданий. Маниакальная подозрительность, паранойя, Советским Союзом правил безумец, повергнувший все его население в состояние животного страха. Впрочем, ни одного доказательства того, что Сталин был сумасшедшим, так никто и не представил. Равно как и никакой иной хоть сколько-нибудь обоснованной мотивации расправ с верными сторонниками.

Поэтому версию «необоснованных репрессий» мы рассматривать не будем. Будем считать, что сторонники были не такими уж верными. Вопрос второй: насколько неверными они были?

Нет, если подходить к делу цинично, то Сталин, конечно, мог попросту уничтожить своих политических противников. Перестрелять всю эту компанию, всех этих зиновьевцев, бухаринцев, троцкистов – в конце концов, толку от них никакого, одна болтовня да саботаж. Многие государства время от времени устраивали у себя «ночь длинных ножей», и ничего – только крепче становились.

Но чтобы просто так, накануне надвигающейся войны, уничтожить высший командный состав собственной армии – надо быть *безумцем*. Сталин безумцем не был, никогда и ни в чем.

Значит, что-то там было.

Но что?!

---

[1] А в наши уже совсем циничные времена появились и апологеты такого подхода. Мол, сознание обывателя воспринимает только черное и белое, оттенки ему недоступны. Называя вещи своими именами, это значит: незачем быдлу историю рассказывать, все равно по тупости своей не поймет...

Эксплуатация мечты

> Может возникнуть вопрос: а на кой черт вообще Наполеону
> было лезть в эти политические дрязги? Всякие слова вроде
> «жажды власти» ничего не объясняют. Никаких «идей фикс»,
> вроде «нового мирового порядка», у него не было.
> Особой любви к Франции – тоже. Но, видимо,
> так уж устроен человек, что стремится к максимальной
> самореализации. А тут путается под ногами какая-то
> сволочь, которая мешает развернуться.
> «Я не умею повиноваться», – говорил он в штабе в Италии...
> *А. Щербаков. Как стать великим*

С самого начала власти Советской России опасались «бонапартизма», то есть установления военной диктатуры. Они все слишком хорошо знали историю и помнили, чем закончилась французская революция. Поэтому чекисты особо присматривали за всеми сколько-нибудь видными военачальниками, и в первую очередь за Тухачевским – учитывая его характер и громкую славу.

(Кстати, именно этим можно отчасти объяснить и странные зигзаги его военной карьеры – тем, что ему попросту боялись давать под начало войска, боялись, но все время приходилось. В 1921 году его «бросили» на Академию, чтобы убрать с Западного фронта, но возрастает опасность интервенции, и он возвращается обратно. И снова его убирают, однако в Штабе РККА Михаил Николаевич не приживается. Тогда ему дают небольшой округ, с которым переворота не устроишь, потом ставят начальником вооружений...)

Уже в 1925 году один из секретных агентов ОГПУ сообщал о двух течениях среди кадровых офицеров: «монархическом» и «бонапартистском» и отметил, что вторые группировались вокруг Тухачевского. (Впрочем, с кем именно «бонапартисты» могли связывать свои надежды, видно было невооруженным глазом.)

В 1926 году было установлено агентурное наблюдение за «кружком бонапартистов». Пока что ни о каком заговоре речи не было – просто кружок друзей, центром его был Тухачевский, которого все они рассматривали уже как политическую фигуру.

Как относился к этому сам Тухачевский? Нет никакого сомнения, что он примерял к себе биографию Наполеона. Первый этап прошел совсем неплохо, он действительно в двадцать пять лет стал генералом, время идти дальше. Тем более что ему напоминали об этом со всех сторон. Куда ни повернись, всюду взгляды: подозрительные, настороженные, ожидающие, сияющие надеждой... Тут и более стойкий человек «поплывет» – а Михаил Николаевич был натурой горячей и увлекающейся.

Тогда же в этом качестве его стало рассматривать ОГПУ – причем совсем не как объект для агентурной разработки...

...Само собой, весь мир внимательнейшим образом следил за тем, что происходит в Советской России, ожидая, когда же процесс перейдет в фазу диктатуры. Уж очень непредсказуемая и, прямо скажем, страшноватая публика собралась в Кремле. Эмигранты мучительно всматривались и вслушивались, ловя любые крохи информации из России. Теперь, после окончания войны, революция должна была непременно начать «пожирать собственных детей», красные «якобинцы» – вцепиться друг другу в горло... ну сейчас, вот-вот это произойдет! Они уже грызутся: Ленин вне игры, Троцкий выступает против Сталина... а потом придет Наполеон и установит диктатуру!

Это была мечта. Мечта эмигрантов о том, что придет «русский Бонапарт», сделает военный переворот, и все войдет хоть в какие-то понятные рамки. Империя, диктатура – это все было знакомо. А что такое Советская Россия и ее режим – никто не понимал. Непонимание рождало страх, а страх порождал надежду...

Едва закончилась Гражданская война, эмигрантские газеты начали поговаривать о «заговоре в Красной Армии». А нечто, напоминающее информацию о «заговоре Тухачевского», впервые поместила еще в феврале 1924 года белоэмигрантская газета «Руль». Комментируя события 1923 года, она писала:

«Выступление Троцкого против "тройки" заставило ее насторожиться против тех военных начальников, которые особенно близки к председателю Реввоенсовета. Среди них видное место занимает Тухачевский, командующий Западным фронтом и имеющий пребывание в Смоленске. Тухачевскому был предложен перевод в Москву, чтобы держать его под непосредственным надзором. Хотя перевод был сопряжен с повышением, но и от позолоченной пилюли Тухачевский отказался. Тогда ему предложение было повторено в ультимативной форме, а

Тухачевский вновь категорически отказался. Тройка кипит негодованием, но ничего поделать не может. Не идти же походом на Смоленск!»[1]

Информация эта пришла в Берлин несколько с запозданием и относится к осени 1923 года, так что легко можно догадаться, что к чему. Именно в это время Тухачевский водил войска возле польской границы, не реагируя на вызовы из Москвы.

Причины тут были другие, но ведь в эмигрантских тусовках собиралась все та же демократическая публика, которая мыслить иначе, чем *политически*, просто не умела.

Тогда же в Париже заседал так называемый Русский национальный комитет, и там тоже много говорилось о военном перевороте и установлении «красной диктатуры», а в качестве предполагаемого диктатора также называли Тухачевского.

Генерал фон Лампе, резидент РОВСа в Берлине, в январе 1924 года встречался с неким большевиком «Арсением Грачевым» (само собой, имя не настоящее). 30 января он отправил в парижскую штаб-квартиру РОВС секретную справку, в которой говорилось:

«По заслуживающим доверия сведениям, проехавший недавно через Берлин в Париж коммунист Арсений Грачев... сообщил, что в толще Красной Армии имеется значительная организация, поставившая себе целью производство переворота в стране и в самой армии. Группа эта основой своей противоправительственной пропаганды ставит выступление оппозиции против еврейского засилья и в силу одного этого не примыкает к оппозиции, возглавляемой Троцким, и действует не только независимо, но и против него. Возглавляется группа командующим Западным фронтом, бывшим подпоручиком лейб-гвардии Семеновского полка Тухачевским, находящимся с Троцким лично в неприязненных отношениях. Находится вся организация в Смоленске, где расположен штаб Западного фронта»[2].

Так что, как видим, в 1923 году белые эмигранты уже вовсю раскручивали Тухачевского как «красного Бонапарта». В середине 20-х годов, когда за границей остро интересовались всем, связанным с Советской Россией, газеты охотно печатали воспоминания о нем, а Фервак написал даже целую книгу. И везде звучало это имя: Наполеон.

---

[1] Цит. по: *Минаков А.* Сталин и его маршал. М., 2004. С. 208–210.

[2] Там же. С. 203–204.

Да, но почему именно Тухачевского? Причина, конечно же, была. Имя этой причины – ОГПУ. В то время уже полным ходом шла операция «Трест».

Знаете, кто такой «Арсений Грачев»? По вычислениям С. Минакова, это Б. Н. Иванов – видный сотрудник военной разведки, один из тех, кто работал в среде белой эмиграции. «Трест» и прочие подобные операции, правда, проводило ОГПУ – но в то время военная разведка и Иностранный отдел ОГПУ имели общих резидентов, так что попробуй разбери, в какую минуту он на кого работает...

...Знаменитая операция «Трест» началась в ноябре 1921 года и продолжалась по апрель 1927-го. Тогда-то и запустили чекисты в дело легендированную (то есть фальшивую) антисоветскую организацию в СССР. Назвали ее «Монархическое объединение центральной России» (МОЦР) и представляли мощной, разветвленной и способной совершить государственный переворот. Дело это было чрезвычайно полезное (не переворот, конечно, а «Трест»): с одной стороны, качали информацию о реальных организациях, с другой – брали под контроль деятельность эмигрантских центров в СССР, с третьей, заставляли их расходовать впустую деньги и силы. Среди тех, кому «трестовцы» морочили голову, были лидеры РОВС генералы Врангель, Кутепов и Миллер, а также упоминавшийся уже фон Лампе.

«Трест» был не единственной подобной операцией, и практически в каждой из них присутствовала организация среди военных, особенно бывших царских офицеров. Что касается нашего героя, то уже в 1922 году эмиссар МОЦР Якушев на вопрос о таких людях, как Тухачевский, Каменев, Лебедев, Брусилов, ответил: «Они не входят официально в организацию, но первые трое безусловно наши, а четвертый слишком состарился и не представляет ничего интересного». Но чем дальше, тем больше заграничные партнеры ОГПУ требовали вовлечения в дело Тухачевского, и в 1923 году им сообщили, что удалось завербовать и его.

Мог ли быть задействован в этих играх сам Тухачевский? Да легко! Любого рода авантюры ему как раз по характеру. Тем более что прибывшие осенью 1923 года агенты Кутепова в письмах из СССР подтверждали, что Тухачевский действительно участвует в антисоветской организации. Значит, как-то проверили... Может быть, конечно, им и агенты ОГПУ головы заморочили, но все же трудно представить себе, чтобы серьезные люди могли давать такие заверения без личной встречи. Ведь то, как умели врать и выкачивать деньги представители разного рода «организаций», за границей прекрасно знали.

В 1924 году Тухачевского вроде бы вывели из игры «Трест», но вывели как-то странно. В организации был имитирован раскол, в ходе которого часть «заговорщиков» во главе с ним вышла из МОЦР – но сведения о том, что он настроен против советской власти, по-прежнему передавались за границу. Похоже на то, что его попросту стали использовать в какой-то другой игре.

Очень интересный документ содержится в агентурном деле «Трест». Там есть доклад начальника Штаба РККА на имя председателя Реввоенсовета о состоянии армии за время с 9 декабря 1925 г. по 19 марта 1927 г., который был получен польской разведкой якобы от МОЦР. Вид документ имеет подлинный, с настоящей подписью начальника штаба, т. е. Тухачевского. А теперь самое интересное: это «специальный» доклад, подготовленный чекистами либо военной разведкой, в котором наряду с подлинными сведениями (нельзя же во всем врать!) содержится дезинформация. То есть Тухачевский как минимум скреплял своей подписью (если не составлял) этот «липовый» доклад – а значит, не мог не знать, что это такое и для чего он предназначен. В деле «Трест» информации о его передаче полякам нет, значит, это делалось в рамках какой-то другой игры. Известно, что по ходу дела «Синдикат-4» тоже говорилось, что Тухачевский должен будет возглавить переворот и стать диктатором. Ну и как – могла ли ему не понравиться такая роль? Поиграть «в наполеоны», причем совершенно безнаказанно...

...Снова о Тухачевском как о лидере возможного переворота заговорили в самом начале 1928 года, когда польские газеты начали вдруг печатать информацию о том, что он поднял четыре дивизии и идет на Москву.

И этой же зимой Тухачевский встречается в Париже с Кутеповым, лидером РОВС. Едва ли он сделал это сам по себе... Это был отчаянный риск, поскольку наши за границей были под постоянным приглядом ОГПУ, а уж с обиженного военачальника глаз бы не спускали. Кроме того, едва ли германофил Тухачевский стал бы в своей работе опираться на белых эмигрантов в Париже, которые помочь толком, в общем-то, не могли, зато на власти и спецслужбы страны пребывания были, естественно, завязаны накрепко. Французов он очень сильно не любил. Другое дело, если он морочил Кутепову голову в рамках игры ОГПУ.

После этой встречи в газете «Возрождение» появились деникинские письма к некоему «красному командиру», из содержания которых можно примерно представить себе, о чем шла тогда речь. С. Минаков, проделавший этот анализ, считает: «М. Тухачевский должен был разыграть "национально-патриотическую карту" в контексте уже сложившегося за рубежом мнения о "националистическом" настрое комсостава РККА. Все это должно было выглядеть как действия военной элиты во главе с Тухачевским, рядом с которой "национально настроенные" высокопоставленные большевики, готовые поддержать военный переворот. Этот переворот должен будет привести к "национально-военной диктатуре" в России во главе с Тухачевским. Именно тогда и появилась политическая "формула Деникина" о "двойной задаче Красной Армии", которой он придерживался и в 1938 г.: сначала Красная Армия разгромит внешнего врага, а затем свергнет большевистскую власть... Одолев врага, Тухачевский, при поддержке "национал-большевиков", совершит переворот, свергнет коммунистический режим и установит "национально-военную диктатуру" в стране».

Дальнейшим контактам помешал генерал Врангель, который отверг идею сотрудничества с Красной Армией, и Кутепову, как члену РОВС, пришлось подчиниться. Тем не менее какая-то игра ОГПУ с использованием имени Тухачевского, возможно, продолжалась и дальше.

Может быть, роль, сыгранная для ОГПУ, и подтолкнула его окончательно к этой мысли? Если все смотрят на тебя, как на будущего Наполеона, да еще и предлагают примерить его треуголку – как не поверить, что ты рожден именно для таких дел?

Как становятся заговорщиками

Итак, по данным ОГПУ, началось все примерно в середине 20-х годов, с разговоров. О том, что было дальше, поведал на допросе в 1937 году сам Михаил Николаевич.

Обида

В том, что Тухачевский оказался запутанным в заговоре, большую роль сыграл наркомвоенмор Ворошилов. Отношения у них «не сложились», по-видимому, еще на почве польской войны. Ворошилов был членом РВС Первой Конной и в этом качестве, вполне возможно, разделял неприязнь Буденного к Тухачевскому и наверняка подпадал под острую нелюбовь

Тухачевского к Буденному. Чего стоит хотя бы широко известная выходка, о которой рассказывал маршал Жуков. Во время разработки нового устава РККА Тухачевский, как председатель комиссии по уставу, докладывал о ходе работы наркому. Ворошилов по одному из пунктов сделал какое-то предложение. И Тухачевский спокойно, не повышая голоса, ответил:

– Товарищ нарком, комиссия не может принять ваших поправок.

– Почему?

– Потому что ваши поправки являются некомпетентными, товарищ нарком.

Стоит ли удивляться, что человек с таким норовом, умеющий хамить, не повышая голоса, и оскорблять, не используя бранных слов, на любом месте наживал себе множество врагов? В 1928 году Буденный и его группировка, все время препиравшиеся с начальником Штаба РККА, вступили с ним в открытый конфликт, который Ворошилов либо не смог, либо не захотел урегулировать. Дело, как известно, кончилось отставкой Тухачевского с поста начальника штаба, что было жестоким ударом по самолюбию молодого амбициозного военачальника.

«В 1928 году, – показывал он на следствии, – я был освобожден от должности начальника Штаба РККА и назначен командующим войсками ЛВО. Будучи недоволен своим положением и отношением ко мне со стороны руководства армии, я стал искать связей с толмачевцами...»

Это само по себе замечательное заявление. Поскольку надо знать, кто такие «толмачевцы».

Всю дорогу, с самого введения института политкомиссаров, командиры не уставали бороться за единоначалие в армии. Постепенно, начиная с 1925 года, процесс пошел. Комиссары имели все меньше власти, командиры – все больше. Естественно, комиссарам этот процесс не нравился. В 1927 году против введения единоначалия резко выступила так называемая «внутриармейская оппозиция». Инициаторами и ядром этой оппозиции стали преподаватели и слушатели Военно-политической академии им. Толмачева, которая как раз, очень удобно, находилась в Ленинграде и была в постоянном контакте с командующим округом. Вскоре к ним присоединился и Белорусский военный округ (бывшая вотчина Тухачевского).

Это ж до какой степени должен был обидеться Михаил Николаевич на армейское начальство, коль скоро он, всегда воевавший с комиссарами за это самое единоначалие, пошел на такой контакт! Впрочем, оппозиция сплошь и рядом показывает пример совершенно противоестественных союзов.

Тем не менее Тухачевский, как он сам говорил на следствии, устанавливает контакты, ищет недовольных и не согласных с политикой партии. А ведь началась коллективизация, и недовольных было полно! И он, сам обиженный, потихоньку собирал их вокруг себя. Он наверняка к тому времени уже читал фон Секта, да и пример Наполеона тоже... Впрочем, чисто военный переворот, без опоры в политических кругах, в то время едва ли был возможен. Военные еще не «созрели», чтобы действовать самостоятельно, им нужны были опытные наставники. А уж наставников было... не проблема найти, проблема – отбиться от желающих помочь.

Вербовка

Какурин связывал Тухачевского с Углановым или еще с кем-либо из правых. Но он ошибся. Михаил Николаевич держал связь совсем с другим человеком, куда более интересным и серьезным, и связь эту не афишировал. Надо полагать, кружок друзей был лишь отдушиной – а его реальные дела лежали совсем в иной плоскости. И здесь мы снова встречаем имя, уже знакомое нам по «кремлевскому делу»...

«Зимой с 1928 г. по 1929 г., кажется, во время одной из сессий ЦИКа, со мной заговорил Енукидзе, знавший меня с 1918 г. и, видимо, слышавший о моем недовольстве своим положением и о том, что я фрондировал против руководства армии. Енукидзе говорил о том, что политика Сталина ведет к опасности разрыва смычки между рабочим классом и крестьянством, что правые предлагают более верный путь развития и что армия должна особенно ясно понимать, т. к. военные постоянно соприкасаются с крестьянами. Я рассказал Енукидзе о белорусско-толмачевских настроениях, о большом числе комполитсостава, не согласного с генеральной линией партии, и о том, что я установил связи с рядом командиров и политработников, не согласных с политикой партии. Енукидзе ответил, что я поступаю вполне правильно и что он не сомневается, что восторжествует точка зрения правых. Я обещал продолжать информировать Енукидзе о моей работе».

Впрочем, Тухачевский больше интриговал против Ворошилова, а не против Сталина, да и судьба крестьянства и «смычки» генерала как-то никогда особо не волновала. К тому же обида постепенно притупилась, он несколько успокоился и дальше вся его активность сводилась больше к разговорам. Тем более что в округе было много работы, а кроме того, он разрабатывал свои предложения по перевооружению Красной Армии – не до того было. Но предложения были не приняты, более того, обидные комментарии к его записке Ворошилов предал широкой огласке – чисто по-человечески, зря он это сделал! После такой пощечины Тухачевский обиделся снова, очень сильно, и странно было бы его за это укорять. А уже сформировавшейся к тому времени оппозиции он был очень нужен.

«Резкая критика, которой подверглась моя записка со стороны армейского руководства, меня крайне возмутила, и потому, когда на XVI партийном съезде Енукидзе имел со мной второй разговор, я весьма охотно принимал его установки. Енукидзе подозвал меня во время перерыва, говорил о том, что правые хотя и побеждены, но не сложили оружия, перенося свою деятельность в подполье. Поэтому, говорил Енукидзе, надо и мне законспирированно перейти от прощупывания командно-политических кадров к их подпольной организации на платформе борьбы с генеральной линией партии за установки правых. Енукидзе сказал, что он связан с руководящей верхушкой правых и что я буду от него получать дальнейшие директивы. Я принял эту установку...»

Нельзя сводить всю оппозицию только к голой борьбе за власть. У противников Сталина имелись и мотивы, достойные уважения. Многие были уверены, что его политика ведет страну к бунту и гибели. Другие остро переживали отход от тех идеалов, с которыми они устраивали октябрьский переворот. Он еще только начинался, этот отход, пик его придется на вторую половину 30-х годов, но уже тогда ощущался. Что же касается Тухачевского, то он, судя по показаниям, был элементарно *завербован*, по классической методике, по которой разведчик-резидент вербует себе агента. Енукидзе попросту сыграл на его личной обиде. Обида-то прошла, и конфликт был разрешен, но дело уже сделано, генерал вступил на этот путь, а повернуть обратно, с его-то амбициями...

У каждого своя цель

...Да и с какой стати поворачивать обратно, если высшая форма общественного устройства – военная диктатура? Пусть политики пока думают, что это они используют военных, а на самом деле мы еще посмотрим, кто о кого вытрет ноги...

Вспомним еще раз показания Н. Какурина, арестованного по делу «Весна»:

«В момент и после XVI съезда было уточнено решение сидеть и выжидать, организуясь в кадрах в течение времени наивысшего напряжения борьбы между правыми и ЦК. Но тогда же Тухачевский выдвинул вопрос о политической акции как цели развязывания правого уклона и перехода на новую, высшую ступень, каковая мыслилась как военная диктатура, приходящая к власти через правый уклон. В дни 7–8 июля у Тухачевского последовали встречи и беседы... и сделаны были последние решающие установки, то есть ждать, организуясь...

...Далее Михаил Николаевич говорил, что, наоборот, можно рассчитывать на дальнейшее обострение внутрипартийной борьбы. Я не исключаю возможности, сказал он, в качестве одной из перспектив, что в пылу и ожесточении этой борьбы страсти и политические, и личные разгораются настолько, что будут забыты и перейдены все рамки и границы. Возможна и такая перспектива, что рука фанатика для развязывания правого уклона не остановится и перед покушением на жизнь самого тов. Сталина... я не исключу и того, что, говоря в качестве прогноза о фанатике, стреляющем в Сталина, Тухачевский просто вуалировал ту перспективу, над которой он сам размышлял в действительности».

Конечно, размышлял! Не мог не размышлять, и не только он. Ведь если перевести этот косноязычный протокол на нормальный человеческий язык, то что он значит? Лето 1930 года было чрезвыйчайно горячим временем. Как раз тогда шел XVI съезд партии, на котором кипела ожесточенная борьба между сталинской группой и «правым уклоном». И военные выжидали, чем все закончится. Вариантов было несколько. Страна могла попросту сорваться в кровавую смуту, тогда ее следовало усмирить и въехать в Кремль на белом коне. Могли одержать победу «правые» – учитывая их личные качества, дальше было бы что-то вроде Временного правительства. Военные подождали бы немножко, пока новое правительство запутается в управлении государством, а потом установили бы свою диктатуру. Если шансы будут хороши, то правым можно даже немножко помочь.

Поступили генералы, надо сказать, мудро – поскольку карты легли самым неприятным для оппозиции образом. Победил Сталин, его противники отправились в ссылку – ну а их военные друзья остались вне подозрений. Как и Енукидзе, кстати...

Тревога

Власти любой страны на малейшие сведения о нелояльности военных реагируют чрезвычайно нервно. Поэтому стоит ли удивляться, что, едва получив показания Какурина и Троицкого на Тухачевского, Менжинский известил об этом Сталина:

«Я доложил это дело т. Молотову и просил разрешения до получения ваших указаний держаться версии, что Какурин и Троицкий арестованы по шпионскому делу. Арестовывать участников группировки поодиночке – рискованно. Выходов может быть два: или немедленно арестовать наиболее активных участников группировки, или дождаться вашего приезда, принимая пока агентурные меры, чтобы не быть застигнутыми врасплох.

Считаю нужным отметить, что сейчас все повстанческие группировки созревают очень быстро и последнее решение представляет известный риск».

В этом письме из каждой строчки лезет нешуточная тревога. Еще бы: страна на точке кипения – самый пик коллективизации, правые только что потерпели поражение на съезде и теперь, разозленные, особенно опасны. А тут еще и возможный заговор в армии! Жизнь – как прогулка по минному полю: шаг не туда – и грохнет...

Получив это письмо, Сталин пишет Орджоникидзе: *«Прочти-ка поскорее показания Какурина – Троицкого и подумай о мерах ликвидации этого неприятного дела. Материал этот, как видишь, сугубо секретный: о нем знает Молотов, я, а теперь будешь знать и ты. Не знаю, известно ли Климу об этом.* (Занятно, что сам он и не думает сообщить Ворошилову. Может быть, потому, что они с Тухачевским друг друга не любят? – *Авт.*) *Стало быть, Тухачевский оказался в плену у антисоветских элементов и был сугубо обработан тоже антисоветскими элементами из рядов правых. Так выходит по материалам. Возможно ли это? Конечно, возможно, раз оно не исключено. Видимо, правые готовы идти даже на военную диктатуру... Покончить с этим делом обычным порядком (немедленный арест и пр.) нельзя. Нужно хорошенько обдумать это дело. Лучше было бы отложить решение вопроса, поставленного в записке Менжинского, до середины октября, когда мы все будем в сборе...»*

Решили все-таки подождать и осенью разобраться. О том, что было дальше, рассказывал сам Сталин в июне 1937 года, когда Тухачевский уже был в тюрьме. *«Мы обратились к тт. Дубовому, Якиру и Гамарнику. Правильно ли, что надо арестовать Тухачевского как врага. Все трое сказали нет, это должно быть какое-нибудь недоразумение, неправильно... Мы очную ставку сделали и решили это дело зачеркнуть».*

А 23 октября 1930 года Сталин, не скрывая радости, пишет Молотову: *«Что касается Тухачевского, то он оказался чист на все 100%. Это очень хорошо».*

Так что все ограничилось очной ставкой Тухачевского с обвинявшими его Какуриным и Троицким, от показаний которых он отбился. Дело действительно «зачеркнули» – других участников этих «посиделок» даже не вызывали в ОГПУ. Чем это объясняется? Оправдание оправданием, но уж проверить-то надо было...

Впрочем, у Сталина была одна особенность. Если бы он ставил только на людей верных, то ничего бы не сделал. Но он часто использовал по отношению к людям, которых ценил, да и просто к нужным стране специалистам, замешанным в антигосударственной деятельности, некую «меру вразумления». Апогеем ее, конечно, был тот самый «условный расстрел», о котором мы уже писали: когда человеку, приговоренному к смертной казни, заменяли ее заключением, а потом и вовсе освобождали, давая возможность работать. А в менее серьезных делах часто вместо преследования он предпочитал просто *припугнуть*.

Припугнули и Тухачевского. Судя по тому, что он сам показывал на следствии, подействовало. В 1937 году, рассказывая о своем «пути заговорщика», он говорил: *«Осенью 1930 года Какурин выдвинул против меня обвинение в организации военного заговора, и это обстоятельство настолько меня встревожило, что я временно прекратил всякую работу и избегал поддерживать установившиеся связи».*

К сожалению, подействовало ненадолго.

Новые соратники

Однако за Тухачевским охотился не один Енукидзе. Был и еще один его старый знакомый, который не прочь был это знакомство возобновить.

«После отпуска на Кавказе я был командирован на большие германские маневры... В пути вместе со мной оказался и Ромм, которому Троцкий поручил связаться со мной. Ромм передал мне, что Троцкий активизировал свою работу как за границей, в борьбе с Коминтерном, так и в СССР, где троцкистские кадры подбираются и организуются. Из слов Ромма о политических установках Троцкого вытекало, что эти последние, особенно в отношении борьбы с политикой партии в деревне, очень похожи на установки правых. Ромм передал, что Троцкий просит меня взять на себя задачу по собиранию троцкистских кадров в армии. Меж-

ду прочим, Ромм сообщил мне, что Троцкий надеется на приход к власти Гитлера, а также на то, что Гитлер поддержит его, Троцкого, в борьбе с советской властью».

Троцкистское подполье в СССР было сильным, а в армии, как нетрудно догадаться, имелись его протеже, многие из которых негласно примкнули к троцкистам. Тухачевский решил опереться и на них тоже (как оказалось, это было роковым шагом).

«По возвращении с Дальнего Востока Путны и Горбачева, кажется, это было в 1933 г., я разговаривал с каждым из них в отдельности. Путна быстро признал, что он связан с Троцким и со Смирновым. Я предложил ему вступить в ряды военно-троцкистского заговора, сказав, что по этому вопросу имеются прямые указания Троцкого. Путна сразу же согласился. В дальнейшем, при его назначении военным атташе, перед ним была поставлена задача держать связь между Троцким и центром военно-троцкистского заговора...

Горбачев... очень быстро стал поддаваться на прощупывание, и я понял, что он завербован. На мое предложение вступить в ряды заговора он ответил согласием и сообщил, что им организуется так называемый дворцовый переворот и что у него есть связь с Петерсоном, комендантом Кремля, Егоровым, начальником школы ВЦИК, а также Енукидзе...

Вовлечение в заговор Примакова состоялось в 1933 или 1934 г., когда Примаков сообщил, что он в своей троцкистской деятельности связан с Казанским, Курковым, Шмиртом и Зюком».

«Демон революции» к тому времени дозрел до своей окончательной позиции: разделаться со Сталиным *любой ценой.* Причем это «любой ценой» действительно не знало пределов. «Правые» размышляли о «дворцовом перевороте», а Троцкий так мелко не плавал. Его идеи были намного круче.

Ленинская тактика

Если кто не помнит, то в начале Первой мировой войны Ленин выдвинул руководящее указание: большевики должны работать на поражение своей страны – чтобы тогда, когда все будет рушиться, произвести государственный переворот и захватить власть. Эту же идею взял на вооружение и Троцкий, о чем тоже говорит в показаниях Тухачевский.

«В зиму с 1933 на 1934 г. Пятаков передал мне, что Троцкий ставит задачу обеспечить поражение СССР в войне... На подготовку поражения должны быть сосредоточены все силы как внутри СССР, так и вне...

ДВОЙНОЙ ЗАГОВОР. ТАЙНЫ СТАЛИНСКИХ РЕПРЕССИЙ

...В 1933–1934 гг. ко мне зашел Ромм и передал, что он должен сообщить мне новое задание Троцкого. Троцкий указывал, что нельзя ограничиваться только вербовкой и организацией кадров, что нужна более действенная программа, что германский фашизм окажет троцкистам помощь в борьбе с руководством Сталина и что поэтому военный заговор должен снабжать данными германский генеральный штаб, а также работающий с ним рука об руку японский генеральный штаб, проводить вредительство в армии, готовить диверсии и террористические акты против членов правительства. Эти установки Троцкого я сообщил нашему центру заговора...

...По мере получения директив Троцкого о развертывании вредительской, шпионской, диверсионной и террористической деятельности центр заговора, в который кроме меня входили в порядке вступления в заговор Фельдман, Эйдеман, Каменев, Примаков, Уборевич, Якир и с которыми были тесно связаны Гамарник и Корк, давал различным участникам заговора установки для их деятельности, вытекавшие из вышеуказанных директив. Члены центра редко собирались в полном составе, исходя из соображений конспирации. Чаще всего собирались отдельные члены, которым по каким-либо служебным делам приходилось встречаться».

Впрочем, Тухачевский по-военному четко оговаривает, что он делал, а чего не делал. Например, он «сообщил установки» – но это еще вопрос, какие из них были выполнены. Так, на процессе он, признав намерения устроить государственный переворот, тем не менее отрицал шпионаж – говорил, что лично он ничего немцам не передавал. Его вина от этого не меньше, и приговор тот же самый – но признавать за собой то, чего он не делал, он не соглашался, и все тут...

А что они *делали*?

«*...В дальнейшем Аппога получил задачу проводить вредительство в ж. д. войсках, срывать строительство железных, шоссейных и грунтовых дорог военного значения, готовить на время войны диверсионные группы для подрыва мостов и, наконец, сообщить германскому и японскому генеральным штабам данные о железнодорожных перевозках на Дальний Восток и к западным границам. В 1933 г., во время посещения мною железнодорожного полигона в Гороховце, Аппога сказал мне, что данные о наших перевозках по железным дорогам германско-*

---

[1] НКПС – народный комиссариат путей сообщения.

му и японскому генеральным штабам им, совместно с работниками НКПС[1], сообщены. Какими путями были переданы эти данные и кто из работников НКПС принимал в этом участие, Аппога мне не говорил, а я не спросил...

...Я имел разговор со Смирновым И. Н., который сказал мне, что он, по директивам Троцкого, стремится дезорганизовать подготовку мобилизации промышленности в области производства снарядов...

...Первоначально Каменеву была поставлена задача вредить в области военного хозяйства, которым он руководил как третий заместитель наркома. Затем большую вредительскую работу Каменев развернул как начальник ПВО. Противовоздушная оборона таких важнейших объектов, как Москва, Ленинград, Киев, Баку, проводилась им таким образом, чтобы площадь, прикрываемая зенитным многослойным и однослойным огнем не соответствовала наличным артиллерийским зенитным средствам, чтобы аэростаты заграждения имелись в недостаточном числе, чтобы сеть ВНОС[1] имела не собственную проводку, а базировалась на сеть Наркома связи и т. п. ...

Эйдеман просил дать ему директивы о его деятельности в Осоавиахиме. Обсудив этот вопрос в центре, мы поставили основной задачей Эйдеману увязку его вредительской работы с Каменевым с тем, чтобы, кроме плохой защиты объектов в отношении ПВО, была бы дезорганизована и общественная деятельность по ПХВО. Помимо того, Эйдеману была поставлена задача дезорганизации допризывной подготовки, занятий с командным составом запаса и, наконец, организации диверсионных групп в отрядах Осоавиахима...

...В 1934 г. Ефимову была поставлена задача организовать вредительство по линии артиллерийского управления, в частности, в области некомплектного приема элементов выстрела от промышленности, приема продукции без соблюдения чертежей литера и т. д., а также было предложено передать немцам данные о численности наших запасов артиллерийских выстрелов. Помимо того, в зиму с 1935–1936 г. я поставил Ефимову и Ольшевскому задачу подготовить на время войны диверсионные взрывы наиболее крупных арт. складов...

...Туровский в 1936 г. сообщил мне, что Саблиным переданы планы Летичевского укрепленного района польской разведке.

---

[1] Служба ВНОС – воздушного наблюдения, оповещения и связи.

Алафузо передал польской и германской разведке, какими путями, не знаю, данные об авиации и мех. соединениях, а также об организации ПВО в БВО и КВО[1].

Перед центром военного заговора встал вопрос о том, как организовать связь с иностранными и особо с германским ген. штабом во время войны. Такие связи были намечены...»

Это все – реальные показания Тухачевского на следствии, те самые, которые наша историческая наука даже не принимает во внимание, объявляя выбитыми. При этом, если сопоставить даты, то на битье следователям и времени-то не остается. Тухачевский был арестован 22 мая, 25 мая доставлен в Москву, первые показания дал уже 26-го, а этот блок суммирован им 1 июня. За пять дней даже в 1938 году мало кто признавался, интеллигенты и домохозяйки сплошь и рядом держались дольше!

Почему он заговорил практически сразу? Тут есть два варианта. Сторонники версии «необоснованных репрессий» предполагают, что он боялся пыток и поэтому согласился со всем, что на него вешали. (Иногда говорят, что следователи грозились, например, изнасиловать его дочь или прочие тому подобные ужастики.) Надо понимать, все остальные тоже боялись пыток, и по этой причине... Если так – то да поможет Бог армии, у которой такие генералы.

Есть и еще одна версия: они все были виновны, и следствие нашло способ их *расколоть*. Возможно, это не так трудно, когда человек одной рукой пишет записку о перевооружении армии, а другой работает на поражение этой же армии, в которой, кто бы что ни говорил, все же был смысл его жизни. Это еще легче после зимних процессов 1937 года (о них речь впереди), когда он начинает окончательно понимать, во что влез. Надо быть совсем уже полной мразью, чтобы воспринимать такие вещи спокойно. Для человека, сохранившего хотя бы какую-то совесть, это положение невыносимо. Тут и арест воспримешь с облегчением. А если еще и товарищи по заговору уже предали и заговорили...

Других объяснений того, что он так быстро сдался, попросту не просматривается. Тем более что Тухачевский, насколько нам известно, вел себя достойно. Да и показания его непохожи на «чистосердечное признание», когда человек сдает все, что знает. Как он сам говорит в начале

---

[1] БВО – Белорусский военный округ; КВО – Киевский военный округ.

протокола от 1 июня: «Настойчиво и неоднократно пытался я отрицать как свое участие в заговоре, так и отдельные факты моей антисоветской деятельности, но под давлением улик следствия я должен был шаг за шагом признать свою вину...» То есть все это вытаскивали из него слово за словом, и имен он называет очень мало – куда меньше, чем должен был знать. По-видимому, в его показаниях – только те фамилии, которые и без того фигурируют в данных следствия. Иначе их было бы куда больше...

Но вернемся во времена более ранние. Как видим, структуры советского и немецкого заговоров на удивление похожи, почти идентичны. Здесь тоже прослеживаются группы «бывших» – отставленных от дела чиновников и политиков, место абвера занимает НКВД, ну а военные остаются военными. В нем тоже заключаются самые противоестественные союзы. Само собой, каждая из групп вела свою игру и искала себе собственных покровителей за границей. Судя по показаниям на судебных процессах, Троцкий ставил на Гитлера (пусть читателя не смущает национальность: Гитлер заявлял, что он сам решает, кто у него в рейхе еврей). Но у военных были свои заграничные партнеры и собственный сценарий того, что должно произойти. В их раскладе не было места каким-то штатским болтунам. Впрочем, и Наполеон, готовя свой переворот, прикидывался недалеким рубакой, готовым бежать на поводке у тех, кто считал себя «теневыми лидерами». Но потом...

Предупреждали! И еще как предупреждали!

Лукавят те, кто говорит, что сведения о заговоре поступали в НКВД и правительство только в 1937 году от уже арестованных оппозиционеров. Каналы были разные, и один из них – внешняя разведка. Ни один серьезный переворот не может быть сам по себе. О советском заговоре знали за границей – а там работали наши агенты, и информация начала приходить еще с середины 20-х годов.

...Дивный документ был составлен в 1964 году. Подготовлен он по заказу Хрущева специальной комиссией во главе со Шверником и называется «Справка о проверке обвинений, предъявленных в 1937 году судебными и партийными органами тт. Тухачевскому, Якиру, Уборевичу и другим военным деятелям в измене родине, терроре и военном заговоре». Документ, само собой, абсолютно оправдательный, а дивен он тем, что безымянным исполнителям этого заказа, по-видимому, очень уж противно было его выполнять. Все-таки они были профессионалами! Поэтому при чтении «Справки» все время вспоминается слово «саботаж». А как еще назвать тот случай, когда приводится множество подлинных фактов – выдержек из следственных дел, данных разведки, а потом все это прикрывается фразами вроде: «Можно сказать, что все эти сведения были частично сознательной дезинформацией, выдуманной самими агентами, частично дезинформацией, поступившей из германских разведывательных органов...» – ну и так далее, по желанию заказчика. А в 1997 году (не в 1991, заметьте!) сей документ был опубликован – по сути, послужив доказательством, что «заговор генералов» на самом деле существовал. До того времени подозрения такие имелись, но все как-то фактов не хватало. А теперь их вывалили прямо-таки огромную кучу, в том числе и секретнейшие материалы разведки.

Германия

...Во-первых, конечно, о заговоре должны были знать в Германии, поскольку между Красной Армией и рейхсвером контакты были теснейшие. Ну, уж в этой-то стране наши разведчики чувствовали себя как дома! Оттуда, по разным каналам, сведения о формирующейся в СССР так называемой «военной партии» начали поступать еще с 1926 года. Удивляться этому особенно не приходится, если вспомнить, что именно тогда немцы старательно и упорно *воспитывали* советских офицеров в своем духе, они не только сообщали о появлении «военной партии», они ее усиленно *формировали*. «Военная партия» – это была идеология рейхсвера, и стоит ли удивляться, что Сект и его последователи, мечтая о военно-политической диктатуре у себя, очень хотели бы опереться на такую же диктатуру в России.

Мы уже писали и о том, что «германский контингент» в СССР был просто наводнен агентами немецкой разведки, а с ними, в свою очередь, работали наши агенты. Хотя, конечно, разведка – дело сложное, там идет такая игра информации и дезинформации... Вот, например, достаточно обычная ситуация: в июне 1929 года немецкий журналист Гербинг, которого упорно подозревали в связях с германской разведкой, сообщает агенту ОГПУ Зайончковской, что С.С. Каменев и Тухачевский работают в пользу Германии по заданиям германского генштаба, «причем Каменев работает давно и активно, а Тухачевский очень вяло».

Информация серьезная, но... Пикантные подробности всей этой истории в том, что Зайончковская была задействована в деле «Трест», а РОВС к тому времени уже раскрыл эту операцию – точнее, ее сдал бежавший за границу чекист. А теперь данные для решения задачи: перебежчик мог назвать Зайончковскую в числе агентов ОГПУ, а мог о ее связях с чекистами и не знать; РОВС мог передать сведения о Зайончковской немецкой разведке, а мог и не передать. Наконец, сам Гербинг мог быть связан с разведкой, а мог быть всего лишь достаточно информированным лицом, которое не предупреждают о раскрытых агентах ОГПУ. А то и просто мог, по журналистскому обычаю, *трепаться*. Вот и ищи в такой обстановке шпионов!

Однако у разведки есть и методы, чтобы разобраться, гонит постоянно работающий источник дезинформацию или же нет. Донесения между тем идут одно за одним, и чем дальше, тем серьезней. В марте 1934 года Зайончковская сообщает:

«Гербинг говорит, что ему известно, что существует заговор в армии, точнее, среди высшего комсостава в Москве, и еще точнее, среди коммунистов высшего комсостава. Заговор имеет пока целью убийство Сталина, уничтожение существующего сейчас Политбюро и введение военной диктатуры. Конкретная работа заговорщиков должна начаться в недалеком будущем. Происходящие в данное время аресты – последние конвульсии ГПУ, не могут беспокоить армию, т. к. в ее среде не могут иметь место аресты».

. Последняя фраза любопытна. «Происходящие аресты» – это, надо понимать, разборки с оппозиционными группировками. Почему же они не могут затронуть армию? Потому что армия неприкасаема? Чепуха, дело «Весна» показало, что это не так. Потому что военный заговор к тому времени уже оторвался от своих политических союзников? Или же он опирался на какие-то другие круги, не затронутые этими разборками? В то время сажали в основном троцкистов – за зиновьевцев взялись лишь после убийства Кирова, до которого еще девять месяцев, а Енукидзе попал в поле зрения органов вообще в начале 1935 года.

2 мая 1934 г. Зайончковская сообщает: *«В командном составе Красной Армии, по словам Гербинга, в самых верхах имеется уже реальная измена соввласти с смягчающими ее конкретность видоизменениями по нисходящей линии. Помимо этого в командном составе Красной Армии идет совершенно самостоятельное, самобытное, так сказать, явление в виде скрытого кипения».*

Если перевести на нормальный русский язык, это означает, что в армии существует заговор, который формируется сверху, а снизу, ему «навстречу», поднимается недовольство офицеров. Может быть, существуют ситуации и опасней для государства, чем эта, но сразу как-то не сообразить, какие именно.

Дальше немецкий журналист пускается в рассуждения. «*Что такое большевики для русской армии? Это враги, а тот, кто не враг, тот уже по существу и не большевик. Тухачевский – не большевик, им никогда и не был, Уборевич – тоже. Каменев тоже. Не большевик и Буденный. Но их выбор, сказал как бы про себя Гербинг, пал на Тухачевского*».

А вот тут самое любопытное – это коротенькое словечко: «их». Кого – их? Армейских заговорщиков? Их политических партнеров? Или «друзей» из-за границы?

А 9 декабря того же 1934 года Зайончковская сообщает: «*Из среды военных должен раздаться выстрел в Сталина... выстрел этот должен быть сделан в Москве и лицом, имеющим возможность близко подойти к т. Сталину или находиться вблизи его по роду служебных обязанностей*».

На этом рапорте начальник Особого отдела ГУГБ (Главного управления государственной безопасности) НКВД Гай пишет: «Это сплошной бред глупой старухи, выжившей из ума. Вызвать ее ко мне». И, что интересно, сомневается начальник Особого отдела (то есть военной контрразведки), не в Гербинге, он сомневается в Зайончковской. Какие у него на это основания? Бессмертный аргумент: «Этого не может быть, потому что этого не может быть никогда»?

Кстати, Зайончковская – не просто информатор ОГПУ, а дочь бывшего царского генерала, сыгравшего в свое время ведущую роль в пресловутом «Тресте» – он там числился главарем МОЦР, так что семья «с заслугами». Была она в то время отнюдь не старухой, да и в ее умственной полноценности вроде бы никто никогда не сомневался...

А теперь давайте еще раз взглянем на дату. 9 декабря 1934 года. Неделю назад был застрелен Киров. И как же реагируют «органы» на информацию, что кто-то из высокопоставленных военных, с самого верха, должен совершить террористический акт против Сталина?

Нет, что ни говори, чекисты в то время вели себя чрезвычайно странно...

Впрочем, о заговоре в РККА сообщала далеко не одна Зайончковская. Множество сведений шло и из самой Германии.

...В Берлине у ОГПУ был агент «А-270», среди информаторов которого имелся другой агент, по кличке «Сюрприз». Люди это были посерьезнее журналиста и дочери генерала. Оба – профессиональные разведчики. «А-270» – барон Курт Позаннер, австриец, один из руководителей разведки НСДАП. «Сюрприз» – Адольф Хайровский, летчик, участник Первой мировой войны, в 1932 году работал внештатным экспертом по делам авиации в абвере – военной разведке Германии.

В 1932 году «Сюрприз» сообщил, что беседовал с доверенным лицом абвера Германом фон Бергом, и тот поведал ему о своей встрече с советским военным атташе в Берлине Яковенко. Атташе рассказывал о «военной партии» в СССР, которая «стоит на антикапиталистической платформе, но в то же время национальна и хочет отстранить евреев от руководства государством». (Это какие же евреи в 1932 году руководили Советским Союзом? Делать переворот ради того, чтобы убрать Кагановича?) Атташе утверждал, что сам состоит членом этой партии, – стало быть, знает, о чем говорит...

Вскоре «Сюрприз» сообщает новые данные: *Идеологической головой этого течения Берг называет "генерала Турдеева". Турдеев якобы бывший царский офицер, около 46 лет, в этом году (1932) приезжал в Германию на маневры. Турдеев в штабе Ворошилова является одним из наиболее ответственных организаторов Красной Армии. Турдеев в большой дружбе с Нидермайером, с которым он на "ты". Берг говорит, что Турдеев произвел на него впечатление определенного националиста».*

То есть советский военный атташе тут уже ни при чем. Берг, оказывается, сам знает этого генерала, даже, по-видимому, лично с ним общался и лишь чуть-чуть «прикрывает» его, меняя фамилию (на маневры советские военачальники приезжали под собственными именами, и никакого Турдеева среди них не было).

В других донесениях называются другие варианты псевдонима «генерала Турдеева»: Тургалов, Тургулов, Тургуев. На одной из копий донесения в ОГПУ кто-то синим карандашом написал: «Тухачевский». Впрочем, это еще ничего не значит, поскольку неизвестно, кто написал и на каких основаниях...

И в самом деле, в 1932 году на маневры в Германию приезжала целая делегация высокопоставленных советских военных, во главе с Тухачевским. А всего у наших немецких друзей в этом году побывало 33 работника штаба Ворошилова. Впрочем, как впоследствии оказалось, вычислили-то «Тургуева» без труда, и это на самом деле был Тухачевский. И... ОГПУ благополучно похоронило эту информацию.

...Летом тревога стала серьезней. В июне 1933 года в ОГПУ поступили сообщения от агента «А-256» («Августа»), как специально подчеркивалось в донесении, источника проверенного и осведомленного. В них говорилось, что среди заговорщиков есть люди из окружения Сталина. Тут уже и авторы хрущевской справки сбиваются на серьезный тон.

«В июне – июле 1933 г. тот же агент сообщил, что германское правительство не только связано, но и совместно работает со сформированным уже будущим русским правительством, что это правительство в ближайшее время произведет переворот в СССР... Агент сообщил, что Геббельс поддерживает "национально-большевистскую" группировку в русском контрреволюционном лагере. Она имеет значительное количество своих сторонников в крестьянстве (А ведь мы всего лишь предположили, что оппозиционеры должны были сделать основной упор на работу в деревне – вот вам и подтверждение! – *Авт.*), *в Красной Армии и связана с видными работниками Кремля – оппозиционерами, которые добиваются экономических реформ и падения Сталина».*

Но и это еще не все. Дальше – больше. Тот же «А-256» сообщает о беседе Гитлера с польским послом, где обсуждался «восточный вопрос». Оба государства увязывали свою предполагаемую политику с планами переворота в СССР. Агент утверждал, что в СССР существуют две организации – «польская» и «немецкая» – то есть завязанная на Польшу и на Германию, и эти организации собираются объединиться.

Мило, не правда ли? Но ведь это еще не все...

В декабре 1934 года в НКВД поступила информация от агента «Венера» – о том, что германские национал-социалисты совместно с троцкистами разрабатывают террористические планы и что эта совместная организация имеет в СССР много сторонников, в основном в Красной Армии. Учитывая запаздывание информации – пока еще она, через всех связных, доберется до Москвы, можно отнести эти разговоры к ноябрю. А ведь 1 декабря был убит Киров, и НКВД так и не раскопал (точнее, не стал раскапывать), какую роль во всем это играет германское консульство, глава которого покинул Ленинград в тот же день. Так что, возможно, это и вправду была попытка переворота... (Кстати, нет уверенности, что за границей так уж хорошо различали оппозиционные группировки в

СССР – тем более что они к тому времени объединились. Их вполне могли называть по тому единственному лидеру, который на весь мир кричал о своем подполье.)

В сентябре и декабре 1936 года опять-таки агент «А-256» сообщил, что в заговоре участвует маршал Блюхер, который симпатизирует Германии, и что недовольство правительством в Красной Армии возросло. Были сведения и о том, что Блюхер намерен добиваться отделения Дальнего Востока от Советской России...

Да, но почему же тогда по этим данным ничего не предпринималось? (Забежим вперед: судя по тому, как развивались события, правительство почти до самого конца, до весны 1937 года, не имело сведений о том, что в армии существует группа заговорщиков.) Да потому не предпринималось, что большая их часть так и погибла в недрах ОГПУ.

Бывший начальник Третьего отделения ИНО ОГПУ[1] Отто Штейнбрюк, тот самый, который разрабатывал агентурное дело о «военной партии», на допросе в 1937 году рассказывал, что «генерал Тургуев» довольно быстро был идентифицирован как Тухачевский.

О том же 27 мая 1937 года, тоже на допросе, говорил и бывший начальник ИНО Артузов: *«Одним из ценнейших работников был агент № 270 – он выдавал нам информацию о работе в СССР целой военной организации, которая ориентируется на немцев и связана с оппозиционными элементами внутри компартии... Ведь еще в 1932 году из его донесений мы узнали о существующей в СССР широкой военной организации, связанной с рейхсвером и работающей на немцев. Одним из представителей этой организации, по сообщению 270-го, был советский генерал Тургуев – под этой фамилией ездил в Германию Тухачевский».*

Это он в 1937 году так заговорил, а в 1932 все было иначе. Штейнбрюк вспоминал, что «*эти материалы были доложены Артузову, а последним – Ягоде, причем Ягода, ознакомившись с ними, начал ругаться и заявил, что агент, давший их, является двойником и передал их нам по заданию германской разведки с целью дезинформации. Артузов также согласился с мнением Ягоды и приказал мне и Берману больше этим вопросом не заниматься*». Ну, и как это понимать?

«Артузов, в свою очередь, объяснял, – продолжает Штейнбрюк, *– что имя Тухачевского было легендировано по многим делам, что его пред-*

---

[1] ИНО ОГПУ – Иностранный отдел ОГПУ, советская политическая разведка.

ставляли как заговорщика бонапартистского типа, и нет никакой уверенности в том, что полученные сведения не являются эхом тех самых дезинформаций ОГПУ (стало быть, к 1933 году он уже ни в каких играх разведок не участвовал? – Авт.). Существование заговора в СССР, в особенности в Красной Армии, едва ли возможно – так говорил Артузов».

Однако не кажется ли вам поведение чекистов несколько странным? Получив информацию огромного государственного значения, что обязан сделать нормальный разведчик? Естественно, доложить ее «наверх», сопроводив, если надо, своими соображениями о надежности источника и пр. Но так вот, «ругаясь», отметать информацию с порога – не слишком ли много на себя берет шеф ОГПУ?

Интересно, правда? Но это еще что! Дальше будет веселее...

Вернемся к «А-270» – барону Курту Позаннеру. Этот профессиональный разведчик, член НСДАП, в ноябре 1931 года сам пришел к сотруднику нашего полпредства с предложением работать на советскую разведку. Свое решение объяснял тем, что попал в немилость к руководству и решил таким образом ему отомстить (как видим, та же причина, что и у Тухачевского). А может быть, просто хотел заработать – кто его знает... Разведчики трудятся далеко не в белых перчатках и агентов не выбирают.

Составители «Справки», отрабатывая заказ, характеризуют его плохо, равно как и «Сюрприза» – но им так положено. Зато авторы шеститомной «Истории советской внешней разведки», не связанные никакими руководящими указаниями, как Позаннера, так и Хайровского относят к наиболее ценным агентам ИНО ОГПУ.

Весной 1933 года Позаннер трагически и загадочно погиб. В марте он был арестован немецкой полицией, однако через несколько дней освобожден, и сразу же после освобождения таинственно убит. Его сильно обезображенный труп с несколькими ножевыми и огнестрельными ранениями был найден в лесу около Потсдама. После его смерти связь с «Сюрпризом» была потеряна, и восстановить ее так и не сумели.

А непосредственно перед убийством Позаннера в нашей политической разведке произошло небольшое кадровое перемещение. Из Берлина был отозван резидент по странам Западной Европы Абрам Слуцкий, и после его устранения поток информации о деятельности «военной партии» в СССР прекратился. И как раз после отзыва Слуцкого из Берлина, спустя краткое время, был убит Позаннер. А в следственном деле Артузова есть вполне прозрачные намеки, что за убийством «А-270» стояли наши оперативники из ИНО ОГПУ.

Интересная получается вещь: стоило заменить резидента, и один агент, информировавший о наличии в СССР «военной партии», таинственно погибает, а связь с другим прервана, и возобновить ее не удается, хотя прекрасно известно, кто он такой. Только в 1935 году, когда Артузова переводят в военную разведку, а начальником Иностранного отдела ОГПУ становится Слуцкий, работа по «военной партии» снова активизируется.

...В конце концов вспомнил об этом деле и Артузов. В конце января 1937 года, когда он уже был снят с поста заместителя начальника Развед-упра и дело явно близилось к аресту, он отправил Ежову записку, в которой доложил о старых донесениях «Сюрприза» по поводу «военной партии», а заодно приложил к записке список «бывших сотрудников Разведупра, принимавших активное участие в троцкизме», показав себя, тем самым, банальным стукачом. Так бесславно закончилась карьера одного из самых заметных советских чекистов...

...О неких нежелательных процессах в Красной Армии писал из Берлина корреспондент «Правды» А.Климов (точнее, один из лучших наших разведчиков, работавший в Берлине под правдинской «крышей»). Письма эти не проходили через ОГПУ – редактор газеты Мехлис передавал их непосредственно Сталину. Так, например, в письме от 16 января 1937 года говорилось: «*Мне стало известно, что среди высших офицерских кругов здесь довольно упорно говорят о связях и работе германских фашистов в верхушке командного состава Красной Армии в Москве. Этим делом по личному поручению Гитлера занимается будто бы Розенберг. Речь идет о кружках в Кр. Ар., объединяющих антисемитски и религиозно настроенных людей. В этой связи называлось даже имя Тухачевского... Источник, на который сослался мой информатор: полковник воздушного министерства Линднер. Он монархически настроенный человек, не симпатизирует нац.-соц., был близок к Секту и принадлежит к тем кругам военных, которые стояли и стоят за соглашение с СССР*».

Линднер был не просто «полковником», а работником разведки ВВС Германии. От него Климову стали известны и кое-какие другие любопытные вещи: об аресте маршала Тухачевского немецкий военный атташе сообщил в Берлин уже через несколько часов, хотя арестован маршал был в Куйбышеве. На каких же верхах сидели немецкие информаторы? И далее Климов сообщает: Линднер сказал, что устранение Тухачевского и других хоть и потрясло германские военные круги, однако это не очень страшно, «так как у Германии остались еще в Красной Армии весьма влиятельные друзья, которые будут работать и впредь в том же направлении».

Были и другие сообщения. Кое о чем можно только предполагать. Например, 9 февраля 1937 года чешский посол в Берлине сообщил президенту Бенешу следующую информацию: «...*Граф Траутмансдорф... сообщил с одновременной просьбой сохранять эти сведения в тайне, что действительной причиной решения канцлера о переносе переговоров является его предположение, основывающееся на определенных сведениях, которые он получил из России, что там в скором времени возможен неожиданный переворот, который должен привести к устранению Сталина и Литвинова и установлению военной диктатуры*».

Если эти сведения получила чешская разведка, то почему их не могла получить и советская? Например, от того же Вилли Лемана (псевдоним «Брайтенбах»), работавшего в гестапо и имевшего доступ к колоссальному объему информации?

Или еще пример: Виттиг, немецкий журналист и гестаповский агент, в 1934 году сообщил своим хозяевам об информации, полученной от Людендорфа, – мол, после 1933 года сотрудничество рейхсвера и Красной Армии продолжалось, причем «приобрело политический характер и было направлено против государств, подписавших Версальский договор». А вот это уже очень интересно! Сотрудничество военных помимо правительств? Их политический альянс против других стран? Они что, всерьез собирались реализовать сценарий фон Секта?

Польша

Впервые имя Тухачевского появилось в донесениях из этой страны по поводу абсолютно анекдотическому. 29 и 30 января 1928 года вдруг вся польская пресса сообщила о восстании Красной Армии, о том, что четыре дивизии идут на Москву, и ведет их Тухачевский. Из польской прессы сведения попали в английскую, затем снова перепечатывались поляками, уже со ссылками на англичан. Галиматья полная. Но почему-то в этой галиматье вылезло имя Тухачевского, а не кого-то еще. Или они никого другого не знали?

А теперь кое-что посерьезней. В Польше работал агент Винценты Илинич, поставлявший информацию по самым важным политическим вопросам. Человек это был достаточно сложный. В свое время один из руководителей «Польской организации войсковой» (разведки Пилсудского), он с начала 20-х годов работал на СССР – сначала на военную разведку, потом на ИНО ОГПУ. Работал хорошо, сообщал информацию как по внешнеполитическому, так и по внутреннему положению СССР, – в частности, сведения о тайных организациях на территории СССР, таких как «Трудовая крестьянская партия» и пр. Давал достоверную информацию о политических намерениях польского правительства. Позже выяснилось, что бесценный Илинич с 1932 года был двурушником – работал еще и на польскую разведку. Однако его информация оказывалась, как правило, правдивой (ведь все сообщения проверяются и перепроверяются). В 1936 году Илинича арестовали, вскоре осудили и расстреляли. Странный это был человек. Так и осталось непонятным, на кого он работал, что в его биографии правда, а что ложь. Но не в этом дело, а дело в том, что он, даже будучи перевербованным поляками, давал верные сведения.

Так вот, в 1932 году Илинич сообщал о некоей политической партии, действовавшей в СССР. По его сведениям, *«эта партия возглавлена крупными общественными деятелями СССР... а также имеются в ее руководстве люди, занимающие высокие командные должности в Красной Армии».*

В ноябре 1932 г: *«Работа ведется в верхах Красной Армии, обрабатываются командиры крупных частей и есть какие-то командиры, на которых очень надеются».* (Помните информацию из Германии о «польской организации», которая собиралась объединиться с «немецкой»?)

В 1934 году он сообщал: *«...Польской разведкой был добыт скопированный доклад английской разведки о том, что германское командование в лице генерала Хаммерштейна нашло в лице т. Блюхера человека, который, опираясь на Германию, совершит переворот в СССР».*

Любопытно: ведь Блюхер сидит на Дальнем Востоке, ему до Москвы далековато, зато Япония рядом – так чего же на Германию-то опираться? Но вот и такая информация проскочила...

...И даже Япония

Если сейчас кому сказать, что диппочту перевозят в обычном почтовом вагоне, без сопровождения – так ведь никто не поверит. Тем не менее один из бывших руководителей советской внешней разведки, В. Г. Павлов вспоминал, как это выглядело в 30-е годы: «Японский МИД доставлял свою диппочту, упакованную в вализы, во Владивосток, где они отправлялись японскими курьерами с почтовым поездом без сопровождения, а в Москве, прямо из почтового вагона, диппочту принимали сотрудники японского посольства. Таким образом, создавалась возможность ознакомиться с японскими вализами в пути от Владивостока до Москвы, который в то время длился от 6 до 8 суток. План спецотдела намечал организовать прямо в почтовом вагоне небольшую лабораторию, в которой и вскрывать вализы, фотографировать их содержание и вновь запечатывать так, чтобы никаких следов вскрытия на диппочте не оставалось».

Эту лабораторию действительно организовали, сумев преодолеть почти непреодолимые трудности, так как японцы разработали хитроумную систему защиты своей почты. Но «нет у вас методов на русского хакера» – наши все-таки их переиграли. Тогда-то и попал в руки НКВД один довольно занятный документ.

В апреле 1937 года чекисты, вскрывавшие японскую диппочту, сфотографировали очередную партию документов... и вскоре, к своему удивлению, были за эту операцию награждены знаком «Почетный чекист». Правда, их следовало бы заодно лишить премии за брак в работе, ибо качество фотографии оказалось настолько плохим, что переводчики ИНО НКВД не смогли справиться с текстом. Пришлось посылать гонца в Лефортовскую тюрьму, где в то время сидел арестованный работник ИНО НКВД Р. Н. Ким, и поручить ему, как квалифицированному знатоку японского языка, расшифровать документ. Выполнив поручение, арестант был очень взволнован и, отдавая перевод, сообщил, что в документе маршал Тухачевский упоминается как иностранный разведчик.

Получив этот документ, Ежов тут же направил наркому обороны Ворошилову спецсообщение: «*3-м отделом ГУГБ сфотографирован документ на японском языке, идущий транзитом из Польши в Японию диппочтой и исходящий от японского военного атташе в Польше – Савада Сигеру, в адрес лично начальника Главного управления Генерального штаба Японии Накадзима Тецудзо. Письмо написано почерком помощника военного атташе в Польше Арао. Текст документа следующий: "Об установлении связи с видным советским деятелем. 12 апреля 1937 года. Военный атташе в Польше Саваду Сигеру. По вопросу, указанному в заголовке, удалось установить связь с тайным посланцем маршала Красной Армии Тухачевского. Суть беседы заключалась в том, чтобы обсу-*

дить (2 иероглифа и один знак непонятны) относительно известного Вам тайного посланца от Красной Армии N 304"».

Члены хрущевской комиссии выдвигают версию, что это была японская или чекистская фальшивка. Но в таком случае она не сработала. Сообщение было обнаружено в Центральном государственном архиве Советской Армии и, как говорит «Справка», «...на следствии вопрос о "тайном посланце Тухачевского" и о связях его с японской разведкой вообще никак не допрашивался. В деле нет ни самого документа, ни его копии. Никакой оперативной разработки вокруг этого перехваченного японского документа не проводилось...» Ну и зачем тогда все это было нужно?

...Лучший друг на Западе

Есть в истории немецкого заговора одно странное обстоятельство. Его история отслежена с 1937 года – а что было до того? Толком этот период у нас не исследован, но известно, что в верхушку немецких заговорщиков входили Вернер фон Фрич, главнокомандующий сухопутными войсками вермахта, и Вернер фон Бломберг, главнокомандующий вооруженными силами – те самые, которых Гитлер вскоре после «процесса Тухачевского», воспользовавшись первым попавшимся предлогом, буквально *вышвырнул* из армии. Кроме них, туда входил и Курт фон Хаммер-штейн-Экворд. Его увольнять из армии не пришлось, он сам подал в отставку в 1934 году. Этот генерал к делу подходил просто: еще в 1931 году, после встречи с фюрером, он сказал: «Гитлер хочет того же, что и рейх-свер; различие только в темпах». И теперь, когда Гитлер пришел к власти, он считал, что сначала надо его поддерживать, пока он, двигаясь «своими темпами», не покончит с Версальским соглашением, а потом от него можно избавиться.

Точнее, рейхсвер хотел того же, чего и Гитлер, *на Западе.* Что же касается восточного направления, то на нем все было несколько по-другому. Ганс фон Сект умер в начале 1937 года. В день его похорон Бломберг передал Гитлеру завещание «Сфинкса», а Гитлер, согласно условию завещания, один экземпляр передал Фричу, как основному последователю покойного генерала. Ничего нового там не было: фон Сект снова просил, требовал, заклинал Гитлера не воевать с Россией, улучшить отношения с СССР, не относиться с предубеждением к советским военным и политикам.

В то время во главе рейхсвера стояли ученики Секта, которые и без указаний учителя придерживались того же мнения. В 1935 году по этому поводу имели место быть серьезные разногласия между руководством рейхсвера и Гитлером. И фюрер не просто так выкинул из армии именно Бломберга и Фрича – он избавлялся от основных сторонников взглядов Секта, которые не только не приняли бы его планов, но и – а кто их знает?! – могли им помешать.

И вот что странно: хотя «восточники» составляли основу заговора, тем не менее до робких попыток наладить связь с Москвой уже после начала Великой Отечественной войны никаких контактов в восточном направлении у них не зафиксировано. С нашей стороны также ничего не известно о каких бы то ни было контактах правительства с просоветски настроенными немецкими военными. Хотя это было бы так естественно для последователей Секта – искать поддержки не в Англии или Франции, а в СССР, стране, с которой они были связаны многолетним сотрудничеством.

Зато известно другое: до самого 1938 года, до Чехословакии, Гитлер *боялся* своих генералов, а генералы не очень-то с ним считались. Один небольшой пример: когда осенью 1936 года на маневры рейхсвера приехал советский «генерал» Уборевич, фюрер истерически кричал на съезде НСДАП в Нюрнберге, что его генералы «пьянствуют и водятся с коммунистическими генералами». Кричал – да! Но ведь сделать-то ничего не сделал! Уборевич благополучно провел в Германии столько времени, сколько ему было нужно, и спокойно вернулся домой.

Впрочем, это о восточных контактах *заговорщиков* ничего не говорится. А вот о восточных контактах *немецких генералов* информации более чем достаточно. Устанавливать эти контакты не было нужды. Они существовали – давние, прочные, еще со времен сотрудничества. И не замечают их по одной простой причине: уж очень они у всех на виду.

Принято считать, что контакты между Красной Армией и рейхсвером прервались после прихода к власти Гитлера. Но так ли это? В сообщениях из-за границы о германских связях «военной партии» речь в основном шла как раз о «военных», о «штабе рейхсвера». Данные о том, что Тухачевский искал выхода на германское правительство, относятся лишь к 1936 году – и это еще не факт, что он эти выходы нашел.

Да и Сталин, который был товарищем в политике понимающим, в знаменитой речи на Военном совете в июне 1937 года, рассказывая о «заговоре генералов», почему-то все время сбивался и вместо слова «вермахт» говорил «рейхсвер» – а рейхсвер уже два года как не существовал! А то странное сообщение, исходящее от генерала Людендорфа, о *политических* планах военных обеих армий?

Не говоря уже о том, что идейные вожди обоих заговоров исповедовали одну и ту же концепцию идеального устройства общества. И стоит ли удивляться, что Тухачевский и его товарищи, мечтая о военно-политической диктатуре у себя, очень хотели бы опереться на такую же диктатуру в Германии?

Первые контакты Тухачевского с немцами радости ему, как известно, не принесли. Вторые начались в августе 1922 года, когда он отправился в Берлин налаживать военное сотрудничество, теперь уже совершенно в другом статусе. Соответственно, прием тоже был другим, и с тех пор он поддерживает с немцами самые теплые отношения. Уже в 1925 году Тухачевский едет на маневры рейхсвера – инкогнито, поскольку советско-германские связи в то время не афишировались. Советские военачальники приехали под видом болгар (кстати, отсюда, по всей видимости, и фамилия «Тургуев»). И с тех пор он регулярно общается с немцами, а с Нидермайером его связывает дружба.

Немцы высоко ставили Тухачевского. В августе 1928 года в СССР приехал с визитом генерал фон Бломберг, начальник штаба рейхсвера. Кроме двух «протокольных» встреч – с наркомом и начальником Штаба РККА, он пожелал встретиться лишь с двумя советскими военачальниками: Тухачевским и Блюхером, несмотря на то, что оба были всего лишь командующими округами.

Правда, человеческие качества «красного маршала» немцы оценивали по-разному. «Тухачевский, гвардии подпоручик старой армии, чрезвычайно умен и честолюбив», – писал встречавшийся с ним в марте 1928 г. полковник Миттельбергер. Другой офицер, полковник Мирчински, посчитал его попросту тщеславным и высокомерным позером. Впрочем, Тухачевского всегда оценивали настолько по-разному... он был совершенно разным в зависимости от того, насколько ему нравился собеседник.

Притворяться Михаил Николаевич категорически не умел или не желал. С самого начала он нисколько не скрывает своего отношения к рейхсверу – от искренне доброжелательного до открыто восторженного. И то верно: любитель устава, служака, брошенный волею судьбы в ту полуорганизованную массу, которой была тогда Красная Армия, просто не мог

411

не восхищаться немцами, хотя и критиковал их жестоко за косность и приверженность устаревшим методам ведения войны.

После прихода Гитлера к власти его отношение не изменилось. В мае 1933 года, когда в СССР приехал генерал Боккельберг, во время завтрака Тухачевский пожелал Германии как можно скорее заиметь воздушный флот в составе 2 тысяч бомбовозов, чтобы выйти из затруднительной политической ситуации.

(Генерал – он и есть генерал! У него все проблемы решаются просто: бомбовоз – последний довод президентов!)

И той же весной 1933 года, когда уже оставались считанные недели до резкого похолодания отношений между двумя странами, уже чувствуя этот холод, он говорил: «Нас разлучает ваша политика, а не наши чувства, чувства дружбы Красной Армии к рейхсверу». Сказал он и еще кое-что, поважнее. На прощальном приеме Тухачевский заявил:

– Всегда думайте вот о чем: вы и мы, Германия и СССР, можем диктовать свои условия всему миру, если будем вместе.

Зато как все было иначе, когда приходилось иметь дело с французами. С немцами веселились вовсю, так что немецкий военный атташе в своих рапортах в Берлин возмущался «свинским» пьянством германских генералов на банкетах, которые организовывал для них заместитель наркома. Зато французский военный атташе нашел у него совсем иной прием. «Представление вице-комиссару обороны Тухачевскому, – писал он. – Прием корректный, но холодный. По истечении нескольких минут Тухачевский перестал поддерживать беседу»[1].

С точностью до наоборот все было у Ворошилова и Буденного и их группы. У наркома французы нашли самый радушный прием, зато к немцам он относился куда хуже. «Мы никогда не забывали, что рейхсвер с нами "дружит" (в душе ненавидя нас), лишь в силу создавшихся условий...» – писал он полпреду в Берлине.

Конечно, протокол обязывал, и Тухачевскому пришлось в конце концов смирить нрав и вести себя с французами, как подобает, но особых симпатий там не было никогда.

С 1933 года ему приходилось «разрываться» между двумя ролями. С одной стороны, он, как одно из высших лиц Красной Армии, должен был готовить эту армию к войне с Германией – и чем дальше, тем более определенно именно с Германией. С другой – его отношение к герман-

---

[1] Цит. по: *Минаков С.* Сталин и его маршал. М., 2004. С. 469.

ской армии оставалось неизменным. Об этом приходилось молчать, а молчать для этого человека было трудно. Дело кончилось тем, что эмоции маршала вырвались на свободу, перепугав всю европейскую общественность.

В январе 1936 года умер английский король Георг V. В составе советской делегации на его похоронах присутствовал и Тухачевский. Поездка была основательной: кроме Лондона, «красный маршал» побывал еще и в Париже, общался с большим количеством людей. Вел он себя за границей достаточно странно, так что и по сей день неясно, с какой миссией его посылал Сталин, а что он добавил от себя.

Во время поездки Тухачевский два раза останавливался в Берлине – на пути туда и обратно – и, по-видимому, успел много что увидеть. Французская журналистка Ж. Табуи была на обеде в советском посольстве и вспоминала: «Он только что побывал в Германии и рассыпался в пламенных похвалах нацистам. Сидя справа от меня и говоря о воздушном пакте между великими державами и Гитлером, он, не переставая, повторял: "Они уже непобедимы, мадам Табуи!"... В тот вечер не я одна была встревожена его откровенным энтузиазмом. Один из гостей, крупный дипломат, проворчал мне на ухо, когда мы покидали посольство: "Надеюсь, что не все русские думают так"».

В Париже восторги продолжались. В разговоре с румынским министром иностранных дел Тухачевский сказал: «Напрасно вы, господин министр, связываете свою карьеру и судьбу своей страны с судьбами таких старых, конченых государств, как Великобритания и Франция. Мы должны ориентироваться на новую Германию. Германии, по крайней мере в течение некоторого времени, будет принадлежать гегемония на Европейском континенте. Я уверен, что Гитлер означает спасение для нас всех». Генерал Гамелен тоже вспоминал, что Тухачевский особенно не скрывал, что поддерживает отношения с руководством немецкой армии, причем говорил об это на обеде, в достаточно широком кругу.

Ну, и как все это прикажете понимать? Сталин решил припугнуть европейские державы, чтобы были посговорчивее, что ли? Судя по тому, что перед поездкой Тухачевского инструктировали Сталин, Молотов, Ягода и начальник ИНО НКВД Слуцкий, миссия его была весьма разнообразна, однако вряд ли в нее входила пропаганда немецких достижений...

Впрочем, в этой поездке было много интересного. По свидетельству Геринга, во время короткой остановки по пути в Лондон Тухачевский пытался встретиться с Гитлером и военным министром Германии фельдмаршалом фон Бломбергом, с которым они были знакомы еще с 20-х годов. Однако Гитлер не принял советского маршала и не позволил никому из военных с ним встречаться (тем не менее, судя по восторженным речам Тухачевского, пообщаться генералы успели, и весьма плодотворно).

На обратном пути Тухачевский снова остановился в Берлине, и в июле 1936 года появились агентурные сообщения различных разведок о том, что ему удалось наладить контакты с Розенбергом. И тогда же, в Берлине, по сообщениям немецкой разведки, он встречался с представителями РОВС, пытаясь использовать и их связи для контакта с нацистским руководством. И начиная с 1936–1937 годов в разведдонесениях о контактах «военной партии» стали говорить уже не о рейхсвере, а о Гитлере или о германском правительстве.

А что об этом говорит он сам? На следствии Тухачевский показывал:

«В зиму с 1935 на 1936 г. я имел разговор с Пятковым, в котором последний сообщил мне установку Троцкого на обеспечение безусловного поражения Советского Союза в войне с Гитлером и Японией... Эти указания говорили о том, что необходимо установить связь с немцами, чтобы определить, где они собираются двинуть свои армии и где надлежит готовить поражение советских армий.

В конце января месяца 1936 г. мне пришлось поехать в Лондон на похороны английского короля. Во время похоронной процессии, сначала пешком, а затем поездом, со мной заговорил генерал Рунштедт – глава военной делегации от гитлеровского правительства. Очевидно, германский генеральный штаб уже был информирован Троцким, т. к. Рунштедт прямо заявил мне, что германский генеральный штаб знает о том, что я стою во главе военного заговора в Красной Армии и что ему, Рунштедту, поручено переговорить со мной о взаимно интересующих нас вопросах. Я подтвердил его сведения о военном заговоре и о том, что я стою во главе его. Я сказал Рунштедту, что меня очень интересуют два вопроса: на каком направлении следует ожидать наступления германских армий в случае войны с СССР, а также в котором году следует ожидать германской интервенции. Рунштедт уклончиво ответил на первый вопрос, сказав, что направление построения главных германских сил ему неизвестно, но что он имеет директиву передать, что главным театром военных действий, где надлежит готовить поражение красных армий, является Украина. По вопросу о годе интервенции Рунштедт сказал, что определить его трудно».

Итак, утерянные было связи восстановлены (если они и вправду были утеряны – ведь о том, были ли у них еще каналы связи с германским генштабом, кроме Рунштедта, Тухачевский не сказал ни слова). И осенью 1936 года на военные маневры вермахта отправился командарм 1-го ранга И. П. Уборевич.

«Персонаж № 2» этой истории, Иероним Петрович Уборевич, по праву мог считаться «главным германофилом» в РККА в конце 20-х – начале 30-х годов. Осенью 1927 года он отправился на учебу в Германию и пробыл там тринадцать месяцев. Немцы оценили талант и отношение русского «генерала» и очень серьезно отнеслись к его обучению, так что он вернулся домой поклонником рейхсвера и немецких генералов «старой школы», этих поражающих воображение прусских аристократов. Вернувшись из Германии, 19 ноября 1929 года Уборевич стал начальником вооружений РККА и принялся модернизировать армию по германскому образцу времен Первой мировой войны.

Программа Уборевича не удалась – но не в этом суть. Нам интересно то, что, будучи начальником вооружений, он завязал еще более широкие контакты с немецкими военными, тем более что характер у него был все же получше, чем у «красного Бонапарта».

Так вот: поездка 1936 года состоялась по инициативе Уборевича, который еще в январе просил устроить ее помощника германского военного атташе в Варшаве, профессионального разведчика майора Кинцеля. При этом он заявил о желании обсудить с немецкими генералами некие важные военные и политические вопросы. Уборевич к тому времени был всего лишь командующим Белорусским военным округом, и какие военные, а тем более политические вопросы он мог обуждать с германскими генералами? Весьма странно, не правда ли, когда командующий округом договаривается с помощником военного атташе о приглашении на маневры, и приглашение на самом деле имеет место! Как хотите, но это не похоже на официальные контакты, зато очень похоже на встречу двух представителей неких тайных организаций.

«Как уже отмечалось выше, – пишет раскопавший эту историю А. Мартиросян, – Уборевич попал в Германию осенью 1936 г. на военные маневры в Бад-Киссингене, но в таком случае получается, что напрашивался он неофициально, а пригласили-то его – официально. А учитывая, что начальник Управления внешних связей наркомата обороны – Геккер – "загремел" по одному с Тухачевским делу, выходит, что это была заранее просчитанная операция: в ответ на неофициальную просьбу немцы официально приглашают, а УВС уже своей властью определяет заранее выбранную кандидатуру».

Гитлер не стал лучше относиться к Советскому Союзу. Зато с осени 1936 года, как раз после визита Уборевича, многие разведки отметили всплеск просоветских настроений в вермахте. Немецкие военные вдруг заговорили о том, что с Красной Армией можно «договориться». Естественно, это были не рядовые, а все те же «восточники», самыми видными из которых были наши знакомые Фрич, Бек, Бломберг.

Той же осенью 1936 года советский военный атташе в Берлине комдив А. Г. Орлов на одном из дипломатических приемов, обращаясь к генералу Фричу, произнес тост. Сказал он примерно следующее: «Армия СССР готова завтра сотрудничать с Гитлером, пусть лишь Гитлер, партия и германская внешняя политика совершат поворот на $180^{°}$, а союз с Францией отпадет. Это могло бы случиться, если бы, например, Сталин умер, а Тухачевский и армия установили военную диктатуру». О чем присутствовавший на приеме агент британской разведки тут же и доложил своему шефу...

Воистину, вино и конспирация – две вещи несовместные...

Досье: короли и тузы шпионской колоды
ТАК КТО ЖЕ ВЫ ВСЕ-ТАКИ, ДОКТОР ЗОРГЕ?

«Кто вы, доктор Зорге?» Так назывался вышедший на экраны в 1961 году фильм французского кинорежиссера Ива Чампи. С этого фильма, собственно, и началась слава советского разведчика. С тех пор прошло почти полвека – а ясности, по правде говоря, не прибавилось.

Рихард Зорге в средствах массовой информации имеет как бы два лица. С одной стороны, это рыцарь разведки без страха и упрека, человек, присылавший из очень опасного района исключительно ценную информацию. С другой – амбициозный авантюрист, пьяница, искатель острых ощущений, в недобрую минуту своей жизни связавший судьбу с советской разведкой, которая и привела его к гибели.

Что верно – первое или второе? Да и то, и другое! И, кстати, книга, по которой снят фильм, называлась «Человек с тремя лицами». О третьем лице легендарного разведчика мы можем только догадываться. Но ведь он был доктором социологии, и не просто доктором социологии... Знаете, кто дал ему «крышу» для работы в Японии?

Готовясь к этой невероятно сложной и опасной командировке, Зорге не стал пользоваться связями советской разведки. Подготовку он взял на себя. В 1933 году, находясь в Германии, он посещает профессора Мюнхенского университета **Карла Хаусхофера**, преподававшего в оном университете странную науку под названием «геополитика»...

Скромный профессор имел славное прошлое. Родился он в 1869 году. В 1897 году стал профессиональным военным разведчиком, выполнял военно-дипломатические поручения в Азии. В 1908 году его посылают в качестве германского военного атташе в Японию. Однако климат на острове тяжелый, и в 1911 году он по состоянию здоровья возвращается в Германию. В том же году генерал-майор Хаусхофер становится научным сотрудником Мюнхенского университета, вскоре став одним из основоположников новой науки − геополитики и... советником кайзера Вильгельма по Дальнему Востоку.

В 1914 году, с началом войны, он восстановился на военной службе, даже командовал дивизией. Принимал участие в тайных переговорах Германии и Японии, которые были сорваны русской военной разведкой.

После войны Хаусхофер возвращается к научной работе, основывает знаменитый институт геополитики при университете, вскоре ставший одним из основных европейских политических аналитических центров и... журналистским прикрытием для германской военной разведки. Как геополитик, он был, само собой, не чужд и конспирологии, и оккультизму, был членом знаменитого «Общества Туле», создал «Ложу Света», в которую входили многие видные нацисты. Это на Западе. На Востоке же он принял посвящение в буддизм, поддерживал тесную связь с японскими тайными обществами. Даже умер он не так просто − 76-летний Карл Хаусхофер покончил с собой 15 марта 1946 года, накануне допроса в Нюрнбергском трибунале.

К этому-то человеку, одновременно разведчику и ученому, и пошел на прием Рихард Зорге, тоже сочетавший в себе разведчика и ученого. Чьи рекомендации он представил, неизвестно, но они с мэтром геополитики достигли совершенно замечательных договоренностей.

Явной целью визита стало журналистское сотрудничество. Рихард, к тому времени уже известный журналист, предложил присылать из Японии статьи для знаменитого журнала Хаусхофера «Цайтшрифт фюр геополитик». О том, какие именно проблемы геополитики интересовали профессора, видно из названий статей, которые Зорге присылал в журнал: «Преобразования в Маньчжоу-Го», «Японские вооруженные силы, их положение, их роль в политике Японии, военно-географические следствия».

Что еще более интересно — так это рекомендации, которые получил свежеиспеченный корреспондент. Во-первых, Хаусхофер дал ему рекомендательное письмо к японскому послу в США Кацуи Дебуси. Это было великолепное знакомство. Перед тем как стать послом, Дебуси занимал пост заместителя министра иностранных дел, и Зорге получил от него рекомендательное письмо в МИД Японии. А что еще более интересно, в том же 1933 году Хаусхофер консультировал нового посла Германии в Японии — **Ойгена Отта**. Да, одного из тех трех офицеров, который, вместе с Куртом фон Шлейхером и Куртом фон Хаммерштейн-Эквордом, в качестве доверенного лица фон Секта курировал сотрудничество с «черным рейхсвером». А Хаусхофер был одним из тех, кто вместе с тем же Сектом начинал германо-советское военное сотрудничество. Сын же его был одним из участников немецкого заговора против фюрера. Воистину тесен мир!

Отт и Зорге мгновенно нашли общий язык, причем нашли его на редкость хорошо. Зорге стал информатором германского посла и взамен получил доступ почти ко всей информации посольства. Конечно, можно приписать эту редкую удачу личному обаянию советского разведчика — но можно взглянуть на дело и с другой стороны.

Генерал-майор Ойген Отт был одним из ближайших сотрудников и доверенных лиц генерала Курта фон Шлейхера и был не только сотрудником, но и горячим поклонником Хаусхофера. Нет ничего удивительного в том, что он мог разделять взгляды своего кумира и являться сторонником союза между Берлином, Москвой и Токио. Везде пишут, что именно Зорге склонил Отта к идее сотрудничества Германии и СССР — но, по всей вероятности, тот уже прибыл в Японию убежденным сторонником сотрудничества. И, кстати, вполне мог с открытыми глазами помогать советской разведке, точно из тех же соображений, из каких советские заговорщики помогали немцам.

На Хаусхофера работал и **Клаус Менерт**, кстати, неоднократно пересекавшийся с Зорге по ходу работы в Азии. По мнению многих историков, он являлся сотрудником абвера. А в начале 30-х годов он, еще совсем молодой (Менерт родился в 1906 году) был идейно и лично был связан с журналом «Ди Тат» («Действие»), который был рупором известного «восточника» генерала Шлейхера.

Но это еще далеко не самое интересное. Этот немецкий журналист упоминается в сводке Разведупра (советской военной разведки) от 10 августа 1937 года, направленной Сталину, Ворошилову, Ежову и Молотову. В сводке говорилось об антигитлеровской «просоветской» группе немецких офицеров, в количестве 60 человек, во главе с полковником ВВС фон Бентхаймом, которая была арестована гестапо. По их заданию работавший в Москве Клаус Менерт вел переговоры с маршалом Тухачевским и комкором Эйдеманом. Кстати, в своих мемуарах он не отрицает этих контактов.

Но еще интересней китайские знакомствам Рихарда Зорге. Известно, что он имел контакты с начальником охраны Чан Кайши **Вальтером Стеннесом**. Сообщения о связи Стеннеса с советской разведкой появились еще в начале 30-х годов. Относительно недавно их подтвердил в своих воспоминаниях Павел Судоплатов. А совсем недавно стало известно, что Стеннес был одним из активных участников немецкого заговора, поддерживая связь со своими единомышленниками в Германии.

Помимо Стеннеса, Зорге, когда был резидентом в Китае, общался и с другими немецкими офицерами, являвшимися советниками у Чан Кайши, среди которых, кстати, был сам генерал **фон Сект**. (Все же интересно — кто рекомендовал Зорге Хаусхоферу? Не один ли из этой группы?) А последний из руководителей группы немецких советников, генерал **Александр фон Фалькенхаузен**, являлся позднее одним из активнейших участников заговора против Гитлера.

Ну и еще одно знакомое нам лицо мелькает в окружении доктора Зорге. Это человек, с которого, собственно, и началась наша книга — все тот же **Оскар фон Нидермайер**. Непосредственно перед началом Великой Отечественной войны он прибывает в Токио в качестве специального посланника министра обороны. Как заявил сам Зорге на допросе, «из разговора с Нидермайером я узнал, что война против Советского Союза была делом решенным». Тут еще очень большой вопрос — с чего бы этот опытнейший разведчик стал так вот просто откровенничать с журналистом. Другое дело, если они были знакомы еще со времен Москвы, куда Зорге приехал в 1924 году. С одной стороны, он был немцем, а с другой — функционером отдела Международных связей Коминтерна, так что у разведчика был прямой резон познакомиться...

Похоже, что Зорге прямо-таки коллекционировал вокруг себя участников немецкого заговора. Вопрос — почему?

Часть пятая

ПРЕВЕНТИВНАЯ ВОЙНА

...Теперь, кажется, можно в общих чертах ответить на вопрос: *что это было?*

...То, что против Сталина существовал заговор, сейчас оспаривать как-то и смешно, и несерьезно. Такая полемика порой ведется, аргументы в ней, как правило, следующие: «Моего отца расстреляли, я в лагерях сидел, Сталин сто миллионов народу положил, а вы, сволочи, пишете, что он был хороший!» Это так, потому что это так, а того не может быть, потому что не может быть никогда!

Итак, мы тоже пришли к выводу, что заговор был – впрочем, не быть его попросту не могло. Структура его примерно идентична германскому: несколько группировок, каждая из которых играла свою игру. Самая заметная – *политическая* оппозиция: Зиновьев, Каменев, Бухарин и иже с ними. Не зря слегка сдвинувшиеся на демократии и парламентаризме деятели раннеперестроечных времен первыми подняли на щит именно их. Шуму много, дела мало – значит, ни в чем не повинны, да еще и трагический конец. Хотя похоже, что когда дошло до решающей схватки, то остальные ими просто прикрылись.

Троцкисты – эти уже оппозиционеры-радикалы, посерьезнее и поопаснее, с террористическим уклоном. У них есть лишь один недостаток – отсутствие лидера. У Льва Давидовича, при всех его неоспоримых революционных достоинствах, имелось два серьезных недостатка: он был далеко и в безопасности...

И есть еще *настоящие*. Те, кто собирался не теракты проводить, а всерьез брать власть. Военные, чекисты, кто-то из политиков – не оппозиционеров, естественно, а власть имеющих – сталинского окружения, *верхов* Советского Союза (о чем, кстати, и разведка докладывала неоднократно). Енукидзе – раз. Этот известен. Кто еще? Едва ли мы это когда-либо узнаем, поскольку после «дела генералов» в стране началось такое... Волна террора захлестнула всех, и правых, и виноватых, все шли по одним и тем же обвинениям, всех реабилитировали по одним и тем же основаниям, и ничего уже теперь не разобрать. Может быть, маленькую зацепочку могла бы дать статистика более поздних, уже бериевских арестов, да еще статистика побегов и самоубийств в верхнем эшелоне страны...

И само собой, военные и здесь играли свою игру – впрочем, зная жизненный путь «красного Бонапарта», в этом можно и не сомневаться. Весьма вероятно и даже очень похоже, что это был не сольный номер, а дуэт – сходные планы лелеяли военные двух похожих государств. Сделать переворот, установить военно-политическую диктатуру, а потом заключить союз, и – кто во всем мире сможет нам противостоять? Правда, похоже на то, что в последний год «красная» половина «двойного заговора» все же решила играть не только с армией, но и с правительством Германии. Может быть, это произошло после визита Тухачевского в Берлин в январе 1936 года, когда он увидел, какими стали его старые друзья, и оценил их дееспособность...

Их сбили в последний момент. «Ему нужна была власть, – писал уже после гибели Тухачевского генерал фон Лампе, – и за пять минут до ее достижения он закончил свое существование»...

Глава 16

ВСЕ НА ЗАЩИТУ КОНТРРЕВОЛЮЦИИ!

Если то, что происходило со страной до 1934 года, худо-бедно, но изучают, если про «тридцать седьмой год» исписаны горы бумаги, то 1935–1936 годы – «темные времена». Их словно и не было. Злобный Сталин победил оппозицию, разгромил ее, пересажал, попутно уничтожил крестьянство, потом все было хорошо – сплошные победы, но он все равно вернулся и добил оппозицию, уже разгромленную и неопасную, а потом по безмерной своей злобе уничтожил еще и множество верных сторонников, которые даже перед смертью признавались в любви к «великому вождю и учителю»...

Снова, уже в третий раз, мы сталкиваемся с *промежутком*, маленьким периодом между титаническими битвами, передышкой, недооцененной и почти что незамеченной. Но ведь что-то в этот период происходило! И есть такое подозрение, переходящее в уверенность, что если разобраться с этим периодом передышки, то и дальнейшее станет понятней...

Право на борт!

Ну что ж, попробуем!
Огромный, неуклюжий,
Скрипучий поворот руля...
О. Мандельштам

Историк Юрий Жуков, разбираясь в «кремлевском деле», заметил один любопытный момент, вроде бы и не имеющий отношения к собственно истории «дворцового переворота». А именно – весьма странное поведение секретаря ЦИК СССР Авеля Енукидзе по отношению к новой Конституции, которую предполагалось принять (и она была принята) в 1936 году.

У нас ведь никогда не придавали значения Конституции. В хрущевском и постхрущевском государстве, в условиях диктатуры КПСС ни Основной закон страны, ни Советы особо никого не интересовали, поскольку не имели власти, были структурами декоративными. «Партия велела, Совет ответил "Есть!"» Между тем, если мы вспомним лозунги 1917 года, то главным из них был: «Вся власть Советам!» Партия стала «приводным ремнем» всех процессов в государстве уже по факту, как единственная организованная структура в стране, и предполагалось, что все это временно. Еще одно «временное правительство», на сей раз большевистское.

Но теперь, в 1936 году, Енукидзе почему-то глухо саботировал сталинскую реформу избирательной системы. Саботаж был мелкий, но эффективный. Например, в подготовительном документе он, соглашаясь с равным представительством для городского и сельского населения (до того существовала дискриминация крестьянства), настаивал на том, чтобы выборы были открытыми, а не тайными, как хотел Сталин. Или предлагал вынести проект изменений на обсуждение не Политбюро, а Пленума ЦК. Между тем, если в Политбюро к тому времени было единство, то на Пленуме наверняка окажутся люди, которые поймут, чего именно хочет Сталин, и еще неизвестно как отреагируют.

А Сталин хотел – и реализовал – очень интересные вещи. Например, замену многоступенчатых выборов прямыми, выборов с неравным представительством – равными для всех классов населения, открытых – тайными, то есть не поддающимися контролю. Это была в чистом виде столь презираемая коммунистами «буржуазная демократия». И новую Конституцию следовало принять до конца 1936 года, до новых выборов в Советы. Сейчас, зная уже все, что будет потом, становится ясно: это был первый шаг к тому, чтобы передать власть от партии к государственным структурам. Енукидзе знать этого тогда еще не мог, но угрозу глухо чуял и сопротивлялся отчаянно. Возможно, кстати, именно в этом и причина его отстранения от государственных дел, а вовсе не в том, что Сталин считал его, вопреки данным следствия, мотором «кремлевского дела» – чекистам он тогда еще доверял...

Но это далеко не все. «Ленинцев», сторонников классового подхода и мировой революции, ждало куда большее потрясение, когда они поняли, что правительство намерено вернуть избирательные права всем, кто до тех пор был их лишен по классовому признаку. И потрясение неизмеримо большее, когда 28 января 1935 г., на открытии VII съезда Советов, Молотов впервые, пока что мягко и обтекаемо, заговорил о *сотрудничестве* двух систем – капиталистической и социалистической, тем самым во всеуслышание объявив, что СССР больше не держит курс на мировую революцию.

Наши историки (кроме Юрия Жукова, раскопавшего и осмыслившего этот поворот руля, за что слава ему!), завороженные «недемократичной» борьбой с оппозицией, даже не замечают, что Сталин в 1935–1936 годах вел себя как крупнейший *демократ*. Впрочем, они многого не замечают – например, того, что предтечей демократических реформ в СССР был не Хрущев и не Бухарин, а Берия, успевший за свои «сто дней» наметить те меры, которые были потом реализованы в 90-е годы (мы имеем в виду демократические реформы, а не тотальное ограбление страны)[1]. Наша история вообще не замечает *промежутки*, хотя именно тогда и совершаются повороты руля, а потом корабль долго и размашисто идет новым курсом.

...На Западе происходящее на съезде Советов произвело впечатление разорвавшейся бомбы. Политическая реформа в СССР, изменение внешней политики – это была сенсация из сенсаций. А какой отклик вызвали демократические изменения внутри страны? Делегаты съезда, люди, в большинстве своем достаточно простые, едва ли оценили новшество – преобразования увенчались успехом, коллективизация завершена, индустриализация идет полным ходом, социализм построили, так что ничего удивительного, что и выборы могут теперь проходить по-другому. Едва ли среди них было много людей, настолько искушенных в политике, чтобы понимать, что означают предложения Сталина, не надо так уж переоценивать интеллектуальный уровень тогдашних функционеров. Многие так ничего и не поняли до самого конца. После принятия новой Конституции это проявится: правительство на Пленуме заводит разговор об избирательной системе, а секретари обкомов, хозяева крупных областей, один за одним гвоздят о борьбе с «врагами народа». Все остальное им попросту неинтересно...

---

[1] Подробно об этом в книге Е. Прудниковой «Последний рыцарь Сталина», вышедшей в этой же серии.

...Не дожидаясь разработки и принятия новой Конституции, Сталин продолжал лепить из Советского Союза *правовое* государство. Прокурором СССР был в то время А. Я. Вышинский – еще один человек, оклеветанный нашей историей. Бывший меньшевик, старый знакомый Сталина еще по революционной работе в Закавказье, высокопрофессиональный юрист, никогда, несмотря на меньшевистское прошлое, не подвергавшийся никаким преследованиям, он всерьез взялся за наведение порядка в советской юстиции, сохранившей еще очень много от «революционной законности». Начал с мелочей – с пересмотра результатов «очистки Ленинграда от социально чуждых элементов», имевшей место быть после убийства Кирова. К тому времени в прокуратуру поступило 2237 жалоб, все они были проверены, 264 (14%) удовлетворены.

Но это оказалось только началом. 17 июня был утвержден разработанный Вышинским закон о порядке производства арестов. По новым правилам, органы НКВД могли это делать лишь с санкции прокурора, более того, для ареста советских работников и работников промышленности, врачей, профессоров вузов, агрономов требовалось еще и согласие соответствующего наркома. А теперь давайте попробуем напрячь мозг и подумать: ну и зачем Сталину, в преддверии «большой чистки», укреплять законность? Куда легче проскочить ее на инерции старого, «революционного» подхода, а уж потом заняться юриспруденцией. Но это делается летом 1935-го!

Потихоньку, явочным порядком стали снимать судимости с ранее осужденных – нет, не с оппозиционеров, отнюдь! На оппозиции свет клином тогда еще не сошелся, это Хрущев его на этой теме в клин согнал. Судимость снимали с колхозников, осужденных по печально известному «закону о трех колосках» – за 7 месяцев полноправными гражданами страны стали более 750 тысяч человек. Это была финальная точка в рапорте о завершении коллективизации. (Кстати, к тому времени новые, крупные сельскохозяйственные производства буквально завалили страну хлебом – валовой сбор зерна за несколько лет вырос в четыре раза!)

Не забыли и армию, сделав шаг, который должен был обеспечить лояльность большинства офицеров, – ввели персональные воинские звания. Что это такое? Говоря по-простому, если ты, например, капитан, то, чем бы ты ни командовал – взводом, ротой, батальоном, – ты так и останешься капитаном, более того, в свой срок тебя произведут в майоры. Новая воинская иерархия привязывалась к людям, а не к должностям в военной машине. Надо ли объяснять, что значит для военного тот факт, что государство признает его *персональную* ценность, а не видит в нем всего лишь винтик громадного механизма?

Новые звания по названиям совпадали с теми, которые были приняты в армиях других стран – лейтенант, старший лейтенант, капитан, майор, полковник. Пока не решились лишь вернуть в армию слово «генерал» – это произошло позже. Военные, выполнявшие в РККА генеральскую работу, назывались: комбриг, комдив, комкор, командарм 2-го ранга и командарм 1-го ранга. Пять человек получили высшие – маршальские – звания: нарком обороны Ворошилов, командующий ОКДВА[1] Блюхер, инспектор кавалерии Буденный, начальник Генерального штаба Егоров, заместитель наркома обороны Тухачевский.

Потихоньку, явочным порядком, вводились и другие новшества. В самом конце 1935 года были разработаны, например, новые правила приема в вузы – ликвидировались ограничения, связанные с происхождением.

Экономическая реформа тоже дала первые плоды – с осени 1935 года стали постепенно отменять карточки. Это уже было серьезно. Сытый народ гораздо труднее поднять на борьбу во имя какой бы то ни было идеи – можно, но очень трудно. Маленьким приятным подарком населению стало возвращение новогодней елки.

И уже совершеннейшим плевком в лицо всей «ленинской гвардии» стало запрещение в ноябре 1936 года комической оперы «Богатыри» на музыку Бородина, но по новому либретто, написанному Демьяном Бедным. Приказ Комитета по делам искусств был утвержден Политбюро, настолько важным посчитали это дело. Одним из мотивов запрещения было то, что спектакль «дает антиисторическое и издевательское изображение крещения Руси, являвшегося в действительности положительным этапом в истории русского народа». Ильич «русский великодержавный шовинизм», как он называл патриотизм, ненавидел люто, а уж религию...

Нет ни малейшего сомнения, что этот процесс не был спонтанным, внезапным, как внезапным было решение Сталина вместо «борьбы с кулаками» провести коллективизацию[2]. Судя по методике, по подбору кадров, видно: в стране шла планомерная, продуманная, организованная *контрреволюция*.

---

[1] ОКДВА – Отдельная Краснознаменная Дальневосточная армия.

[2] Два совершенно разных процесса. «Наступление на кулака» началось в связи с саботажем хлебозаготовок, а коллективизация – это аграрная реформа.

Накануне

Ну и как должна была отнестись ко всему этому оппозиция?

До сих пор Сталин был для них конкурентом в драке за власть, узурпатором этой власти, творцом безумных реформ, в последние годы – врагом. Теперь он стал *предателем*. А с предателями у российских революционных радикалов разговор был всегда короткий.

...Любопытная вещь – логика. Давно уже доказано, что «заговор генералов» на самом деле существовал – по сути, это стало ясно с 1997 года, с момента публикации «Справки о проверке обвинений», которые в сумме с ранее опубликованными показаниями Тухачевского дали совершенно ясную картину. Еще в 90-е годы, после публикаций историка В. Роговина, стало ясно, что в СССР существовала разветвленная и тщательно законспирированная «параллельная партия», а значит, репрессии 1929–1933 годов не были необоснованными. В контексте реальных политических событий уже не кажется дутым дело «Весна», хотя с ним еще разбираться и разбираться. Ю. Жуков, исследовавший «кремлевское дело», пришел к выводу, что в основе его лежал конкретный заговор. И между тем он же, буквально в той же книге, относит процессы против троцкистско-зиновьевской оппозиции, прошедшие в 1936–1937 годах, к разряду *политических репрессий*, то есть планомерной и беззаконной расправы Сталина с политической оппозицией. Где тут логика? Одно дело за другим оказывается реальным, и вдруг между ними затесались какие-то процессы совсем из другой оперы – разборки с инакомыслящими, уничтожение не только нынешних, но и прежних политических противников... Ни до, ни после этого не было – с чего вдруг? Да еще перед этим предпринимаются специальные меры по укреплению законности, не иначе как из утонченного цинизма. Странно...

Более того, есть прямое свидетельство, что Сталин не намеревался проводить какие бы то ни было политические разборки. В 1933 году началась новая чистка партии, очень жесткая «генеральная уборка», проверка прошлого и настоящего всех членов ВКП. И вдруг – неожиданное постановление декабрьского (1935) Пленума ЦК, которым эта чистка попросту прекращалась и проводился всеобщий обмен партбилетов по состоянию на нынешний день. То есть власти более чем явно показывали, что не намерены преследовать никого. Все, закончили!

Правительство явно давало «отпущение грехов». В июне 1936 года на Пленуме ЦК был восстановлен в партии Енукидзе. Несколько раньше

Сталин очень жестко пресек попытку Ежова, тогда председателя комиссии партийного контроля, воспользоваться для своей работы архивами госбезопасности. И вдруг – такой поворот: аресты, кровавые приговоры.

Странно...

Подробное рассмотрение этих процессов, конечно, было бы интересно – но как-нибудь в другой раз. Эта книга и так уже непомерно велика, и она, в общем-то, не о том. Поэтому вкратце, без доказательств, расскажем лишь о тех моментах, которые нам показались важными и интересными.

Итак, после преобразований 1935–1936 годов прежние «государственники» превратились в откровенных контрреволюционеров. А значит, Сталин стал для своих прежних товарищей, «большевиков-ленинцев», «революционеров», предателем, и какие-либо сомнения и колебания по отношению к нему теперь были неуместны. Между тем социальная база «революционеров» стремительно сужалась. Именно теперь можно было ожидать выступления оппозиции – теперь или никогда!

И в самом деле, к началу 1936 года органы внутренних дел зафиксировали возросшую активность советских «бывших» – троцкистского и зиновьевского подполья. В отличие от немецких «бывших», бессильных деятелей бессильной Веймарской республики, это были партийные радикалы, «люди идеи», с опытом подпольной работы, в том числе и опытом терроризма. Стало известно и о том, что они стремятся к объединению, к тому, чтобы создать единую партию.

Но в недрах оппозиции шли и куда более опасные процессы. 5 февраля 1936 года начальник секретно-политического отдела ГУГБ Молчанов докладывает Ягоде, что троцкистское подполье воссоздается по припципу «цепочной связи небольшими группами». Этот принцип был прекрасно знаком всем, кто хоть что-то знал о конспиративных методах борьбы, – так строятся не политические, а боевые организации. Чекисты еще по привычке называли их контрреволюционными – хотя теперь речь шла как раз о *революционной* партии, призванной выступить против набиравшей силу контрреволюции.

И вот тут очень полезно привести цитату из Ю. Жукова, который, как нам кажется, воспроизводит основную ошибку исследователей того времени. В своей книге «Иной Сталин» он приводит циркуляр заместителя наркома внутренних дел Г. Е. Прокофьева:

«Имеющиеся в нашем распоряжении данные показывают возросшую активность троцкистско-зиновьевского контрреволюционного подполья и наличие подпольных террористических формирований среди них. Ряд троцкистских и зиновьевских групп выдвигает идею создания единой контрреволюционной партии и создания единого организационного центра власти в СССР...»

Комментируя этот документ, Ю. Жуков пишет: «На первый взгляд, текст циркуляра выглядит слишком одиозным, вполне характерным для всех документов, исходивших с Лубянки... Но если не принимать во внимание непременные далекие от действительности определения, как "контрреволюционные", "террористические" да отбросить столь же нарочито использованные понятия "подпольные", "формирования", то оставшееся выглядит достаточно серьезным и вполне возможным».

Да почему же не принимать во внимание-то? Ведь это не газетная статья, это циркуляр замнаркома внутренних дел, предназначенный для его подчиненных, то есть внутриведомственный документ. В бумагах такого сорта риторика не применяется. Если там говорится «подпольные формирования», «терроризм», значит, речь идет о подпольных формированиях и терроризме, а не о намерении вести парламентскую борьбу.

...Хорошо, давайте для наглядности проделаем с этим документом ма-а-ленькую операцию. Одно понятие уберем и одно заменим на более верное. Тогда приведенная фраза будет выглядеть так: «Имеющиеся в нашем распоряжении данные показывают возросшую активность революционного подполья и наличие подпольных террористических формирований среди них». Вам это кажется по-прежнему невозможным? Или в очертаниях документа все же начинает проступать что-то знакомое?

В том-то все и дело! Именно такие документы должны были поступать в жандармские управления Российской империи накануне и в начале «революционной репетиции» 1905 года. Все это уже было – подпольные боевые организации, революционный террор, и даже делалось теми же людьми или их приятелями из родственных партий эсеров и анархистов, развернувших в 1905–1907 годах в России такое, что Николаю II, очень мягкому царю и истинному христианину, пришлось вводить военно-полевые суды.

Ну и чем такая картинка менее логична, чем «репрессии» с убиением невинных «политических младенцев»?

...Самые знаменитые разведчики – как правило, худшие из своего цеха. Потому что знаменитым разведчик становится после своего провала. А о тех, кто не проваливается, так никто никогда и не узнает.

Так и с террором. Для истории покушение становится покушением после того, как оно состоится. Взрыв в бункере Гитлера был, и он существует под своим подлинным именем. Террор начала века тоже был – и он тоже существует. Если же покушения и террор удается предотвратить, они записываются в главу о политических репрессиях, хотя ничего общего с ними не имеют. Репресии – это то, что было, например, у нас после 1953 года. А репрессии, в ходе которых был казнен Александр Ульянов, старший брат Ленина, таковыми не являлись, потому что ребятки и вправду готовили покушение на царя – кстати, предыдущий русский царь был убит террористами всего за шесть лет до того, в результате *восьмого* по счету покушения..

По мнению Ю. Жукова, «сторонники Троцкого и Зиновьева стремятся к консолидации, к созданию уже не невозможной в существующих условиях фракции, а вполне самостоятельной партии... Если новая партия и не возникнет, то у троцкистов и зиновьевцев все же достанет влияния для того, чтобы скрытно выдвинуть собственных кандидатов в депутаты... и получить тем самым трибуну для свободного выражения своих политических взглядов. В этом и таилась опасность для сталинской группы реформаторов».

Если бы речь шла о Зюганове с Явлинским – бесспорно, так оно и есть. Но в оппозиции 30-х годов были не те люди. Уверены, что если бы опасность для сталинской группы реформаторов таилась именно в этом, то она с удовольствием бы предоставила троцкистам открытую трибуну и наблюдала, как их с этой трибуны вывозят на мусорных тачках, вместе с их призывами к новой войне и мировой революции. Только ведь жить начали!

Нет, учитывая конкретику времени, ясно, что опасность была в другом – в том, что «группу реформаторов» станут попросту мочить, как предателей дела революции. Так что мы предлагаем читать внутренние документы НКВД и доклады чекистов правительству буквально, не считая их «далекими от действительности», – это то, что вполне могло иметь место в то время, в тех условиях и с тем контингентом...

Итак, что конкретно происходило. Началась новая серия арестов – массовыми их не назовешь, отнюдь. Работа велась явно целенаправленно, поскольку к 1 апреля было арестовано всего 508 человек «тайных оппозиционеров» (кстати, у одного из них нашли архив Троцкого). Их решили отправить в лагеря, присоединив к ним 308 человек, исключенных из партии за принадлежность к троцкизму. (Сами цифры, небольшие и не круглые, показывают, что работа велась с разбором. С каким разбором, становится ясно, если знать, что при последней чистке из партии было иключено 306 тысяч человек.)

Вот что пишет по этому поводу Вышинский в записке Сталину:

«Считаю необходимым всех троцкистов, находящихся в ссылке, ведущих активную работу, отправить в дальние лагеря постановлением Особого совещания при НКВД после рассмотрения каждого конкретного дела... С моей стороны нет также возражений против передачи дел о троцкистах, уличенных в причастности к террору, то есть к подготовке террористических актов, в Военную коллегию Верховного суда Союза, с применением к ним закона от 1 декабря 1934 г. и высшей меры наказания – расстрела...»

Как видим, пока что о политических репрессиях речи нет. Все строго в рамках закона, поскольку в Уголовном кодексе существовала статья 58, а у нее был пункт 10 – «контрреволюционная агитация и пропаганда», по которому любого троцкиста, ведущего активную работу, можно было отправить в лагерь – что и было сделано. За *инакомыслие* никто никого не преследовал, за «кухонные» разговоры в кругу семьи – тоже, это все еще впереди.

19 июня на рассмотрение Политбюро были представлены списки тех, кому можно было предъявить обвинение в терроризме. Совсем немного – всего 82 человека. НКВД действовал строго под контролем прокуратуры, поскольку список представили Ягода и Вышинский. А еще было предложено провести повторный процесс по делу Зиновьева и Каменева, которые уже находились в заключении. Ну и с какого перепугу вытаскивать их из тюрьмы, где они так прочно сидят?

Ю. Жуков предполагает: «Это должно было еще раз продемонстрировать решительный и окончательный отказ от старого курса, который ориентировался прежде всего на мировую революцию, для Лондона и Парижа связывался с... экспортом революции, что для всех олицетворялось двумя именами – Троцкого и Зиновьева».

И здесь снова – приоритет *политики* над правом. Ведь о чем речь? О том, что Сталин пошел на репрессии, чтобы *что-то доказать* Парижу и Лондону, а не потому, что для этого были какие-то основания.

То есть утверждается, что репрессии 1936 года, которые жестко контролировались Политбюро и прокуратурой, были необоснованными. Мы так не считаем. Сталин был человеком последовательным, и уж коль скоро он начал строить правовое государство, то не стал бы с первых шагов показывать пример нарушения закона – тем более, в ситуации, когда органы *одичали* после двадцати лет «революционной законности». В совсем уж крайнем случае придумал бы что-нибудь другое – как с Троцким...

Учитывая время и обстановку в стране, версий может быть лишь две. Либо чекисты обнаружили что-то совсем уж экстраординарное, ради чего стоило вытаскивать из тюрем уже поверженных вождей оппозиции. Либо заговорщики в НКВД использовали их в качестве «дымовой завесы», чтобы отвести даже предполагаемый удар от своих реальных соратников, как это уже делалось в «кремлевском деле», а возможно, и в деле об убийстве Кирова.

Пойдем дальше. 29 июля 1936 года было направлено так называемое «Закрытое письмо», на самом деле ничуть не являвшееся таковым, поскольку предназначалось всем членам партии. Там говорилось, что НКВД было раскрыто несколько террористических групп в разных городах страны, что ими руководил некий «троцкистско-зиновьевский блок». Задачей групп было одновременное убийство руководителей партии в разных регионах, что вызвало бы панику в стране и позволило членам блока и Троцкому захватить власть.

Заканчивалось письмо призывом к борьбе с врагами партии и рабочего класса и к большевистской революционной бдительности.

(А вот это зря сказали!)

Зиновьев и Каменев были основными фигурами на состоявшемся летом «Процессе 16-ти». Первая группа подсудимых включала одиннадцать старых большевиков, участвовавших в 1926–1927 годах в «объединенном оппозиционном блоке». Вторая – пятерых эмигрантов, молодых членов германской компартии. Пятнадцать из них получили смертный приговор.

Общественность и пресса всего мира ломали головы над тем, как относиться к процессам, строили всевозможные догадки по поводу того, чем они были вызваны, как их понимать, что за ними стоит. Диапазон оценок был по всей 180-градусной шкале. Троцкий, само собой, назвал процесс «величайшей фальшивкой в политической истории мира». А самое простое толкование происходящему дала итальянская фашистская газета «Мессаджеро»: «Старая гвардия Ленина расстреляна... Сталин был реалистом, и то, что его противники считали изменой идеалу, было только необходимой и неминуемой уступкой логике и жизни... Абстрактной программе всеобщей революции он противопоставляет пятилетку, создание армии, экономику, которая не отрицает индивидуума... Это было неминуемо – полиция вскрыла заговор и действовала с силой, требуемой общественной безопасностью».

Но что интересно – процесс-то над оппозиционерами был открытым. И не просто открытым – на него допускались представители иностранной прессы и дипкорпуса. Смотрите, слушайте!

Помимо прочего, на процессе Зиновьев подтвердил, что знал о готовящемся убийстве Кирова, но не в этом суть. Суть в другом. Почему никто из подсудимых не встал и не закричал: «Товарищи! Меня обвиняют несправедливо! Мои показания даны под нажимом следствия! Я ни в чем не виновен!» В зале ведь полно иностранных корреспондентов, а хуже все равно уже не будет, так и так расстреляют!

Почему они этого не сделали?!

Вообще политики-оппозиционеры вели себя невыразимо мерзко по отношению как к Сталину, так и друг к другу. Это трудно читать и об этом трудно писать – но не из-за жалости, не из-за сочувствия к арестованным, а совсем по другим причинам...

Зиновьев пишет Сталину: «В моей душе горит одно желание: доказать Вам, что я больше не враг. Нет того требования, которого я не исполнил бы, чтобы доказать это... Я дохожу до того, что подолгу пристально гляжу на Ваш и других членов Политбюро портреты в газетах с мыслью: родные, загляните же в мою душу, неужели же Вы не видите, что я не враг Ваш больше, что я Ваш душой и телом...»

Т. Глебова, жена Каменева, пишет ему в тюрьму и, среди прочего, рассказывает, что их семилетний сын, найдя игру, подаренную ему Зиновьевым, «буквально затрясся и побледнел: "Я выброшу ее, ведь ее подарил мне ненавистный человек"». Каменев в ответ пишет, что Зиновьев и его жена «для меня мертвые люди, как и для Волика, они мне "ненавистны", и, вероятно, с большим основанием». Поскольку письма подлежали обязательному прочтению тюремщиками, неужели не ясно, для чего это все писалось?

На процессе подсудимые говорили о так называемом «запасном центре» в составе Радека, Сокольникова, Пятакова, Серебрякова. И уже

21 августа в «Правде» появилась статья Пятакова «Беспощадно уничтожать презренных убийц и предателей», в «Известиях» – «Троцкистско-зиновьевская фашистская банда и ее гетман Троцкий» Радека.

В ноябре на Пленуме ЦК Бухарин, «любимец партии», выступал с речью: «...Необходимо, чтобы сейчас все члены партии, снизу доверху, преисполнились бдительностью и помогли соответствующим органам до конца истребить ту сволочь, которая занимается вредительскими актами и всем прочим... Я абсолютно, на все сто процентов, считаю правильным и необходимым уничтожить всех этих троцкистов и диверсантов...» А ведь эти троцкисты и диверсанты были его товарищами, с которыми он делал революцию в 1917 году...

Мерзко!

Впрочем, вскоре те, кто громогласно клеймил «банду», тоже оказались на скамье подсудимых...

...В конце сентября 1936 года вдруг появилось странное и необычное – и по содержанию, и по лексике – решение Политбюро:

«До последнего времени ЦК ВКП(б) рассматривал троцкистско-зиновьевских мерзавцев как передовой политический и организационный отряд международной буржуазии. Последние факты говорят, что эти господа скатились еще больше вниз, и их приходится теперь рассматривать как разведчиков, шпионов, диверсантов и вредителей фашистской буржуазии в Европе. В связи с этим необходима расправа с троцкистско-зиновьевскими мерзавцами, охватывающая не только арестованных, следствие по делу которых уже закончено, и не только подследственных вроде Муралова, Пятакова, Белобородова и других, дела которых еще не завершены, но и тех, которые были раньше высланы»[1].

Очень странный документ. Это вообще не стиль документа, и уж в любом случае он свидетельствует о сильнейшем душевном волнении тех, кто его составлял и принимал.

Что случилось?

Объяснение (исключая политические) может быть только одно: кто-то из арестованных заговорил. И начал говорить такое, что вызвал шок даже у ко многому привычной сталинской команды. Причем это «что-то» должно было идти из достаточно дальних времен, не меньше чем с 1933 года, а то и раньше.

---

[1] Цит. по: *Жуков Ю.* Иной Сталин. М., 2003. С. 273.

Возможно, это «что-то» так и кроется в архивах спеслужб. Но, может быть, все проще? Что-нибудь вроде того, что было озвучено на втором «московском процессе»?

Досье: цена власти
Из «Судебного отчета по делу антисоветского троцкистского центра»:

Существует такая версия: подсудимые специально возводили на себя чудовищные поклепы, признавали самые абсурдные обвинения, чтобы выставить все дело в нелепом свете. А знаете, кто выдвинул эту версию? Не Хрущев и не кто-либо из «знатоков человеческих душ». Это сказал Молотов в беседе с писателем Феликсом Чуевым.

«...Удивляет в этих процессах открытых, что такие люди, как Бухарин, Рыков, Розенгольц, Крестинский, Раковский, Ягода, – признали даже такие вещи, которые кажутся нелепыми... Я думаю, что это был метод продолжения борьбы против партии на открытом процессе, – настолько много на себя наговорить, чтобы сделать невероятными и другие обвинения.

Я даже готов сказать, что там только десять процентов нелепости, может быть, и меньше, но я говорю, что они такие вещи нарочно себе приписали, чтобы показать, насколько нелепы будто бы все эти обвинения...

Я думаю, что и в этом есть искусственность и преувеличение. Я не допускаю, чтобы...»

Действительно, то, что имел в виду Вячеслав Михайлович – явный бред. Настолько чудовищны, абсурдны эти планы, настолько невозможно все, что там говорилось... Так что же именно не допускал Молотов?

1. Из показаний Пятакова:
«...**Вышинский.** Чего же Троцкий требовал?
Пятаков. ...Требовал проведения определенных актов и по линии террора, и по линии вредительства. Я должен сказать, что директива о вредительстве наталкивалась и среди сторонников Троцкого на довольно серьезное сопротивление. Мы информировали

Троцкого о существовании таких настроений. Но Троцкий на это ответил довольно определенным письмом, что директива о вредительстве это не есть что-то случайное, не просто один из острых методов борьбы, которые он предлагает, а это является существеннейшей составной частью его политики и его нынешних установок. (В чем был совершенно прав. Дезорганизация народного хозяйства — один из важнейших методов подготовки государственного переворота. Вспомним хотя бы, какую роль сыграли перебои хлебных поставок накануне революции 1917 года или забастовка владельцев грузовиков незадолго до переворота в Чили. — *Авт.*).

...В этой же самой директиве он поставил вопрос — это была середина 1934 года — о том, что сейчас, с приходом Гитлера к власти, совершенно ясно, что его, Троцкого, установка о невозможности построения социализма в одной стране совершенно оправдалась, что неминуемо военное столкновение и что, ежели мы, троцкисты, желаем сохранить себя как какую-то политическую силу, мы уже заранее должны, заняв пораженческую позицию, не только пассивно наблюдать и созерцать, но и активно подготовлять это поражение. Но для этого надо готовить кадры, а кадры одними словами не готовятся. Поэтому надо сейчас проводить соответствующую вредительскую работу.

Помню, в этой директиве Троцкий говорил, что без необходимой поддержки со стороны иностранных государств правительство блока не может ни прийти к власти, ни удержаться у власти. Поэтому речь идет о необходимости соответствующего предварительного соглашения с наиболее агрессивными иностранными государствами, такими, какими являются Германия и Япония, и что им, Троцким, со своей стороны соответствующие шаги уже предприняты...

...Примерно к концу 1935 года Радек получил обстоятельное письмо-инструкцию от Троцкого. Троцкий в этой директиве поставил два варианта о возможности нашего прихода к власти. Первый вариант — это возможность прихода до войны, и второй вариант — во время войны. Первый вариант Троцкий представлял в результате, как он говорил, концентрированного террористического удара. Он имел в виду одновременное совершение террористических актов против ряда руководителей ВКП(б) и Советского государства и, конечно, в первую очередь против Сталина и ближайших его помощников.

Второй вариант, который был, с точки зрения Троцкого, более вероятным, – это военное поражение. Так как война, по его словам, неизбежна, и притом в самое ближайшее время, война прежде всего с Германией, а возможно, и с Японией, следовательно, речь идет о том, чтобы путем соответствующего соглашения с правительствами этих стран добиться благоприятного отношения к приходу блока к власти, а, значит, рядом уступок этим странам на заранее договоренных условиях получить соответствующую поддержку, чтобы удержаться у власти. Но так как здесь был очень остро поставлен вопрос о пораженчестве, о военном вредительстве, о нанесении чувствительных ударов в тылу и в армии во время войны, то у Радека и у меня это вызвало большое беспокойство. Нам казалось, что такая ставка Троцкого на неизбежность поражения объясняется в значительной мере его оторванностью и незнанием конкретных условий, незнанием того, что собою представляет Красная Армия, и что у него поэтому такие иллюзии...»

2. Из показаний Радека:

«**Вышинский**: Подсудимый Радек, были ли получены вами в 1935 году или несколько раньше, от Троцкого два письма или больше?

Радек: Одно письмо – в апреле 1934 года, второе – в декабре 1935 года... В первом письме по существу речь шла об ускорении войны, как желательном условии прихода к власти троцкистов. Второе же письмо разрабатывало эти, так называемые, два варианта – прихода к власти во время мира и прихода к власти в случае войны. В первом письме социальные последствия тех уступок, которые Троцкий предлагал, не излагались. Если идти на сделку с Германией и Японией, то, конечно, для прекрасных глаз Троцкого никакая сделка не совершится. Но программы уступок он в этом письме не излагал.

Во втором письме речь шла о той социально-экономической политике, которую Троцкий считал необходимой составной частью такой сделки по приходе к власти троцкистов.

Вышинский: В чем это заключалось?

Радек: ...Первый вариант усиливал капиталистическе элементы, речь шла о передаче в форме концессий значительных экономических объектов и немцам и японцам, об обязательствах поставки Германии сырья, продовольствия, жиров по ценам ниже мировых. Внутренние последствия этого были ясны. Вокруг немецко-японских концессионеров сосредоточиваются интересы частного капитала в России. Кроме того, вся эта политика была связана с программой восстановления индивидуального сектора, если не во всем сельском хозяйстве, то в значительной его части. Но если в первом варианте дело шло о значительном восстановлении капиталистических элементов, то во втором — контрибуции и их последствия, передача немцам в случае их требований тех заводов, которые будут специально ценны для их хозяйства. Так как он в том же самом письме отдавал себе уже полностью отчет, что это есть возрождение частной торговли в больших размерах, то количественное соотношение этих факторов давало уже картину возвращения к капитализму, при котором оставались остатки социалистического хозяйства, которые бы тогда стали просто государственно-капиталистическими элементами...

Вышинский: В этом втором письме, которое было названо развернутой программой пораженчества, было ли что-нибудь об условиях, которым должна удовлетворить пришедшая к власти группа параллельного центра в пользу иностранных государств?

Радек: Вся программа была направлена на это.

Вышинский: Самих условий Троцкий не излагал?

Радек: Излагал.

Вышинский: Конкретно говорил о территориальных уступках?

Радек: Было сказано, что, вероятно, это будет необходимо.

Вышинский: Что именно?

Радек: Вероятно, необходимы будут территориальные уступки.

Вышинский: Какие?

Радек: Если мириться с немцами, надо идти в той или другой форме на их удовлетворение, на их экспансию.

Вышинский: Отдать Украину?

Радек: Когда мы читали письмо, мы не имели сомнения в этом. Как это будет называться — гетманской Украиной или иначе — дело идет об удовлетворении германской экспансии на Украине. Что касается Японии, то Троцкий говорил об уступке Приамурья и Приморья...»

3. Еще из показаний Радека:

«**Радек**: Если до этого времени Троцкий там, а мы здесь, в Москве, говорили об экономическом отступлении на базе советского государства, то в этом письме намечался коренной поворот. Ибо, во-первых, Троцкий считал, что результатом поражения явится неизбежность территориальных уступок, и называл определенно Украину. Во-вторых, дело шло о разделе СССР. В-третьих, с точки зрения экономической он предвидел следующие последствия поражения: отдача не только в концессию важных для экономических государств объектов промышленности, но и передача, продажа в частную собственность капиталистическим элементам важных экономических объектов, которые они наметят. Троцкий предвидел облигационные займы, то есть допущение иностранного капитала к эксплуатации тех заводов, которые формально останутся в руках советского государства.

В области аграрной политики он совершенно ясно ставил вопрос о том, что колхозы надо будет распустить, и выдвигал мысль о предоставлении тракторов и других сложных с.-х. машин единоличникам для возрождения нового кулацкого строя. Наконец, совершенно открыто ставился вопрос о возрождении частного капитала в городе...

В области политической в этом письме была постановка вопроса о власти. В письме Троцкий сказал: ни о какой демократии речи быть не может. Рабочий класс прожил 18 лет революции, и у него аппетит громадный, а этого рабочего надо будет вернуть частью на частные фабрики, частью на государственные фабрики, которые будут находиться в состоянии тяжелейшей конкуренции с иностранным капиталом. Значит — будет крутое ухудшение положения рабочего класса. В деревне возобновится борьба бедноты и середняка против кулачества. И тогда, чтобы удержаться, нужна крепкая власть, независимо от того, какими формами это будет прикрыто...

Было еще одно очень важное в этой директиве, а именно — формулировка, что неизбежно выравнивание социального строя СССР с фашистскими странами-победительницами, если мы вообще хотим удержаться...

Вышинский: Значит, если коротко суммировать содержание этого письма, то к чему сводятся основные пункты?

Радек: Мы оставались на позиции 1934 года, что поражение неизбежно.

Вышинский: И какой отсюда вывод?

Радек: Вывод из этого неизбежного поражения тот, что теперь открыто был поставлен перед нами вопрос о реставрации капитализма...

Вышинский: Дальше?

Радек: Третье условие было самым новым для нас — поставить на место советской власти то, что он называл бонапартистской властью. А для нас было ясно, что это есть фашизм без собственного финансового капитала, служащий чужому финансовому капиталу.

Вышинский: Четвертое условие?

Радек: Четвертое — раздел страны. Германии намечено отдать Украину; Приморье и Приамурье — Японии.

Вышинский: Насчет каких-нибудь других экономических уступок говорилось тогда?

Радек: Да, были углублены те решения, о которых я уже говорил. Уплата контрибуции в виде растянутых на долгие годы поставок продовольствия, сырья и жиров. Затем — сначала он сказал это без цифр, а после более определенно — известный процент обеспечения победившим странам их участия в советском импорте. Все это в совокупности означало полное закабаление страны.

Вышинский: О сахалинской нефти шла речь?

Радек: Насчет Японии говорилось — надо не только дать ей сахалинскую нефть, но обеспечить ее нефтью на случай войны с Соединенными Штатами Америки. Указывалось на необходимость не делать никаких помех к завоеванию Китая японским империализмом... (Напомним, что речь шла не о конкретных договорах, речь шла о планах. Согласно материалам процесса, планы эти были таковы, что смутили сторонников Троцкого внутри страны, какими бы рьяными оппозиционерами они ни были. Смутили, однако от Троцкого не оттолкнули. — *Авт.*)»

4. И еще из допроса Радека:

«**Радек**: Мы решили для себя, что за директиву Троцкого мы не можем брать на себя ответственность. Мы не можем вести вслепую людей. Мы решили созвать совещание. Пятаков поехал к Троцкому... Троцкий сказал, что совещание есть провал или раскол...

Тогда мы решили, что мы созываем совещание, несмотря на запрет Троцкого. И это был момент, который для нас всех внутренне означал: пришли к барьеру.

...Прерывали ли мы деятельность после того, как получили директиву? Нет. Машина крутилась и в дальнейшем.

Вышинский: Вывод какой?

Радек: Поэтому вывод: реставрация капитализма в обстановке 1935 года. Просто — «за здорово живешь», для прекрасных глаз Троцкого — страна должна возвращаться к капитализму. Когда я это читал, я ощущал это как дом сумасшедших. И наконец, немаловажный факт: раньше стоял вопрос так, что мы деремся за власть потому, что мы убеждены, что сможем что-то обеспечить стране. Теперь мы должны драться за то, чтобы здесь господствовал иностранный капитал, который нас приберет к рукам раньше, чем даст нам власть. Что означала директива о согласовании вредительства с иностранными кругами? Эта директива означала для меня совершенно простую вещь, понятную для меня, как для политического организатора, что в нашу организацию вклинивается резидентура иностранных держав, организация становится прямой экспозитурой иностранных разведок. Мы перестали быть в малейшей мере хозяевами своих шагов.

Вышинский: Что вы решили?

Радек: Первый ход — это было идти в ЦК партии, сделать заявление, назвать всех лиц. Я на это не пошел. Не я пошел в ГПУ, а за мной пришло ГПУ.

Вышинский: Ответ красноречивый.

Радек: Ответ грустный».

Эти показания и имел в виду Молотов под тем, что называл «нелепостью». Продолжим же прерванную цитату. «...Я думаю, что и в этом есть искусственность и преувеличение. Я не допускаю, чтобы Рыков согласился, Бухарин согласился на то, даже Троцкий — отдать и Дальний Восток, и Украину, и чуть ли не Кавказ, — я это исключаю, но какие-то разговоры вокруг этого велись, а потом следователи упростили это...»

Думаем, читатель и без нашей подсказки найдет самую чудовищную нелепость всей этой истории. Она заключается в том, что этот план, даже Молотовым, вторым человеком в государстве, воспринимаемый как чудовищная нелепость, как абсурд, – *все это совершилось*. Не Бухарин, не Радек, не Пятаков – другие члены ЦК, секретари обкомов, президенты и премьер-министры – реализовали этот план до самых мельчайших его деталей. Кстати, к вопросу об абсурде: если бы году этак в 1985-м кто-нибудь рассказал нам, какой станет Россия в 2000 году, – кто из нас в ответ не покрутил бы пальцем у виска?

Начало

Первый звонок для начальника НКВД Генриха Ягоды прозвучал еще в 1934 году, когда одним из руководителей расследования убийства Кирова стал Николай Ежов из Комиссии партийного контроля. Весной 1936 года Сталин подключил его и к следствию по делу арестованных троцкистов. Столкнувшись еще в ходе расследования убийства Кирова, эти двое продолжали соперничать по-прежнему. Ягода попытался повторить маневр 1935 года, свести дело к тому, что уже арестованные оппозиционеры – это и есть троцкистский актив. Но на сей раз не вышло. Ежов и Агранов продолжали дело, не советуясь с шефом НКВД. И Ягода не выдержал роли, стал принимать следствие слишком близко к сердцу, что странно – до сих пор излишнего стремления к справедливости за ним вроде бы не наблюдалось. Сохранились протоколы допросов, на которых рукой Ягоды написано: «чепуха», «ерунда», «не может быть» и т. п. Любопытно...

И все же как-то уж очень все просто. Если бы шеф НКВД по-настоящему захотел саботировать следствие, то что мог ему противопоставить не искушенный в чекистской работе Ежов, даже при помощи Агранова? Вспомним, как выводили из игры Енукидзе и Петерсона, как виртуозно устроили подмену с германским консульством в Ленинграде – ведь те дела тоже были под контролем. А здесь такое ощущение, что НКВД попросту сдает уже раскрытых и засвеченных старых оппозиционеров. Выскажем безответственное предположение: НКВД их на самом деле сдает. Зачем? А затем же, зачем и раньше, – чтобы отвести удар от *настоящих*. От тех, которым совершенно не нужны в новой России ни Троцкий, ни Зиновьев с Каменевым – оттого они в этих группировках и не засвечены.

Один из этих настоящих – сам Ягода. Ну и, конечно, один бы он ничего не сделал, в «органах» должны быть и другие его люди. В августе 1936 года был арестован очень близкий ему человек – начальник секретно-политического отдела ГУГБ Г. А. Молчанов. Узнав об его аресте, тут же застрелились трое его сотрудников. Узнав об аресте самого Ягоды, еще один его доверенный сотрудник, Матвей Погребинский, который в это время проводил оперативное совещание, вышел в туалет и там застрелился. Ну и, конечно, многие были арестованы – впрочем, это далеко не всегда что-то доказывает...

...Может быть, все бы еще и обошлось – но заговорщикам фатально не повезло (зато повезло стране и всем нам). Сталин, возможно, даже сам того не ведая, нанес удар по *прикрытию*.

...25 сентября Сталин и Жданов, находившиеся на отдыхе (то есть работавшие в то время на побережье Черного моря), отправили в Москву шифрованную телеграмму (опять же документ для внутреннего пользования).

«Считаем абсолютно необходимым и срочным делом назначение тов. Ежова на пост наркомвнуделом. Ягода явным образом оказался не на высоте своей задачи в деле разоблачения троцкистско-зиновьевского блока. ОГПУ опоздал в этом деле на 4 года. Об этом говорят все партработники и большинство областных представителей наркомвнудела...»

Здесь самое важное – не назначение Ежова, а снятие Ягоды. И еще любопытна цифра: четыре года. Почему именно четыре? Что такого происходило в стране в 1932 году? Вроде бы в политической области все было относительно тихо. Разве что среди донесений агентов советской разведки в Германии содержатся сведения о подготовке переворота и о некоем теневом «правительстве» – и, кстати, согласно позднейшим показаниям Ягоды, начало заговора действительно относится к 1932 году. Но тогда областные работники ни о его показаниях, ни тем более о секретных донесениях знать не могли... Должно быть, они всерьез принялись за бывших троцкистов и накопали что-то такое, из чего следовал этот вывод.

Ягоду пока что перевели в наркомат связи. А Ежов, едва вступив в должность, тут же сменил и заместителей. Замами нового наркома стали М. Д. Берман, начальник ГУЛАГа, М. П. Фриновский, начальник погранвойск, и Л. Н. Бельский, кадровый чекист с 1918 года. Все очень опытные, и все родом из ВЧК, что еще сыграет свою черную роль. Укрепили Особый отдел, который стал называться контрразведывательным (или КРО) и которому теперь стали подведомственны все дела по шпионажу.

А еще появилось отделение охраны. И, кстати, в начале ноября была резко усилена персональная охрана руководства страны. Надо же, как странно: оппозиция разгромлена, а охрана усиливается. С чего бы это?

Сменив верхушку наркомата, Ежов получил доступ ко всем материалам. Что он там накопал? По-видимому, что-то серьезное, потому что к марту уже были арестованы 238 высокопоставленных чекистов – из них 107 работали в Главном управлении госбезопасности. За что, спрашивается, их арестовывали? Уж явно не за превышение полномочий при работе с подследственными, до Берии еще два года жить, да и разве в 1936 году так превышали полномочия, как в 1938?

Весной 1937 года аресты продолжались, но какие-то странные: не трогали почти никого, кроме чекистов. Это можно объяснить лишь одним: Ежов разматывал группу в НКВД. Кроме того, значительно раньше, 11 февраля, был арестован Енукидзе.

А 31 марта взяли Ягоду, и как взяли! Такого, кажется, еще не бывало. Спецсвязью всем членам ЦК разослали следующее сообщение: *«Ввиду обнаруженных антигосударственных и уголовных преступлений наркома связи Ягода, совершенных в бытность его наркомом внутренних дел, а также после его перехода в наркомат связи, политбюро ЦК ВКП считает необходимым исключение его из партии и ЦК и немедленный его арест. Политбюро ЦК ВКП доводит до сведения членов ЦК ВКП, что ввиду опасности оставления Ягода на воле хотя бы на один день, оно оказалось вынужденным дать распоряжение о немедленном аресте Ягода. Политбюро ЦК ВКП просит членов ЦК ВКП санкционировать исключение Ягода из партии и ЦК и его арест. По поручению политбюро ЦК ВКП Сталин»*[1].

И снова: что случилось?

Ягоду явно *изъяли*, потому что, арестовав, его не спешили допрашивать. Спрашивали какую-то ерунду. А тем временем взяли еще нескольких высокопоставленных чекистов, в том числе и кое-кого из наших знакомых: бывшего начальника особого отдела Гая (того самого, что писал на донесении Зайончковской: «Это бред выжившей из ума старухи»), начальника отдела охраны ГУГБ Паукера, бывшего коменданта Кремля Петерсона.

26 апреля Ягода дал показания о своей связи с «правыми»: Рыковым, Бухариным и прочими, признал, что был организатором заговора. Но было

---

[1] Цит по: *Жуков Ю.* Иной Сталин. М., 2003. С. 372.

кое-что, о чем они все, признавая любые альянсы с любыми политиками, молчали насмерть – они молчали о военных. Еще бы: в этом был их единственный шанс остаться в живых. Другого у них не было, и они молчали, надеясь, что те, оставшиеся на свободе, незасвеченные, сделают свое дело.

А 11 мая «Правда» опубликовала невероятную, потрясающую новость (правда, потрясающую лишь для узкого круга *понимающих*): в РККА снова вводится полностью отмененный в 1934 году институт военных комиссаров – во всех войсковых частях, начиная с полка. Воссоздаются военные советы при командующих округами.

Что происходит?

Трудно сказать, связал ли кто-либо из непосвященных это известие с информацией о перемещениях внутри РККА. Самым серьезным из них было смещение М. Н. Тухачевского с должности замнаркома на должность командующего войсками Приволжского военного округа...

Глава 17

ХРОНИКА ВОЕННЫХ ДЕЙСТВИЙ

> Наполеон будет двигаться вперед и вверх по одной простой причине:
> он не будет бояться брать на себя ответственность,
> когда другие будут переминаться в нерешительности.
>
> *А. Щербаков. Как стать великим*

Естественно, в ходе разгрома троцкистов были засвечены и те из них, кто служил в армии. Надо полагать, НКВД получил эти сведения в ходе подготовки процесса. Однако тогда арестовывать их не стали. Почему? И снова надо учитывать обстановку.

Это мы знаем, что война началась в 1941 году. Они, живущие в том времени, этого не знали. Французский генштаб считал, что она начнется в 1938 году. Тухачевский утверждал, что это будет в 1937 году, на два фронта: с Японией на востоке и с объединившимися для удара по СССР Польшей и Германией на западе. Советская армия была достаточно сильна, чтобы справиться с любой из армий вторжения – по отдельности. Но не с тремя вместе! Уборевич был более оптимистичен: он считал, что войны можно ждать «в этом году или в следующем», но, возможно, и через два-три года. Если повезет.

Кстати, еще один косвенный аргумент в пользу «двойного заговора». В начале 1936 года состоялась оперативно-штабная игра, на которой Тухачевский всерьез уверял, что Германии нужна Украина и, соответственно, удар немецких армий будет нанесен именно там. Да, это было бы так – по логике Гражданской войны, когда правительство Ленина готово было, чтобы скорее заключить мир, провести линию границы по фактически занятой неприятелем территории.

Но ведь это не 1919-й, это 1936 год! Советский Союз теперь намного сильнее, имеет мощную армию, колоссальные ресурсы и бешеные темпы развития промышленности, у власти стоит не Ленин, которому было на Россию наплевать, а Сталин, чья политика определена в песне: «Чужой земли мы не хотим ни пяди, но и своей вершка не отдадим». Ясно было, что, не разгромив СССР в целом, Украиной Германии не владеть. Кроме одного случая: если в результате войны еще и сменится правительство и к власти придут, те, кто *согласится...*

...Но, как бы то ни было, ситуация в стране была стандартная, а именно: «если завтра война». В этих условиях показывать и своим, и чужим, что в армии что-то неблагополучно – безумие. Тут и один арестованный «генерал» отзовется по всему миру таким резонансом... В марте 1937 года, едва только начались серьезные аресты военных и стало ясно, что в Красной Армии что-то неблагополучно, французы сразу же свернули подготовку ко всем переговорам с СССР, по поводу чего начальник Генштаба Франции генерал Гамелен сказал: «Альянс с Россией в труднопредсказуемых условиях представляется нежелательным» А после «дела Тухачевского» французские союзники буквально *шарахнулись* от СССР, и уже в июне от того же французского Генштаба поступило заявление: «Всякое новое сближение Франции с Москвой привело бы с точки зрения безопасности к нулевому или даже отрицательному результату»[1]. И камня в них не кинешь: кто станет иметь дело с государством, в котором творится такое...

Лето – осень 1936 года

...Так что с арестом армейских троцкистов пришлось немного подождать, хотя бы до процесса, – чтобы свести все к *отдельной троцкистской группе* и не вызвать даже мысли о *репрессиях в армии* накануне предполагаемой войны. Одного лишь комкора Шмидта, личность крайне колоритную[2], арестовали 6 июля. Остальных – непосредственно перед процессом, который проходил **21–23 августа**, или сразу после него.

14 августа – арестован комкор Примаков;

15 августа – комбриг Зюк;

20 августа – комкор В. Путна;

---

[1] Цит. по: *Мартиросян А.* Заговор маршалов. М., 2003. С. 214.

[2] Желающим узнать о нем побольше рекомендуем книгу В. Суворова «Очищение»

2 сентября – комдив Туровский;
25 сентября – комдив Саблин.

На процессе была озвучена информация о военном троцкистском подполье. Там говорилось, что Троцкий в письме Дрейцеру дал указание организовать нелегальные ячейки в Красной Армии. В качестве участников армейской «военно-троцкистской организации» называли уже арестованных к тому времени военного атташе в Лондоне В. К. Путну и командующего войсками Ленинградского военного округа В. М. Примакова. Были названы также имена двоих офицеров, готовивших теракты против Ворошилова – комдива Шмидта и майора Кузьмичева, служивших в Киевском военном округе под руководством Якира.

В конце 20-х годов Путна и Примаков на самом деле возглавляли троцкистскую организацию в армии – сейчас об этом имеется множество свидетельств, этот факт признают и сами троцкисты. А Шмидт и Кузьмичев являлись верными «оруженосцами» Примакова.

Примаков девять месяцев молчал насмерть, бомбардируя все возможные инстанции жалобами и просьбами – мужик был не из слабых. Путна уже 31 августа, после очной ставки с Радеком, дал первые признательные показания – что он действительно встречался с сыном Троцкого Львом Седовым и получил поручения организовать теракты против Сталина и Ворошилова. Признался – и замолчал. Следующие показания от него смогли получить лишь в мае 1937 года, когда уже ясно было, что игра проиграна. Тогда, осенью, об участниках заговора – не троцкистах они все молчали насмерть. Интерес тут был шкурный в прямом смысле слова: именно в них, в том, что у них получится все-таки с переворотом, были единственные шансы арестованных на жизнь.

Зима 1937 года

Генералы группы Тухачевского в это время, казалось, были в полной безопасности. Уборевичу и Корку были сняты партийные взыскания (кстати, по ходатайству Ворошилова, хотя они с Уборевичем терпеть друг друга не могли). Эйдемана собирались отправить в командировку за границу. Тухачевский фотографируется рядом со Сталиным среди членов Политбюро. Единственный намек на его будущую участь прозвучал в конце января на «процессе 16-ти», когда Радек одиннадцать раз упомянул имя Тухачевского.

Так говорят...

И в этом еще один миф и еще одна нелепость – что будто бы в сталинском СССР существовали какие-то «намеки», далеко идущие планы, какая-то игра с жертвами будущего террора, которые, дескать, заранее все понимали и, как загипнотизированные удавом кролики, ждали своей участи, потому что так их кушать вкуснее, и т. д.

«Намеки», «признаки» – это, конечно, хорошо. В книжках про тиранов это выглядит очень эффектно. И Сталин, конечно, был восточным человеком и мог этим искусством владеть. И владел, и иной раз его с удовольствием применял – в отношениях, например, с Черчиллем, тоже незаурядным политиком и очень умным человеком, способным это искусство оценить. Но какие могли быть «намеки» в Москве 1937 года? То есть намекать-то вождь мог сколько угодно, но кто бы его понял? На верхних этажах Страны Советов собралась такая публика, которая и прямую-то речь понимала через раз и по-своему. Всякие там психологические тонкости мило смотрятся в газетных политических обзорах, а в грубой советской реальности даже члены Политбюро, знавшие друг друга как облупленных, и то разговаривали предельно конкретно, избегая даже тени двусмысленности. Говоря с людьми менее знакомыми, Сталин каждый вопрос рассматривал с пяти сторон с десятью уточнениями – а вдруг не так поймут? А уж Тухачевскому намеки и вовсе как горохом по танковой броне – чтобы это понять, достаточно хотя бы на фото посмотреть...

Ну а теперь вернемся к Радеку – что он там такое говорил?

На утреннем судебном заседании 24 января 1937 года Радек сказал:

«В 1935 году Виталий Путна встречался со мной, передав одну просьбу Тухачевского». Допрашивавший его Вышинский оставил это упоминание без внимания – то есть тема явно не входила в сценарий процесса. И лишь на вечернем заседании, вероятно, получив какие-то указания, вернулся к ней и спросил Радека, зачем к нему обращался Тухачевский.

Из протокола допроса Радека.

*«**Радек**. Тухачевский имел правительственное задание, для которого не мог найти необходимого материала. Таким материалом располагал только я. Он позвонил мне и спросил, имеется ли у меня этот материал. Я его имел, и Тухачевский послал Путну, с которым работал над заданием, чтобы получить материал от меня. Тухачевский понятия не имел ни о роли Путны, ни о моей преступной роли.*

***Вышинский**. А Путна?*

***Радек**. Он был членом организации, он пришел не по делам организации, но я воспользовался его визитом для нужного разговора.*

Вышинский. *А Тухачевский?*

Радек. *Тухачевский никогда не имел отношения к нашим делам...* *Я заявляю, что я никогда не имел и не мог иметь никаких связей с Тухачевским по линии контрреволюционной деятельности, потому что я знал, что Тухачевский – человек, абсолютно преданный партии и правительству».*

Любопытно, с каких же пор демонстративное заявление о непричастности человека к заговору стало означать его скорый арест?

Знаете, есть такой старый анекдот. Едут два еврея на пароходе в Одессу. Когда уже город показался на горизонте, один спрашивает другого: «А вы куда едете?» – «В Одессу». Тот задумался глубоко, а потом и говорит: «Не понимаю. Вы сказали, что едете в Одессу, чтобы я подумал, что вы едете в Одессу, хотя на самом деле вы едете не в Одессу. Но вы на самом деле едете в Одессу – зачем же вы врете?»

Логика «политологического анализа», увы...

...Можно сказать, что Сталину повезло. Оставшиеся на свободе заговорщики могли отреагировать на происходящее двумя способами – форсировать выступление или затаиться. К счастью, они выбрали второй вариант. Тухачевский на следствии говорил: *«В связи с зиновьевским делом начались аресты участников антисоветского военно-троцкистского заговора. Участники заговора расценивали положение как очень серьезное. Можно было ожидать дальнейших арестов, тем более что Примаков, Путна и Туровский отлично знали многих участников заговора, вплоть до его центра.*

Поэтому, собравшись у меня в кабинете и обсудив создавшееся положение, центр принял решение о временном свертывании всякой активной деятельности в целях максимальной маскировки проделанной работы. Решено было прекратить между участниками заговора всякие встречи, не связанные непосредственно со служебной работой».

Совещание это могло иметь место осенью или в декабре 1936 года, поскольку после Нового года они уже не имели возможности собираться «в кабинете» Тухачевского – маршал в конце декабря неожиданно отправляется в отпуск, как оказалось, на целых три месяца[1]. По поводу этого внеочередного отдыха каких только слухов не было и каких только пред-

---

[1] Точнее, формально отпуск был дан с 28 января по 15 марта. Но после Нового года Тухачевский уже практически не появлялся на публике. По некоторым данным, он находился в госпитале.

положений сейчас не строят. Его связывают и с компроматом, полученным из Германии о давних связях с немецкой разведкой, и с начинаю-
щейся «опалой», с «конструированием "дела Тухачевского"», и даже с
попыткой самоубийства, предпринятой маршалом. Все, впрочем, может
быть проще: люди Ежова, раскапывая дела НКВД, нашли, например, старые донесения о «военной партии», поступили еще какие-то показания,
и «до выяснения» маршала отправили отдохнуть, пока что не только не
арестовывая, но даже не снимая с поста. Собственно, если он ни в чем не
замешан, ничего ужасного в этом нет...

Во второй половине января всем, кто хотел увидеться с Тухачевским,
сообщалось, что он находится в Сочи на лечении, а до того он лежал в
госпитале, хотя всегда отличался завидным здоровьем. Поэтому и не верят в это «лечение», что никогда раньше... А с другой стороны – легко ли
полгода жить под взведенным ножом гильотины? В ситуации постоянной угрозы одни ломаются духом, другие духом крепки – но подводит
тело...

О его душевном состоянии говорит маленький штрих. Зимой 1937 года
он горько сказал одной из сестер: «Как я в детстве просил купить мне
скрипку, а папа из-за вечного безденежья не смог сделать этого. Может
быть, вышел бы из меня профессиональный скрипач...»

Можно, в конце концов, и не выдержать... Похоже, дело было серьезным, если он не приехал даже на Пленум ЦК, который состоялся в конце
февраля – начале марта. Никакая «опала» не могла помешать кандидату в
члены ЦК присутствовать на Пленуме, это была его обязанность, тем более в такое время, тем более, Ворошилов должен был делать на нем доклад о положении в армии в связи с прошедшими арестами. Уж коль скоро
он *это* слушать не приехал, значит, и вправду не мог...

...По состоянию на 23 февраля

23 февраля 1937 года начался Пленум ЦК ВКП(б). На нем Ворошилов
впервые заявил о том, что в рядах Красной Армии существует вражеская
организация, и подробно рассказал, кто был арестован, какие давал показания. Нарком с радостью и гордостью доложил собравшимся:

*«...В армии к настоящему моменту вскрыто пока не так много вра-
гов. Говорю – к счастью, надеясь, что в Красной Армии врагов вообще
немного. Так оно и должно быть, ибо в армию партия посылает лучшие
свои кадры; страна выделяет самых здоровых и крепких людей».*

У него были основания так говорить. К 23 февраля было арестовано всего шесть «генералов» и два офицера поменьше. Это комкоры Примаков и Путна, комкор Туровский, комдивы Шмидт и Саблин, комбриг Зюк, полковник Карпель и майор Кузьмичев. Кроме того, было арестовано несколько военных, как сказал Ворошилов, докладывая об этом деле на Пленуме ЦК, «рангом и калибром пониже».

Стенограмму выступления Ворошилова опубликовали в 1997 году. Из нее видно, насколько «секретной» была подготовка удара по военным. Никто ее не засекречивал. Нарком открытым текстом говорил: «Совсем не исключено, что и в армию проникли подлые враги в гораздо большем количестве, чем мы пока об этом знаем». Но из нее видно и многое другое, причем видно настолько хорошо, что хрущевские времена с их «срыванием покровов» оставили этот документ секретным, и горбачевские времена с их «гласностью» оставили его секретным, и только в 1997 году, когда всем уже было все равно и даже страны под названием СССР уже не существовало, мы получили возможность его прочесть. Посмотрите, как они это видели в феврале 1937-го...

Из стенограммы выступления Ворошилова на Пленуме ЦК ВКП(б).

«Что собой представляют вскрытые НКВД в армии враги, представители фашистских японо-немецких, троцкистских банд? Это в своем большинстве высший начсостав, это лица, занимающие высокие командные посты. Кроме этой сравнительно небольшой группы, вскрыты также отдельные, небольшие группы вредителей из среды старшего и низшего начсостава в разных звеньях военного аппарата. Я далек, разумеется, от мысли, что в армии везде и все обстоит благополучно. Нет, совсем не исключено, что и в армию проникли подлые враги в гораздо большем количестве, чем мы пока об этом знаем...

...Троцкий еще в 1920–1921 годах, когда он пошел открытым походом на Ленина, на нашу партию, пытался опереться на кадры армии... На этом этапе своей вражьей вылазки против партии и Ленина Троцкий был бит. Но он не сложил оружия, а повел углубленную подрывную работу. И к 1923 году ему удалось – об этом нужно прямо сказать – с помощью своей агентуры добиться немалых успехов в Красной Армии.

В 1923–1924 годах троцкисты имели за собой, как вы помните, об этом помнить следует, почти весь Московский гарнизон. Военная академия почти целиком, школа ВЦИК, артиллерийская школа, а также большинство других частей гарнизона Москвы были тогда за Троцкого».

Ворошилов не зря сказал: «...Как вы помните...». Ведь речь шла, в сущности, о недавних событиях, 10–13-летней давности. В то время училища и академия, кузница офицерских кадров, были почти целиком за Троцкого. И ведь все эти люди никуда не делись, они остались в армии. К 1937 году это поколение командиров дослужилось уже до средних и высших чинов, и, будучи людьми довольно молодыми, они имели хорошие перспективы дальнейшего роста. Среди командного состава до сих пор оставалось немало выдвиженцев Троцкого – тот же Примаков, тот же Тухачевский. Во многом именно поэтому их всех будут «приплетать» к Льву Давидовичу – так удобней. Все, что угодно, лишь бы не признать, что армия готовила переворот сама от себя, что армия ненадежна. После этого можно забыть о дипломатии, о международных соглашениях, которые с таким трудом давались Советскому Союзу, а уж внутри страны это будет такой удар... Вот как раз этого, когда «завтра война», и не хватало!

*«**Ворошилов**. ...Нелишне напомнить, товарищи... что в тот момент, когда в конце 1923 и начале 1924 года Троцкий попытался нанести предательский удар нашей партии, Красной Армии как боевой вооруженной силы, способной вести войну с внешним врагом, не существовало... Зато в армии сложились группы троцкистов, которые, используя свое служебное положение, вели ожесточенную, дикую борьбу с партией и ее руководством.*

В 1925–1927 годах Троцкий во главе своей окончательно сложившейся... группы в последний раз пошел на партию. К этому времени все военные гарнизоны были твердо за партию и против Троцкого. Только Ленинград представлял исключение... В этот последний раз, когда Троцкий... был не только побит, но и выброшен из наших рядов, как открытый враг, он оставил и в стране, и в армии кое-какие кадры своих единомышленников. Правда, количественно эти кадры были мизерны, но качественно они представляли известное значение...»

Собственно говоря, ничего невозможного в этом разделе выступления нет. Действительно, Троцкий, будучи наркомвоенмором, активно вербовал в рядах своего ведомства сторонников для будущей политической работы – он был бы круглым дураком, если бы этого не делал. И коль скоро многие курсанты той же Военной академии, других училищ в то время были за Троцкого, то неудивительно, что часть из них тайно сохраняла верность опальному вождю. Ничто человеческое офицеру не чуждо, и водораздел Сталин–Троцкий проходил и через армию, как он проходил через партию, госаппарат и прочие структуры. С того времени эти люди выросли в чинах и вполне могли дорасти и до старших офицеров и генералов. Так что ничего неправдоподобного пока что Ворошилов не сказал, да и ничего особо интересного тоже.

Впрочем, дальше пошло интереснее. За что был арестован начальник штаба авиабригады майор Кузьмичев? Ворошилов рассказывает:

«Вопрос следователя: "Что вами было практически сделано для подготовки террористического акта над Ворошиловым в осуществление полученного задания от Дрейцера в феврале 1935 года?"

...Кузьмичев, добровольно взявший на себя выполнение теракта, отвечает на вопрос следователя:

"На маневрах в поле с Ворошиловым мне встретиться не удалось, так как наша часть стояла в районе Белой Церкви, а маневры проходили за Киевом, в направлении города Коростень. Поэтому совершение теракта пришлось отложить до разбора маневров, где предполагалось присутствие Ворошилова".

"Где происходил разбор маневров?"

"В киевском театре оперы и балета", – отвечает Кузьмичев.

"Каким образом вы попали в театр?" – спрашивает Кузьмичева следователь.

Кузьмичев отвечает: "Прилетев в Киев на самолете, я узнал о том, что билетов для нашей части нет. Комендант театра предложил занять свободные места сзади. Так как я намерен был совершить террористический акт над Ворошиловым во время разбора, я принял меры к подысканию места поближе к сцене, где на трибуне после Якира выступал Ворошилов. Встретив Туровского, я попросил достать мне билет. Через несколько минут Туровский дал мне билет в ложу".

Дальше его спрашивают: "На каком расстоянии вы находились от трибуны?"

Кузьмичев отвечает: "Метрах в 15, не больше". И вслед за этим он рассказывает, из какого револьвера должен был стрелять, почему он не стрелял – потому что якобы ему помешали, потому что все присутствующие в ложе его знали, что впереди две ложи были заняты военными атташе и иностранными гостями...»

На первый взгляд это обвинение не то что абсурдно, а вообще полный бред. Ну какой во всем этом смысл? Кому, на самом деле, нужен Ворошилов? Но если вдуматься, смысл-то есть. Во-первых, Ворошилов у нас оболган точно так же, как и большинство других персонажей того времени, и это еще надо выяснять – таким ли он был плохим наркомом, как об этом говорят. Во-вторых, дело было в феврале 1935 года. Только что убит Киров. Если его убийство действительно дело рук оппозиционеров, то почему бы им, вдохновленным успехом, не захотеть продолжить террор, расправившись еще с одним верным сталинцем? Кроме того, что еще важнее, в случае смерти Ворошилова во главе армии естественным образом становятся либо Тухачевский, либо Якир. Ради такого куша стоило рискнуть.

Но продолжим читать Ворошилова:

«Какие цели и задачи ставила перед собой эта японо-немецкая, троцкистско-шпионская банда в отношении Красной Армии? Как военные люди, они ставили и стратегические, и тактические задачи. Стратегия их заключалась в том, чтобы, формируя троцкистские ячейки, вербуя отдельных лиц, консолидируя силы бывших троцкистов и всякие оппозиционные и недовольные элементы в армии, создавать свои кадры, сидеть до времени смирно и быть готовыми в случае войны действовать так, чтобы Красная Армия потерпела поражение, чтобы можно было повернуть оружие против своего правительства...»

Ну, это все та же ленинская тактика – работа на поражение своей страны в войне с последующим захватом власти, о ней мы уже говорили, потому не будем повторяться. Плюс немножко эсеровщины – терактов против членов правительства. Все это всем присутствующим было очень знакомо, именно так многие из них делали революцию...

«Пятаков... в своих показаниях по поводу планов Троцкого в отношении Красной Армии заявляет следующее:

"Особенно важно, – подчеркивал Троцкий, – иметь связи в Красной Армии. Военное столкновение с капиталистическими государствами неизбежно. Я не сомневаюсь, что исход такого столкновения будет неблагоприятен для сталинского государства. Мы должны быть готовы в этот момент взять власть в свои руки"».

Абсолютно ничего невозможного! Более того, это самый естественный для оппозиции ход – попытаться еще раз воспроизвести победоносную ленинскую революцию. Учесть все новые обстоятельства и разработать новую стратегию – для этого нужен был все-таки мозг Ленина, а не Бухарина с Радеком, и даже не «демона революции». А сматрицировать старую победоносную – да почему же нет! Вышло один раз, вполне может выйти и в другой...

Читаем дальше:

«А вот как о том же говорит расстрелянный террорист Пикель, бывший в свое время секретарем Зиновьева.

"На допросе от 4 июля 1936 года вы показали о существовании военной организации, в которой принимали участие связанные с Дрейцером Путна и Шмидт. В чем должна была заключаться их работа?" – спрашивает Пикеля следователь.

Пикель отвечает:

"Все мероприятия троцкистско-зиновьевского центра сводились к организации крупного противогосударственного заговора. На военную организацию возлагалась задача путем глубокой нелегальной работы в армии подготовить к моменту успешного осуществления планов Зиновьева и Каменева немедленный переход части руководящего командного состава армии на сторону Троцкого, Зиновьева и Каменева и требования командного состава армии отстранить Ворошилова от руководства Красной Армией. Это предполагалось в том случае, если Дмитрию Шмидту до убийства Сталина не удастся убить Ворошилова".

Вот как эти господа намечали развертывание своей предательской работы в армии. Если не удастся троцкистам и зиновьевцам прийти к власти путем устранения руководства партии и советского государства террором, то необходимо выждать и готовиться к войне. А уж во время войны действовать в соответствии с их "стратегическими" планами.

В своих показаниях Д. Шмидт... говорит примерно то же, что и Пикель: "Развивая передо мною задачи организации военных троцкистских ячеек в армии, Дрейцер информировал меня о наличии двух вариантов захвата власти:

1) предполагалось, что после совершения нескольких основных террористических актов над руководством партии и правительства удастся вызвать замешательство оставшегося руководства, благодаря чему троцкисты и зиновьевцы придут к власти;

2) в случае неудачи предполагалось, что троцкистско-зиновьевская организация прибегнет к помощи военной силы, организованной троцкистскими ячейками в армии. Исходя из этих установок, Дрейцер в разговоре со мной настаивал на необходимости создания троцкистских ячеек в армии"».

Здесь тоже нет ничего абсурдного – нормальная революция. Только место Ленина в Швейцарии занимал Троцкий, которого ни одна страна не принимала, пока он не обосновался в Мексике.

Суммируя планы заговорщиков, Ворошилов приводит показания Радека на следствии от 4–6 декабря 1936 года, в которых тот обрисовал возможный сценарий их действий.

«...Деятельности троцкистов в рядах Красной Армии Троцкий и центр блока придавали особо серьезное значение, исходя опять-таки из установки на пораженчество в грядущей войне СССР с фашистскими государствами.

Как первый, так и второй центры троцкистско-зиновьевского блока прекрасно понимали, что троцкисты – командиры Красной Армии в мирных условиях ничего реального в смысле широкого или сколько-нибудь значительного выступления против правительства сделать не могут...

Однако в случае поражения СССР в войне, из чего они главным образом исходили и на что рассчитывали, троцкисты – командиры Красной Армии могли бы даже отдельные проигранные бои использовать, как доказательство якобы неправильной политики ЦК ВКП(б) вообще, бессмысленности и губительности данной войны.

Они также могли бы, пользуясь такими неудачами и усталостью красноармейцев, призвать их бросить фронт и обратить оружие против правительства.

Это дало бы возможность немецкой армии без боев занять оголенные участки и создать реальную угрозу разгрома всего фронта. В этих условиях наступающих немецких войск блок, опираясь уже на части, возглавляемые троцкистами-командирами, делает ставку на захват власти в свои руки, для того чтобы после этого стать оборонцами».

Читая это, поневоле вспомнишь безумную гипотезу Григория Климова – что репрессии 30-х годов были вызваны необходимостью уничтожить старых революционеров, по той причине, что профессиональный революционер для мирной жизни непригоден. Они занимались хорошо знакомым делом – они снова делали революцию! В общем-то, все аргументы «против» этого сценария сводятся к одному-единственному утверждению: «генералы» Красной Армии были уж такими патриотами, что сама мысль об их действиях против своей страны оскорбительна. Аргумент, конечно, убойный, учитывая, например, биографию генерала Власова...

А еще из этого выступления Ворошилова видно, что власти к тому времени и представления не имели о том, что на самом деле происходило в армии (если, конечно, это выступление – не виртуозная «деза». Но поручать «дезу» Ворошилову рискованно – не тот типаж, плохо врать умеет. Тогда логичней было бы выступить по этому поводу самому Сталину). Пока что они думали, что все дело в троцкистах, что заговор, по сути, уже раскрыт и все ограничится еще несколькими выявленными подпольщиками. Уже был арестован Енукидзе, но на свободе еще оставался Ягода, еще не заговорили по-настоящему Примаков и Путна... Ко времени Пленума арестованных было совсем немного – несколько десятков человек.

Насколько искренен был Ворошилов, когда говорил о невозможности переворота в мирное время? Действительно, с такими силами, какие имели арестованные к тому времени «генералы» и их сторонники, о перевороте думать смешно. Знал ли нарком о том, что через три месяца по тому же обвинению будут арестованы несколько командующих военными округами во главе с его собственным заместителем, а другой заместитель покончит с собой, чтобы избежать ареста? Что к июлю число арестованных офицеров высокого ранга достигнет нескольких сотен? Непохоже...

Что-то к тому времени уже нащупали, о чем-то догадывались, но истинные размеры заговора, думаем, стали обрисовываться лишь в последний момент, уже в мае 1937 года, по факту...

Март – апрель 1937 года

> Надеюсь, что в Красной Армии врагов вообще немного.
> Так оно и должно быть, ибо в армию партия посылает лучшие
> свои кадры; страна выделяет самых здоровых и крепких людей.
>
> *К. Ворошилов*

Весьма авторитетный современник событий, бывший сотрудник рейхсминистерства иностранных дел Пауль Шмидт, выпустивший после войны под псевдонимом Пауль Карелл книгу «Война Гитлера против России», пишет:

«...В марте 1937 г. соревнование между Тухачевским и агентами Сталина приобрело драматический характер. Словно рокот приближавшейся грозы, прозвучало замечание Сталина на пленуме Центрального Комитета: "В рядах Красной Армии есть шпионы и враги государства". Почему маршал тогда не выступил? Ответ довольно прост. Было трудно координировать действия офицеров генерального штаба и командиров армии, штабы которых нередко находились на расстоянии в тысячи километров друг от друга. Это затруднялось из-за внимательного наблюдения за ними со стороны тайной полиции, что вынуждало их проявлять максимальную осторожность. Переворот против Сталина был назначен на 1 мая 1937 г., главным образом из-за того, что первомайские парады позволяли осуществить значительные перемещения войск в Москву, не вызвав подозрения.

Однако случайность (или хитрость Сталина) привела к отсрочке решения. Кремль объявил, что маршал Тухачевский возглавит советскую делегацию в Лондоне на церемонии коронации короля Георга VI 12 мая 1937 г. Это должно было успокоить Тухачевского. И он действительно успокоился. Он отложил переворот на три недели. Это было его роковой ошибкой. Он не отправился в Лондон, и переворот не состоялся».

Другое свидетельство принадлежит человеку, в общем-то, не слишком надежному, хотя и достаточно информированному. Это бывший советский разведчик, невозвращенец Орлов (Фельдбин). Вообще-то фантазия у него буйная – так что отнесемся к его словам со здоровым скептицизмом, но сбрасывать их со счетов тоже не стоит. Итак, в октябре 1937 года, когда Орлов был в Испании, его навестил один из высоких чинов НКВД, Шпигельглас, и рассказал о том, что творилось в Москве в дни перед арестом Тухачевского.

«На самой верхушке царила паника. Все пропуска в Кремль были внезапно объявлены недействительными. Наши войска НКВД находились в состоянии боевой готовности. Это должен быть целый заговор».

Ни в опубликованной части «дела Тухачевского», ни в других делах никаких намеков на планировавшийся в мае переворот нет (однако это не означает, что их нет в неопубликованной части). Об этом не пишут и в газетах, хотя в те времена «Правда» была довольно откровенна. И ничего не говорит об этом Сталин на Военном совете.

Впрочем, это можно понять. Конечно, если бы в Политбюро имели возможность узнать, что произойдет через три месяца, в какую кровавую купель окунутся и армия, и партия, может, они бы и решили сказать правду – но сами понимаете... Нет, ее скажут – через девять месяцев, когда соображения весны тридцать седьмого года станут уже мелкими и смешными. А пока что правительство на это не пошло – решено было все дело свести к шпионажу и вредительству отдельных военачальников.

Это была позиция властей весной 1937-го, сформулированная Ворошиловым. Все, что хотите, лишь бы не было даже мысли о том, что армия ненадежна! И дело не только в том, что подумают на Западе, – обходились мы и без Запада столько лет, ничего! Самое страшное было не в этом.

В СССР того времени существовали два культа: культ Сталина и культ армии. Представляете, что началось бы, если бы стало известно, что эти два кумира пошли друг на друга войной? Это было бы равносильно крушению советского мира, в котором жили миллионы людей.

А ведь «завтра война»...

Так они должны были думать в том роковом мае. Поэтому «Правда» июня 1937 года наполнена сообщениями из армии – самыми разными. Да, идут аресты, и газета печатает фотографии с партсобраний – исполненные стыда и гнева лица командиров. И тут же просто заметки об армейских буднях, потому что враги – врагами, а армия – армией, она по-прежнему своя, надежная и любимая... Кстати, тогдашняя «Правда» – очень хорошая газета и потрясающий документ эпохи...

...И, само собой, эту информацию нельзя было доверять рядовым следователям. Кто мог знать в общих чертах о происходящем? Члены Политбюро, да и то, возможно, не все. Кто владел *всей* информацией? Сталин, Молотов, Ворошилов, Ежов. Эти – точно. Остальные – неизвестно.

Это – политика. А сталинские планы «чисток» в армии, проводимые по принципу «надежен» – «ненадежен», «верен» – «неверен», «предан» – «не предан» – это, простите, не политика, это литература...

Кстати, и Молотов, которого Чуев уже в 70–80-е годы все время доставал с этой темой, долго рассуждал о надежности Тухачевского, о том, что он мог быть с «правыми», но потом не выдержал, заявив: «Мы и без Бенеша знали о заговоре. Нам даже была известна дата переворота».

Это очень важно – то, что они знали дату. Это один из ключевых моментов во всем процессе репрессий. Именно поэтому «усиленно» допрашивали комбрига Медведева, со всеми вытекающими из этого последствиями...

...Итак, кольцо вокруг заговорщиков сжимается. Непосредственно их группа пока что затронута мало, есть еще надежда, что удастся проскочить, если арестованные будут сводить все к троцкизму и молчать о тех, кто никогда не был замешан ни в каких оппозициях. Действительно, у самых стойких линия поведения именно такова.

Но **11 марта** арестован комкор Гарькавый, командующий Уральским военным округом. Сын Якира вспоминал, что отец, узнав по телефону от наркома об аресте Гарькавого, «опустился в кресло и схватился за голову руками». Гарькавый был братом жены Якира, да, и это очень неприятно, когда родственник оказывается за решеткой – но все же это недостаточная причина для такого жеста, жеста ужаса и отчаяния. Дальше сын вспоминает, что отец тут же уехал в Москву – зачем?

По свидетельству Зюзь-Яковенко (того самого военного атташе в Германии, который рассказывал о «военной партии»), «Гамарник и Левичев ругали Гарькавого за то, что он всех выдает». Осведомители в НКВД у них, надо полагать, еще оставались. Трудно сказать, сколько знал «расколовшийся» комкор, но разоблачение заговора теперь становилось вопросом очень недолгого времени.

Есть не слишком достоверное свидетельство того, что когда начались аресты высшего комсостава, Фельдман бросился к Тухачевскому, и между ними состоялся следующий разговор:

«– Разве ты не видишь, куда идет дело? Он (Сталин. – *Авт.*) всех нас передушит, как цыплят.

– То, что ты предлагаешь – это государственный переворот, – ответил маршал. – Я на него не пойду».

Тогда Фельдман поехал к Якиру, командующему Киевским военным округом, и вновь получил отказ.

Достоверность этого диалога – на уровне слухов. Но на Военном совете в начале июня упоминалась какая-то мартовская поездка «генералов» в Сочи, где тогда находился Тухачевский, причем по контексту можно понять, что речь шла о совещании. И это совещание могло состояться только по одному поводу: что делать?

Как вы думаете, могли ли они, загнанные в угол, отказаться от активных действий, сидеть и ждать, когда всех переловят поодиночке?

17 марта важная информация пришла из-за границы. Советский полпред в Париже В. П. Потемкин имел беседу с премьер-министром Франции Даладье. Содержание беседы было настолько важным, что посол сообщил о нем в Москву шифротелеграммой. Вот что там говорилось:

«Даладье, пригласивший меня к себе, сообщил следующее: Из якобы серьезного французского источника он недавно узнал о расчетах германских кругов подготовить в СССР государственный переворот при содействии враждебных нынешнему советскому строю элементов из

командного состава Красной Армии. После смены режима в СССР Германия заключит с Россией военный союз против Франции. Об этих планах знает будто бы и Муссолини, сочувственно относящийся к такому замыслу, сулящему поражение Франции и возможность расширения владений итальянской империи за счет бывших французских земель. Даладье добавил, что те же сведения о замыслах Германии получены военным министерством из русских эмигрантских кругов, в которых имеются по данному вопросу две позиции. Непримиримые белогвардейцы готовы поддержать германский план, оборонцы же резко высказываются против. Даладье пояснил, что более конкретными сведениями он пока не располагает, но что он считает "долгом дружбы" передать нам свою информацию, которая, быть может, для нас небесполезна».

28 марта, в страшной спешке, был арестован бывший нарком внутренних дел Ягода. Впрочем, он тоже молчал о военных. Ягода легко признал связь с уже арестованными троцкистами Горбачевым и Путной, с Енукидзе. Что же касается Тухачевского, бывший шеф НКВД определенных показаний не дал, сказав только, что в конце 1933 года Енукидзе ему говорил, что Тухачевский еще не завербован, но «вся военная группа ориентируется на Тухачевского как на будущего руководителя в армии, а может быть, и выше». Эти показания не значили ничего – мало ли кто на кого «ориентируется»?

Тут любопытно другое: слова «а может быть, и выше». Стало быть, они уже тогда знали, что военные не намерены отдавать власть Троцкому! Да ведь и врет Ягода: Тухачевский к тому времени был уже давно завербован. Мог ли шеф НКВД не знать об этом? Едва ли: должны же ему сообщить, кого персонально следует прикрывать... Но о Тухачевском и других надо было молчать все по той же причине – последняя надежда была на то, что, оставаясь на свободе, они успеют с переворотом...

В конце марта Тухачевский приезжает в Москву. Вскоре после его возвращения на квартире Розенгольца состоялось совещание, в котором, кроме хозяина квартиры, приняли участие Тухачевский и Крестинский. Судя по тому, что одним из предметов разговора была предстоящая поездка Тухачевского в Лондон, встреча эта могла состояться не раньше 7 апреля. Разговор шел все о том же: что делать?

Кстати, о поездке. **7 апреля**, как уже упоминалось, было принято решение о включении Тухачевского в делегацию, отправлявшуюся в Лондон, на коронацию Георга VI. Карелл считает, что это было сделано, чтобы заставить военных отложить переворот. Но верится в это не очень. С какой стати ради этого они будут его откладывать? Скорее наоборот, ведь военным невыгодна эта поездка: а вдруг у «главного заговорщика» сдадут нервы и он останется за границей? Что они будут делать тогда?

Все же, наверное, следует считать, что 7 апреля Тухачевскому еще доверяли.

Когда в Кремле начали понимать, что это *другая* организация?

Пожалуй, где-то в промежутке между 10 и 15 апреля. Потому что 15 апреля состоялось первое *перемещение*.

Впоследствии перемещение на другую должность перед арестом стало своеобразной традицией. Но тогда такой традиции еще не существовало. Все арестовывались на своих рабочих местах – кроме Ягоды. Однако Ягоду убрали из наркомата не по причине близкого ареста, его сняли потому, что он, как тогда думали, не справился со своими обязанностями. А того же Гарькавого арестовали, никуда не переводя. Значит, 11 марта они все еще думали, что имеют дело с троцкистским подпольем.

Почему 15 апреля можно считать своего рода «моментом истины»?

Дело в том, что остатки *разгромленного* подполья можно арестовывать совершенно спокойно – в тех масштабах, в каких эти остатки оценивались, они были не опасны.

Но ликвидировать таким путем *живую* группу, отдельный и самостоятельный «заговор генералов» не просто рискованно, а смертельно опасно. Потому что все эти люди вооружены, решительны и, прижатые к стенке, становятся непредсказуемыми. Если командующий округом поймет, что терять ему больше нечего, с него станется поднять войска и пойти на Москву или, например, начать войну, двинуть в Польшу через границу. А если это его округ, в котором у него наверняка есть сотоварищи по заговору, то войска ему подчинятся. Другое дело на новом месте службы, где он еще не успел обрасти связями. Поэтому сначала их надо было переместить, а уж потом арестовывать.

Итак, **15 апреля.** Комкор Фельдман, начальник Управления по начальствующему составу РККА, смещен со своего поста и назначен помощником командующего МВО.

21 апреля. Ежов направляет Сталину, Молотову и Ворошилову спецсообщение: *«Нами сегодня получены данные от зарубежного источника, заслуживающего полного доверия, о том, что во время поездки* *тов. Тухачевского на коронационные торжества в Лондон над ним по заданию германских разведывательных органов предполагается совершить террористический акт. Для подготовки террористического акта создана группа из 4 чел. (3 немцев и 1 поляка). Источник не исключает, что террористический акт готовится с намерением вызвать международное осложнение. Ввиду того, что мы лишены возможности обеспечить в пути следования и в Лондоне охрану тов. Тухачевского, гарантирующую полную его безопасность, считаю целесообразным поездку тов. Тухачевского в Лондон отменить».*

Сталин на сообщении написал: *«Членам ПБ. Как это ни печально, приходится согласиться с предложением т. Ежова. Нужно предложить т. Ворошилову представить другую кандидатуру. И. Сталин».*

Это явная «отмазка», означающая только одно – маршала решили не отправлять за границу. Значит, как минимум 20 апреля они уже *знали.*

22 апреля. Решение Политбюро об отмене поездки Тухачевского в Лондон.

22 апреля. Арестованных чекистов начали допрашивать об участии Тухачевского в заговоре.

22–25 апреля. Арестованы высокопоставленные работники НКВД: бывший начальник Особого отдела НКВД М. И. Гай и бывший заместитель наркома внутренних дел Г. Е. Прокофьев. Они дали показания на Тухачевского, Уборевича, Корка, Шапошникова, Эйдемана и других военачальников и сообщили об их связях с Генрихом Ягодой. Ягода эти связи отрицал.

27 апреля. Арестованный чекист Волович назвал Тухачевского в числе участников заговора.

27 апреля. В Киеве арестован Петерсон. Уже во время обыска он написал заявление на имя Ежова, где признал себя виновным в заговоре и назвал имена Енукидзе, Корка, Тухачевского, Путны.

...Похоже, что, вынеся решение об отмене поездки Тухачевского в Лондон, Политбюро не спешило ознакомить его с этим решением. По крайней мере, внешне он выглядел достаточно спокойным, хотя лицедей из него был не очень-то...

28 апреля состоялся прием в посольстве США. Американский посол Дэвис, вспоминая об этом дне, пишет, что Тухачевский приехал на прием вместе с Ворошиловым, Егоровым и др. «Особых признаков напряженности между этими людьми не было. Тухачевский... казался слишком самоуверенным и был похож на человека, упивающегося собственным благополучием»...

...Через несколько дней Ворошилова, с которым они на приеме звенят бокалом о бокал, по настоянию Тухачевского, должны уничтожить – даже раньше, чем остальных членов Политбюро. Этот теракт будет предшествовать перевороту.

Близятся первомайские праздники – очень удобное время...

Май 1937 года

Самый удобный день для совершения переворота – **1 мая.** Это все понимали: и заговорщики, и правительство. О том, что в этот день все было не так просто, говорят некоторые штрихи. Например, такие: 1 мая 1937 года оперативникам НКВД приказано было особенно внимательно следить за военными. А на поясе наркома обороны Ворошилова был револьвер, чего ни раньше, ни позже за ним не водилось...

1 мая переворот все-таки не состоялся. Впрочем, как говорил Молотов, дата была известна. Откуда известна и как узнали – это уже другой вопрос. И тут начинается гонка. Чекисты и правительство должны *успеть!*

2 мая. Арест комкора Б. Горбачева, командующего Уральским военным округом, бывшего заместителя командующего МВО А. Корка.

5 мая – арест комбрига Е. Медведева, бывшего работника Генштаба, уволенного из армии за троцкизм в 1933 году. Это очень важный момент. Считается, что первым непосредственные показания на Тухачевского дал именно Медведев. Позднее установлено, и сомневаться в этом нет особых оснований, что показания эти даны под диктовку следователей, с применением «мер физического воздействия». Для чего все это делалось – несколько ниже. Медведев дал показания на Фельдмана, послужившие основанием для его ареста.

8 мая. «Активизация» допросов Примакова (не в том смысле, что его стали бить, а в том, что принялись много допрашивать).

8 мая. Арест А. Корка, которого чекисты в то время считали главой военного заговора (правительство не обязано было делиться с ними своей информацией).

9 мая. Ворошилов готовит приказ о смещении Тухачевского с должности заметителя наркома, а Якира – с должности командующего Киевским военным округом.

Очень важная запись в записной книжке Ежова: «Напасть на Медведева по Якиру». Надо ли говорить, кто дал это указание. Значит, о Якире раньше не знали...

10 мая. Медведев дает «показания» о том, что руководителем заговора является не Корк, а Тухачевский, он же кандидат в диктаторы. В состав центра входят Якир, Путна, Примаков, Корк и др.

А теперь о Медведеве. Его роль во всем этом деле – совсем особая.

Вспомним, что в это время Сталин активно строил правовое государство. Стало быть, необоснованные аресты, по подозрению, в то время были исключены. Для того чтобы арестовать человека, нужна была санкция прокурора и нужны были *основания*.

Материала на заговорщиков имелось полным-полно. Но все это либо данные разведки, либо показания осведомителей, которые не могли служить формальным основанием для ареста. Почему не были задействованы показания арестованных чекистов – непонятно. Возможно, они ничего не знали лично, а тоже основывались на донесениях. Поэтому в ситуации жесточайшей спешки, когда речь шла о жизни и смерти, чекисты пошли на то, чтобы создавать «легендированные», фальшивые основания. Для этого и нужен был комбриг Медведев. Неизвестно, знал ли об этом Сталин, или это была личная инициатива Ежова, но на это пошли. Потом уже чекисты поняли, что это *можно использовать как метод*. А тогда их осуждать трудно... или надо осудить вместе с ними капитана Жеглова, который сунул кошелек в карман Кости Кирпича. И ведь на месте Шарапова мог оказаться кто-либо другой, который отнесся бы к делу иначе и решил, что *можно* – как это и случилось тогда в НКВД. И закон превратился в кистень.

Но тогда надо осудить и капитана Жеглова. Как говорил английский писатель Честертон устами своего знаменитого героя отца Брауна: «Выбирайте что угодно – ваш мятежный самосуд или нашу скучную законность, но, ради Господа Всемогущего, пусть уж будет одно для всех беззаконие или одно для всех правосудие».

Можно ли привести более яркий пример того, куда ведет дорога, вымощенная благими намерениями?

Ладно, хватит лирики, вернемся к хронике.

10 мая. Введение в армии института комиссаров. Правительство де-факто признало, что армия ненадежна, хотя поняли это немногие. Но кому надо – те поняли. О пакте с французами, например, с этой минуты можно было забыть. Кстати, об отмене и возврате комиссарства наша общеупотребительная история упоминает очень мало и глухо.

10 мая. Политбюро утверждает представленный Ворошиловым список новых назначений. Первым заместителем наркома обороны становится маршал Егоров. Начальником Генштаба РККА – бывший командующий войсками Ленинградского военного округа командарм I ранга Шапошников. Тухачевского отправляют командовать Приволжским округом, Якира переводят в Ленинградский и т. д. Каждому из них предстояло на новом месте обживаться, налаживать связи. Это давало правительству выигрыш во времени хотя бы на несколько недель. Параллельно продолжали идти аресты.

13 мая. Тухачевский встречается со Сталиным. О чем они разговаривали, неизвестно. Однако позднее, на Военном совете, тот с нескрываемым презрением скажет: «Я бы... будучи последовательным контрреволюционером, попросил бы сначала свидания со Сталиным, сначала уложил бы его, а потом бы убил себя. Так контрреволюционеры поступают...» Тут даже и стрелять не надо: могучий маршал мог попросту задушить «вождя народов», как цыпленка, – все равно ведь терять нечего! Но...

Вот именно: «но»!

14 мая. Примаков дает показания о троцкистской организации в армии, с которой он был связан, называет несколько имен.

15 мая. Путна показал, что передавал Тухачевскому письма от Троцкого, и Тухачевский сказал, что «Троцкий может на него рассчитывать». Также назвал многих участников заговора.

15 мая. Арестован Фельдман.

16 мая. Фельдман начинает давать показания.

16 мая. Корк начинает давать показания. Он сообщил, что военная организация правых (включавшая троцкистскую группу под руководством Путны, Примакова и Туровского) была частью более крупной организации правых, в которую его вовлек Енукидзе. Основной задачей группы был военный переворот в Кремле. Во главе военной организации стоял штаб переворота, в который входили Корк, Тухачевский и Путна.

19 мая. Фельдман дает показания. Говорит, что в организацию его вовлек Тухачевский, называет имена более 40 командиров и политработников, в том числе Шапошникова, Гамарника, Дыбенко и др.

Ежов каждый день докладывает лично Сталину о ходе допросов, посылает ему протоколы. Из членов Политбюро с материалами следствия были знакомы только Сталин, Молотов, Каганович и Ворошилов. После получения показаний Корка и Фельдмана о подготовке военного переворота они дали санкцию на арест Тухачевского.

20 мая. Тухачевский прибывает к новому месту службы. Ему остались считанные дни и, судя по всему, он это понимает. Бывший начальник штаба корпуса П. А. Ермолин рассказывал о том, каким он увидел Тухачевского на конференции. (Несмотря на видимую невооруженным глазом странность истории с этим назначением, многие в округе обрадовались. Служить под его началом «было приятно».)

«Во время перерыва Тухачевский подошел ко мне, – вспоминает Ермолин. – Спросил, где служу, давно ли ушел из академии. Непривычно кротко улыбнулся: "Рад, что будем работать вместе. Все-таки старые знакомые".

Чувствовалось, что Михаилу Николаевичу не по себе. Сидя неподалеку от него за столом президиума, я украдкой приглядывался к нему. Виски поседели, глаза припухли. Иногда он опускал веки, словно от режущего света. Голова опущена, пальцы непроизвольно перебирают карандаши, лежащие на столе».

21 мая. Примаков дает собственноручные показания о том, что во главе заговора стоял Тухачевский, который был связан с Троцким. Называет еще сорок видных военных работников, в том числе С. С. Каменева, Шапошникова, Гамарника, Дыбенко, С. П. Урицкого.

22 мая. Арест Эйдемана.

22 мая. Арест Тухачевского.

Обстоятельства этого ареста долгое время оставались неизвестными. Лишь в конце 80-х годов сестрам расстрелянного маршала пришло письмо. Некто И. Н. Шишкин узнал о том, как это было, от человека, производившего арест, Р. К. Нельке, полномочного представителя НКВД.

«Михаил Николаевич приехал в Куйбышев своим вагоном, – говорилось в письме, – и должен был прийти в обком представиться и познакомиться с руководством обкома, которое в ожидании собралось в кабинете первого секретаря. И вот распахнулась дверь, и в проеме появился Михаил Николаевич. Он медлил, не входя, и долгим взглядом обвел всех присутствующих, а потом, махнув рукой, переступил порог.

К нему подошел Нельке и, представившись, сказал, что получил приказ об аресте... Михаил Николаевич, не произнося ни слова, сел в кресло, но на нем была военная форма, и тут же послали за гражданской одеждой... Когда привезли одежду, Михаилу Николаевичу предложили переодеться, но он, никак не реагируя, продолжал молча сидеть в кресле. Присутствующим пришлось самим снимать с него маршальский мундир...»[1]

25 мая. Эйдеман начинает давать показания.

26 мая. Тухачевский доставлен в Москву и начинает давать показания.

28 мая. Арест Якира. Он тоже начал давать показания практически сразу.

29 мая. Арест Уборевича.

30 мая. От работы в Наркомате обороны отстранен начальник Политуправления РККА Я. Б. Гамарник.

31 мая. Самоубийство Гамарника.

31 мая. Якир подписывает заявление: «Я хочу... помочь ускорить следствие, рассказать все о заговоре и заслужить право на то, что советское правительство поверит в мое полное разоружение».

Из заявления И. Э. Якира на имя наркома ВД СССР Н. И. Ежова. 31 мая 1937 г.

«Еще осенью 1935 года при встрече моей и Уборевича с Тухачевским у него на квартире он развил перед нами вопрос о так называемом "дворцовом перевороте". Он указал на то, что рассчитывает на совместные действия по организации переворота как чекистов, участвующих в охране Кремля, так и военной охраны, в первую очередь – на Кремлевскую школу (позднее – Московское высшее общевойсковое командное училище). По времени переворот и захват руководящих работников партии и правительства происходит тогда, когда в основном будет закончена подготовка Гитлера к войне. Ориентировочно это должен быть 1936 год. Как на непосредственных организаторов этого дела, он указывал на Енукидзе, Егорова – начальника Кремлевской школы и чекистов, фамилии которых не помню. Кажется, речь шла о Паукере. "Дворцовый переворот" должен был быть поддержан рядом выступлений организации в других крупных городах Советского Союза. Мною в Киеве для выполнения задачи была подготовлена бригада Шмидта, которая, будучи поднята по тревоге якобы с целью защиты украинского правительства в связи с восстанием в Москве, должна была обеспечить захват партийного и советского руководства Украины..."»

---

[1] Цит по: *Кантор Ю.* Война и мир Михаила Тухачевского. М., 2005. С. 370.

Загадка быстрых признаний

Надо наконец поговорить и о показаниях на следствии и на суде. Знаете, к ним можно относиться по-разному, – но только в нашей стране победившего бреда официальные материалы следствия выносятся за рамки истории и *не рассматриваются вообще*. Было бы естественно, если бы их обсуждали, оспаривали – но их изначально выносят за скобки, объявляя лживыми от начала до конца.

Давайте, что ли, тогда уж распространим этот метод и объявим «выбитыми» и недостоверными, например, все показания декабристов. Никакого тайного общества не было, просто солдатики в честь коронации перепились и поперли на площадь, а гадкие власти свалили вину на офицеров, которых злобный Николай по каким-то причинам не любил. Смеетесь? А что тут смешного? Разве такого, в принципе, не могло быть?

И все же – почему они так легко давали показания, все эти генералы?

Принято думать, что признаваться им было не в чем, что они были чисты, как стеклышко, и показания подписывали только под пытками или в надежде сохранить жизнь. Ну, насчет той версии, что ради того, чтоб остаться в живых, можно пойти на что угодно – так это версия для современного человека (и то не для всякого), для которого верх риска – прогуляться ночью за сигаретами. Они все воевали, лично Тухачевский за полгода войны получил пять орденов за храбрость. Более того: для царской армии, воспитанником которой он являлся, не было ничего необычного в том, что офицеры стрелялись, бросая под ноги не только временную жизнь, но и вечную – если не видели иного способа спасти свою честь. Военные – это каста, для которой честь превыше жизни. И вы хотите сказать, что эти...

О *чести* разговор особый. Тот же Тухачевский не видел ничего дурного в том, чтобы устроить переворот, но как он защищался на суде от обвинений в шпионаже! Жизнь это ему спасти не могло, но быть заговорщиком – это не бесчестно, а шпионом – позорно.

Есть объяснения и более изысканные. Например, Н. Черушев[1] считает, что, когда следствие заходило в тупик, «на помощь приходила партия, точнее, партийная дисциплина, этот важнейший инструмент воздействия на арестованных... Призыв к партийной совести, к признанию своей вины

---

[1] Автор книги «Невиновных не бывает».

во имя высших интересов партии... играли в этом деле далеко не последнюю роль. Наглядно это подтверждено материалами следствия над Зиновьевым и Каменевым...»

Ну, что тут можно сказать... очень трогательно. Возможно, Зиновьев и Каменев к тому времени уже умом и тронулись. Но какой телепатией можно вызвать на большевистское самопожертвование такого человека, как Тухачевский?

А теперь о так называемых «незаконных методах допроса». Давайте вспомним еще двоих репрессированных военачальников. Примерно в то же время были арестованы комдив Рокоссовский и комбриг Горбатов. Их тоже допрашивали следователи НКВД, надо думать, в том же режиме, что и прочих. Ни тот, ни другой ни в чем не признались. Оба были освобождены. Блюхер позже, в 1938 году – его уже пытали по-настоящему – ничего не признал и так и погиб на допросе. Ничего не признал и упоминавшийся в показаниях Тухачевского И. И. Смолин, заявивший на суде, что те, кто давал показания, его оклеветали – хоть ему это и не помогло, но он держался. Подобную стойкость проявляли и другие арестованные, в том числе и женщины. После войны, например, следствие по делу Еврейского антифашистского комитета шло четыре года. Подследственными были представители интеллигенции – не самые стойкие на земле люди. И все равно: те, кто давал показания, давали их после многомесячных допросов. Некоторые так и не признали за собой никакой вины.

Повторим еще раз: НКВД весны 1937 года и НКВД осени того же года – это две *разных* организации. Весной «раскалывали» заговорщиков. Осенью «кололи» невинных. Мы сейчас говорим не о том, кто арестован обоснованно, а кто нет. Мы говорим о пытках.

В вышеупомянутой «Справке», кстати, описываются «незаконные методы», применявшиеся в «деле Тухачевского». Какие именно? Цитируем:

«В один из выходных дней после допроса в Лефортовской тюрьме некоторых обвиняемых... Николаев сказал: "Что еще делать, давайте набьем Гаю морду", – поручил вызвать на допрос Гая и после вызова Гая Евгеньев, не дав ему ответить по существу заданного вопроса, ударил его...»

«...Гай начал давать показания по шпионской работе после того, когда Ежов обещал ему сохранить жизнь, заявив: "Пощажу"».

«Зам. начальника отдела Карелин и нач. отд. Авсеевич давали мне и другим работникам указания сидеть вместе с Примаковым и тогда, когда

он еще не давал показаний. Делалось это для того, чтобы не давать ему спать... В это время ему разрешали в день спать только 2–3 часа в кабинете, где его должны были допрашивать и туда же ему приносили пищу... В период расследования дел Примакова и Путны было известно, что оба эти лица дали показания о участии в заговоре после избиения их в Лефортовской тюрьме...»

«Арестованные Примаков и Путна морально были сломлены... длительным содержанием в одиночных камерах, скудное тюремное питание... вместо своей одежды они были одеты в поношенное хлопчатобумажное красноармейское обмундирование, вместо сапог обуты были в лапти, длительное время их не стригли и не брили...»

Последние два фрагмента особенно ценны – они получены в 1955 году, когда социальный заказ был на разоблачение зверств режима – казалось бы, твори, выдумывай, пробуй! А всего-то и сотворили, что лапти да бороды, что для командиров, конечно же, унизительно, но... (А с другой стороны – попробуйте-ка полгода в тюрьме да в сапогах!)

Из показаний бывших следователей, приведенных в «Справке», можно сделать вывод, что вроде бы физические меры воздействия применялись к Эйдеману и Якиру. Именно «вроде бы», потому что за доказательство эти свидетельства принять нельзя. *«Якир шел в кабинет в форме, а был выведен без петлиц, без ремня, в распахнутой гимнастерке, а вид его был плачевный, очевидно, что он был избит Леплевским и его окружением».* Сам следователь того, как били, не видел. (Из того, что свидетели видели сами, зафиксирован только один раз, когда Гая на допросе ударили по лицу.)

И это те чудовищные пытки, которыми за один-два дня ломали волю арестованных, заставляя их возводить на себя немыслимые поклепы – еще раз повторим: не женщин, не интеллигентов, не подростков – солдат...

А теперь о настоящих пытках и о том, как держались на допросах другие «красные генералы» (Выделение наше. – *Авт.*).

Из жалобы комбрига И. Е. Богослова на имя Л. П. Берии.

«Меня в течение двух шестидневок били каждый день кулаками и пороли нагайкой и палкой. Не видя конца этим пыткам и выхода, я стал писать, что от меня требовали... После первого перерыва этого допроса и отдыха в несколько дней... я отказался от данных показаний...»

Из заявления комбрига А. П. Мейера на имя Сталина:

*«Здесь, в тюрьме, когда ко мне следователем Бледных были применены бесчеловечные меры физического и психического воздействия, я **на 11-й день непрерывного допроса,** когда не стало никаких больше сил, когда мне вынуждены были вызвать мед. помощь, я подписал ложные на себя и на др. лиц "показания"...»*

Из заявления дивинженера Н. И. Жуковского на имя Л. П. Берии:

*«В Лефортовской тюрьме, в которой я пробыл в течение **трех месяцев**, я был вынужден невероятными телесными муками и угрозами, что таким же мукам будет подвергнута моя жена, дать показания, продиктованные мне в основном самим следователем... Дал такие показания я только для того, чтобы избавиться от телесных и нравственных мучений, предпочитая им смерть, хотя бы даже и не заслуженную.*

Однако если принять во внимание, что я нахожусь уже в преклонном возрасте (более 60 лет от роду) и что я инвалид (правая рука целиком ампутирована), то такие неправильные показания могут быть не поставлены мне в особую вину...»

Из заявления комдива М. П. Карпова на имя секретаря ЦК ВКП(б):

*«Вместо того, чтобы поднять архивы... стали издеваться надо мною и бить смертным боем **в продолжение ряда месяцев** (с промежутками), доводя меня до отчаянного положения, больного, психически расстроенного, угрозы репрессировать семью, отбив почку, всего синего, на это есть свидетели даже врачи... Я видел, что если мне ничего не писать, то я на допросах буду убит...*

На другой день написал обо всем прокурору и н-ку Управления, что все это абсурд, выдумано под физическим воздействием и опровергается документами и фактами иного порядка, ответа не получил и вскоре был отправлен в больницу тюрьмы № 1 в тяжелом состоянии...»[1]

Так пытали, и так держались, и так защищались те, кто и вправду был невиновен. А теперь снова почитаем «Справку»: *«Следствием по делу Тухачевского непосредственно руководил Ежов; в качестве следователей им были использованы вышколенные фальсификаторы Леплевский, Ушаков и другие. Эти лица, потеряв понятие о человеческом облике, не считались с выбором средств для достижения цели, применяли различного рода моральные и физические пытки, чтобы сломить волю арестованных и добиться ложных показаний. Попав в такую обстановку, пробыв под стра-*

---

[1] Цит. по: *Черушев Н.* Невиновных не бывает. М., 2004.

жей несколько дней и поняв безвыходность своего положения, Тухачевский 26 мая 1937 года написал следующее заявление: "Заявляю, что признаю наличие антисоветского военно-троцкистского заговора и то, что я был во главе его... Основание заговора относится к 1932 году"».

Это не опечатка. Тухачевского доставили в Москву 25 мая. На все изуверские пытки следователям был отпущен ровно один день...

...Если эти люди на самом деле невиновны... то да поможет Бог стране, во главе армии которой стоят такие генералы. Да поможет ей Бог – потому что больше надеяться не на кого!

Досье: соратники

Иона Эммануилович ЯКИР родился в 1896 году в Кишиневе, в семье аптекаря-еврея. Учился в Базельском университете в Швейцарии, затем в Харьковском технологическом институте. В 1915–1917 годах работал токарем на военном заводе в Одессе. Общение с армией началось с агитации, которой он занимался среди солдат Кишиневского гарнизона.

Военная карьера его не менее сногсшибательна, чем у Тухачевского, даже более, ибо Тухачевский все-таки кадровый офицер, а послужной список Якира начинается в конце 1917 года. (Кстати, в партию он вступил тоже в 1917 году.) Да и виражи карьеры Якира куда круче. Тухачевский как стал «красным генералом», так и продолжал им быть, а Якир все время перемещается с комиссарских должностей на командирские и наоборот.

Начал он с секретаря военного совета – должность в то время чисто политическая, затем плавно перешел на пост командира батальона, уже в начале марта 1918 года стал комендантом Тираспольской крепости. Потом снова возвращение на «политические круги» – за лето и осень 1918 года двадцатидвухлетний военком прошел путь от комиссара Воронежского района до члена Реввоенсовета 8-й армии Южного фронта. И снова крутой поворот: 7 июля 1919 года он получает дивизию, а уже 14 августа становится командующим Южной группой войск. Когда группа была расформирована – снова дивизия, в 1920 году – опять группа войск, на сей раз Львовская. После окончания Гражданской войны командовал вооруженными силами Крыма, затем войсками Киевского военного округа.

За какие особые заслуги командир батальона в короткий срок проделал головокружительную карьеру до командующего группой войск? Может быть, свет прольет письмо начальника Военно-инженерной академии И. И. Смолина: «Я знаю тов. Якира с октября 1918 года, работал с ним в 8-й армии на Южном фронте, где он был членом РВС. Тогда представлялось отеческое отношение Троцкого к Якиру». А с другой стороны, за боевые заслуги Иона Якир был награжден тремя (!) орденами Красного Знамени и Почетным золотым оружием. А орденами в то время так просто не разбрасывались.

В 1928−1929 годах Якир учился в Военной академии генерального штаба Германии. Немцы ставили его очень высоко. Сам президент страны Гинденбург вручил советскому «генералу» труд известного теоретика молниеносной войны Альфреда фон Шлифена «Канны» с надписью «На память господину Якиру − одному из талантливых военачальников современности». После чего к нему обратились с просьбой прочитать германскому генералитету курс лекций о Гражданской войне в России. Интерес к лекциям был весьма велик...

Дальнейшая карьера Якира тоже чрезвычайно благополучна. Когда 22 сентября 1935 года были установлены персональные воинские звания, он получил звание командарма 1-го ранга. До мая 1937 года командовал Киевским военным округом, одним из самых крупных округов.

Назым Якупов в книге «Трагедия полководцев» так рассказывает о последнем месяце жизни Якира: «По свидетельству очевидцев, видевших Якира на последнем в его жизни параде (1 мая 1937 г. − *Авт.*), он выглядел не так, как всегда: не было обычной приподнятости настроения, он был задумчив и печален...

27 мая 1937 года в Киеве открылся XIII съезд КП(б)У. Делегаты не могли не заметить мрачного настроения Якира, сидевшего в президиуме, в его глазах была тревога, он был рассеян... В момент открытия съезда Якиру позвонил из Москвы Ворошилов и приказал срочно приехать на заседание Военного совета. Якир ответил, что завтра вылетит. Ворошилов сказал, что ехать надо поездом и немедленно. Иона Эммануилович сел на поезд в тот же день и

в 13 часов 15 минут выехал из Киева. На рассвете 28 мая во время стоянки в Брянске в купе зашли сотрудники НКВД и объявили, что он арестован».

Двадцатилетний подпоручик, командир батареи, сын литовского крестьянина **Иероним Петрович УБОРЕВИЧ** вступил в партию в марте 1917 года. Прославился как агитатор, и в конце 1917 года солдаты полка избрали его своим командиром. Сражался под Одессой, был разбит и взят в плен, однако почти сразу же бежал и пробрался в Петроград.

И снова начинаются чудеса — куда там Тухачевскому! Направленный на Северный фронт командиром гаубичной батареи, уже 23 сентября 1918 года Уборевич становится командиром Нижне-Двинской бригады, в начале декабря — начальником дивизии. А 6 октября 1919 года уже застало его на посту командарма на Южном фронте, где он был командующим 13-й, 14-й и 5-й армиями, воевал сначала с деникинцами, а потом с поляками, уничтожил банды атамана Булак-Булаховича, в 1921 году был помощником Фрунзе на Украине. Участвовал он и в ликвидации восстания Антонова — в этой операции он был помощником Тухачевского.

Затем судьба бросает его на Дальний Восток. Уборевич становится военным министром Дальневосточной республики и ее главнокомандующим. Именно он командовал «штурмовыми ночами Спасска», который за ожесточенность боев прозвали «Дальневосточным Верденом», освобождал Владивосток. За боевые заслуги он также имел три ордена Красного Знамени и Почетное оружие.

Проведенная в мае 1922 года аттестация дала Уборевичу чрезвычайно высокую оценку. Вскоре его причислили к Генеральному штабу. После войны он стал командующим войсками Северо-Кавказского военного округа, боролся с бандитизмом с горах.

В 1927—1928 годах Уборевич тоже обучался в Германии в академии генерального штаба. Вернувшись из Германии, он стал командующим Московским военным округом. В июне 1930 года был назначен Начальником вооружений, заместителем наркомвоенмора и председателя Реввоенсовета. Однако его служба в этом качестве оказалась неудачной, и в 1931 году его на посту начальника вооружений сменил Тухачевский, а Уборевич стал командующим войсками Белорусского военного округа – возможно, именно поэтому отношения между ними были натянутыми.

В конце мая 1937 года Ворошилов позвонил Уборевичу в Смоленск и приказал прибыть в Москву на совещание. 29 мая на вокзале он был арестован.

Ян Борисович ГАМАРНИК родился в 1894 году в Житомире, в семье мелкого конторского служащего-еврея, а вырос в Одессе. В 1914 году поступил в Петербургский психоневрологический институт, затем перевелся на юридический факультет Киевского университета. В сентябре 1916 года вступил в партию. В октябре 1917 года был избран в состав Киевского ревкома. Во время немецкой оккупации Украины работал в подполье, а после вступления Красной Армии в Одессу стал председателем губкома партии. В августе 1919 года становится членом Реввоенсовета Южной группы войск (той, которой командовал Якир).

После Гражданской войны Гамарник простился с армией и занялся партийной работой. Снова стал председателем Киевского губкома, потом Приморского губисполкома. В 1926 году он был назначен на пост председателя Дальревкома – высшего органа советской власти дальневосточной республики. В 1928 году вернулся в Белоруссию, участвовал там в маневрах, после чего ему предложили вернуться в армию. Он был назначен начальником Политуправления, а с июня 1930 года стал заместителем наркома обороны и заместителем председателя Реввоенсовета страны.

Когда началась чистка, Гамарник в своих выступлениях поддерживал официальную версию об окопавшихся в армии немецких, японских и троцкистских агентов. В мае 1937 года его освободили от обязанностей первого заместителя наркома. 31 мая к нему на квартиру приехали начальник Политуправления РККА А. С. Булин и начальник управделами Наркомата обороны И. В. Смородинов и объявили ему приказ об увольнении из РККА. После их ухода Гамарник застрелился.

Август Иванович КОРК родился в 1887 году в деревне Ардлан Лифляндской губернии, в эстонской крестьянской семье. В 1908–1917 годах служил в царской армии. Окончил Чугуевское пехотное училище, Академию Генерального штаба, военную школу летчиков-наблюдателей. В 1918 году вступил в Красную Армию. Начал Гражданскую войну со скромной должности в оперативном отделе Всерославштаба, а закончил командующим 6-й армией Южного фронта.

После Гражданской войны командовал Харьковским военным округом, затем был помощником командующего вооруженными силами Украины и Крыма, командовал Западным и Ленинградским военными округами. В партию вступил поздно – только в 1927 году. В 1928 году был военным атташе в Германии. После возвращения до 1935 года командовал Московским военным округом, затем стал начальником Военной академии имени Фрунзе. В 1935 году получил звание командарма 2-го ранга. Арестован 14 мая 1937 года.

Витовт Казимирович ПУТНА тоже из крестьян. Родился в 1893 году в литовской деревне Мацконяй Виленской губернии. В армии с 1915 года. Успел окончить школу прапорщиков. В 1917 году вступил в РСДРП(б). Службу в Красной Армии начал в 1918 году с должности комиссара Витебского губернского военкомата, затем был комиссаром 1-й Смоленской стрелковой дивизии. С комиссарской должности перешел на командирскую и закончил войну командиром дивизии. Участвовал в ликвидации Кронштадтского мятежа и подавлении крестьянских восстаний на Нижней Волге.

После войны, окончив военно-академические курсы высшего комсостава, стал начальником и комиссаром 2-й Московской пехотной школы. В 1923 году примыкал к троцкистской оппозиции, затем объявил об отходе от нее. Работал в Штабе РККА, после командовал корпусом.

С 1927 года Путна переходит на военно-дипломатическую работу. С 1927 по 1931 год занимает должности военного атташе в Японии, Финляндии, Германии. Затем командует Приморской группой войск, и в 1934 году, вплоть до самого ареста, – военный атташе в Великобритании.

Роберт Петрович ЭЙДЕМАН родился в 1895 году в Лифляндской губернии, в семье латышского учителя. Учился в Лесном институте в Петрограде. В 1916 году окончил Киевское военное училище, получив звание прапорщика. После Февральской революции его избрали председателем полкового комитета и председателем Канского совета. Член партии с марта 1917 года. Очень скоро, в октябре 1917 года, он уже — заместитель председателя Центрального исполнительного комитета Сибири. С мая 1918 года — командир Омской группы 1-й партизанской армии, затем командует 16-й, 41-й и 46-й стрелковыми дивизиями, потом — начальник тыла Юго-Западного фронта, командующий 13-й армией, Каховской группой войск. Войну закончил в должности командующего войсками внутренней службы Юго-Западного фронта.

После Гражданской войны — помощник и заместитель командующего войсками Украины, командует Сибирским военным округом, затем начальник и комиссар Военной академии имени Фрунзе, член Реввоенсовета СССР, член Военного совета. В 1935 году получил звание комкора.

Виталий Маркович ПРИМАКОВ родился в 1897 году в местечке Семеновка Черниговской губернии. Для разнообразия, славянин — украинец. В партию вступил довольно рано — в 1914 году. За революционную деятельность в 1915 году был арестован и сослан в Енисейскую губернию. Вернулся из ссылки в 1917 году и сразу стал членом Киевского комитета РСДРП(б). Дальше его биография несколько нетипична. В августе 1917 года он служит в Черниговском запасном полку — рядовым.

Службу в Красной Армии начал с должности командира конного полка, вскоре стал командиром и комиссаром 1-й дивизии Червонного казачества, после — 1-го корпуса Червонного казачества, не прыгая по фронтам и должностям. После войны кавалеристы делились на две группировки — Буденного и Примакова, «первоконников» и «червоноказачников».

Затем Примаков участвовал в борьбе с басмачами в Средней Азии. После Гражданской войны — командир и комиссар Высшей кавалерийской школы Ленинградского военного округа, потом, в 1925—1926 годах военный советник в Китае, военный атташе в Афганистане и Японии. По возвращении — командир и комиссар 13-го корпуса Приволжского военного округа, помощник командующего войсками Северо-Кавказского военного округа, инспектор высших учебных заведений РККА. С января 1935 года — заместитель командующего войсками Ленинградского военного округа. В том же году получил звание комкора.

Борис Миронович ФЕЛЬДМАН родился в 1890 году в г. Пинске Минской губернии, в еврейской мещанской семье. С пятнадцати лет стал рабочим. В 1913 году призван в армию. Участвовал в Первой мировой войне. Службу в Красной Армии начал помощником начальника оперативного отделения штаба 13-й армии, закончил начальником штаба Народно-революционной армии Дальневосточной Республики. В партию вступил в 1920 году. Окончил Военную академию РККА.

С 1921 года — командир и комиссар 17-го и 19-го корпусов, начальник штаба войск Ленинградского военного округа. С 1934 года — начальник Управления по начальствующему составу РККА, с 15 апреля 1937 года — заместитель командующего войсками Московского военного округа. В 1935 году ему присвоено звание комкора.

ПРЕВЕНТИВНАЯ ВОЙНА
(Продолжение)

> ...Ставится вопрос об отмене приговора и прекращении дела за отсутствием состава преступления, так как дополнительным расследованием, произведенным в 1957 году, установлены новые обстоятельства, свидетельствующие о невиновности... и необоснованности его осуждения. Установлено, что военно-фашистского заговора в РККА в действительности не существовало...
>
> *Из реабилитацинной справки*

Мы, по счастью, не верим в то, что в такие короткие сроки можно довести такое количество невиновных людей до состояния, в котором они покорно подписывают любые поклепы на себя и других. Какие только объяснения не придумывали, чтобы оправдать удивительную нестойкость генералов! И пытки, и изуверские психологические трюки типа уговоров о том, что их признание нужно для партии, и т. п. И даже применение психотропных средств. И только одно объяснение, лежащее на поверхности, было не замечено. Представьте себе, что перед арестованным заговорщиком следователь выкладывает многочисленные подлинные признания его товарищей по заговору. Он читает показания и видит, что и то правда, и это правда, и там тоже правда... Вот удар неотразимой силы! Тогда человек может сломаться сразу и заговорить в тот же день.

Обоюдоострые аргументы

Конечно, Хрущеву, придя к власти, следовало бы все следственные дела уничтожить. Но, по-видимому, он был не настолько прозорлив. В последнее время информация, содержащаяся в этих строго охраняемых папках, все-таки стала просачиваться на поверхность. Так, были опубликованы показания Тухачевского на следствии – не заранее заготовленные, залитые кровью листки, на которых дрожащей рукой выведена подпись, как представляется по рассказам о том жутком времени. Со страницы на страницу кочует леденящее душу заключение Центральной судебно-медицинской лаборатории Военно-медицинского управления Министерства обороны СССР от 28 июня 1956 г. «...В пятнах и мазках на листках 165, 166 дела N 967581 обнаружена кровь... Некоторые пятна крови имеют форму восклицательного знака. Такая форма пятен крови наблюдается обычно при попадании крови с предмета, находящегося в движении, или при попадании крови на поверхность под углом...» Правда, известный исследователь Г. Смирнов несколько разочаровывает любителей ужасного: «...невдомек читателю с разыгравшимся воображением... что в следственном деле Тухачевского нет показаний, написанных рукой следователя и лишь подписанных Михаилом Николаевичем, а есть показания, написанные его собственной рукой на 143 страницах! Показания аккуратно разделены на несколько глав, с подпунктами, исправлениями и вставками. Написаны они четким, ровным почерком со всеми знаками препинания, абзацами и примечаниями. В них подследственный поэтапно и скрупулезно вскрывает мельчайшие детали заговора, выдумать которые не смог бы ни один следователь. Что же касается кошмарных пятен крови, да еще "имеющих форму восклицательного знака", то они действительно есть, но не на собственноручных показаниях Тухачевского, а на третьем экземпляре машинописной копии».

Анализируя эти тексты, надо еще и учитывать ситуацию. Например, Фельдман пишет следователю Ушакову: *«Начало и концовку заявления я писал по собственному усмотрению. Уверен, что Вы меня вызовете к себе и лично укажете, переписать недолго».*

Ну и что это значит? Это вполне может значить, что подследственный не владел формой – не знал, как надо начинать и заканчивать заявления. А самое главное ведь – не в начале и конце, а в середине. Существенная часть, фактура – ее он как писал, «по собственному усмотрению» или под диктовку?

Еще пример. Цитируем Ю. Кантор:

«Уже "обработанные" следователями (за один день! – *Авт.*), военные подписывали любую ахинею и как закодированные повторяли на допросах требуемые формулировки. Трудно представить, чтобы находящийся в здравом рассудке человек облекал мысли в подобную форму. Эти агрессивно-косноязычные клише предписаны правилами игры.

Вечером 25 мая Тухачевский написал Ежову заявление:

"Народному комиссару внутренних дел Н. И. Ежову.

Будучи арестован 22-го мая, прибыв в Москву 24-го, впервые был допрошен 25-го и сегодня, 26-го мая заявляю, что признаю наличие антисоветского военно-троцкистского заговора и то, что я был во главе его. Обязуюсь самостоятельно изложить следствию все касающееся заговора, не утаивая никого из его участников и ни одного факта и документа..."»

Опять же и здесь возможны разные варианты. Либо сломленный пытками арестант покорно пишет все, что велит следователь. Либо арестант, не избитый и не сломленный, понял, что запираться бессмысленно, и имеет место примерно такой диалог.

– Пишите заявление, – говорит следователь.

– На чье имя?

– Народного комиссара внутренних дел.

Арестант некоторое время сидит в недоумении над листом бумаги. Голова работает не слишком, да и тюремная канцелярщина отличается от военной.

– Знаете... никогда не приходилось писать такого рода документы...

– Хорошо, – кивает следователь, который безумно от всего этого устал, у него ведь не один подследственный. – Пишите. Будучи арестован 22-го мая...»

Если бы опубликовали подлинные следственные дела самого маршала и еще двух-трех десятков осужденных по делу о военном заговоре, думаем, это изрядно скорректировало бы наши представления о том времени. Впрочем, основные показания Тухачевского опубликованы. Из них, в общем-то, все ясно. Кстати, в них нет никакой чужой, казенной лексики, все предельно точно, сжато, конкретно...

Что же касается «незаконных методов ведения следствия», то у всех арестованных были как минимум две возможности о них заявить. Первая – при встрече с прокурором накануне процесса. Вторая – на самом процессе открыто отказаться от «выбитых» показаний и заявить о своей невиновности. Тем более что членами суда были не юристы, а военные, их вчерашние товарищи.

9 июня Тухачевского допрашивают помощник главного военного прокурора Субоцкий и прокурор Союза ССР Вышинский. Он подписывает протокол.

«Свои показания, данные на предварительном следствии о своем руководящем участии в военно-троцкистском заговоре, о своих связях с немцами, о своем участии в прошлом в различных антисоветских группировках, я полностью подтверждаю. Я признаю себя виновным в том, что я сообщил германской разведке секретные сведения, касающиеся обороны СССР. Я подтверждаю также свои связи с Троцким и Домбалем.

Задачи военного заговора состояли в проведении указаний троцкистов и правых, направленных к свержению советской власти. Я виновен также в подготовке поражения Красной Армии и СССР в войне, т. е. в совершении государственной измены. Мною был разработан план организации поражения в войне... Я признаю себя виновным в том, что я фактически после 1932 г. был агентом германской разведки. Также я виновен в контрреволюционных связях с Енукидзе в составе военно-троцкистского заговора. Кроме меня, были Якир, Уборевич, Эйдеман, Фельдман, С. С. Каменев и Гамарник. Близок к нему был и Примаков.

Никаких претензий к следствию я не имею.

Тухачевский» [1].

На суде – вы помните, что за характер был у этого человека, как он не спускал ни одной несправедливости по отношению к себе? – так вот: на суде он тоже ни о чем подобном не заявил.

Ни в разговоре с прокурором, ни на суде ни один из подсудимых не заявил, что признание вырвано у него пытками, хотя судьями были их собственные товарищи-генералы, люди не пугливые и не смиренные. Или

---

[1] Цит. по: *Кантор Ю.* Война и мир Михаила Тухачевского. М., 2005. С. 406–407.

кто-то полагает, что тот же Буденный, узнав, что подсудимых заставили под пыткой оговорить себя, смолчал бы? Да он бы всю страну на уши поставил, а от НКВД не то что камня на камне – щебенки бы не осталось! А их там было таких – восемь...

Так что нет ни малейших оснований предполагать, что они оговаривали себя. А почему те, кого били на следствии – если такое в самом деле имело место, – не предъявляли претензий по поводу собственно избиений? Так это же очень просто! Для них это было *нормально*. Генералы Гражданской войны, они привыкли к тому, что на допросах бьют. В самом деле, *а что тут такого?*

Почему Сталин говорил неправду

С 1 по 4 июня в Кремле проходило расширенное заседание Военного совета при наркоме обороны. Кроме постоянных членов Совета, на заседании присутствовало 116 приглашенных из округов и аппарата НКО. В первый день перед членами Совета выступил Ворошилов с докладом о раскрытом заговоре. Все собравшиеся были ознакомлены, под расписку, с показаниями арестованных. Можно себе представить, какой это был шок! На следующий день, 2 июня, перед ними выступил Сталин.

Очевидцы вспоминают, что Ворошилов за последний месяц постарел на много лет и выглядел подавленным. Сталин же, наоборот, был очень оживлен, быстро оглядывал собравшихся и вообще выказывал признаки сильнейшего волнения. И речь его была не обычной речью вождя – четкой, выверенной до последнего слова. Нет – он говорит сбивчиво, с неправильностями и повторами, все время теряя нить изложения, сбиваясь на какие-то посторонние предметы, явно заигрывая с собравшимися. Но было в этой речи нечто куда более странное. До сих пор правительство, в общем-то, достаточно правдиво информировало о происходящем. 2 июня все было совсем не так...

Из стенограммы речи Сталина:

«Товарищи, в том, что военно-политический заговор существовал против Советской власти, теперь, я надеюсь, никто не сомневается. Факт, такая уйма показаний самих преступников и наблюдений со стороны товарищей, которые работают на местах, такая масса их, что, несомненно, здесь имеет место военно-политический заговор против Советской власти, стимулировавшийся и финансировавшийся германскими фашистами...

486

...Я пересчитал тринадцать человек. Повторяю: Троцкий, Рыков, Бухарин, Енукидзе, Карахан, Рудзутак, Ягода, Тухачевский, Якир, Уборевич, Корк, Эйдеман, Гамарник. Из них десять человек шпионы. Троцкий организовал группу, которую прямо натаскивал, поучал: давайте сведения немцам, чтобы они поверили, что у меня, Троцкого, есть люди. Делайте диверсии, крушения, чтобы мне, Троцкому, японцы и немцы поверили, что у меня есть сила... Человек, который проповедовал среди своих людей необходимость заниматься шпионажем, потому что мы, дескать, троцкисты, должны иметь блок с немецкими фашистами, стало быть, у нас должно быть сотрудничество, стало быть, мы должны помогать так же, как они нам помогают в случае нужды. Сейчас от них требуют помощи по части информации, давайте информацию. Вы помните показания Радека, вы помните показания Лившица, вы помните показания Сокольникова – давали информацию. Это и есть шпионаж. Троцкий – организатор шпионов из людей, либо состоявших в нашей партии, либо находящихся вокруг нашей партии, – обер-шпион.

Рыков. У нас нет данных, что он сам информировал немцев, но он поощрял эту информацию через своих людей. С ним очень тесно были связаны Енукидзе и Карахан, оба оказались шпионами. Карахан с 1927 года и с 1927 года Енукидзе. Мы знаем, через кого они доставляли секретные сведения...

Бухарин. У нас нет данных, что он сам информировал, но все его друзья, ближайшие друзья: Уборевич, особенно Якир, Тухачевский, занимались систематической информацией немецкого генерального штаба.

Ягода – шпион, и у себя в ГПУ разводил шпионов. Он сообщал немцам, кто из работников ГПУ имеет такие-то пороки. Чекистов таких он посылал за границу для отдыха. За эти пороки хватала этих людей немецкая разведка и завербовывала... Ягода говорил им: я знаю, что вас немцы завербовали, как хотите, либо вы мои люди, личные и работаете так, как я хочу, слепо, либо я передаю в ЦК, что вы – германские шпионы. Так он поступил с Гаем – немецко-японским шпионом. Он сам это признал. Эти люди признаются. Так он поступил с Воловичем – шпион немецкий, сам признается. Так он поступил с Паукером – шпион немецкий, давнишний, с 1923 года...

Дальше. Тухачевский. Вы читали его показания.

Голоса. *Да, читали.*

Сталин. *Он оперативный план наш, оперативный план – наше святое святых передал немецкому рейхсверу. Имел свидание с представи-*

телями немецкого рейхсвера. Шпион? Шпион. Для благовидности на Западе этих жуликов из западноевропейских цивилизованных стран называют информаторами, а мы-то по-русски знаем, что это просто шпион. Якир – систематически информировал немецкий штаб... Уборевич – не только с друзьями, с товарищами, но он отдельно сам лично информировал. Карахан – немецкий шпион. Эйдеман – немецкий шпион.

...Есть одна разведчица опытная в Германии, в Берлине... Жозефина Гензи, может быть, кто-нибудь из вас знает. Она красивая женщина. Разведчица старая. Она завербовала Карахана. Завербовала на базе бабской части. Она завербовала Енукидзе. Она помогла завербовать Тухачевского. Она же держит в руках Рудзутака. Это очень опытная разведчица... красивая, охотно на всякие предложения мужчин идет, а потом гробит. Вы, может быть, читали статью в "Правде" о некоторых коварных приемах вербовщиков. Вот она одна из отличившихся на этом поприще разведчиц германского рейхсвера...»

На следствии о шпионаже говорилось, но немного. В основном шла речь о заговоре. Но Сталин (а за ним и газета «Правда») к шпионажу сводит все.

«Могут спросить, естественно, такой вопрос – как это так, эти люди, вчера еще коммунисты, вдруг сами стали оголтелым орудием в руках германского шпионажа? А так, что они завербованы. Сегодня от них требуют – дай информацию. Не дашь, у нас есть уже твоя расписка, что ты завербован, опубликуем. Под страхом разоблачения они дают информацию. Завтра требуют: нет, этого мало, дай больше и получи деньги, дай расписку. После этого требуют – начинайте заговор, вредительство. Сначала вредительство, диверсии, покажите, что вы действуете на нашу сторону. Не покажете – разоблачим, завтра же передаем агентам советской власти, у вас головы летят. Начинают они диверсии. После этого говорят – нет, вы как-нибудь в Кремле попытайтесь что-нибудь устроить или в Московском гарнизоне и вообще займите командные посты. И эти начинают стараться как только могут. Дальше и этого мало. Дайте реальные факты чего-нибудь стоящие. И они убивают Кирова. Вот, получайте, говорят. А им говорят – идите дальше, нельзя ли все правительство снять. И они организуют через Енукидзе, через Горбачева, Егорова, который был тогда начальником школы ВЦИК, а школа стояла в Кремле, Петерсона. Им говорят, организуйте группу, которая должна арестовать правительство. Летят донесения, что есть группа, все сделаем, арестуем и прочее. Но этого мало, аресто-

вать, перебить несколько человек – а народ, а армия. Ну, значит, они сообщают, что у нас такие-то командные посты заняты, мы сами занимаем большие командные посты: я, Тухачевский, а он Уборевич, а здесь Якир...

...Вот подоплека заговора. Это военно-политический заговор. Это собственноручное сочинение германского рейхсвера. Я думаю, эти люди являются марионетками и куклами в руках рейхсвера. Рейхсвер хочет, чтобы у нас был заговор, и эти господа взялись за заговор. Рейхсвер хочет, чтобы эти господа систематически доставляли им военные секреты. Рейхсвер хочет, чтобы существующее правительство было снято, перебито, и они взялись за это дело, но не удалось. Рейхсвер хотел, чтобы в случае войны было все готово, чтобы армия перешла к вредительству с тем, чтобы армия не была готова к обороне, этого хотел рейхсвер и они это дело готовили... Это агентура германского рейхсвера. Вот основное».

Нет, на самом деле ничего невозможного тут нет. Вспомним историю – «пятую колонну» генерала Франко, «пятые колонны» Гитлера. Они были везде, во всех завоеванных странах, кроме СССР. Чем это объяснить? Что она не создавалась? Но такого не может быть. Или наш народ более устойчив и на вербовку не поддается? Что, двадцать лет социализма в корне изменили человеческую природу? Тогда как же после семидесяти лет социализма у нас с такой легкостью создали «пятую колонну» для проведения перестройки? Самая простая и логичная версия – в том, что «пятая колонна» Гитлера у нас создавалась, а потом была разгромлена.

Да, но почему он говорит *только* о шпионаже? Ничего другого в его речи просто нет. Вот опять:

«...Целый ряд лет люди имели связь с германским рейхсвером, ходили в шпионах. Должно быть, они часто колебались и не всегда вели свою работу. Я вижу, как они плачут, когда их привели в тюрьму. Вот тот же Гамарник. Видите ли, если бы он был контрреволюционером от начала до конца, то он не поступил бы так, потому что я бы на его месте, будучи последовательным контрреволюционером, попросил бы сначала свидания со Сталиным, сначала уложил бы его, а потом бы убил себя. Так контрреволюционеры поступают[1]. Эти же люди были не что иное, как невольники германского рейхсвера, завербованные шпионы, и эти невольники должны были катиться по пути заговора, по пути шпионажа... Рейхсвер, как могучая сила, берет себе в невольники,

---

[1] Гамарник не просил свидания со Сталиным. Зато Тухачевский просил и был 13 мая им принят.

в рабы слабых людей, а слабые люди должны действовать, как им прикажут. Невольник есть невольник. Вот что значит попасть в орбиту шпионажа. Попал ты в это колесо, хочешь ты или не хочешь, оно тебя завернет и будешь катиться по наклонной плоскости. Вот основа. Не в том, что у них политика и прочее, никто их не спрашивал о политике...»

Снова и снова Сталин повторяет, заклинает: шпионы, невольники рейхсвера. Впрочем, на этот вопрос он отвечает сам:

«Заговор этот имеет, стало быть, не столько внутреннюю почву, сколько внешние условия, не столько политику по внутренней линии в нашей стране, сколько политику германского рейхсвера. Хотели из СССР сделать вторую Испанию и нашли себе, и завербовали шпиков, орудовавших в этом деле...»

Да, но почему *рейхсвер*? Во-первых, немецкая армия вот уже два года как называется *вермахтом*, о чем присутствующие не могут не знать. А Гитлер – какова его роль во всем этом? Ведь фюрер упомянут всего один раз, зато слово «рейхсвер» звучит постоянно...

Оговорочка-то опять получается «по Фрейду». Сталин и не хотел, а подтвердил, что наши военные были связаны не с правительством Германии, а с военными. Причем связи шли еще из тех времен, когда немецкая армия называлась рейхсвером. Время от времени упоминаемые даты – середина 20-х годов – должны навести присутствующих на мысль о том, что эти связи пошли со времен сотрудничества.

Сталин повторяет снова и снова: шпионы, вербовка, слабые люди, невольники – до такой степени часто, взволнованно, против всякой логики – что, в общем-то, ясно, что именно он хочет скрыть. То, что эти люди не слабые и зависимые, а сильные и самостоятельные, какими они и были на самом деле. И то, что они были не шпионами и марионетками, а равноправными участниками союза двух армий. Об этом говорить было нельзя, даже в узком кругу, – и причина этого крайне проста.

К тому времени по «делу генералов» было арестовано 300–400 человек, и аресты все еще продолжались. Если вспомнить речь Ворошилова на Пленуме ЦК – а ведь это было всего три месяца назад! – то можно представить себе шок, испытанный правительством. Точнее, двойной шок: первое – *кто* эти люди, и второе – *сколько* их! А самое главное, то, чего они не знали, – сколько заговорщиков еще на свободе и кто они?

Если мы не осознаем этого момента, мы не поймем и всего дальнейшего. Чудовищной силы шок, испытанный правительством, на какое-то время лишил их возможности адекватно воспринимать происходящее. Какое-то время они могли поверить *во что угодно*. В том числе и в то, что большинство людей, сидящих перед ними, – тоже заговорщики. А значит, армия может взорваться в любую секунду.

И если предположить, что основной целью выступления Сталина на Военном совете было – предотвратить выступление, то многое становится понятным. Никакая это не политика, – говорит он, – никакая не «военная партия», и вообще это не внутреннее явление, это шпионаж. А шпионская организация, в отличие от «военной партии», «военной оппозиции», не может быть большой. И говорит он так, словно бы дело уже закончено. А значит, новых арестов не будет...

А кроме того, такое обвинение вбивает клин между самими заговорщиками. Одни из них, более честные, чем прочие, для которых планы убийства Сталина мыслились как спасение Родины, должны были с отвращением отшатнуться от шпионов. Другие были бы озадачены, сбиты с толку. Третьи задумались о деньгах, которые арестованные наверняка получали за шпионаж, – и не делились. Нет, это был хороший ход...

Анализируя речь Сталина с этой точки зрения, можно заметить, и кого он больше всего опасался. Отдельный большой кусок речи он посвятил персоне маршала Блюхера, командира Отдельной Краснознаменной Дальневосточной армии, долго рассказывая, как заговорщики его «топили» и какой он на самом деле хороший. Кроме того, что упорно ходили слухи о его сочувствии правой оппозиции, еще в начале 30-х годов была информация, что Блюхер – сепаратист и в случае чего пойдет на отделение Дальнего Востока от СССР.

Потому-то Сталин так грубо и вбивает клин между ним и арестованными, рассказывая во всеуслышание, какой Блюхер хороший, умный, опытный и как нехорошие заговорщики пытались его подсидеть.

Можно возразить, что сама «шпионская версия» – о том, что в верхушке Красной Армии сидело столько шпионов, – бредовая, и поверить в нее невозможно ни при каких обстоятельствах. Да, невозможно. Невозможно когда угодно, кроме 1937 года. Потому что меньше чем за год до заседания Военного совета произошло некое событие. А именно, в одной европейской стране практически вся военная верхушка в тесном контакте с германскими и итальянскими фашистами произвела попытку государственного переворота, вызвавшую гражданскую войну. Испанские события были у всех на памяти, у всех на слуху, и нет ничего естественнее, чем сделать вид, что ты поверил в то, что арестованные командармы пытались в СССР повторить то, что было проделано в Испании. Сталин так и говорит: «Хотели из СССР сделать вторую Испанию».

Этим объясняется и непонятное в других обстоятельствах волнение Сталина. Еще бы не волноваться – поверят ли те из присутствующих, которые участвовали в заговоре, тому, что он говорит, или же нет – было делом жизни и смерти.

Этим можно объяснить и тот факт, что суд был скороспелым, грубым и плохо подготовленным, так что большинство западных газет тут же заговорили об инсценировке. Не до того было. Важно было не установить в ходе судебного заседания истину и даже не создать видимость процесса – важно было как можно скорее все закончить, расстрелять эту восьмерку и других арестованных, устранив угрозу их побега или освобождения, и нанести тем самым заговорщикам удар, от которого они не смогут сразу оправиться – и опять же выиграть время...

Процесс

4 июня. Определен состав судей для судебного процесса по «делу о военном заговоре». Их имена:

Я. И. Алкснис, командарм 2-го ранга, зам. наркома СССР, начальник военно-воздушных сил РККА;

И. П. Белов, командарм 1-го ранга, командующий войсками Белорусского военного округа;

В. К. Блюхер, маршал, командующий войсками ОКДВА;

С. М. Буденный, маршал, командующий войсками Московского военного округа;

В. И. Горячев, командир 6-го кавалерийского казачьего корпуса из БВО;

П. Е. Дыбенко, командарм 2-го ранга, командующий войсками Ленинградского военного округа;

Н. Д. Каширин, командарм 2-го ранга, командующий войсками Северо-Кавказского военного округа;

Б. М. Шапошников, командарм 1-го ранга, назначенный в мае 1937 года начальником Генштаба.

(Из них четверо вскоре будут расстреляны, Блюхер погибнет на допросе, Каширин покончит с собой. В живых останутся лишь Буденный и Шапошников.)

5 июня. Отобраны восемь подсудимых для открытого процесса: Тухачевский, Якир, Корк, Уборевич, Эйдеман, Фельдман, Примаков и Путна. Индивидуальные уголовно-следственные дела на них объединены в одно групповое дело.

7 июня. Отпечатан окончательный текст обвинительного заключения по делу. Постановлением Президиума ЦИК СССР утверждены запасными членами Верховного суда СССР Буденный, Шапошников, Белов, Каширин и Дыбенко.

7 июня. Предъявлено обвинение Примакову.

8 июня. Предъявлено обвинение Тухачевскому, Якиру, Уборевичу, Корку, Фельдману и Путне по статьям 58-1«б», 58-3, 58-4, 58-6 и 59-9 Уголовного кодекса РСФСР (измена Родине, шпионаж, террор и т. п.)

9 июня. Прокурор СССР Вышинский и помощник Главного военного прокурора Субоцкий провели в присутствии следователей НКВД короткие допросы арестованных, заверив прокурорскими подписями достоверность показаний, данных арестованными на следствии в НКВД. В архиве Сталина находятся копии этих протоколов допроса. На протоколе допроса Тухачевского имеется надпись: «Т. Сталину. Ежов. 9 VI.1937 г.»

9 июня. Субоцкий объявил обвиняемым об окончании следствия, но в нарушение требований статьи 206 УПК РСФСР не предъявил им уголовного дела и не разъяснил право на осмотр всего производства по делу и на дополнение следствия.

Перед судом обвиняемым разрешили обратиться с последними покаянными заявлениями на имя Сталина и Ежова. Некоторые из них использовали эту возможность.

Из письма И. Якира:

«Родной, близкий тов. Сталин. Я смею к Вам обращаться, ибо я все сказал, все отдал и мне кажется, что я снова честный, преданный партии, государству, народу боец, каким я был многие годы. Вся моя сознательная жизнь прошла в самоотверженной честной работе на виду партии, ее руководителей – потом провал в кошмар, в непоправимый ужас предательства... Следствие закончено. Мне предъявлено обвинение в государственной измене, я признал свою вину, я полностью раскаялся. Я верю безгранично в правоту и целесообразность решения суда и правительства... Теперь я честен каждым своим словом, я умру со словами любви к Вам, партии и стране, с безграничной верой в победу коммунизма».

На заявлении Якира имеются следующие резолюции: *«Мой архив Ст.»; «Подлец и проститутка. И. Ст.»; «Совершенно точное определение. К. Ворошилов»; «Молотов». «Мерзавцу, сволочи и б... одна кара – смертная казнь. Л. Каганович».*

Тухачевский пощады не просил.

9 июня. Вышинский два раза был принят Сталиным. Во время второго посещения, состоявшегося поздно вечером, в 22 часа 45 минут, присутствовали Молотов и Ежов. Вышинский подписал обвинительное заключение по делу.

Досье: процесс
ОБВИНИТЕЛЬНОЕ ЗАКЛЮЧЕНИЕ
ПО «ДЕЛУ ГЕНЕРАЛОВ»

«В апреле − мае 1937 года органами НКВД был раскрыт и ликвидирован в г. Москве военно-троцкистский заговор, направленный на свержение советского правительства и захват власти, в целях восстановления в СССР власти помещиков и капиталистов и отрыва от СССР части территории в пользу Германии и Японии.

Как установлено предварительным следствием, наиболее активными участниками этого заговора являлись бывш. заместитель народного комиссара обороны СССР − Тухачевский М. Н., быв. начальник Политуправления РККА Гамарник Я. Б., бывшие командующие Киевского и Белорусского военных округов Якир И. Э. и Уборевич И. П., быв. председатель Центрального совета Осоавиахима Эйдеман Р. П., быв. командарм 2 ранга Корк А. И., быв. начальник управления по начсоставу РККА Фельдман Б. М., быв. зам. командующего войсками Ленинградского военного округа Примаков В. М. и быв. атташе при полпредстве СССР в Великобритании Путна В. К. Как установлено следствием, все указанные выше обвиняемые являлись членами антисоветской троцкистской военной организации, действовавшей под руководством "центра" в составе: покончившего самоубийством Гамарника Я. Б. и обвиняемых по настоящему делу Тухачевского М. Н., Якира И. Э., Уборевича И. П., Корка А. И., Эйдемана Р. П. и Фельдмана Б. М.

Как видно из собственных признаний обвиняемых и показаний ряда свидетелей, военно-троцкистская организация находилась в теснейшей связи с антисоветским троцкистским центром и его главными руководителями − врагами народа Л. Троцким, Л. Седовым, Пятаковым Г. Л., Лившицем Я. А., Серебряковым Л. П. и др., с антисоветской группой правых Бухарина − Рыкова, а также с военными кругами Германии, и действовала под непосредственным руководством германского генерального штаба и его агента врага народа Л. Троцкого, совершая по их прямым указаниям вредительские акты в целях подрыва мощи Красной Армии.

Следствием, кроме того, установлено, что часть обвиняемых, и в частности обвиняемый Тухачевский, задолго до возникновения военно-троцкистского заговора, в течение ряда лет были связаны с различными антисоветскими элементами, и в том числе с участниками офицерских заговоров.

Поставив своей преступной целью насильственный захват власти и возлагая свои главные надежды на помощь иностранных агрессоров, и в частности, фашистской Германии, военно-троцкистская организация и возглавившие эту организацию изменники и предатели в лице Тухачевского, Якира, Уборевича и других обвиняемых по настоящему делу ставили свою ставку на предстоящее нападение на СССР капиталистических интервентов и на поражение СССР в предстоящей войне.

Вся изменническая, вредительская и подрывная деятельность этих заговорщиков была направлена на подготовку предательского разгрома наших армий и поражение СССР.

В этих целях нарушившие воинский долг и присягу и изменившие родине руководители указанной военно-троцкистской организации – Тухачевский, Якир, Путна и другие обвиняемые по настоящему делу вошли в преступную антигосударственную связь с военными кругами Германии, систематически передавали германскому генеральному штабу сведения, касающиеся организации, вооружения и снабжения Красной Армии, составляющие важнейшую государственную тайну, и другие сведения шпионского характера, совместно и по указаниям германского генерального штаба разработали планы поражения наших армий и совершали другие изменнические действия в пользу Германии и Польши.

Следствием установлено, что обвиняемый Тухачевский передал во время германских маневров в 1932 г. немецкому генералу... секретные сведения о размерах вооружения Красной Армии. Во время посещения СССР германским генералом... обв. Тухачевский передал последнему секретные сведения о мощности ряда военных заводов... В 1935 г. обв. Тухачевский через обв. Путну передал германскому генеральному штабу секретные сведения о состоянии авиации и механизированных войск в Белорусском и Киевском военном округах, об организации в этих округах противовоздушной обороны, о сосредоточении наших войск на западных границах. В том же 1935 г. польской разведке были переданы планы Летичевского укрепленного района. Тогда же были переданы немцам сведения о количестве накопленных огнеприпасов, о количестве командного состава запаса и т. д. и т. п.

Не ограничиваясь этим, обв. Тухачевский разработал план поражения Красной Армии и согласовал этот план с представителем германского генерального штаба...

В 1936 г. обв. Тухачевский использовал в преступных изменнических целях свое официальное пребывание в Лондоне и передал германскому генералу... материалы о дислокации войск Белорусского и Киевского округов.

Следствием установлено, что обв. Тухачевский, Якир, Уборевич и другие члены "центра" этой организации при разработке различных вариантов развертывания Красной Армии во время войны неизменно исходили из одной задачи – обеспечить поражение и разгром наших армий, привести СССР к военному поражению.

Обв. Тухачевский, Якир, Уборевич признали, что на специальных совещаниях в 1935 г. у обв. Тухачевского ими был разработан подробный оперативный план поражения Красной Армии в предполагавшейся войне на основных направлениях наступления польско-германских армий.

Этой основной задаче была фактически подчинена вся деятельность обвиняемых по настоящему делу, этих агентов германской разведки, изменников, вероломно обманувших партию и правительство и пробравшихся на ответственные командные посты в Красной Армии...

Не удовлетворяясь, однако, этими позорными актами государственной измены, Тухачевский, Якир, Уборевич и другие обвиняемые по настоящему делу систематически осуществляли вредительство, особенно в укрепленных районах по линии военных железнодорожных сообщений.

Следствием и, в частности, показаниями обв. Тухачевского, Корка, Эйдемана, Примакова установлено, что одновременно военно-троцкистская организация подготовляла совершение террористических актов против членов Политбюро ЦК ВКП(б) и советского правительства и организовала ряд диверсионных групп преимущественно на предприятиях оборонного значения.

Организуя эти террористические и диверсионные группы, троцкистские предатели, пробравшиеся в ряды командного состава Красной Армии, параллельно подготовили план вооруженного "захвата Кремля" и ареста руководителей ВКП(б) и советского правительства.

Во всех указанных преступлениях все обвиняемые полностью сознались.

Прокурор Союза ССР Вышинский»[1].

10 июня. Чрезвычайный Пленум Верховного суда СССР постановил для рассмотрения дела образовать Специальное судебное присутствие Верховного суда СССР в составе Ульриха, Алксниса, Блюхера, Буденного, Шапошникова, Белова, Дыбенко, Каширина и Горячева.

Инициатива создания специального военного суда для рассмотрения дела Тухачевского и других и привлечения в состав суда широко известных в стране военных руководителей принадлежала Сталину.

10 июня. Подготовительное заседание Специального судебного присутствия Верховного суда СССР. Вынесено определение об утверждении обвинительного заключения. Всем обвиняемым вручены копии обвинительного заключения.

11 июня. «Правда» опубликовала сообщение об окончании следствия и предстоящем судебном процессе по делу Тухачевского и других, которые, как говорилось в сообщении, обвиняются в «нарушении воинского долга (присяги), измене Родине, измене народам СССР, измене Рабоче-Крестьянской Красной Армии».

11 июня. Специальное судебное присутствие Верховного суда СССР рассмотрело в закрытом судебном заседании в Москве дело по обвинению Тухачевского и др. После чтения обвинительного заключения все подсудимые, отвечая на вопросы председателя суда, заявили, что они признают себя виновными, и в ходе судебного заседания подтвердили те показания, которые дали на следствии.

В 23 часа 35 минут 11 июня 1937 года председательствующим Ульрихом был оглашен приговор. Все восемь подсудимых приговаривались к расстрелу.

---

[1] Цит. по: *Кантор Ю.* Война и мир Михаила Тухачевского. М., 2005. С.408–411.

В ночь на **12 июня** Ульрих подписал предписание коменданту Военной коллегии Верховного суда СССР Игнатьеву – немедленно привести в исполнение приговор о расстреле Тухачевского и других осужденных. Разговоры о том, что судьи сами приводили приговор в исполнение – легенда. Акт о расстреле был подписан присутствовавшими при исполнении приговора Вышинским, Ульрихом, Цесарским, а также Игнатьевым и комендантом НКВД Блохиным.

...Интересно было бы почитать докладные записки всех членов суда. Может быть, когда-нибудь и почитаем. Пока что, и то неполно, цитируются только две. Первая принадлежит Буденному (верному сталинисту), вторая – Белову (впоследствии репрессирован и расстрелян, при не совсем понятных обстоятельствах).

«Тухачевский с самого начала процесса суда при чтении обвинительного заключения и при показании всех других подсудимых качал головой, подчеркивая тем самым, что, дескать, и суд, и следствие, и все, что записано в обвинительном заключении, – все это не совсем правда, не соответствует действительности. Иными словами, становился в позу непонятого и незаслуженно обиженного человека, хотя внешне производил впечатление человека очень растерянного и испуганного. Видимо, он не ожидал столь быстрого разоблачения организации, изъятия ее и такого быстрого следствия и суда...

На заседании суда Якир остановился на сущности заговора, перед которым стояли задачи реставрации капитализма в нашей стране на основе фашистской диктатуры... В последующих выступлениях подсудимых, по сути дела, все они держались в этих же рамках выступления Якира...

...Тухачевский в своем выступлении вначале пытался опровергнуть свои показания, которые он давал на предварительном следствии. Тухачевский начал с того, что Красная Армия до фашистского переворота Гитлера в Германии готовилась против поляков и была способна разгромить польское государство. Однако при приходе Гитлера к власти в Германии, который сблокировался с поляками и развернул из 32 германских дивизий 108 дивизий, Красная Армия, по сравнению с германской и польской армиями, по своей численности была на 60–62 дивизии меньше... Тухачевский как бы пытался популяризировать перед присутствующей аудиторией на суде как бы свои деловые соображения в том отношении, что он все предвидел, пытался доказывать правительству, что

создавшееся положение ведет страну к поражению и что его якобы никто не слушал. Но тов. Ульрих, по совету некоторых членов Специального присутствия, оборвал Тухачевского и задал вопрос: как же Тухачевский увязывает эту мотивировку с тем, что он показал на предварительном следствии, а именно, что он был связан с германским генеральным штабом и работал в качестве агента германской разведки еще с 1925 г. Тогда Тухачевский заявил, что его, конечно, могут считать и шпионом, но что он фактически никаких сведений германской разведке не давал...

Уборевич в своем выступлении держался той же схемы выступления, что и Якир...

Корк показал, что ему все же было известно, что руководители военно-фашистской контрреволюционной организации смотрят на связь с Троцким и правыми, как на временное явление...

Эйдеман на суде ничего не мог сказать...

Путна – этот патентованный шпик, убежденный троцкист... показал, что, состоя в этой организации, он всегда держался принципов честно работать на заговорщиков и в то же время сам якобы не верил в правильность своих действий...

Примаков держался на суде с точки зрения мужества, пожалуй, лучше всех... Примаков очень упорно отрицал то обстоятельство, что он руководил террористической группой против тов. Ворошилова в лице Шмидта, Кузьмичева и других...

Фельдман показал то же самое, что и Корк...»

Как резюме, Буденный пишет:

«1. ...Для того чтобы скрыть свою шпионскую и контрреволюционную деятельность до 1934 года, подсудимые, разоблаченные в этом Корком, пытались выставить Корка как вруна и путаника.

2. Участие Гамарника в заговоре все подсудимые пытались скрыть.[1]

3. ...Подсудимые, хотя и заявляли о том, что они пораженческого плана германскому генштабу не успели передать, я же считаю, что план поражения красных армий, может быть, не столь подробный, все же германской разведке был передан».

Точное, сдержанное изложение, написанное языком донесения, без излишней патетики – разве что по поводу Путны немножко не сдержался. Сугубо деловое письмо, рапорт – несмотря на то что Буденный при-

---

[1] Вероятно, они не знали о самоубийстве Гамарника и предполагали, что он еще на свободе.

надлежал к другой группировке в армии, не любил Тухачевского и не мог питать ни малейших симпатий к изменникам, все равно... Он должен был бы испытывать торжество, а между строк прорывается затаенная боль.

Насколько же иное впечатление производит записка Белова, адресованная Ворошилову.

«Буржуазная мораль трактует на все лады – "глаза человека – зеркало его души". На этом процессе за один день, больше чем за всю свою жизнь, я убедился в лживости этой трактовки. Глаза всей этой банды ничего не выражали такого, чтобы по ним можно было судить о бездонной подлости сидящих на скамьях подсудимых. Облик в целом у каждого из них... был неестественный. Печать смерти уже лежала на всех лицах. В основном цвет лиц был так называемый землистый... Тухачевский старался хранить свой "аристократизм" и свое превосходство над другими... пытался он демонстрировать и свой широкий оперативно-тактический кругозор. Он пытался бить на чувства судей некоторыми напоминаниями о прошлой совместной работе и хороших отношениях с большинством из состава суда. Он пытался и процесс завести на путь его роли как положительной, и свою предательскую роль свести к пустячкам...

Уборевич растерялся больше первых двух. Он выглядел в своем штатском костюмчике, без воротничка и галстука, босяком... (За десять лет до того Белов служил с Уборевичем, был его заместителем и сменил его на посту командующего Северо-Кавказским военным округом. Это информация к размышлению, не более того... – Авт.)

Корк, хотя и был в штатском, но выглядел как всегда по-солдатски...

Фельдман старался бить на полную откровенность. Упрекнул своих собратьев по процессу, что они, как институтки, боятся называть вещи своими именами, занимались шпионажем самым обыкновенным, а здесь хотят превратить это в легальное общение с иностранными офицерами.

Эйдеман. Этот тип выглядел более жалко, чем все. Фигура смякла до отказа, он с трудом держался на ногах, он не говорил, а лепетал прерывистым глухим спазматическим голосом.

Примаков – выглядел сильно похудевшим, выказывал глухоту, которой раньше у него не было. Держался на ногах вполне уверенно...

Путна только немного похудел, да не было обычной самоуверенности в голосе...

Последние слова все говорили коротко. Дольше тянули Корк и Фельдман. Пощады просили Фельдман и Корк. Фельдман даже договорился до следующего: *"Где же забота о живом человеке, если нас не помилуют".* Остальные все говорили, что смерти мало за такие тяжкие преступления... клялись в любви к Родине, к партии, к вождю народов т. Сталину...

Общие замечания в отношении всех осужденных: 1. Говорили они не всю правду, многое унесли в могилу. 2. У всех у них теплилась надежда на помилование, отсюда и любовь словесная к Родине, к партии и к т. Сталину».

Кстати, о Белове. Очень странная история проскользнула в воспоминаниях Эренбурга. «Помню страшный день у Мейерхольда. Мы сидели и мирно разглядывали монографии Ренуара, когда к Всеволоду Эмильевичу пришел один из его друзей, комкор И. П. Белов. Он был очень возбужден, не обращал внимания на то, что, кроме Мейерхольдов, в комнате Люба и я, начал рассказывать, как судили Тухачевского и других военных... "Они вот так сидели – напротив нас. Уборевич смотрел мне в глаза". Помню еще фразу Белова: "А завтра меня посадят на их место"».

Как увязать то, что Белов говорил у Мейерхольда, с его отчетом? И откуда такая уверенность, что он тоже окажется «на их месте»?

И ведь в самом деле оказался...

Последний бой Михаила Тухачевского

...Для него все началось не с избиений и воплей следователя: «Будешь говорить, сволочь!» Для него все началось с трех очных ставок – по-видимому, в первый же день, **25 мая**. Фельдман писал в заявлении: «Увидев его на очной ставке, услышал от него, что он все отрицает и что я все выдумал...» Но после трех очных ставок **26 мая** Тухачевский пишет заявление следователю Ушакову:

«Мне были даны очные ставки с Примаковым, Путна и Фельдманом, которые обвиняют меня как руководителя антисоветского военно-троцкистского заговора. Прошу представить мне еще пару показаний других участников этого заговора, которые также обвиняют меня. Обязуюсь дать чистосердечные показания без малейшего утаивания чего-либо из своей вины в этом деле, а равно из вины других лиц заговора».

Те, кто внимательно изучал все дело, говорят, что держался он достойно и никого не выдавал, лишь подтверждая связь с заговором тех людей, которые и без него были известны следствию. Говорили другие:

Фельдман, Путна, Эйдеман (к нему «недозволенные методы» применялись, по крайней мере, из «Справки» это вроде бы следует, хотя и не доказано), Примаков. Последний упоминал на суде, что выдал более 70 человек. Из Тухачевского показания вытягивали факт за фактом, после бесчисленных уличающих показаний и очных ставок[1].

27 мая он пишет следователю: «*...Я избрал путь двурушничества и под видом раскаяния думал ограничить свои показания о заговоре, сохранив в тайне наиболее важные факты, а главное, участников заговора...*»

29 мая: «*Обличенный следствием в том, что я, несмотря на свое обещание сообщать следователю исключительно правду, в предыдущих показаниях неправильно сообщил по вопросу о начале своей антисоветской работы... впервые на всем этапе следствия в течение четырех дней, я заявляю вполне искренне, что ничего не буду скрывать от следствия*».

30 мая, на очной ставке с Корком:

«***Вопрос Корку:*** *Чем вы объясняете, что Тухачевский... все-таки не выдает Уборевича?*

Ответ: *...Очевидно, у Тухачевского есть надежда на то, что не все провалено, не вся наша организация раскрыта...*

...

Тухачевский почему-то меня и Уборевича хочет отвести от этого дела. Почему Тухачевский хочет сохранить Уборевича, я высказал свои соображения. Может быть, и в отношении меня у Тухачевского те же соображения, но я, ставши на путь признаний, не могу сейчас замазывать ту роль, которую я выполнял под руководством Тухачевского.

Вопрос Тухачевскому: *Вы по каким-то соображениям роль Корка смазываете, так же как и скрываете роль Уборевича...*

Ответ: *...Путает или забывает Корк – не знаю...*»

И лишь **9 июня**:

«*В дополнение к очной ставке, данной мне сегодня ночью с Якиром, показываю, что я снимаю свое отрицание участия Уборевича в заговоре... Я не смог сразу же признать на очной ставке правоту показаний Якира, т. к. мне неудобно было отказаться от своих слов, которые я ранее говорил как на допросах, так и на очной ставке с Корком*»[2].

---

[1] Пример того, как это делалось, технологии расследования, приводится в Приложении....

[2] Цит. по: *Кантор Ю.* Война и мир Михаила Тухачевского. М., 2005. С. 378–386.

Свою вину он признал сразу. *Товарищей* защищает до последнего, даже понимая, что это безнадежно, все равно защищает. Поэтому-то в его показаниях так мало имен... Только 10 июня он называет несколько новых фамилий, судя по почерковедческой экспертизе, под диктовку – все равно эти люди уже погибли. Возможно, он покупал себе этим право больше никого не называть...

Говорили и остальные, все до одного, и все почти сразу же после ареста. Некоторое время запирался только Уборевич. Но недолго...

Из заявления И. П. Уборевича, адресованного наркому внутренних дел. 9 июня 1937 г.

«Тухачевский начал разговор с темы о предстоящей войне, обрисовав мне внутреннее и внешнее положение Советского Союза как совершенно неустойчивое. Подчеркнул, что между тем германский фашизм изо дня в день крепнет и усиливается. Особый упор он делал на развертывание в Германии могущественной армии, на то, что на решающем Западном фронте немецкие войска будут превосходить Красную Армию в полуторном размере, поэтому разгром Красной Армии, по его мнению, неизбежен. Тогда же Тухачевский мне заявил, что мы не только должны ожидать поражения, но и готовиться к нему для организации государственного переворота и захвата власти в свои руки для реставрации капитализма. Прямо на карте Германии, Польши, Литвы и СССР Тухачевский рисовал варианты возможного развертывания германских армий... при этом он указал, что развертывание Красной Армии во время войны надо будет строить так, чтобы облегчить задачу ее поражения».

Из показаний Тухачевского:

«В апреле происходила в Москве стратегическая военная игра, организованная Генеральным штабом РККА. Якир, по заданию игры, командовал польскими, а я германскими армиями. Эта игра дала нам возможность продумать оперативные возможности и взвесить шансы на победу для обеих сторон как в целом, так и на отдельных направлениях, для отдельных участников заговора. В результате этой игры подтвердились предварительные предположения о том, что силы (число дивизий), выставляемые РККА по мобилизации, недостаточны для выполнения поставленных ей на западных границах задач.

ДВОЙНОЙ ЗАГОВОР. ТАЙНЫ СТАЛИНСКИХ РЕПРЕССИЙ

Допустив предположение, что главные германские силы будут брошены на украинское направление, я пришел к выводу, что если в наш оперативный план не будут внесены поправки, то сначала Украинскому, потом и Белорусскому фронтам угрожает весьма возможное поражение. Если же к этому добавить вредительские действия, то эта вероятность еще более вырастет.

Я дал задание Якиру и Уборевичу на тщательную проработку оперативного плана на Украине и в Белоруссии и разработку вредительских мероприятий, облегчающих поражение наших войск...»

В деле есть очень странный документ – так называемый «План поражения». Написан он собственноручно Тухачевским, причем совершенно неизвестно, зачем. Все «вредительство» можно было изложить на нескольких страницах – а он пишет подробнейший сценарий будущей войны[2]. Почему? Может быть, чтобы не возвращаться снова в одиночку, не оставаться один на один со своими мыслями?

Они не обольщались по поводу своей участи. Для них закон послаблений не делал, и никакой приговор, кроме смертного, был невозможен. Впоследствии бывший секретарь суда вспоминал: председательствующий Ульрих говорил, что имеется указание Сталина о применении ко всем подсудимым высшей меры наказания – расстрела. На самом деле все это разговоры: никаких указаний в этом деле не требовалось, поскольку никакой иной меры закон и не предусматривал.

Из постановления ЦИК Союза ССР «О дополнении положения о контрреволюционных и особо для Союза ССР опасных преступлениях против порядка управления статьями об измене Родине». 8 июня 1934 г.

«1–1. Измена Родине, то есть действия, совершаемые гражданами Союза ССР в ущерб военной мощи Союза ССР, его государственной независимости или неприкосновенности его территории, как то – шпионаж, выдача военной или государственной тайны, переход на сторону

---

[1] Извините, конечно, но следователю НКВД того времени, с его неполным средним образованием, такого не выдумать. Они хоть знали, что такое «оперативный план», или ограничивались термином «вредительство»? Или им Ворошилов конспекты протоколов писал? Не годится, показания-то собственноручные...

[2] Точнее, «планов поражения» на самом деле два. Второй принадлежит Уборевичу – Тухачевский в своем «плане» с ним спорит и на него ссылается. Но о втором мы знаем только то, что он существует...

врага, бегство или перелет за границу – караются высшей мерой уголовного наказания – расстрелом с конфискацией всего имущества, а при смягчающих обстоятельствах – лишением свободы на срок 10 лет с конфискацией всего имущества.

1–2. Те же преступления, совершаемые военнослужащими, караются высшей мерой уголовного наказания – расстрелом с конфискацией всего имущества».

Между тем, признавая подготовку заговора, Тухачевский отчаянно пытается отбиться от обвинений в шпионаже. На суде он также будет их отрицать.

Из стенограммы судебного процесса:

«Председатель. Вы утверждаете, что к антисоветской деятельности примкнули с 1932 года? А ваша шпионская деятельность – ее вы не считаете антисоветской? Она началась гораздо раньше.

Тухачевский. Я не знаю, можно ли было считать ее шпионской... Я сообщил фон Цюллеру данные... о дислокации войск в пограничных округах... Книжку – дислокацию войск за границей можно купить в магазине...

Председатель. ...Еще в 1925 году вы были связаны с Цюллером и Домбалем и были одновременно агентом и польской, и германской разведок. Ведь вы же знали, что имеете дело не с просто любопытным, а с офицером иностранной разведки.

Тухачевский. Совершенно правильно. Я повторяю – не хочу смягчать свои показания. Я только хочу объяснить, что в то время у нас с немцами завязывались тесные отношения. У нас был один общий противник – Польша, в этом смысле были и в дальнейшем, как я уже говорил, разговоры с генералом Адамсом. С генералом Адамсом мы говорили о наших общих задачах в войне против Польши, при этом германскими офицерами вспоминался опыт 1920 года, говорилось, что германское правительство тогда не выступило против Польши. Я опять повторяю, что это можно квалифицировать и должно квалифицировать как шпионскую деятельность...

...

Председатель. Какие цели вы преследовали, информируя германских офицеров о мероприятиях Красной Армии?

Тухачевский. Это вытекало из наших разговоров о совместных задачах по поражению Польши. До прихода Гитлера к власти у нас были тесные отношения с германским генеральным штабом...»

Все-таки он предельно честен, и его оценку того, что он делал, можно принять как абсолютно точную.

Из стенограммы судебного процесса:

«Член суда Дыбенко. Вы когда-либо считали себя членом нашей партии?

Тухачевский. Да.

Дыбенко. ...Как вы можете сочетать эту измену, предательство и шпионаж... с тем, что вы носили партийный билет?

Тухачевский. ...Конечно, здесь есть раздвоение: с одной стороны, у меня была горячая любовь к Красной Армии, горячая любовь к отечеству, которое с Гражданской войны я защищал, но вместе с тем логика борьбы затянула меня в эти глубочайшие преступления, в которых я признаю себя виновным.

Дыбенко. Как можно сочетать горячую любовь к родине с изменой и предательством?

Тухачевский. Повторяю, что логика борьбы, когда становишься на неправильный путь, ведет к предательству и измене»[1].

Из показаний Тухачевского на суде:

«Со времени Гражданской войны я считал своим долгом работать на пользу советского государства, был верным членом партии, но у меня были определенные, я бы не сказал политические колебания, а колебания личного, персонального порядка, связанные с моим служебным положением... Я всегда, во всех случаях, выступал против Троцкого. Когда бывала дискуссия, точно так же выступал против правых. Я, будучи начальником штаба РККА... отстаивал максимальные капиталовложения в дело военной промышленности... И в дальнейшем, находясь в Ленинградском военном округе, я всегда отстаивал максимальное развитие Красной Армии, ее техническое развитие, ее реконструкцию...»

Климент Ефремович! Ну зачем вы на Реввоенсовете рассказывали о «красном милитаризме»? Неужели нельзя было один на один?!!

...Странное впечатление производит последнее слово Михаила Тухачевского. С одной стороны, вроде бы не его стиль – слишком много казенной риторики, так что есть даже такая версия, что все это было допи-

---

[1] Цит. по: *Кантор Ю.* Война и мир Михаила Тухачевского. М., 2005. С 394–398.

сано позднее (а может быть, и вправду подкорректировано). С другой – Тухачевский владел таким стилем превосходно. А с третьей – самое главное! – разве не мог он, полководец, готовивший поражение собственной армии, от чистого сердца проклясть тех, кто его погубил?

Не зря во всем мире армия всегда обязана быть вне политики.

Из последнего слова М. Н. Тухачевского:

«Я хочу сделать вывод из этой гнусной работы, которая была проделана. Я хочу сделать вывод, что в условиях победы социализма в нашей стране всякая группировка становится антисоветской группировкой. Всякая антисоветская группировка сливается с гнуснейшим троцкизмом, гнуснейшим течением правых. А так как базы для этих сил нет в нашей стране, то волей-неволей эти группировки скатываются дальше, на связь с фашизмом, на связь с германским генеральным штабом. Вот в чем гибель этой контрреволюционной работы, которая, по существу, была направлена к реставрации капитализма в нашей стране. Я считаю, что в такой обстановке, как сейчас, когда перед советской страной стоят гигантские задачи по охране своих границ, когда предстоит большая, тяжелая и изнурительная война, в этих условиях не должно быть пощады врагу. Я считаю, что наша армия должна быть едина, сколочена и сплочена вокруг своего наркома Климентия Ефремовича Ворошилова, вокруг великого Сталина, вокруг народа и нашей великой партии. Я хочу заверить суд, что полностью, целиком оторвался от всего того гнусного, контрреволюционного и от той гнусной контрреволюционной работы, в которую я вошел...

Я хочу сказать, что я Гражданскую войну прошел как честный красноармеец, как честный командир Красной Армии. Не щадя своих сил, дрался за Советскую власть. И после Гражданской войны делал то же самое. Но путь группировки, стащившей меня на путь подлого правого оппортунизма и трижды проклятого троцкизма, который привел к связи с фашизмом и японским генеральным штабом, все же не убил во мне любви к нашей армии, любви к нашей советской стране, и, делая это подлое контрреволюционное дело, я тоже раздваивался. Вы сами знаете, что, несмотря на все это, я делал полезное дело в области вооружения, в области боевой подготовки и в области других сторон жизни Красной Армии.

Преступление настолько тяжело, что говорить о пощаде трудно, но я прошу суд верить мне, что я полностью открылся, что тайн у меня нет перед советской властью, нет перед партией. И если мне суждено умереть, я умру с чувством глубокой любви к нашей стране, к нашей партии, к наркому Ворошилову и великому Сталину».

Возможно, он все-таки на что-то надеялся... Возможно, они все на что-то надеялись – ведь и заслуги их перед армией и страной были огромны и неоспоримы... Хотя надеяться было не на что, да и сами они, вне всякого сомнения, на месте судей произнесли бы тот же приговор. Этот приговор вытекал из логики всей жизни страны и эпохи, которая могла помиловать врага, но не предателя.

...А вот Уборевич, герой «штурмовых ночей Спасска», сказал другое: *«...Я умру сейчас с прежней верой в победу Красной Армии».*

Post factum

...Сказать, что в мире этот процесс стал сенсацией, значит, ничего не сказать. Газеты изощрялись в предположениях, что за всем этим стоит. Кажется, в те дни наименее популярной была правда...

Разведка польского Главного штаба регулярно составляла обзоры о внутреннем положении в СССР. В июльском обзоре говорится: *«Официальное толкование процесса Тухачевского, приписывающее казненным генералам шпионаж, диверсии против Советской власти и сотрудничество с иностранными разведками (вероятно, Германии) является таким абсурдным, что европейское общественное мнение... заранее его отбрасывает».*

Уже 17 июня германское посольство в Париже сообщало в свой МИД: *«В связи с кровавым приговором нет ни одной газеты... которая решилась бы найти слова оправдания для самого действия. Трудно верить обоснованию приговора из-за чудовищности обвинения. Те газеты, которые в своей критике сперва предполагали правильность обвинения, делают из этого вывод о том, что моральный дух и боеспособность Красной Армии, если подобные преступления возможны в руководстве, могут быть лишь понижены...»*

Однако у дипломатов была несколько иная точка зрения. Посол США в Москве Джозеф Дэвис 28 июня отправил президенту Рузвельту телеграмму: *«В то время как внешний мир благодаря печати верит, что процесс – это фабрикация... – мы знаем, что это не так. И может быть, хорошо, что внешний мир думает так».*

Президент Чехословакии Бенеш воспринял происходящее в СССР с облегчением. До сих пор он полагал, что с Германией и рейхсвером заигрывает советское правительство, поэтому можно представить себе его чувства, когда он узнал о том, что это был заговор... (Само собой, его-то официальная версия о шпионаже не обманула.) 3 июля он снова встречается с советским послом, и на этот раз излагает свое подлинное понимание «дела Тухачевского». Бенеш говорит послу, что события в СССР его не удивили и не испугали, ибо он давно их ожидал (прибавим: и надеялся...). Он сказал, что давно уже наблюдает в СССР борьбу двух направлений. Одно из них «*идет на реальный учет обстановки и проявляет готовность к сотрудничеству, а значит, и к компромиссу с Западной Европой, а другое – "радикальное", продолжающее требовать немедленного разворачивания мировой революции. По заявлению Бенеша, его задачей всегда было помочь первому, реальному течению в советской политической жизни...*»

И дальше посол СССР Александровский пишет из Праги: «*Бенеш утверждал, что уже начиная с 1932 года он все время ожидал решительной схватки между сталинской линией и линией "радикальных революционеров". Поэтому для него не были неожиданностью последние московские процессы, включая процесс Тухачевского... Бенеш особо подчеркивал, что, по его убеждению, в московских процессах, особенно в процессе Тухачевского, дело шло вовсе не о шпионаже и диверсиях, а о прямой и ясной заговорщической деятельности с целью ниспровержения существующего строя. Бенеш говорил, что он понимает нежелательность "по тактическим соображениям" подчеркивать именно этот смысл событий. Он сам, дескать, тоже предпочел бы в подобных условиях "сводить дело только к шпионажу". Тухачевский, Якир и Путна (Бенеш почти все время называл только этих трех), конечно, не были шпионами, но были заговорщиками... Тухачевский не был и не мог быть российским Наполеоном, но Бенеш хорошо представляет себе, что перечисленные качества Тухачевского плюс его германские традиции, подкрепленные за советский период контактом с рейхсвером, могли сделать его очень доступным германскому влиянию и в гитлеровский период. Тухачевский не мог совершенно не сознавать, что совершает преступление поддержкой контакта с рейхсвером. Особенно если представить себе, что Тухачевский видел единственное спасение для себя и своей родины в войне рука об руку с Германией против остальной Европы, войне, которая оста-*</p>

лась единственным средством вызвать мировую революцию, то можно даже себе представить, что Тухачевский казался сам себе не изменником, а спасителем родины».

А какой путчист считает себя изменником? Все они спасители...

Но это было еще не все. Бенеш, под большим секретом, сказал Александровскому, что во время пребывания Тухачевского во Франции в 1936 году, он вел частные разговоры со своими французскими друзьями (маршал встречался там с некоторыми товарищами по германскому плену) и совершенно серьезно говорил о возможности советско-германского сотрудничества и при Гитлере. Эти разговоры дошли до французского правительства и, мягко говоря, не слишком там понравились. Как раз в это время Леон Блюм отказался подписать военный союз с СССР, мотивируя свое решение тем, что «руководители советского генштаба поддерживают подозрительные связи с Германией».

Что же получается? О нашем заговоре знала вся Европа, никто происходящему не удивлялся, разве только суровости приговоров, и только наши историки ухитрились ничего не заметить...

А еще Бенеш говорил, что в Москве расстреливают изменников, и так называемый европейский свет приходит в ужас (А вслед за «европейским светом» и наша «прогрессивная интеллигенция» ужасается. Впрочем, как для европейской политики, так и для нашей деминтеллигенции предательство – норма жизни.) С его точки зрения, это не более, чем лицемерие. Бенеш не только отлично понимает, но и одобряет московский образ действий и расценивает «московские процессы» как признак укрепления СССР...

Может быть, в отместку за такую позицию ему и приписали столь неблаговидную роль в сказочке о «компромате Гейдриха»?

Бенеш был в этой своей оценке не одинок. Тот же американский посол Дэвис, когда его спросили, что он думает по поводу советской «пятой колонны», ответил: «У них таких нет, они их расстреляли». В ноябре 1942 года в статье для газеты «Санди экспресс» он писал: *«Значительная часть всего мира считала тогда, что знаменитые процессы изменников и чистки 1935–1938 годов являются возмутительными примерами варварства, неблагодарности и проявлением истерии. Однако в настоящее время стало очевидным, что они свидетельствовали о поразительной дальновидности Сталина и его соратников».*

Ну и, конечно, много стоит оценка главного врага – Гитлера, его слова, сказанные после попытки переворота 20 июля 1944 года: «Вермахт предал меня, я гибну от рук собственных генералов. Сталин совершил гениальный поступок, устроив чистку в Красной Армии и избавившись от прогнивших аристократов». Он, правда, вкладывал в эти слова несколько иной смысл, но то, что фюрер считал Тухачевского и его группу предателями, от этого не изменилось...

Лукавая хрущевская реабилитация

Если о том, как «разматывалось» дело, какие предъявлялись обвинения, как шел процесс, известно сейчас достаточно много, то вот о том, как проводилась реабилитация, неизвестно почти ничего. Между тем если Сталин хотя бы предпринимал шаги по укреплению законности, то специфический стиль понимания законов хрущевскими прокурорами и судьями очень хорошо, ярко и выразительно показан в книге А. Сухомлинова «Кто вы, Лаврентий Берия?». Интересующихся отсылаем прямо к ней. Разное, конечно, творилось в 1937–1939 годах, но вот такого надругательства над всеми и всяческими законами, такого пренебрежения всеми правилами ведения следствия и суда... Разве что в 1918 году бывало нечто подобное, и то не в ВЧК, а полевых ревтрибуналах. Серьезно, прочтите книгу, очень советуем...

Сколько перьев истерто по поводу репрессий, а вот нюансами реабилитации, кажется, никто толком не занимался. И мы тоже ими заниматься не будем – по крайней мере в этой книге. Но странная аберрация зрения: почему-то считается, что осуждение из конъюнктурных соображений в 1937 году могло быть, а вот реабилитация по тем же причинам в 1956 – ну что вы, никогда, да ни при каких обстоятельствах!

Между тем Никите Сергеевичу очень надо было внести свое имя в историю, а что может быть удобней, чем вернуться к столь знаменитому человеку, каким был расстрелянный маршал?

И вот что любопытно: во всех публикациях, посвященных реабилитации, практически никакой конкретики не имеется. В «Заключении» главной военной прокуратуры говорится: *«приговор по данному делу был вынесен только на основании показаний, данных осужденными на предварительном следствии и суде и не подтвержденных никакими другими объективными данными».* И потом сплошь и рядом перепевалась одна и та же тема: отсутствие вещественных доказательств. Может быть, кто-нибудь объяснит, какие в этом случае могли быть вещественные доказательства? Списки заговорщиков, потерянные в казино? Дневник Ягоды с описанием каждого шага? Заготовленные заранее манифесты в сейфе Тухачевского? Так, чтобы Борис Михайлович Шапошников со вздохом сказал: «Меня, старого солдата, эти люди сделали антимилитаристом...»

Ну, простите, не получилось – тупые русские генералы таким изысканным штукам у немцев научиться не сумели... Азия-с...

Из всех материалов, посвященных реабилитации, можно вытащить разве что информацию о проверке, в ходе которой было «установлено, что дело сфальсифицировано», а «показания были получены преступными методами». При этом материалы самой проверки отчего-то берегут сильнее, чем пресловутый оперативный план.

Хорошо. Обратимся и мы к «свидетельским показаниям». Бывший заместитель главного военного прокурора Борис Викторов опубликовал воспоминания о работе в составе спецгруппы по пересмотру «дела Тухачевского». И каков же «криминал»?

«Первые страницы дела... Справки на арест: "Органы НКВД располагают данными о враждебной деятельности..." О самой деятельности ничего конкретного... А где санкция прокурора на арест? Нет санкции...

Вот что сразу обратило на себя внимание: несоответствие дат арестов с датами первых допросов, которые были учинены спустя несколько дней. Не могло же быть так, чтобы арестованных не допрашивали? (А где было допрашивать того же Тухачевского, которого арестовали в Куйбышеве и потом везли – в поезд, что ли, спецбригаду высылать? – Авт.)»

Ответ простой. Члены комиссии *предполагали, что допросы велись, но показания не устраивали тех, кто возбудил это дело».

Далее. «Мы заметили на нескольких страницах протокола серо-бурые пятна (на страницах 165–166 одного из пятнадцати томов следственного дела! – Авт.) Такие пятна оставляют капли крови... проконсультировавшись со специалистами, назначили судебно-химическую экспертизу... Оказалось, действительно кровь».

Поговорили о процессе. *«Стенограмма состояла всего из нескольких страниц».* Несколько – это сколько? Согласно «Справке», одно только выступление Фельдмана заняло 12 листов стенограммы, выступление Корка – 20 листов, не считая множества допросов подсудимых. Так сколько это – «несколько»?

Поговорили о том, «как вообще в те годы велось следствие», без доказательств применительно к данному делу.

«На заключительной стадии... получили отзывы ряда крупных воена-чальников... Они были единодушны в том, что разработанные Тухачев-ским и его соратниками... основы ведения крупных боевых операций... были по достоинству оценены, применены и развиты...»

А это тут при чем? С каких это пор талант мешал генералам устраи-вать заговоры?

«Новое расследование по делу Тухачевского подходило к концу...» – пи-шет автор. Да, но где же собственно расследование? Где кропотливое со-поставление протоколов, выявление антагонистических несоответствий, нарушений закона? Да полно, юрист ли это вообще пишет? Как пишет *юрист*, видно на примере той же книги Сухомлинова, посвященной «делу Берии»[1]. А это что было?

Еще один свидетель со стороны реабилитации – генерал-лейтенант в отставке Н. А. Веревкин-Рахальский. В 1937 году он был зам. начальни-ка военной академии, т. е. заместителем Корка и присутствовал на суде в качестве зрителя.

«Трудно описать то, что я видел и слышал во время суда. Помню толь-ко, что когда я вечером вернулся домой, у меня было состояние человека, опущенного в помои. Я принял душ, долго, то горячей, то холодной водой "отмывался" от пережитого.

"Подсудимые" сидели за перегородкой, М. Н. Тухачевский сидел на сту-ле впереди. Вопросы задавал только председательствующий. Члены суда молчали. Все обвиняемые категорически отвергали обвинения. И. Э. Якир, патетически обращаясь к членам суда, говорил: "Как вы можете пове-рить тому, что мы – враги народа?! Ведь мы с вами в жесточайшей классовой борьбе громили контрреволюцию и иностранных интервентов в годы Гражданской войны!"...

М. Н. Тухачевскому не было задано ни одного вопроса...»

Нет, на самом деле, Хрущеву надо было приказать уничтожить «дело Тухачевского»! Потому что стенограмма суда... ах да, ведь стенограмма врет, гнусный Сталин ее сфальсифицировал, как и все остальное...

Самый подробный документ по этом поводу – «Справка». Итак, какой же компромат на следствие приводится там?

Авторы сразу же начинают путать, в духе Генриха Ягоды. Много го-ворится о том, что слабо подтверждены показания чекистов Гая и Воло-вича и комбрига Медведева, на основании которых был арестован Фельд-

---

[1] *Сухомлинов А.* Кто вы, Лаврентий Берия? М., 2004.

ман. О том, что они могли быть «легендированы», мы уже писали. В деле вроде бы нет санкции прокурора на арест, хотя это странно, не в духе времени...

Но все это не отвечает на главный вопрос: виновны они были или не виновны? Ведь обвинение базировалось не на показаниях комбрига Медведева, а на том огромном количестве материала, который они дали друг на друга и на себя самих. Об этом – ни слова, кроме того, что все, мол, получено «незаконными методами» – впрочем, о том, какие «пытки» сумела накопать «Справка», мы уже писали. А ведь они очень старались.

Что еще «не так»?

«Показания о военном заговоре, которые Фельдман стал давать, были крайне противоречивы», – утверждает «Справка». И в чем же их противоречивость? *«Так, на допросе 16 мая 1937 года он показал, что в военно-троцкистскую организацию его вовлек в 1934 году Примаков. Через три дня Фельдман, изменив свои показания, утверждал, что военно-троцкистская организация возглавлялась Тухачевским, который и вовлек в нее Фельдмана в начале 1932 г.»* Что еще? Все!

Впрочем, первым «дело генералов» начали проверять далеко не при Хрущеве. Первым его стал проверять Берия. По-видимому, это было одно из первых дел, которые подверглись проверке в ходе «первой бериевской реабилитации». Так что «Справка» то и дело ссылается еще на те показания.

Дело Фельдмана вел следователь Ушаков. В октябре 1938 года на допросе он говорил следующее: *«На Фельдмана было лишь одно косвенное показание некоего Медведева... В первый день допроса Фельдман... написал заявление об участии своем в военно-троцкистской организации, в которую его завербовал Примаков... Придерживаясь принципа тщательного изучения личного дела и связей арестованных, я достал из штаба дело Фельдмана и начал тщательно изучать его. В результате я пришел к выводу, что Фельдман связан интимной дружбой с Тухачевским, Якиром и рядом др. крупных командиров и имеет семью в Америке, с которой поддерживает связь. Я понял, что Фельдман связан по заговору с Тухачевским...»* Затем на оперативном совещании по ходу следствия он рассказал о показаниях Фельдмана и *«перешел к своему анализу и начал ориентировать следователей на уклон в допросах с целью сокрытия, несомненно, существующего в РККА военного заговора... Как только окончилось совещание, я... вызвал Фельдмана. К ве-*

черу 19 мая было написано Фельдманом на мое имя известное показание о военном заговоре с участием Тухачевского, Якира, Эйдемана и др., на основании которого состоялось 21 или 22 мая решение ЦК ВКП(б) об аресте Тухачевского...»

Ну и что? Где тут хоть намек, хоть тень намека на то, что дело было сфальсифицировано? Ах да, конечно же, весь день до вечера он избивал несчастного Фельдмана. Откуда это следует? Ну как же?! Ведь об этом *все знают*!

Именно в этом *все знают*, в мощнейшем пиаре хрущевских времен, все дело. Потому что даже те материалы следствия, которые волей-неволей просачиваются в печать, предельно конкретны. Вы их читали. А вот что касается доказательств фальсификации процесса, то они основаны как раз на пресловутом «все знают», на который сверху наложены... нет, не доказательства, а иллюстрации. «Так, на допросе 16 мая...» И все густо сдобрено антисталинской риторикой, само собой.

По поводу процесса «Справка» сообщает:

«В суде обстоятельства дела были исследованы крайне поверхностно и неполно. Вопросы, задававшиеся подсудимым, носили тенденциозный, наводящий характер. Суд не только не устранил наличие существенных противоречий в показаниях подсудимых о времени образования заговора, об их вступлении в него, о составе «центра» заговора, о практическом участии в заговорщической деятельности, но даже фактически замаскировал эти противоречия... Суд не истребовал никаких объективных документальных доказательств и свидетельств, необходимых для оценки правильности тех или иных обвинений, не вызвал никаких свидетелей и не привлек к рассмотрению дела авторитетных экспертов...»

Если подсудимые упорно заявляют о том, что они невиновны, суд обязан скрупулезно доказывать, что это не так, с привлечением доказательств и экспертов. Этого требует презумпция невиновности. Но если все признают свою вину, каждая из которых в сумме тянет на три смертных приговора, то обязан ли суд спорить с ними и скрупулезно доказывать, что они не правы и расстрелов на самом деле должно быть только два?

Упаси бог, мы не против реабилитации, – но пусть она будет хотя бы вполовину столь же убедительна, как сам процесс! Остальная половина пусть идет за счет презумпции невиновности...

Досье: из политической «демонологии»
ВЕЛИКИЙ ПРОВОКАТОР

> *...Кто послал их на смерть недрожащей рукой...*
>
> *Из песни*

На какой странице ни открой отчеты о «московских» процессах — обязательно наткнешься на имя Троцкого. Тень «демона революции» стоит за всем и за всеми. Кто сказал: «Сталин — это Ленин сегодня»? Троцкий — вот Ленин сегодня, из заграничного далека подготавливающий новую революцию.

...Если бы в Советской России к власти вместо Сталина пришел Троцкий, то 7 ноября отмечалось бы как двойной праздник — годовщина революции и день рождения Самого. Он родился 25 октября (7 ноября) 1879 года, в один год со Сталиным. От рождения он носил простую еврейскую фамилию Бронштейн. Отец его был арендатором, небогатым, но достаточно обеспеченным — по крайней мере, настолько, чтобы прокормить четверых детей и дать им образование. Сына он отдал в николаевское реальное училище. Позднее, уже в эмиграции, Троцкий закончил Венский университет.

Еще в училище Лев примкнул к Южнорусскому рабочему союзу, николаевская организация которого фрондировала, но была вполне безобидной — даже в этой организации он находился на правом фланге. Тем не менее в 1898 году, когда союз был разгромлен, он с другими его членами оказался в тюрьме. Именно оттуда Троцкий вынес свой псевдоним — эту фамилию носил самый представительный и властный надзиратель. После следствия, продолжавшегося два года, Лев Давидович на четыре года, отправился в Иркутскую губернию, в ссылку.

По пути в Сибирь он женился. Жена, Александра Соколовская, была на 10 лет старше мужа. Впрочем, вместе они были недолго. Вскоре, бросив ее в Сибири с двумя маленькими дочерьми, Лев Давидович бежит за границу, к Ленину. Работая под его руководством, Троцкий отправляется в Париж. Там он встречает Наталью Седову и уводит ее от мужа. С ней ему суждено прожить всю оставшуюся жизнь.

На II съезде РСДРП произошел памятный раскол на большевиков и меньшевиков. Троцкий, в начале съезда выступавший на стороне Ленина, к концу сделал крутой разворот и перешел к меньшевикам. С Лениным он разошелся на долгие годы.

Первым звездным часом Троцкого стала революция 1905 года. Политик, оратор, публицист, он все время в гуще событий. С самого начала работы Петербургского Совета рабочих депутатов его избирают заместителем председателя. Он пишет воззвания, резолюции, манифесты Совета, передовые статьи в газету «Известия». Однако революция потерпела поражение, Троцкого арестовали и после годичного пребывания в тюрьме, отправили в Сибирь на вечное поселение. По пути он бежал и вскоре уже присутствовал на Лондонском съезде РСДРП.

Как революционер он был великолепен. Однако революционные таланты Льва Давидовича сочетались с самым ярым меньшевизмом. По взглядам он в то время фактически смыкается с ликвидаторами, стоявшими за преобразование революционной партии в реформистскую. Удивительным образом это сочеталось у него с очень «революционными» теориями. «Вместе с Парвусом, — писал Троцкий, — мы отстаивали... ту мысль, что русская революция является прологом социально-революционной эпохи в развитии Европы; что русская революция не может быть доведена до конца ни сотрудничеством пролетариата с либеральной буржуазией, ни его союзом с революционным крестьянством; что она может победить лишь как составная часть революции европейского пролетариата».

К большевикам Троцкий примкнул только в 1917 году в составе межрайонной организации РСДРП. События кипели, а в момент революционных перемен он чувствовал себя как рыба в воде. Талант организатора, великолепные ораторские способности, памятная по 1905 году работа в Совете — вот трамплин, с которого «демон революции» прыгнул к вершинам власти. Однако его двойственность осталась при нем. На словах — левый из левых, в конкретных делах он был правым, время от времени скатываясь к откровенному предательству. Ленин прозвал его «иудушкой», знавшие Троцкого его не любили. Однако авторитет его среди рядовых партийцев и в народе был очень высок, и след этого авторитета сохранялся даже двадцать лет спустя.

О том, что собой представляли воззрения Льва Давидовича, пишет Сергей Дмитриевский, бывший эсер, а затем крупный советский дипломат-невозвращенец. Долгое время он работал в руководстве НКИД и хорошо знал лично всю советскую верхушку.

«Троцкому на Россию как таковую было наплевать. Его бог на небе был Маркс, на земле – западный пролетариат, его священной целью была западная пролетарская революция. Троцкий был и есть западный империалист наизнанку: взамен культурного западного капитализма, взорвав его, он хотел иметь культурный западный пролетарский социализм. Взамен гегемонии над миром западной буржуазии – гегемонию западного пролетариата. Лицо мира должно было измениться только в том отношении, что у власти вместо буржуазии становится пролетариат. Прочая механика должна была остаться примерно прежней – то же угнетение крестьянства, та же эксплуатация колониальных народов. Словом, это была идеология западных социалистов, и разница была одна: те не имели мужества дерзать, Троцкий дерзал; те хотели только разделять власть над миром, Троцкий хотел иметь ее целиком в руках своих и избранного класса.

Россия для Троцкого была отсталой страной с преобладанием "подлого" земледельческого населения, поэтому сама по себе на пролетарскую революцию она не была способна. Роль хвороста, разжигающего западный костер, роль пушечного мяса западной пролетарской революции – вот роль России и ее народов. Гегемоном мирового революционного движения Россия не могла быть. Как только огонь революции перебросится на "передовые", "цивилизованные" страны, к ним перейдет и руководство. Россия вернется в свое прежнее положение отсталой страны, на задворки цивилизованной жизни, из полуколонии культурного капитала превратится в полуколонию культурного социализма, в поставщика сырья и пушечного мяса для него, в один из объектов западной пролетарской эксплуатации, которая неизбежно должна быть, ибо иначе нет возможности сохранить для западного рабочего его привилегированное положение.

В самой России Троцкий стремился утвердить безраздельное господство рабочего класса, вернее, привилегированных верхушек его. Только таким образом удастся погнать на чуждую им борьбу тупую массу деревенских рабов. Только таким образом, организовав из русского рабочего класса касту надсмотрщиков-управителей, удастся в дальнейшем подчинить русскую деревню западному паразитическому пролетариату. Отсюда враждебное отношение Троцкого к идее "рабоче-крестьянского" государства и союза, ставка на "рабочее" государство, на полное порабощение – как политическое, так и экономическое – городом деревни. Отсюда же, в дальнейшем, идея "сверхиндустриализации" России: опять не в интересах России как таковой, но во имя быстрого создания в ней мощного рабочего класса-властителя...»

Это теория, а что касается практики, то Троцкий прославился в первую очередь совершенно запредельной жестокостью, как на деле – расстрелами, так и на словах. Как вспоминает А. Л. Ратиев, юношей слышавший его в Курске в декабре 1918 года, на собрании партактива, он говорил такие вещи: «*Каждому из вас должно быть ясно, что старые правящие классы свое искусство, свое знание, свое мастерство управлять получили в наследство от своих дедов и прадедов... Что можем противопоставить этому мы? Чем компенсировать свою неопытность? Запомните, товарищи, – только террором! Террором последовательным и беспощадным! Уступчивость, мягкотелость история никогда нам не простит. Если до настоящего времени нами уничтожены сотни и тысячи, то теперь пришло время создать организацию, аппарат, который, если понадобится, сможет уничтожать десятками тысяч. У нас нет времени, нет возможности выискивать действительных, активных наших врагов. Мы вынуждены стать на путь уничтожения, уничтожения физического всех классов, всех групп населения, из которых могут выйти возможные враги нашей власти...*

Есть только одно возражение, заслуживающее внимания и требующее пояснения, – продолжает спокойным, акдемическим тоном оратор. – Это то, что, уничтожая массово, и прежде всего интеллигенцию, мы уничтожаем и необходимых нам специалистов, ученых, инженеров, докторов. К счастью, товарищи, за границей таких специалистов избыток. Найти их легко. Если будем им хорошо платить, они охотно приедут работать к нам...»

Однако жизнь почему-то шла другим путем. Запад все больше отходил от революционных идей, в России «эти оппортунисты» тоже делали не то, чего он хотел. Оставался только один путь – путь борьбы с правительством СССР.

С тех пор, как планы Троцкого начали проваливаться — а он, и это смешно отрицать, был очень умен и прекрасно понимал, что ему мешает, — так вот, с тех пор самым ненавистным человеком для это-го «интернационал-большевика» стал лидер «национал-большеви-ков» — Сталин. Начиная с 1926—1927 годов оппозиция ведет себя как «девочка наоборот» занимая ту позицию, которая противоположна сталинской. Правительство совершает поворот на 180 градусов — по-ворачивается и оппозиция, даже если при этом приходится занять позицию, которую только вчера критиковали. Свалить Сталина — в этом теперь смысл жизни опального «демона революции». Что по-том? А какая разница?

То, что «перманентный революционер» по своей психологии даже отчасти не годился управлять государством, не один раз было проверено, когда Льву Давидовичу пытались поручить хоть какое-нибудь мирное дело. Но это едва ли кого-либо смущало. Меньше всех это смущало самого Троцкого. Чуть больше — его российских соратников, из которых одни были как государственные деятели весьма небольшого ума и считали, что главное — скинуть Сталина, а там все как-нибудь само собой устроится. А другие наверняка хоте-ли использовать имя и вес Троцкого, употребить его как козырного короля в игре, который поможет прийти к власти, — а там посмот-рим! Глядишь, и явится на короля какой-нибудь теневой козырной туз — тот же Тухачевский, например...

На самом деле это еще очень большой вопрос — хотел ли Троц-кий именно *власти*. По крайней мере, когда у него была возмож-ность эту власть взять — в 1924 году, — он не рискнул, отсиделся за спинами соратников (точно так же, как отправил их на смерть и от-сиделся за их спинами в 1937 году). Но вот Сталина и построенное им государство он ненавидел люто.

Фейхтвангер писал: «Нужно хорошо себе представить этого че-ловека, приговоренного к бездействию, вынужденного праздно на-блюдать за тем, как грандиозный эксперимент, начатый им вместе с Лениным, превращается в некоторого рода гигантский мелкобур-жуазный шреберовский сад. Ведь ему, который хотел пропитать социализмом весь земной шар, "государство Сталина" казалось — так он говорил, так писал — пошлой карикатурой на то, что первона-чально ему представлялось. К этому присоединялась глубокая лич-ная неприязнь к Сталину, соглашателю, который ему, творцу плана,

постоянно мешал и в конце концов изгнал его. Троцкий бесчислен-
ное множество раз давал волю своей безграничной ненависти и
презрению к Сталину... Если собрать все отзывы изгнанного Троцкого о Сталине и о его государстве воедино, то получится объемис-
тый том, насыщенный ненавистью, яростью, иронией, презрением.
Что же являлось за все эти годы изгнания и является и ныне главной
целью Троцкого? Возвращение в страну любой ценой, возвращение
к власти...»

В то достаточно наивное время темой для обсуждения была возможность договоренности между Троцким и Гитлером – многие в
это не верили. Фейхтвангер пытается ответить и на этот вопрос.

«Троцкий отважен и безрассуден; он великий игрок. Вся жизнь
его – это цепь авантюр; рискованные предприятия очень часто уда-
вались ему. Будучи всю свою жизнь оптимистом, Троцкий считал
себя достаточно сильным, чтобы быть в состоянии использовать для
осуществления своих планов дурное, а затем в нужный момент отбросить это дурное и обезвредить его...

...Кориолан Шекспира, придя к врагам Рима – вольскам, рассказывает о неверных друзьях, предавших его: "И пред лицом пат-
рициев трусливых, – говорит он заклятому врагу Рима, – бессмыс-
ленными криками рабов из Рима изгнан я. Вот почему я здесь теперь – пред очагом твоим. Я здесь для мщенья. С врагом моим я
за изгнанье должен расплатиться". Так отвечает Шекспир на вопрос о том, возможен ли договор между Троцким и фашистами».

Однако к началу войны король был бит окончательно, и сама его
смерть загадочна. Он не был ликвидирован ни в начале 30-х годов,
ни даже в 1938-м, после последнего московского процесса. Павел
Судоплатов вспоминает, что задание на ликвидацию «демона революции» он получил в марте 1939 года. Троцкого убрали тогда,
когда все его ядовитые зубы, казалось бы, уже были вырваны, когда он мог только брызгать слюной, но уже не имел сил кусаться. Какой был смысл уничтожать поверженного противника? Значит, был.

Относительно безвредный в мирных условиях, Троцкий в условиях войны мог принести много вреда, превратившись в марионет-
ку в руках противника. Недаром во время советско-финской войны, буквально накануне его ликвидации, правительства Финляндии
и Англии, параллельно и не сговариваясь, планировали использовать его для подрыва внутреннего единства Красной Армии и со-

ветского государства. Финны хотели ввести его в состав марионеточного «правительства в изгнании», а англичане, в очередной раз готовившиеся к агрессии против СССР, хотели его забросить на советскую территорию.

Неизвестно, как использовала бы Троцкого Германия, останься он жив. Впрочем, даже после смерти «демона революции» троцкистская карта была разыграна ведомством Геббельса. Его пропагандисты во время захвата Франции и в начале Великой Отечественной войны создавали от имени троцкистов газеты, радиостанции, забрасывали на нашу территорию листовки. Все с той же целью — разделяй и побеждай...

Глава 18

МОМЕНТ ИСТИНЫ

> Если все это было вымышлено или подстроено,
> то я не знаю, что тогда значит правда.
> *Л. Фейхтвангер о «московских процессах»*

...Но пока эта работа не проведена, у нас нет никаких причин сомневаться в материалах следствия – по крайней мере в основных материалах. Мы можем даже вынести за скобки такие вещи, как шпионаж, «вредительство» (говоря более понятным языком, саботаж) – достаточно самого заговора, намерений произвести государственный переворот, подготовки поражения собственной армии в войне. Нет, конечно, в истории человечества не всегда за такие вещи расстреливали – иногда вешали, рубили голову, а то еще было принято подвергать четвертованию...

Более того, организаторы судебного процесса до такой степени ни в чем не сомневались, что доверили судить заговорщиков их собственным недавним товарищам, таким же «советским генералам». Нет, конечно, Буденный не любил Тухачевского, может быть, даже сильно не любил. Но как вы думаете, что бы он сделал, если бы Михаил Николаевич поднялся и крикнул, что он невиновен,что его заставили оговорить себя под пытками? А остальные? И сколько бы после этого прожили нарком и его следователи, учитывая, что подобное деяние вполне могло пойти по той же статье «измена Родине», как подрыв обороноспособности державы?

Но окончательно вся эта история была систематизирована девять месяцев спустя, на знаменитом троцкистско-бухаринском процессе. Тогда же правду сказали и стране – выдержки из материалов суда печатались в «Правде». На этом, последнем процессе была дана полная и развернутая картина подпольной деятельности антисталинской оппозиции после 1930 года, когда она была окончательно разбита на XVI съезде ВКП(б). История эта ни в чем, ни в одной своей строчке, не противоречит традициям ленинской партии. Так что они действительно были «верными ленинцами», эти расстрелянные коммунисты 1937 года...

Структура заговора и время возникновения.

В части 2 («Непарламентская оппозиция») мы уже показали, как это все начиналось. Сначала оппозиция, потом «параллельная партия», уход в подполье. Постепенно оппозиционеры становятся все более законспирированными и все более радикальными. А после успеха коллективизации и начала промышленного роста у них остается один путь – нелегальная борьба с режимом, террор и подготовка переворота.

Но вот с руководством у них слабовато. Это единственное объяснение того, почему они все-таки не выступили, ведь хорошие бойцы и исполнители имелись – однако не нашлось никого, кто бы в нужный момент взял на себя ответственность и *отдал приказ*. Мы еще увидим, как в последние месяцы, когда уже пятки припекает, они все равно согласовывают свои действия с сидящим за границей Троцким, который в случае провала, в общем-то, почти ничего не терял.

Ни Зиновьев с Каменевым, ни тем более Бухарин на *поступок* оказались не способны. Из Троцкого не вышло Ленина, а из Тухачевского – Наполеона: «бонапартизм» его, как оказалось, тоже все больше сводился к разговорам...

Заговор против Сталина собрал самую разношерстную компанию (это, кстати, его и погубило). По большому счету серьезными людьми среди заговорщиков были только военные и чекисты, а политики занимались составлением планов, помаленьку террором, а в основном болтовней да демонстрацией грозных намерений – и, в конце концов, всех и утащили на дно.

Что же касается «военной группы»... кстати, это еще не факт, что группа Тухачевского была *первой*. (Что мы, собственно, знаем о деле «Весна» и ниточках, которые тянутся оттуда? Не зря же оно до самых последних лет так тщательно замалчивалось.) И не факт, кстати, что она была *единственной*.

Но что касается *этой* «военной группы», то, как видно из данных следствия, оформление разговоров и намерений в собственно заговор разные подследственные относят к разному времени. Кто-то к 1931-му, а кто-то и к 1934 году. Впрочем, никому из них ведь не присылались на дом приказы: «прибыть такого-то числа для оформления антиправительственной группировки». Их вовлекали постепенно, по одному, для каждого все начиналось в свое время и своим путем. Уборевича, например, Тухачевский прощупывал аж до 1935 года.

Более того, для каждого существовало и свое «ядро» заговора. Тухачевский, например, в числе руководителей называет, кроме себя, С. С. Каменева, Фельдмана, Эйдемана и Примакова, а начальники округов в основном Тухачевского и друг друга. Естественно, они также считают себя членами «руководящего ядра» – но у них с Тухачевским могли быть на этот счет разные мнения. Едва ли «красный маршал» посвящал своих товарищей более низкого ранга во все свои дела.

А персоны им названы очень интересные. Сергей Сергеевич Каменев сейчас забыт, а ведь тогда это была крупнейшая фигура. Главнокомандующий Гражданской войны, потом начальник штаба РККА, заместитель наркома, заместитель председателя РВС СССР, и лишь с 1934 года, по возрасту и состоянию здоровья, стал «всего лишь» начальником Управления ПВО РККА, нового и очень сложного направления работы. Умер он своей смертью, как говорится, «на боевом посту» (впрочем, тогда ничего необычного в этом не было, сталинские кадры работали до последних дней), 25 августа 1936 года. По рангу и масштабу это, пожалуй, единственная равновеликая Тухачевскому фигура (если не более крупная) среди всех военных заговорщиков, и если Тухачевский сказал правду, то это еще вопрос: кто из них был в этом деле главным. Комкор Фельдман был начальником Управления по начальствующему составу РККА, Эйдеман – председателем центрального совета Осоавиахима. Оба – москвичи, оба «сидят на кадрах», командующие округами рядом с ними – достаточно мелкая рыбка. Правда, Примаков был еще мельче – всего лишь заместитель командующего войсками ЛВО, – но этот оказался здесь в качестве представителя троцкистов в «военной группе».

И, как мы увидим дальше, никто не собирался уступать власть. Ну, может, разве что Бухарина устроила бы номинальная болтологическая должность. Енукидзе, судя по размаху его деятельности, собирался быть главой государства, Ягода высказывал такие намерения, Тухачевский и вовсе «глядел в наполеоны». Интересно, что бы стал делать Троцкий, осознав, что никто его в СССР не ждет? Принялся организовывать очередную интервенцию? Дело привычное... И лишь одно ясно: если бы эта компания пришла к власти, страна снова скатилась бы в кровавый кабак – но на сей раз не было Ленина с его отмороженной шайкой, чтобы ее из всего этого вытаскивать...

Оппозиция и коллективизация

Помните, еще в части 2 мы выдвинули версию, что оппозиция никак не могла не «поучаствовать» в коллективизации – естественно, в своей специфической роли? А вот и подтверждение...

«Зубарев[1]. Рыков говорил, что мы были бы смешны, если бы не вели свою борьбу за кулацкое восстание, если бы мы сами не принимали абсолютно никаких мер в организации... кулацкого движения и не стали у руководства. Рыков говорил, что прежде всего необходимо, чтобы со своей стороны мы воспользовались этим моментом для разжигания недовольства в деревне... (Беседа относится к маю 1930 года. – Авт.)

...Вредительская работа в деревне: срыв посевной кампании путем несвоевременной выдачи и подвоза семенного материала, понижения его качества: это будет, естественно, озлоблять население; с другой стороны, меры, противоречащие укреплению колхозов, направленные к тому, чтобы возбуждать недовольство крестьянского населения...

...

Вышинский. Что конкретно вами было сделано для совершения преступлений против советского правительства?

Зубарев. ...Я давал указания по линии сельского хозяйства в отношении срыва хлебозаготовок, поощрения враждебных настроений в связи со сдачей хлеба, о противодействии коллективизации, о противодействии мероприятий в отношении укрепления колхозов...

Вышинский. А об организации кулацких восстаний вы давали указания?

Зубарев. ...Что нами делалось в отношении кулацких восстаний в области организационных мероприятий? Создание на периферии вооруженных групп...

Вышинский. В каких целях?

Зубарев. В целях быть готовыми в подходящий момент к руководству такого рода восстанием и повстанческим движением...»

...

«Вышинский. Стало быть, весной 1932 года по прямому заданию центра... направляется на Северный Кавказ один из ваших ближайших

---

[1] В то время, о котором идет речь, П. Т. Зубарев работал в Наркомземе СССР.

соучастников по подполью Слепков для всемерной, как сказал Рыков, организации кулацких выступлений... Следовательно, вы послали Слепкова для организации кулацких восстаний на Северном Кавказе?

Бухарин. *Следовательно, послал для того, чтобы поднять восстание.*

Вышинский. *Вы лично инструктировали Слепкова?*

Бухарин. *Слепков никакого инструктажа не требовал, потому что он был достаточно квалифицированным человеком.*

Вышинский. *...То есть квалифицированным и для того, чтобы поднять восстание?*

Бухарин. *И для того, чтобы поднять восстание. Тогда стояла задача всемерного обострения кулацкого недовольства по отношению к Советской власти, задача разжигания этого недовольства, организации кадров и организации выступлений, вплоть до вооруженных кулацких восстаний...»*

...

*«**Вышинский.** Теперь можно перейти к Сибири.*

Рыков. *...Яковенко в Сибири осуществлял такую же работу, какая велась на Северном Кавказе, то есть он стремился поднять кулацкие активные выступления...»*

Следующий отрывок очень и очень интересен – думаем, читатель быстро поймет, почему...

*«**Ходжаев**. ...Чтобы не дать хлопка, мы создали новый план – дутый, значительно преувеличенный... Мы стали проводить теорию монокультуры, то есть, теорию одной культуры в сельском хозяйстве, как доминирующей культуры – хлопок. Для этого надо было разбить, разгромить севооборот, уничтожить луга, то есть клевер, корма, вытеснить на поливных землях не только пшеницу, ячмень, но и такую культуру, как рис, которая не растет нигде... А это означало вызвать колоссальное недовольство народа, потому что мы представили дело так: план московский, мы якобы московские приказчики, мы осуществляем директивы Москвы...»*

...

Вышинский. *Обвиняемый Зеленский, не вам ли принадлежит эта формула – догнать и перегнать в Средней Азии передовые районы Советского Союза?*

Зеленский. *Да, мне.*

Вышинский. *А что означала эта формула?*

Зеленский. *Срыв коллективизации.*

Вышинский. *Не только это, но и срыв хлопковых планов, и разорение дехканских хозяйств. Вы подтверждаете это?*

Зеленский. Да, подтверждаю.

Вышинский. Вы кем тогда были?

Зеленский. Секретарем ЦК».

Интересно, как вышло, что план, который еще в 1939 году считался вредительским, был все-таки осуществлен и действительно загубил сельское хозяйство Узбекистана...

По «сельской» теме на процессе говорилось еще очень много: о дезорганизации севооборота, о порче семян, об организации падежей скота, о задержке строительства элеваторов, чтобы хлеб гнил под открытым небом, – все то, что господа «демократы» так любят приводить, как примеры издевательства сталинского правительства над народом. Кстати, очень любопытно было бы посмотреть украинские следственные дела, потому что жуткий голод, разразившийся там в 1933 году, – явление весьма и весьма темное... Может быть, в следственных делах украинских «врагов народа» мы найдем и протоколы допросов организаторов этого голода?

Итак, когда была разгромлена последняя легальная оппозиция...

«Вышинский. Закончили мы, примерно, 1933 годом.

Рыков. Конец этого периода совпадает с ликвидацией кулачества. В связи с этим правые потеряли свою последнюю социальную базу – кулачество. И последующий период характеризуется созданием исключительно заговорщического типа организаций и применением самых острых методов борьбы против партии и правительства. Сюда, в частности, относится одна из попыток, которая была сделана, – это подготовка "дворцового переворота".

Вышинский. К какому времени это относится?

Рыков. Этот план ставил себе целью арест членов правительства в связи с насильственным переворотом, произведенным заговорщической организацией при помощи специальной организации, созданной для осуществления этого переворота. Эта мысль, насколько я помню, среди правых возникла в 1933–1934 годах, когда она начала носить более или менее оформленный характер...

Опорой для осуществления этого... плана явился Енукидзе, который вступил в качестве активного члена в организацию правых в 1933 году (а с кем он был до 1933 года, когда вербовал Тухачевского? – *Авт.*). *Большую роль играл Ягода, который возглавлял ГПУ... Впоследствии правый центр вместе с Енукидзе и Томским от времени ко времени информировал меня о ходе подготовки и осуществлении этого... Я помню, первая информация была о группе кремлевских работников, и особенно тут фигурировали Ягода, Петерсон, Горбачев, Егоров (начальник кремлевской военной школы. – Авт.) ...Несколько раз Томский мне сообщал о привлечении через этих лиц – Енукидзе и Егорова – группы военных работников во главе с Тухачевским, которые тоже были подготовлены к этому плану и ведут в этом направлении работу. Он называл фамилии: Уборевича, был назван Корк...»*

ОГПУ – НКВД: группа прикрытия

*«**Вышинский**. Какие у вас были отношения в 1928–1929 годах с Ягодой?*

***Рыков**. В отношениях с Ягодой все было нелегально. У нас уже в этот период, наряду с легальной частью... существовали кадры, которые были специально законспирированы в целях организации дальнейшей борьбы с партией. К этим людям, в частности, принадлежал Ягода...*

***Вышинский**. Было ли у вас с Ягодой соглашение о том, что члены вашей подпольной организации им не будут репрессироваться?*

***Рыков**. Конечно.*

***Вышинский**. Было ли с Ягодой соглашение о том, что он будет оберегать подпольную организацию правых, используя свое служебное положение?*

***Рыков**. Да.*

***Вышинский**. А какое служебное положение он в то время занимал?*

***Рыков**. Он был заместителем председателя ОГПУ Менжинского.*

...

***Вышинский**. Подсудимый Ягода, вы подтверждаете эту часть показаний Рыкова?*

***Ягода**. ...Факт был, но не так, как говорит Рыков.*

...

***Вышинский**. Во всяком случае, это было тогда, когда вы, подсудимый Ягода, были заместителем председателя ОГПУ и когда на вашей обязанности лежала борьба с подпольными группами?*

***Ягода**. Да.*

***Вышинский**. Следовательно, вы совершили прямую государственную измену?*

***Ягода**. Да».*

О том же самом, но более подробно, говорит П. П. Буланов, бывший секретарь Ягоды.

«Буланов. ...Я был не раз свидетелем его непосредственных заданий, по линии оперативной, которые он давал соответствующим лицам, ведающим определенной частью работы, давал в той или иной мере прямые или косвенные указания о неразвертывании дел троцкистов, наоборот, о свертывании ряда дел и троцкистов, и правых, и зиновьевцев.

Вышинский. То есть что он их покрывал?

Буланов. Я бы сказал, что не только покрывал, но помогал им работать. Чтобы не быть голословным, я приведу несколько фактов. Например, Ягода дал указание, чтобы Угланов держался, не выходя из таких рамок, в своих показаниях.

Вышинский. Не припомните ли вы зловещую фигуру одного из предыдущих процессов, фигуру Дрейцера? Какие у них с Ягодой были отношения?

Буланов. Я помню, что, несмотря на то что соответствующий начальник отдела располагал совершенно точными, конкретными данными о продолжительной троцкистской деятельности Дрейцера, Дрейцер не был арестован...

Вышинский. А не помните ли вы другую фигуру одного из предыдущих процессов, не менее зловещую фигуру – Ивана Никитича Смирнова? Не известно ли вам, был ли с ним связан Ягода и не покрывал ли он его?

Буланов. Из фактов относительно Смирнова я знаю точно, что когда Смирнов был в тюрьме, Ягода посылал Молчанова и через него дал указание Смирнову, в каких рамках держаться в случае необходимости, когда от него потребуют те или иные показания...

Вышинский. А не известно ли вам, что сделал Ягода, когда Смирнова из этой тюрьмы доставили в Москву?

Буланов. Я знаю, что Ягода нарушил свое обычное поведение. Он обычно в тюрьму не ходил, а по прибытии Смирнова ходил к нему... Я слышал его разговор с Молчановым о том, что за поведение Смирнова на суде он спокоен».

Помните сообщение из Германии о «нелегальном правительстве в СССР»? Агент «Августа» летом 1933 года сообщает, что у свежеиспеченного германского правительства идет совместная работа с будущим русским правительством, которое в ближайшее время произведет переворот в СССР и связано с Красной Армией и работниками Кремля – оппозиционерами. А вот вам и его след...

Мы все глядим в наполеоны...

«Буланов. Ягода как-то в разговоре сказал мне, что они (это значит – он и стоящие за ним правые) объединились с троцкистами и зиновьевцами, что нормальным путем, путем легальной борьбы в партии рассчитывать на какой-нибудь успех совершенно нечего, что для достижения власти в их распоряжении остается единственное средство – это насильственный способ прихода к власти путем непосредственного вооруженного переворота.

Одну из главных ролей переворота, по его словам, должен был выполнить Енукидзе и вторая, пожалуй не менее важная, роль, по его словам, ложилась на его, Ягоды, плечи. У них была сфера влияния: Кремль – у Енукидзе, аппарат НКВД – у Ягоды. Сам Ягода... представлял, что в случае удачи он должен был быть председателем Совнаркома.

Вышинский. *Председателем Совнаркома?*

Буланов. *Так. Партийная работа ложилась, по его определению, на Томского, Бухарина и Рыкова... Секретарями ЦК должны были быть Рыков и Бухарин... В будущем правительстве, если память мне не изменяет, председателем ЦИК назывался Енукидзе... Уже гораздо позже я услышал фамилию Тухачевского, который должен был в будущем правительстве быть народным комиссаром обороны...»*

Но у Тухачевского-то могло быть свое мнение. И заговорщики это понимали.

*«**Рыков** (**Бухарину**). ...Ты высказывал такого рода мысль, что в случае открытия фронта необходимо, во избежание захвата власти военными, принять определенные меры против военной диктатуры...»*

Как оказалось, свое мнение было и у шефа НКВД.

*«**Буланов**. ...Ягода подчеркивал, что когда он будет председателем Совнаркома, – роль секретарей ЦК при нем будет совершенно иной. Какой именно – едва ли я смогу объяснить...*

Мне вспоминается в связи с этим параллель, которую Ягода проводил между будущим секретарем будущего ЦК Бухариным и Геббельсом. Должен сказать, что Ягода вообще сильно увлекался Гитлером.

Вышинский. *Вообще фашизмом увлекался? А конкретно?*

Буланов. *Он увлекался Гитлером, говорил, что его книга "Моя борьба" действительно стоящая книга... Он подчеркивал неоднократно, что Гитлер из унтер-офицеров выбрался в такие лица...*

Вышинский. *А Геббельс при чем тут?*

Буланов. *Он говорил, что Бухарин будет у него не хуже Геббельса... Надо полагать, что, когда он проводил эту параллель, насколько я пони-*

маю и разбираюсь, он вкладывал тот смысл, что он, председатель Сов-наркома, при таком секретаре типа Геббельса и при совершенно послуш-ном ему ЦК будет управлять так, как захочет...»

Как они собирались это сделать

*«**Вышинский**. Как тогда ставился вопрос о войне (речь идет о 1934–1935 гг. – Авт.)*

***Розенгольц**. В отношении войны линия у Троцкого была на пораже-ние.*

***Вышинский**. Предполагалось, что будет война? Когда?*

***Розенгольц**. В 1935 или 1936 году.*

***Вышинский**. Значит, Троцкий предполагал, что война должна воз-никнуть в 1935–1936 годах, и в этой связи...*

***Розенгольц**. Стоял вопрос о перевороте... стоял вопрос о желатель-ности и необходимости осуществления военного переворота примени-тельно к срокам возможного начала войны. Тут разница могла быть в течение нескольких недель...*

***Вышинский**. Значит, в 1934 году, во время беседы с Седовым, стоял вопрос о войне в 1935–1936 годах и о ставке на поражение.*

***Розенгольц**. Да, да...»*

...

*«**Крестинский**. В феврале 1934 года я виделся и с Тухачевским, и с Рудзутаком... получил от обоих принципиальное подтверждение, при-знание линии на соглашение с иностранными государствам, на их воен-ную помощь, на пораженческую установку, на создание внутренней объе-диненной организации, они заявили даже, что вопрос у них не в принци-пе, а в необходимости выяснить свои силы...»*

Их союзники и плата за помощь

*«**Буланов**. Вооруженный переворот, по определению Ягоды, они при-урочивали обязательно к войне. Я как-то задал Ягоде недоуменный воп-рос: я, собственно, не понимаю – война, непосредственная опасность, напряженное положение и в это время правительственное потрясе-ние – так на фронте дела могут весьма и весьма пошатнуться. Ягода мне на это прямо сказал, что я – наивный человек, если думаю, что они, большие политики, пойдут на переворот, не сговорившись с вероятны-ми и неизбежными противниками СССР в войне. Противниками называ-лись немцы и японцы. Он прямо говорил, что у них существует прямая*

договоренность, что в случае удачи переворота, новое правительство, которое будет сконструировано, будет признано, и военные действия будут прекращены».

...

«Рыков. ...О сношениях "центра" с немецкими фашистами. Естественно, что в этом вопросе мы, и лично я, старались несколько смягчить свои показания, потому что это очень скверная вещь... Что характерно в этих переговорах? Характерно то... что немецкие фашисты отнеслись, конечно, с полным благожелательством к возможности прихода к власти правых и всячески будут это приветствовать... И в отношении своих военных действий против Союза, что они соглашаются на сотрудничество, мирное сожительство при определенных уступках хозяйственного порядка в виде концессий, льгот по внешней торговле и так далее... что с немцами можно сговориться с такого рода уступками без территориальных уступок. ...Немцы настаивали на том, чтобы национальным республикам было предоставлено право свободного выделения из системы Союза.

Вышинский. Что это значит по существу?

Рыков. Это означает то, что от СССР отходят крупнейшие национальные республики, из национальных республик они пытаются делать смежные с ними территории, которые сделают своими вассалами и тем самым получат возможность нападения на оставшуюся часть Союза. Они приближаются таким образом к сердцу СССР, им облегчается возможность ведения с их стороны победоносной войны против СССР.

Вышинский. Следовательно, это расчленение СССР, отторжение от него ряда республик?

Рыков. Да.

Вышинский. Подготовка фашистам плацдарма для нападения и победы?

Рыков. Да, это несомненно.

Вышинский. Не только орудием, но и сознательными соучастниками?

Рыков. Нет. Но во всех вожделениях наших мы не были людьми, идущими до конца в отношении фашизма, мы все-таки ограничивали сговор определенными уступками, но мы являлись орудием в том смысле, что этот сговор, то, что приводило к этому сговору, все это облегчало фашизму возможность аннулировать его...»

...

«Рыков. ...Существование военной группы во главе с Тухачевским, которая была связана с нашим центром и которая ставила своей целью использование войны для низвержения правительства. Это подготовка самой настоящей интервенции. Наши сношения с немцами, которые мы всячески усиливали, должны были всячески стимулировать военное нападение...

Вышинский (Бухарину). ...Был ли у вас разговор с Рыковым относительно открытия фронта?

...

Бухарин. Был разговор с Томским, он сказал относительно идеи открытия фронта.

Вышинский. ...Кому открыть фронт?

Бухарин. Против СССР.

Вышинский. Кому открыть фронт?

Бухарин. Германии.

...

Вышинский. А как открыть фронт, кто с вами об этом говорил?

Бухарин. Говорил об этом Томский, что есть такое мнение у военных.

Вышинский. У каких это военных?

Бухарин. У правых заговорщиков.

Вышинский. Конкретно?

Бухарин. Он назвал Тухачевского, Корка, если не ошибаюсь, и потом троцкистов...»

...

«Вышинский. Связь с польской разведкой имела место?

Рыков. Через белорусскую польскую организацию и Ульянова эта связь существовала. Отношения были очень близкие. Был контакт по вопросу о так называемой независимой Белоруссии...

Вышинский. Вы на предварительном следствии говорили о том, что в переговорах с поляками вы были согласны на отторжение от СССР Белоруссии...

Рыков. Этот вопрос обсуждался в свое время в центре, и мы все единогласно – я, Бухарин и Томский – были за то, что в случае возникновения такого национального движения мы допускаем это выделение.

Вышинский. То есть отторжение?

Рыков. Ясно, выделение или отторжение, мы употребляли более мягкие слова.

Вышинский. Вы шли прямо на такой изменнический акт, как отторжение Белоруссии от СССР к Польше.

Рыков. На независимость. Белоруссия должна была быть под протекторатом Польши.

Вышинский. В вассальном отношении...»

Так был ли шпионаж?

«Розенгольц. Теперь я хотел отметить еще, что в более ранние годы – в 1923 году – в связи с имевшимся у меня деловым контрактом...

Вышинский. С кем?

Розенгольц. С немецкими военными кругами, Троцкий предложил передать Секту сведения о советских военно-воздушных силах.

Вышинский. И вы передали?

Розенгольц. Да, я эти сведения передал...

Вышинский. И позже, потом?

Розенгольц. Начиная с 1931 года передавались сведения о заказах по внешней торговле.

Вышинский. Секретные, государственные?

Розенгольц. Да.

Вышинский. В течение долгого срока вы обслуживали таким образом иностранную разведку?

Розенгольц. Эти сведения были с 1931 года до 1935 и 1936 годов...

...

Вышинский. Вам неизвестно, еще кто-либо другой передавал ли аналогичные сведения Секту в то время?

Розенгольц. Я знал, что у Крестинского была какая-то нелегальная связь с рейхсвером...

Вышинский. ...Обвиняемый Крестинский, о какой связи с рейхсвером говорит Розенгольц?

Крестинский. В 1921 году Троцкий предложил мне, воспользовавшись встречей с Сектом, при официальных переговорах предложить ему, Секту, чтобы он оказывал Троцкому систематическую денежную субсидию для разворачивания нелегальной троцкистской работы, причем предупредил меня, что если Сект попросит в качестве контртребования оказание ему услуг в области шпионской деятельности, то на это нужно и можно пойти... Я поставил этот вопрос перед Сектом, назвал сумму 250 тысяч марок золотом, то есть 60 тысяч долларов в год. Генерал Сект, поговоривши со своим заместителем, начальником штаба, дал принципиальное согласие и поставил в виде контртребования, чтобы Троцкий в Москве или через меня передавал ему, хотя бы и не систематически, некоторые секретные и серьезные сведения военного характера. Кроме того, чтобы ему оказывалось содействие в выдаче виз некоторым нужным им людям, которых бы они посылали на территорию Советского Союза в качестве разведчиков. Это контртребование генерала Секта было принято и, начиная с 1923 года, этот договор стал приводиться в исполнение.

Вышинский. Вы передавали шпионские требования?

Крестинский. По-моему не я, но мы – русские троцкисты. Но были случаи, когда эти сведения передавал непосредственно я генералу Секту...
...

Вышинский. Переговоры с Сектом начались с какого года?

Крестинский. Это было весной и летом 1922 года...»

Что там Тухачевский?.. Всего лишь заместитель министра, который готовил военный переворот, – эка невидаль! А вы попробуйте-ка найти в мировой истории такого военного министра, который не только сам дает, но и своим последователям велит давать шпионские сведения, получая взамен деньги на антиправительственную работу. А осуществляет сделки полпред, то есть посол Советского Союза. Не слабо, а?

Но это еще не все. Продолжим...

«*Крестинский. ...В 1926 году рейхсвер поставил вопрос об отказе от этого соглашения. Я думаю, что это был тактический шаг для того, чтобы поставить нам повышенные требования...*

Вышинский. Кому нам?

Крестинский. Троцкистам. Мы в это время уже привыкли к поступлению регулярных сумм, твердой валюты...

Вышинский. Привыкли к получению денег от иностранных разведок?

Крестинский. Да. Эти деньги шли на развивавшуюся за границей, в разных странах, троцкистскую работу, на издательство и прочее...

Вышинский. На что "прочее"?

Крестинский. На разъезды, на агитаторов, содержание некоторых профессионалов в тех или других странах... И в 1926 году, в разгар борьбы троцкистских групп с партийным руководством... отказ от этих денег мог бы подрезать борьбу троцкистов. И поэтому, когда Сект предупредил, что он предполагает прекратить это субсидирование, я, ес-

тественно, поставил вопрос – на каких условиях он согласился бы продолжить соглашение. Тогда он выдвинул предложение, что та шпионская информация, которая давалась ему несистематически, от случая к случаю, должна принять более постоянный характер, и, кроме того, чтобы троцкистская организация дала обязательство, что в случае прихода ее к власти во время возможной новой мировой войны эта троцкисткая власть учтет справедливые требования германской буржуазии, то есть, главным образом, требования концессий и заключения другого рода договоров...

После запроса Троцкому... и получения от него согласия я дал генералу Секту положительный ответ, и наша информация начала носить систематический характер...

***Вышинский.** Таким образом, деньги продолжали к вам поступать?.. Не скажете ли вы, сколько было всего получено денег?*

***Крестинский.** Начиная с 1923 по 1930 год мы получали каждый год по 250 тысяч германских марок золотой валюты...*

***Вышинский.** Это соглашение... действовало до 1930 года?*

***Крестинский.** Через меня до 1930 года... Потом я больше к денежным делам отношения не имел, они перешли к Путна, а потом непосредственно к Троцкому и Седову и переросли потом в более крупное соглашение».*

Уф... передохнем немного. А еще говорят, что Вышинский на процессах захлебывался ненавистью... Да у него просто железная выдержка, он говорит о таком и еще шутить может!

Ну, вот вам и «невероятные признания», вот вам и «немыслимые поклепы», которые возводили на себя и признавали в суде члены оппозиции, и наши публицисты спустя полвека гадали: в чем тут секрет? Запуганы ли они до животного состояния, или же находятся под гипнозом, под действием психотропных препаратов... Хотя, судя по стенограмме, речь их четкая, мысль работает нормально.

А пропусков в цитатах много оттого, что они все время увиливают, упираются, а Вышинский их «дожимает» – это любопытно было бы привести в качестве иллюстрации, но уж поверьте на слово, что это так...

Нет, это не полутрупы и не зомби, это бойцы. Судьба их предрешена, и они это прекрасно знают, и тем не менее спорят – по каким-то мелочам, о формулировках, скорее для того, чтобы показаться чуть-чуть лучше в глазах невольных свидетелей и последующих поколений, чем в надежде на пощаду. Да и обвинения могут показаться чудовищными лишь по прежним розовым раннеперестроечным временам. А мы с тех пор такой грязи нахлебались...

Такими эти процессы были в реальности, а не в фильмах первого канала...

Впрочем, все это лишь одна группировка – троцкисты. А военные, например, имели отношения все больше с Авелем Енукидзе, роль которого так до конца и не понятна. Троцкист? Нет. Правый? Тоже нет. С правыми он вступил в контакт лишь в 1933 году, а Тухачевского вербовал уже начиная с 1928-го. И создается впечатление, что за этой темной фигурой стоят еще какие-то силы – и не в оппозиции, а в Кремле, на самом верху, такие же не засвеченные ни в каких противостояниях с властью, как и он сам. Потому что, едва лишь доходит до дела, как троцкисты отступают куда-то в тень, и на авансцену выходит Авель... Хотя правильнее было бы назвать его другим библейским именем, судя по тому, что он замышляет...

*«**Вышинский**. Вы избрали средством для свержения восстание в момент преимущественно войны. Это так?*

__Ягода__. Нет, это не так. Вооруженное восстание – это бессмысленная вещь. Об этом могли думать только эти болтуны.

__Вышинский__. А вы думали о чем же?

__Ягода__. О "дворцовом перевороте".

__Вышинский__. То есть насильственном перевороте, произведенном узкой группой заговорщиков?

__Ягода__. Да, так же как и они.

__Вышинский__. Преимущественно приурочивая к военному нападению на СССР иностранных государств, или у вас были разные варинты?

__Ягода__. Вариант был один: захватить Кремль. Время не имеет значения».

Финал «кремлевского дела»

О том, что на самом деле происходило в Кремле в начале 1935 года, стало известно значительно позднее. Командарм 2-го ранга Корк на допросе в мае 1937 года показывал: *«Уже с лета 1931 года руководящий центр правых (Рыков и Бухарин) выжидал подходящего момента для захвата власти при помощи вооруженной силы... Мы рассчитывали для этого использовать Школу ВЦИК. Осенью 1931 года, когда Школа ВЦИК находилась в лагерях под Москвой, я производил в школе инспекторскую стрельбу. На стрельбище присутствовали: Петерсон, Горбачев*[1] *и Егоров*[2]*. По окончании стрельбы и уходе школы в бараки мы (я – Корк, Петерсон, Горбачев и Егоров) остались на стрельбище для обсуждения плана и средств, которыми может быть осуществлен вооруженный переворот в Кремле... Так как ряд деталей оставались несогласованными, мы решили обсудить их здесь же, на стрельбище»*[3].

Сигнал к выступлению должен был дать Енукидзе. Чтобы избежать перестрелки, поскольку члены правительства были люди решительные и вооруженные, предполагалось либо выключить в зале заседаний свет, либо бросить туда дымовую шашку. О политических планах заговорщиков военные не знали, но Петерсон, более посвященный, говорил, что членов правительства предполагалось арестовать, а при необходимости уничтожить.

Через несколько дней, 19 мая 1937 года, об этом заговорил и арестованный за несколько месяцев до того Ягода: *«Планы правых в то время сводились к захвату власти путем так называемого дворцового переворота. Енукидзе говорил мне, что он лично по постановлению центра правых готовит этот переворот. По словам Енукидзе, он активно готовит людей в Кремле и в его гарнизоне (тогда еще охрана Кремля находилась в руках Енукидзе)... Енукидзе заявил мне, что комендант Кремля Петерсон целиком им завербован, что он посвящен в дела заговора. Петерсон занят подготовкой кадров заговорщиков-исполнителей в Школе им. ВЦИК, расположенной в Кремле, и в командном составе кремлевского гарнизона... В наших же руках и московский гарнизон... Корк, командующий в то время Московским военным округом, целиком с нами».*

26 мая он заговорил еще интересней. *«Когда по прямому предложению Сталина я вынужден был заняться делом "Клубок", я долго его тянул, переключил следствие от действительных виновников, организаторов заговора в Кремле – Енукидзе и других, на "мелких сошек", уборщиц и служащих...»* И далее: *«Инициатива дела "Клубок" принадлежит Сталину. По его прямому предложению я был вынужден пойти на частичную ликвидацию дела...»* И еще: *«В следствии я действительно покрыл Петерсона, но мне надо было его скомпрометировать, чтобы*

---

[1] ...Горбачев, тогда начальник школы ВЦИК.

[2] Н. Г. Егоров, тогда зам. начальника школы, начальник учебного отдела.

[3] Цит по: *Черушев Н.* Невиновных не бывает. М., 2004. С. 260.

снять его с работы коменданта Кремля. Я же все время стремился захватить охрану Кремля в свои руки, и это был удобный предлог. И мне это полностью удалось... Петерсон был после этого снят, вместе с ним из Кремля была выведена Школа им. ВЦИК. В Кремль были введены войска НКВД»[1].

В 1935 году планы изменились. М. А. Имянинников, тогда заместитель коменданта Кремля, показал, что план того времени предполагал убийство членов Политбюро. Их собирались забросать гранатами в Особом кинозале Кремля, для этого была подготовлена особая группа сотрудников комендатуры. У Бухарина, правда, имелась весьма романтическая идея отравить членов Политбюро, опрыскав их квартиры ядом либо впрыснув его в телефонные трубки. Яд должен был изготовить профессор Либерман из Военно-химической академии. Бухарин вообще был изрядным романтиком и глаза имел добрые-добрые...

Впрочем, военные были большими реалистами, потому опрыскивание квартир не стали даже обсуждать. Б. П. Королев, в то время заместитель коменданта, еще добавил подробностей. Было два варианта плана. По одному, предполагалось арестовать членов Политбюро во время совещания, по другому – ночью на квартирах. Однако Сталин в Кремле практически не ночевал, так что второй вариант не годился. Школу ВЦИК же предполагалось использовать «втемную». В случае, если бы информация о мятеже вышла наружу и на Кремль были бы двинуты воинские части, то курсантам школы объявили бы, что гарнизон взбунтовался против правительства и их святой долг – ну и так далее. А Кремль, старую мощную крепость, взять нелегко... Дальнейшее же предугадать нетрудно. Пока идет драка, кто-либо из вождей заговора – кто успеет – выдал бы остальных на расправу и стал спасителем отечества, со всеми вытекающими отсюда последствиями. И лишь отстранение Петерсона и вывод школы из резиденции правительства положили конец этим планам.

Кстати, в этом случае самую большую опасность для заговорщиков представлял Киров – уже фактически член Политбюро, опытный, решительный человек и близкий друг Сталина, а главное – живущий не в Москве. Если он и вправду был «запасным лидером» страны, то, узнав о происходящем, тут же взял бы власть на себя. Учитывая, что коллективизация к тому времени закончилась, обстановка в стране нормализовалась и горю-

---

[1] Цит. по: *Жуков Ю.* Тайна «Кремлевского дела» 1935 года и судьба Авеля Енукидзе // Вопросы истории. 2000. № 9. С. 108–109.

чего материала было немного, а горожане уж всяко были в большинстве своем за Сталина, то мятежников прихлопнули бы, как муху на стене, и Киров повел бы советский корабль все тем же сталинским курсом.

А вы говорите: у кого были мотивы его убить...

Убийство Кирова

«Буланов. В первой половине 1936 года я узнал впервые, что Ягоде было известно о том, как было организовано убийство Кирова. Как-то я зашел, как всегда, без доклада, без предупреждения, в кабинет Ягоды и застал его в сильно возбужденном состоянии, когда он беседовал с Молчановым. Когда Молчанов ушел, Ягода в состоянии большого раздражения бросил фразу: "Кажется, Ежов докопается и до ленинградского дела". Потом... сказал, что ему было известно, что готовится покушение на Сергея Мироновича Кирова, что в Ленинграде у него был верный человек, посвященный во все, – заместитель начальника управления НКВД по Ленинградской области Запорожец, и что тот организовал дело так, что убийство Николаевым Кирова было облегчено. Проще говоря, было сделано при прямом попустительстве, а значит, и содействии Запорожца. Я помню, что Ягода мельком рассказал, ругая, между прочим, Запорожца за его не слишком большую распорядительность: был случай чуть ли не провала, когда по ошибке охрана за несколько дней до убийства Кирова задержала Николаева и что у того в портфеле была найдена записная книжка и револьвер, но Запорожец вовремя освободил его. Ягода далее рассказал мне, что сотрудник Ленинградского управления НКВД Борисов был причастен к убийству Кирова. Когда члены правительства приехали в Ленинград и вызвали в Смольный этого Борисова, чтобы допросить его как свидетеля убийства Кирова, Запорожец, будучи встревожен этим и опасаясь, что Борисов выдаст тех, кто стоял за спиной Николаева, решил Борисова убить... Мне стала тогда понятна та исключительно необычайная забота Ягоды, которую он проявил, когда Медведь, Запорожец и остальные сотрудники были арестованы и преданы суду. Я припомнил, что он отправил их для отбывания в лагерь не обычным путем, он их отправил не в вагоне для арестованных, а в специальном вагоне прямого назначения...»

...

«Ягода. В 1934 году, летом, Енукидзе сообщил мне об уже состоявшемся решении центра "право-троцкистского блока" об организации убийства Кирова... Из этого сообщения мне стало совершенно извест-

ным, что троцкистско-зиновьевские террористические группы ведут подготовку этого убийства. Излишне здесь говорить, что я пытался возражать, приводил целый ряд аргументов о нецелесообразности и ненужности этого террористического акта. Я даже аргументировал тем, что за совершение террористического акта над членом правительства в первую очередь ответственность несу я, как лицо, ответственное за охрану членов правительства. Излишне говорить, что мои возражения не были приняты во внимание. Енукидзе настаивал на том, чтобы я не чинил никаких препятствий этому делу...

Когда Енукидзе передавал решение контактного центра об убийстве Кирова, я выразил опасение, что прямой террористический акт может провалить не только меня, но и всю организацию. Я указывал Енукидзе на менее опасный способ и напомнил ему о том, как при помощи врачей был умерщвлен Менжинский. Енукидзе ответил, что убийство Кирова должно совершиться так, как намечено, и что убийство это взяли на себя троцкисты и зиновьевцы, а наше дело – не мешать...»

Гонка на выживание

Молотов посмеивался над «Красной папкой». Он говорил: «Мы и без Бенеша знали о заговоре». И в самом деле, что совершенно не влезает в расклад событий той роковой весны, так это «гестаповский компромат». Ну не лезет, и все тут!

Нам уже известно о какой-то странной деятельности заговорщиков весной 1937 года. Следствие этим не занималось – может быть, не заинтересовано было, и без того хватало компромата, а может, и не знало. Тухачевский утверждал, что когда начались провалы, они прекратили какую бы то ни было деятельность – и следователи не мешали ему так говорить. Впрочем, мало ли из каких источников стало известно о перевороте этом Молотову...

На самом же деле заговорщики вели себя совсем не как маленькие зайчата, которые, почув опасность, стараются слиться с окружающим рельефом. Они встретили ее по-волчьи, клыками – и опоздали всего на несколько дней...

«Крестинский. В очень существенном разговоре, который происходил на Чрезвычайном VIII Съезде Советов, Тухачевский поставил передо мной вопрос о необходимости ускорения переворота. Дело заключалось в том, что переворот увязывался с нашей пораженческой ориентацией и приурочивался к началу войны, к нападению Германии на Советский

Союз. И поскольку это нападение откладывалось, постольку откладывалось и практическое осуществление переворота. В этот период начался постепенный разгром контрреволюционных сил. Были арестованы Пятаков и Радек, начался арест троцкистов, и Тухачевский начал бояться, что если дело будет оттягиваться, то оно вообще сорвется.

...В конце ноября 1936 года на Чрезвычайном VIII Съезде Советов Тухачевский имел со мной взволнованный, серьезный разговор. Он сказал: начались провалы. И нет никакого основания думать, что на тех арестах, которые произведены, дело остановится... Снятие Ягоды из НКВД указывает на то, что тут не только недовольство его недостаточно активной работой в НКВД. Очевидно, здесь политическое недоверие ему, Ягода... как активному правому, участнику объединенного центра, и, может быть, до этого докопаются. А если докопаются до этого, докопаются и до военных, тогда придется ставить крест на выступлении. Он делал выводы: ждать интервенции не приходится, надо действовать самим. Начинать самим – это трудно, это опасно, но зато шансы на успех имеются. Военная организация большая, подготовленная, и ему кажется, что надо действовать... Я поговорил с Розенгольцем, затем поговорил с Рудзутаком и пришли к выводу, что Тухачевский прав, что дело не терпит; решили запросить Троцкого...

Вышинский. Когда получили ответ?

Крестинский. Ответ этот, вероятно, был в конце декабря, а может быть, в начале января... И вот, после получения этого ответа и началась более непосредственная подготовка выступления – Тухачевскому были развязаны руки, ему дан был карт-бланш – к этому делу приступить непосредственно... Уезжая в отпуск, он своим единомышленникам и помощникам по военной линии дал указание – приготовиться; затем у нас состоялось совещание на квартире у Розенгольца...»

...

«*Розенгольц.* Уже после суда над Пятаковым пришло письмо от Троцкого, в котором ставился вопрос о необходимости максимального форсирования военного переворота Тухачевским. В связи с этим было совещание у меня на квартире... Это было в конце марта 1937 года... На этом совещании Тухачевский сообщил, что он твердо рассчитывает на возможность переворота, и указывал срок, полагая, что до 15 мая, в первой половине мая, ему удастся этот военный переворот осуществить.

Вышинский. В чем заключался план этого контрреволюционного выступления?

Розенгольц. Тут у Тухачевского был ряд вариантов. Один из вариантов, на который он наиболее сильно рассчитывал, это – возможность для группы военных, его сторонников, собраться у него на квартире под каким-нибудь предлогом, проникнуть в Кремль, захватить кремлевскую телефонную станцию и убить руководителей партии и правительства...

...

Вышинский (Крестинскому). Вы подтверждаете это?

Крестинский. Да, подтверждаю. Совещание это было у Розенгольца. Это было в начале апреля. Мы на этом совещании говорили уже об аресте Ягоды и исходили из этого ареста, как из факта. Об аресте Ягоды я узнал 2–3 апреля. Значит, это было в апреле месяце...

...Тухачевский предполагал поехать в Лондон на коронацию английского короля, чтобы не вызвать никаких подозрений. Но когда выяснилось, что эта поездка отменена, он сказал, что в первой половине мая он поднимет восстание.

Вышинский. Значит, Тухачевский заявил, что в первой половине мая он поднимет восстание?

Крестинский. Да, он это заявил...

...

Розенгольц. Гамарник сообщил о своем предположении, по-видимому, согласованном с Тухачевским, о возможности захвата здания Наркомвнудела во время военного переворота. Причем Гамарник предполагал, что это нападение осуществится какой-нибудь войсковой частью непосредственно под его руководством... Он рассчитывал, что в этом деле ему должны помочь некоторые из командиров, особенно лихих. Помню, что он назвал фамилию Горбачева.

...

Крестинский. ...В самом начале мая выяснилось, что Тухачевский не едет в Лондон. После этого... он заявил, что может произвести это выступление в первой половине мая. Но в первых числах мая начался разгром контрреволюционной организации, были опубликованы передвижения в военном ведомстве, снят Гамарник с поста первого заместителя наркома, Тухачевский с поста второго заместителя наркома, Тухачевский переведен в Самару, Якир из Киева, Уборевич из Белоруссии, арестованы Корк и Эйдеман. Стало ясно, что выступление становится невозможным...

...Во время свидания с Тухачевским последний настаивал на том, чтобы до контрреволюционного выступления были совершены некоторые террористические акты. У нас с Розенгольцем были сомнения не принципи-

ального характера, а характера политической целесообразности... По-
скольку Тухачевский настаивал на террористических актах, прежде все-
го в отношении Молотова и Ворошилова, мы дали свое согласие, заявили
ему, что террористы-исполнители будут ему даны. Гамарник, который
по этом вопросу был человеком в двух лицах – он действовал одновременно
и от военной организации, и от нашей организации, – сказал нам, что у
него тоже намечены кадровики исполнителей террористических актов...»

Да, им не хватило нескольких дней. Тухачевский и его товарищи пали
жертвой любимой операции «красного маршала» – контрблицкрига. Уп-
реждающий удар был нанесен невероятно грамотно, а главное, всего за
несколько дней до их собственного выступления. Помните, Молотов говорил, что правительству была известна даже дата переворота? Интересно, откуда? Не гадалка не ворожила «отцу народов»...

Одно из двух: либо у заговорщиков сидел информатор, либо их сдал
Сталину кто-то из своих. Информатор, может быть, и был. Но, учитывая
количество заговорщиков в НКВД, – долго бы он там продержался? Тем
более, чтобы знать дату, он должен был сидеть очень высоко. Да и если
бы он был, то уж, наверное, информировал бы всю дорогу, а не в последний момент.

Так что сам собой напрашивается вопрос: кто тот человек, который
выдал заговор? Заговорщики его не назвали и назвать не могли: ни сам
Тухачевский, ни его товарищи, ни те, кого судили в 1938 году, не были
настолько деморализованы, чтобы топить того, кто был на свободе и, возможно, вне подозрений. Может быть, сопоставляя второстепенные показания, можно найти человека, о котором упоминали на следствии и который не был не только репрессирован, но даже и понижен по службе.

А впрочем, зачем? Едва ли в наше время моды на диссидентов и блат-
ную романтику многими будет понят человек, поставивший любовь к
Отечеству выше корпоративной солидарности и офицерской чести. Наша
страна еще не доросла до того, чтобы знать *всех* своих героев.

Ну, вот и самая «страшная» тайна сталинских репрессий – то, что никакими необоснованными они не были. Да и словом «репрессии» можно
назвать, пожалуй, только происходившее в 1927–1935 годах. А дальше
все было именно так, как писала газета «Мессаджеро»: «Полиция вскрыла заговор и действовала с силой, требуемой общественной безопасностью».

Что же получается – что ничего не было? Не было необоснованных арестов, зверских пыток, сотен и тысяч «липовых» дел, арестов по доносу и разнарядок на расстрелы?

Были, и еще как были! Но это тоже не репрессии. Это совсем другие процессы. И во многом они стали возможны потому, что все произошло слишком внезапно и слишком сильно.

Шок был чудовищный – не зря же Ворошилов за три месяца так постарел. А Сталин... судя по поведению на Военном совете, он попросту рассвирепел. Обычно вождь СССР великолепно держал себя в руках, но иногда выходил из себя, и тогда он был страшен. Не потому, что наводил ужас криком или приказывал расстреливать, а потому, что внутренняя страсть, прорывая плотину, выплескивалась наружу.

А как он должен был себя вести – он, глава государства, который относился к своей стране ревниво и горячо, как мать к ребенку? Если люди, которым он доверил самое важное, что у них было – оборону страны, не только пытались устроить заговор, это бы еще полбеды, он и сам в свое время... но ведь они готовили поражение в войне, развал страны. Этого Сталин простить не мог, никогда и ни при каких обстоятельствах – многое мог простить, но не это...

Хуже было другое. Шок оказался настолько силен, что правительство теперь было готово поверить *всему*: если уж эти, лучшие из лучших, элита армии, оказались изменниками, то что же творится внизу? Это состояние длилось недолго – наверное, несколько месяцев, меньше года, но за это время произошло столько всего, что в более спокойное время хватило бы на пару десятков лет. Но это уже совсем другая история...

ПРИЛОЖЕНИЯ

ПРИЛОЖЕНИЕ 1

ПРОТОКОЛЫ ДОПРОСА КОМДИВА Д. А. ШМИДТА

Перед вами – подлинные протоколы из реального следственного дела одного из фигурантов «заговора военных». Так это выглядело на самом деле – эти бесконечные допросы, очные ставки, постоянно меняющиеся показания... При этом говорить о «недозволенных» методах особо не приходится – поскольку нет доказательств того, что в это время они в органах применялись. Троцкисты не были для следователей легкими противниками – отнюдь...

Шмидт Дмитрий Аркадьевич.
Родился в 1896 году в Полтавской губернии, на Украине. С начала Первой мировой войны – рядовой, затем прапорщик. Награжден Георгиевскими крестами всех степеней. С 1918 по 1920 годы прошел путь от командира полка до командующего группой войск на херсонском направлении. Награжден двумя орденами Красного Знамени. В 1933–1936 годах – командир 8-й механизированной бригады. Воинское звание – комдив. Арестован 5 июля 1936 года в Киеве.

Из протокола допроса Д. А. Шмидта от 9 июля 1936 г.

Вопрос: Вы являетесь участником к.-р. троцкистской организации. Дайте показания по существу вопроса.
Ответ: Ни в какую троцкистскую контрреволюционную организацию я не вхожу.
Вопрос: С кем из троцкистов вы поддерживали связи до последнего времени?

Ответ: Я периодически встречался с Зюком, командиром Чапаевской дивизии, сейчас переведен на Украину...; Кузьмичевым, начальником штаба авиабригады в Запорожье, виделся с ним последний раз в Киеве осенью 1935 г. после маневров; Леоновым, где именно он работал, я не знал, виделся с ним в последний раз в Москве на квартире у Дрейцера в 1933 г.; Блисковицким, где он работал, также не знал, встречался с ним до 1932 г. включительно на квартире у Охотникова.

Особенно тесно связан я был с Яковом Охотниковым и Ефимом Дрейцером.

Вопрос: Что значит «тесно был связан» с Охотниковым и Дрейцером?

Ответ: Охотников и Дрейцер являются старыми моими друзьями по армии.

Охотников и Дрейцер в 1927 году меня вовлекли в троцкистскую организацию. Впоследствии они, как и я, отказались от своих троцкистских взглядов, и я продолжал поддерживать с ними близкие отношения.

[...]

Вопрос: Как часто Вы встречались с Дрейцером и Охотниковым?

Ответ: ...Встречался я с Охотниковым в Москве довольно часто вплоть до его ареста в 1933 году.

С Дрейцером я встречался также обычно в Москве и останавливался у него на квартире вплоть до его ареста в 1936 году.

[...]

Вопрос: Сообщили ли вы партийной организации или командованию об аресте за контрреволюционную деятельность Охотникова, с которым вы были тесно связаны вплоть до его ареста?

Ответ: Нет, я никому об этом не сообщил, так как не знал, что я должен это сделать. Я считал, что я вне подозрений и должен откровенно сказать, что когда узнал от жены Охотникова об его аресте, я намеревался обратиться с письмом к председателю ОГПУ, в котором хотел поручиться за честность Охотникова и его преданность партии и советской власти. Только когда я узнал, что он осужден, я решил, что он действительно виновен.

Вообще в то время (это было в 1933 г., до убийства тов. Кирова) я еще не придавал аресту Охотникова такого большого значения.

Вопрос: А об аресте троцкиста Дрейцера, с которым вы также были связаны вплоть до его ареста, вы сообщили кому-либо?

Ответ: Нет, я тоже никому об этом не сообщил.

Вопрос: Об аресте троцкиста Охотникова вы никому не сообщили по тем мотивам, что это было до убийства тов. Кирова и вы не придали этому значения, но ведь Дрейцер был арестован в 1936 году?

Ответ: Это моя ошибка.

Вопрос: Вы письмо ЦК ВКП(б) по всем парторганизациям, изданное после злодейского убийства тов. КИРОВА, читали?

Ответ: Да, читал.

Вопрос: Как же вы – член ВКП(б), командир РККА, не сделали для себя никаких выводов и продолжали быть связанным с троцкистами?

Ответ: Повторяю, что я сделал непростительную ошибку, но я утверждаю, что не знал, что Охотников и Дрейцер ведут троцкистскую работу.

Вопрос: Разве Дрейцер в последние годы не высказывал вам троцкистских взглядов?

Ответ: Наоборот, я утверждаю, что Дрейцер был честным членом ВКП(б), преданным линии партии.

Вопрос: Дело не в Вашей дружбе, а в том, что вы были связаны с Дрейцером и другим троцкистами, так как сами оставались троцкистом.

Ответ: Я отрицаю не только свою принадлежность к троцкистам после 1927 года, но и то, что был связан с кем-либо на троцкистской основе.

Вопрос: Именно потому, что Вы оставались троцкистом и после 1927 года, Охотников, Дрейцер и другие троцкисты вместе с Вами вели контрреволюционную работу.

Ответ: Я это категорически отрицаю.

Вопрос: Дрейцер дал исчерпывающие показания о своей контрреволюционной троцкистской деятельности до последнего времени и показал, что вы вместе с ним входили в троцкистскую организацию.

Ответ: Повторяю, что мне ничего не известно о контрреволюционной деятельности Дрейцера.

Вопрос: Ваши показания лживы, так как Дрейцер сам дал показания о том, что его свидание с Вами в Киеве было связано с деятельностью нелегальной троцкистской контрреволюционной организации, участником которой Вы являлись.

Ответ: Я это еще раз отрицаю.

Допрос прерывается.

Записано с моих слов, верно, мною прочитано Шмидт
Допросили:
Нас. секр. полит. отдела ГУГБ

Комиссар госбезопасности II ранга: (Г. Молчанов)
Зам. нач. секр. полит. отдела ГУГБ
Комиссар госбезопасности III ранга: (Г. Люшков)

Из протокола допроса от 28 июля 1936 г.

Вопрос: Вопреки предъявленным Вам на допросе от 9 июля и последующих допросах фактам, которыми Вы полностью изобличаетесь в троцкистской к.-р. деятельности, Вы упорно продолжаете это голословно отрицать. Намерены ли Вы, наконец, дать правдивые показания?

Ответ: Я уже говорил и повторяю: я ни в чем не виноват.

[...]

Вопрос: Мы предъявляем вам соответственное место из показаний С. В. Мрачковского от 19 июля с. г.: «Д. Шмидта я хорошо знаю как активного троцкиста, старого приятеля Е. Дрейцера по армии. В 1927 или 1928 гг. Д. Шмидт был привлечен Е. Дрейцером к троцкистской деятельности. Он вел активную троцкистскую работу на Северном Кавказе, где в то время был командиром одной из кавалерийских частей. Связь с нашей организацией через Дрейцера Шмидт поддерживал до последнего времени»...

Ответ: Показания Мрачковского о моей троцкистской работе в 1927 году я подтверждаю. Но принадлежность к троцкистской организации в последнее время я продолжаю отрицать.

Вопрос: Ваша тактика голословного отрицания фактов ни к чему не приведет. Мы предъявляем вам показания Е. Дрейцера от 2/VII с. г., которыми устанавливается, что во время вашей встречи с ним в мае 1935 года в Киеве между Дрейцером и вами была достигнута полная солидарность о необходимости организации террористических актов против руководителей ВКП(б).

Ответ: Это показание Дрейцера абсолютно неверно.

Вопрос: Вы не только одобрили террористические планы организации, но сами взяли на себя подготовку террористического акта против тов. Ворошилова.

Ответ: Это неправда.

[...]

Вопрос: Мы предъявляем Вам показания С. В. Мрачковского от 19.VII с. г.: «Е. Дрейцер мне докладывал, что им подготавливалось одновременно убийство Ворошилова, для чего должен был быть подготовлен

Шмидт Дмитрий. Предполагалось, что Шмидт убьет Ворошилова либо во время личного доклада Ворошилову, либо во время очередных маневров, на которых будет присутствовать Ворошилов».

Ответ: Я продолжаю это категорически отрицать.

[...]

> *Шмидт (подпись)*
> *Допросили:*
> *Нач. секр. полит. отдела ГУГБ*
> *Комиссар государств. бедопасн. 2 ранга: (Молчанов)*
> *Пом. нач. 1 отд. СПО ГУГБ*
> *Капитан государств. безопасн. (Лулов)*

Из протокола очной ставки между Дрейцером Ю. О. и Шмидтом Д. А. от 8–10 августа 1936 г.

[...]

Вопрос Дрейцеру: Что вы можете показать о характере вашей связи с Шмидтом в последние годы?

Ответ: Как я уже показывал, я с Шмидтом сохранил связь до последнего времени. Из систематического общения с Шмидтом и бесед с ним, мне известно, что Шмидт до последнего времени оставался на троцкистских позициях.

Вопрос Шмидту: Это показание Дрейцера вы подтверждаете?

Ответ: Нет, не подтверждаю. После моего отхода в 1927 году от троцкизма, я полностью разделял генеральную линию ВКП(б).

[...]

Вопрос Дрейцеру: Чем была вызвана эта ваша встреча с Шмидтом в мае 1935 года?

Ответ: Как я уже подробно показывал на предыдущих допросах, я, по заданию центра троцкистско-зиновьевской организации, вел подготовку террористического акта над Сталиным. В связи с тем, что вопрос о практической подготовке террористического акта над Ворошиловым, за отсутствием подходящих людей, не был решен, Мрачковский весной 1934 года поручил мне активизировать для этой цели мои связи в армии. В качестве подходящих кандидатур мы с Мрачковским наметили Шмидта и Кузьмичева, которые мне были известны как лица отошедшие от троцкизма формально, остающиеся на троцкистских позициях. В мае 1935 года мне представился формальный предлог для поездки в Киев, который я и использовал для встречи с Шмидтом. ...Я сообщил ему о существовании всесоюзного центра зиновьевско-троцкистского блока, о решении этого центра перейти к террору над руководителями ВКП(б). Я, в частности, рассказал Шмидту о полученном мною осенью 1934 года личном письме Троцкого с директивой убить Сталина и Ворошилова и об аналогичных директивах Мрачковского.

Вопрос Дрейцеру: Вы показали, что поехали в Киев с целью привлечения Шмидта к участию в подготовке террористического акта над тов. Ворошиловым. Каковы были результаты ваших переговоров с Шмидтом?

Ответ: Шмидт полностью согласился со мной, что необходимо нанести удар по Сталину и Ворошилову. Тогда я ему сообщил, что подготовка теракта над Сталиным уже идет и что нужно готовиться к теракту против Ворошилова. После этого я уже прямо поставил перед Шмидтом вопрос в состоянии ли он сам взять на себя убийство Ворошилова. Шмидт дал свое согласие и высказал уверенность в успехе теракта, поскольку ему, как крупному командиру сравнительно легок доступ к Ворошилову...

Вопрос Шмидту: ... Дрейцер воспроизводит вам сейчас конкретные обстоятельства, при которых вы были привлечены им к террористической работе. Намерены ли вы, наконец, дать правдивые показания?

Ответ: Я эти показания Дрейцера категорически отрицаю. Он меня оговаривает.

[...]

Записано с наших слов правильно, нами прочитано:
Дрейцер Шмидт
Очную ставку проводили:
Нач. сек. полит. отд. ГУГБ комиссар гос. без. II ранга (Молчанов)
Нач. ЭКО ГУГБ комиссар гос. без. II ранга (Миронов)
Пом. нач. I отд. СПО капитан гос. без. (Лулов)
Опер. Уп. 5 отд. ЭКО мл. лейтенант (Фрадкин)

Из протокола допроса Д. А. Шмидта от 22 августа 1936 г.

Вопрос: На протяжении всего следствия, несмотря на предъявленные вам материалы и очную ставку с обвиняемым Дрейцером, изобличающие вас как активного участника террористическо-троцкистской организации, вы упорно отрицали свое участие в организации.

Намерены ли вы сейчас, после очной ставки, давать откровенные показания?

Ответ: Да, вы правы. Я убедился, что против меня имеется достаточное количество улик. Считая всякое дальнейшее запирательство бесцельным, я решил говорить правду.

Я действительно с мая 1935 года являюсь участником террористической троцкистской организации, от которой я получил задание произвести террористический акт над народным комиссаром обороны Ворошиловым.

[...]

Вопрос: Почему Дрейцер, не боясь разоблачений, рассказал вам – командиру Рабоче-Крестьянской Красной Армии – о террористической деятельности троцкистского центра и предложил вам совершить убийство тов. Ворошилова?

Ответ: Дрейцер мой старый друг и политический единомышленник.

В 1927 году, встречаясь с Дрейцером Ефимом и его другом Охотниковым Яковом, я был ими вовлечен в троцкистскую организацию.

В то время Дрейцер и Охотников учились в Военной академии и входили в руководство военного центра троцкистской организации, возглавлявшего работу в частях Красной Армии.

Тогда же от Дрейцера мне было известно, что в руководство военного центра троцкистской организации входили следующие лица: 1) Бройдо Сергей, б. комиссар 2-го конного корпуса; 2) Охотников Яков, б. адъютант т. Якира; 3) Путна, б. командир 27-й дивизии; 4) Зюк Михаил, командир дивизии; 5) Леонов, б. комиссар школы «Выстрел»; 6) Примавов б. командир корпуса Червонного казачества; 7) Бакши; 8) Кузьмичев и 9) Булатов Борис. Должности трех последних я сейчас не помню.

[...]

Вопрос: Что конкретно вами было предпринято по директивам, переданным Дрейцером?

Ответ: Практически по заданиям Дрейцера мне ничего не удалось сделать, т. к. вскоре после моей встречи и беседы с Дрейцером начались уже аресты.

Вопрос: С кем из троцкистов в Красной Армии Дрейцер был связан, помимо вас?

Ответ: Со слов Дрейцера, мне известно, что им поддерживалась организационная связь с Кузьмичевым Борисом, начальником штаба авиабригады; Зюком Михаилом, командиром 25-й дивизии; Бакши, командиром мехкорпуса в Ленинграде; Путной, военным атташе СССР в Англии; Туровским, пом. командующего Харьковского военного округа;

Бройдо Сергеем; Примаковым, помкомвойск Ленинградского военного округа.

[...]

Вопрос: С кем из названных вами участников к.-р. троцкистской организации вы лично разговаривали о работе организации?

Ответ: В 1930 году Дрейцер и Охотников декларировали свой отход от троцкизма и возвратились из ссылки в Москву. Бывая в Москве, я по-прежнему стал посещать квартиры Дрейцера и Охотникова.

При одном из таких визитов к Охотникову, кажется весной 1932 года, я застал там Примакова Виталия, Булатова Бориса и Дрейцера Ефима.

Из разговоров, имевших место между Дрейцером, Примаковым, Булатовым и Охотниковым, мне стало ясно, что они к этому времени уже являлись участниками троцкистской организации...

Вопрос: Каким образом Дрейцер, Примаков и другие могли вести в Вашем присутствии разговоры о работе троцкистской организации, когда вы в своих же показаниях указали, что в троцкистскую организацию были вовлечены Дрейцером в 1935 году?

Ответ: В моем первом ответе имеется неточность. В мае 1935 года Дрейцер Ефим меня действительно привлек к террористической работе.

В троцкистскую организацию я был вовлечен в 1931 году при следующих обстоятельствах: по возвращении Дрейцера из ссылки я был в Москве и имел с ним встречу...

... Дрейцер мне рассказал, что в Москве существует троцкистский центр, во главе которого стоят Смирнов И. Н., Мрачковский С. В. и Ваганян В. А. Этот центр объединяет работу всех троцкистских организаций, в том числе и троцкистов в Красной Армии.

Тогда же Дрейцер предложил мне принять участие в работе троцкистской организации, на что я дал свое согласие.

Вопрос: Принимали ли вы участие в обсуждении конкретного плана осуществления террористического акта над руководством ВКП(б), кроме разговора в 1935 году с Дрейцером об убийстве тов. Ворошилова?

Ответ: Нет, не принимал.

Вопрос: Что вами практически было сделано по подготовке террористического акта над тов. Ворошиловым в осуществление полученных директив Дрейцера в мае месяце 1935 года?

Ответ: Я честно заявляю следствию, что никаких мероприятий по осуществлению террористического акта над Ворошиловым я не предпринимал.

[...]

Вопрос: Получали ли вы от организации задания добыть оружие?

Ответ: Нет, такого задания я не получал.

Вопрос: Вы говорите неправду. Вам предъявляется выдержка из показаний Мрачковского от 19–20 июля с. г. «На совещании руководящей тройки было решено для теракта принять оружие, не значащееся принадлежащим кому-либо из членов организации. Мы полагали, что через членов организации, находившихся в армии, в частности через Шмидта Д. нам удастся получить необходимое оружие. Я лично договаривался об оружии со Шмидтом Д.».

Признаете ли вы это?

Ответ: Такого разговора с Мрачковским у меня не было.

Вопрос: Давали ли вы оружие Мрачковскому?

Ответ: Да, давал.

Вопрос: Какое оружие вы передали Мрачковскому?

Ответ: Мрачковскому я дал револьвер системы «маузер», калибр 7,63, через Охотникова Я., по просьбе Путны.

Вопрос: Где вы приобрели этот револьвер, и в каких инвентарных документах части он зарегистрирован?

Ответ: Револьвер этот я достал в 1930 г. во время подавления Карачаевского восстания и в инвентарных документах части он не был зарегистрирован.

[...]

Вопрос: Следовательно, зная Мрачковского и Путну как активных руководителей троцкистской организации, ведущих борьбу с руководством ВКП(б) и Советского правительства, вы дали им револьвер, которым они могли воспользоваться как оружием, нигде не зарегистрированным, для совершения террористического акта?

Ответ: Да, Мрачковскому я дал револьвер, по просьбе Путны, который взамен дал мне новый револьвер системы «парабеллум», привезенный им из Германии.

[...]

Показания мои записаны правильно с моих слов. Мною прочитаны.

Шмидт

Допросили::

Начальник ОО ГУГБ НКВД СССР

Комиссар гос. безопасности II ранга (Гай)

Начальник 7 отд-ния ОО ГУГБ НКВД

Капитан госбезопасности (Южный)

Для особых поручений ОО ГУГБ НКВД
Лейтенант госбезопасности (Радин)

Из протокола допроса Д. А. Шмидта от 31 августа 1936 г.

Вопрос: В протоколе допроса от 22 августа с. г. вы показали, что Путна Витовт входил в состав военного центра троцкистской организации. Что Вам известно о к.-р. троцкистской деятельности Путны?

Ответ: С Путной я познакомился в 1922 году в Москве по совместной учебе в ВАКе.

В то время Путна был активным троцкистом. В 1925 году я работал начальником Елисаветградской кавалерийской школы. Начальником военно-учебных заведений РККА был Путна В., к которому я приезжал в этом же году с докладом.

Путна в это время был троцкистом и, встретившись со мной, начал меня обрабатывать, чтобы я примкнул к троцкистам. Путна доказывал мне, что руководство ВКП(б) не может обеспечить управление страной, что только «гений» Троцкого может привести страну к победе. При этом Путна приводил примеры из гражданской войны, где все победы приписывал только Троцкому.

Путна мне заявил, что имеется завещание Ленина, где прямо сказано, что партией должен руководить Троцкий. В 1927 году, когда я примкнул к троцкистам, со слов Дрейцера, Охотникова и Путны мне стало известно, что Путна входит в военный центр троцкистской организации, проводит большую организационную работу в Красной Армии. В своей работе отчитывается лично перед Троцким Л., от которого получает директивы по работе в армии. В 1927 или 1928 г. Путна был командирован Реввоенсоветом военным атташе в Японию. Тогда перед отъездом я имел встречу с Путной, который мне рассказал, что к нему на квартиру приезжал Троцкий, который ему давал целый ряд директивных указаний в связи с его отъездом за границу.

[...]

В протоколе от 22 августа я уже указал, что в 1932–1933 гг. я встречался с Путной по совместной троцкистской деятельности, знал, что он является одним из руководителей Военного троцкистского центра и руководил совещаниями названного центра на квартире Охотникова Якова.

Вопрос: ...Кто вам известен из участников троцкистской организации в Красной Армии?

Ответ: Из участников троцкистской организации, работающих в Красной Армии, помимо названных лиц, мне известны: Саблин Юрий, начальник УНР (укрепленный район), комдив; в прошлом б. левый с.-р., участник московского восстания левых с.-р. Кузьмичев Борис, начальник штаба авиабригады, в годы гражданской войны адъютант Примакова; Зубок Александр, командир 30-й дивизии, комбриг.

Показания мои записаны правильно с моих слов. Мною прочитаны.
Шмидт
Допросили:
Начальник ОО ГУГБ НКВД СССР
Комиссар гос. безопасности II ранга (Гай)
Начальник 7 отд-ния ОО ГУГБ
Капитан гос. безопасности (Южный)
д/особых поручений ОО ГУГБ
Лейтенант гос. безопасности (Радин)

Из протокола допроса Д. А. Шмидта от 21 сентября 1936 г.

Вопрос: Следствию известно, что вы неоднократно встречались с Карлом Радеком. На какой базе происходили ваши встречи с ним, какой характер носили эти встречи?

Ответ: С К. Б. Радеком я познакомился в 1927 г. при следующих обстоятельствах: как я уже показал в протоколе допроса от 22 августа, в 1927 г. я был вовлечен в троцкистскую организацию Охотниковым Яковом, который тогда же познакомил меня с Л.Троцким. Встреча моя с Л.Троцким состоялась на Малой Дмитровке в Главконцесскоме.

При этой встрече я интересовался у Троцкого рядом вопросов о внутрипартийном положении. Так как, по мнению Троцкого, мои политические знания были ограничены (Л.Троцкий считал, что я плохо осведомлен о позициях троцкистов), он предложил Охотникову направить меня к одному из лидеров оппозиции, в частности к Карлу Радеку.

После встречи с Троцким, я с Охотниковым поехал в Кремль на квартиру к Радеку К. и после знакомства остался жить на квартире Радека в течение 7–10 дней.

Проживая у Радека, последний стал меня знакомить с оппозиционными документами. Радек показывал мне ряд писем Ленина и всячески старался компрометировать Сталина. Радек учил меня, как следует вести оппозиционную работу и особенно подчеркивал, что делегация, которая будет избрана на 15 съезд ВКП (б), должна быть обработана в троцкистском духе, т. к. на 15 съезде троцкисты собираются дать генеральный бой ЦК ВКП(б).

Вопрос: Встречались ли вы и где именно с Радеком после 1927 г.?

Ответ: После 1927 г. с Радеком я встретился в Москве в конце 1931 г. Встреча эта произошла в ресторане дома Герцена и носила случайный характер. Радек тогда интересовался местом моей работы, я объяснил ему, что приехал в Военную академию. Радек дал мне свой адрес и просил заходить к нему на квартиру. Летом 1932 г. я зашел к Радеку на квартиру. Жил он в то время в доме правительства. К этому времени в прессе было несколько статей, разоблачающих Радека в протаскивании троцкистской контрабанды в истории ВКП(б), где Радек выдвигал мысль, что партия складывалась из «ручейков».

[...] Радек мне сказал, что, несмотря на критику, он остается при своем мнении и выругался по адресу критикующих. Вскоре к Радеку на квартиру пришли Дрейцер, Охотников, Леонов Иван и еще какой-то знакомый Радека, фамилию которого я не знаю.

...После того, когда собрались перечисленные выше лица, Радек завел разговор, являвшийся, по существу, указанием по организационным вопросам троцкистского подполья. Сущность этого разговора сводилась к следующему:

Радек в первую очередь остановился на том, что для всякого троцкиста совершенно ясно, что отход от троцкизма является только тактическим шагом, так как «смешно думать (дословное выражение Радека), что мы – руководители, занимавшиеся в течение долгих лет теорией, будем менять свои убеждения в угоду Сталину. Мы теоретически доказывали правоту троцкистских взглядов, и в наш отход не верит даже ЦК, который делает только демократический жест».

Тогда же Радек, помимо этих общих определений позиций троцкистов, остановился на ряде практических вопросов. Радек считал необходимым заняться восстановлением организационных связей с бывшими троцкистами и созданием подпольных групп. Однако предупреждал о большой осторожности.

Третья моя встреча с Радеком была в 1934 г., в феврале м-це в гостинице «Астория» в гор. Харькове. По словам Радека, он приезжал в Харьков для того, чтобы встретить ряд нужных ему лиц из участников троцкистской организации на Украине. С кем персонально, он мне не говорил. Внешне его приезд был им обставлен каким-то докладом по международному вопросу.

Во время нашей встречи Радек интересовался у меня, как ведется работа по созданию в армии троцкистских ячеек, подчеркивая, что работе в Красной Армии руководство троцкистской организации и он лично придают огромное значение, так как, по словам Радека, в ходе дальнейших событий именно на эти группы троцкистов в армии придется опираться в решающий для организации момент.

[...]

Вопрос: Еще с кем вы были связаны?

Ответ: Вспоминаю, что в 1928 г., будучи в Москве, я остановился в гостинице «Селект», куда ко мне зашел б. начальник Особого отдела Запорожской дивизии Червонного казачества Коган. В беседе со мною Коган рассказал мне, что он троцкист, меня он также знает как троцкиста, и что он, желая активно работать, просит связать его с троцкистской организацией. Когану я объяснил, что порвал с троцкистами. Тогда Коган начал меня уверять, что он активный троцкист и имеет намерение честно работать в организации, и чтобы я не расценивал его обращения ко мне с какой-либо другой целью, поскольку он был чекистом.

После этой встречи я еще раз встречался с Коганом в период 1932–1933 гг., но обстоятельств этой встречи сейчас вспомнить не могу. Помню лишь, что Коган мне рассказывал, что он связался с кем-то из руководителей троцкистской организации и продолжает вести троцкистскую работу.

Показания записаны правильно с моих слов, мною прочитаны: (Шмидт)

Допросили: нач. особого отдела ГУГБ НКВД
Комиссар госбезопасности II ранга (Гай)
Нач. 7 отдела ОО ГУГБ НКВД
Капитан госбезопасности (Южный)
Д/особ. поруч. ОО ГУГБ НКВД
Лейтенант госбезопасности (Радин)

Из протокола допроса Д. А. Шмидта от 27 сентября 1936 г.

Вопрос: Вы назвали не всех известных вам участников троцкистской организации. Следствию известно, что до ареста вы поддерживали близкую связь с Туровским С., которым вы были предупреждены об аресте руководителя террористической группы троцкистско-зиновьевского центра Дрейцера. Что вам известно о троцкистской деятельности Туровского С.?

Ответ: Туровский Семен Абрамович, заместитель командующего войсками Харьковского военного округа, мне известен как участник троцкистской организации.

[...]

Вопрос: Говорил ли вам Туровский о своем участии в троцкистской организации?

Ответ: Да. При встрече с Туровским в январе месяце 1936 года в Киеве он, рассказывая мне, что знает о том, что я являюсь участником троцкистской организации, признался, что он также в троцкистскую организацию вовлечен Дрейцером Е.

Вопрос: Какие поручения организации выполнял Туровский?

Ответ: Об этом Туровский мне не говорил. За несколько дней до моего ареста в Киев приехал Туровский и заехал ко мне в лагерь. Туровский сообщил мне, что арестован Дрейцер и по этому поводу проявлял большое беспокойство. В той же беседе Туровский мне передал, что кроме него Дрейцером Е. к работе троцкистской организации был также привлечен Савко (зам. начальника ПУОКР'а ХВО (Харьковский военный округ. – *Авт.*). Туровский мне тогда сказал, что со слов Савко ему известно, что нач. ПУОКР'а ХВО Кожевников – троцкист и поддерживает связь с Мрачковским, которого он знает по Сибири. Далее Туровский мне сообщил, что он имел беседу с Кожевниковым Сергеем – начальником ПУОКРа ХВО и прощупывал его позиции по отношению к троцкистам и при этом оказалось, что Кожевников знал о существовании троцкистской организации, о чем Кожевников уже был информирован Мрачковским С. и Смирновым И. Н., с которыми он поддерживал связь еще по 5-й армии.

Вопрос: С Савко вы в течение ряда лет поддерживали дружеские отношения и неоднократно встречались с ним на квартире Туровского. Вы лично имели беседу с Савко о работе троцкистской организации?

Ответ: В начале 1936 г., во время приезда в Киев Туровского, с ним вместе в Киев приезжал и Савко.

...Тогда же Савко мне рассказал, что он знает о моем участии в организации непосредственно от Дрейцера и здесь же подтвердил, что Кожевников Сергей в курсе деятельности троцкистской организации.

Кроме того, Савко мне сообщил, что в Харькове имеется троцкистская организация, и назвал мне ряд лиц из числа участников организации, но т. к. этих лиц я совершенно не знал, то фамилии их я не запомнил.

Показания записаны правильно с моих слов. Мною прочитаны. (Шмидт)

Допросили: начальник ОО ГУГБ НКВД СССР

Комиссар госбезопасности II ранга (Гай)

Начальник 7 отд-ния ОО ГУГБ НКВД

Капитан госбезопасности (Южный)

Для особых поручений ОО ГУГБ НКВД

Лейтенант госбезопасности (Радин)

Из протокола очной ставки между обвиняемыми Туровским С. А. и Шмидтом Д. А. от 4 ноября 1936 г.

После взаимного опознания обвиняемых и утверждения, что между ними были всегда приятельские отношения, что за дачу ложных показаний они несут суровую ответственность перед судом следствием были заданы следующие вопросы:

Вопрос Шмидту: С какого года вы знаете Туровского?

Ответ: Туровского я знаю с 1918 года.

Вопрос Шмидту: Когда вам впервые стало известно об осведомленности Туровского о существовании военной троцкистской организации?

Ответ: В 1935 году в разговоре с Дрейцером в гор. Киеве он впервые об этом мне сообщил.

[...]

Вопрос Шмидту: Сами вы когда-либо вели с Туровским разговор о существовании и деятельности троцкистской организации, участником которой вы являлись?

Ответ: В начале 1936 года вспоминаю мой разговор с Туровским в гор. Киеве. Туровский мне рассказал, что ему известно со слов Дрейцера о моем участии в троцкистской организации.

[...]

Вопрос Туровскому: Подтверждаете ли вы показания Шмидта?

Ответ: Нет, это исключительная клевета. Я действительно беседовал со Шмидтом о Дрейцере, но она велась о работе Дрейцера, о моих с ним взаимоотношениях. Однако никогда я Шмидту не говорил, что Дрейцер меня посвятил о существовании троцкистской организации.

[...]

Показания записаны правильно с наших слов, нами прочитаны.

Шмидт Туровский

Очную ставку производили:
Нач. 7 отд. Особого отдела ГУГБ НКВД
Капитан государств. безопасности (Южный)
Для особых поручений
Лейтенант государств. безопасности (Радин)

Заявление Д. А. Шмидта от 20 марта 1937 г.
Следователю НКВД
т. Петерсу

Девять месяцев сижу в изоляторе. До сих пор не знаю о моем деле решительно ничего. Вообще в моем трагическом состоянии не вижу конца края. В такой жуткой обособленности от окружающего мира держат заведомых смертников.

Если Вы в силах что-нибудь сделать, так уменьшите изоляцию и введите меня в курс дела, – что же, в конце концов, когда кончатся эти муки. Я галлюцинирую, меня душат кошмары.

Еще особенно прошу: доложите народному комиссару не посылать меня на суд.

Дмитрий Шмидт
20 марта 1937 г.

Заявление Д. А. Шмидта Генеральному секретарю ЦК ВКП(б) И. В. Сталину от 6 апреля 1937 г.

Глубокоуважаемый т. Сталин!
Имея такого авторитетного наркома, в заключении которого я нахожусь, я не писал бы Вам, но состояние и суть дела таковы, что мне хочется с Вами поделиться.

Находясь в одиночной камере в Лефортово (такой мрачной), будучи подавлен всем происшедшим, у меня хватает сил к Вам обратиться.

Все обвинения – миф, показания мои – ложь, 100%.

Почему я давал показания? К этому много причин. Вызвали бы Вы меня к себе, а Вы должны это сделать – Вы выросли не на лебяжьем пуху, а в нужде и тюрьмах, – Вы должны чутко относиться.

Помню, как Вы при мне с чувством большой грусти сожалели о загубленном нами кавалеристе, а ведь у него вина была, но в этом потом я понял железную последовательность в заботе о людях, в борьбе за кадры.

Я у Вас прошу не милости – после моего разговора с Вами совершить какое-нибудь преступление перед партией – это было бы в меньшей мере вероломство, да этому названия нет.

Пишу я Вам зная, что Вы можете все проверить, тем более у меня надежда на скорейшее окончание дела.

Ваше одно слово и произойдет недвусмысленное воскрешение человека.

Дорогой т. Сталин!

Самое основное, что я ни в чем не виновен. – Ну, в такой степени, как был невиновен Бейлис или Дрейфус.

Т. Сталин!

Верните меня к жизни, верните меня к семье – я так наказан. Теперь есть возможность писать, я Вам еще хочу написать, т. к. что-то нескладно, кажется, это потому, что в своей одиночке я заболел и пишу Вам лежа в постели.

Родной мой Сталин!

Сотни миллионов будут праздновать 1 Мая (я не мечтаю, как в прошлом году, вести за собой колонну танков), отпустите меня к ним!

Честному человеку, бойцу и революционеру не место в тюрьме.

Ваш Дм. Шмидт

Заявление Д. А. Шмидта от 1 июня 1937 г.

Мои показания

Я даю показания о том, что действительно состоял членом военной организации, – сейчас давать развернутые показания я не в состоянии, прошу дать возможность отдохнуть и вечером я дам показания.

Дм. Шмидт

Из протокола допроса Д. А. Шмидта от 1 июня 1937 г.

Вопрос: О вашей предательской фашистской деятельности нам все известно. Ваше дальнейшее запирательство абсолютно бесполезно. Вы полностью изобличены. Начинайте давать исчерпывающие и правдивые показания.

Ответ: Я вынужден признать, что я действительно до настоящего времени на следствии полной правды не говорил. Я признаю, что я всячески старался обмануть следствие, чтобы скрыть свою преступную деятельность против Советской власти... Сейчас я понял, что моя карта бита. Я разоблачен, моя надежда на антисоветский переворот окончательно рухнула и мое дальнейшее запирательство бесполезно.

Вопрос: Говорите.

Ответ: Я признаюсь, что я до момента своего ареста состоял участником военно-фашистского заговора, ставящим своей целью антисоветский переворот путем вооруженного восстания.

Вопрос: Кем и когда вы в эту организацию были вовлечены?

Ответ: В эту организацию я был вовлечен в 1935 году Ионой Якиром.

Вопрос: Воспроизведите обстановку, в которой он вас вербовал в организацию и что конкретно он вам сообщил при этом?

Ответ: Этот разговор происходил у него в служебном кабинете. Выяснив, что я остаюсь на прежних троцкистских позициях, он предложил мне соучастие в военно-фашистском заговоре, указав мне при этом, что помимо него в организации принимают участие Тухачевский, Примаков и Путна.

Вопрос: Кого вам назвал еще Якир при этом разговоре?

Ответ: Больше никого.

Вопрос: Это неправда, если вы действительно хотите говорить правду, назовите всех, кого называл Якир?

Ответ: Якир, помимо названных мною лиц, назвал также Уборевича, который в свою очередь связан с Халепским.

[...]

Указанное мною прочитано и записано с моих слов верно.

Шмидт

Из протокола допроса Д. А. Шмидта от 2 июня 1937 г.

Вопрос: На допросе 1 июня вы назвали участником военно-фашистского заговора Халепского. Откуда Вам об этом известно?

Ответ: В тот разговор, когда Якир предложил мне участие в военном заговоре, он в числе лиц, возглавляющих заговор, назвал и Халепского...

Якир мне тогда сказал, что Халепский связан лично с Тухачевским по заговорщической деятельности и периодически с Уборевичем.

...Халепский является человеком, которого всячески выдвигал именно Тухачевский, и Халепский сам мне говорил о том, что он считает Тухачевского наиболее талантливым и способным руководителем Красной Армии.

Вопрос: Лично вы разговаривали с Халепским по вопросам, связанным с заговором?

Ответ: Нет, прямого разговора, при котором мы бы друг другу назвали себя участниками заговора, не было. Однако, судя по тому, что он, после стахановского слета в конце зимы 1936 года, подошел ко мне и дал мне явно вредительское задание, я понял, что ему известно о моей принадлежности к заговору, и принял от него это вредительское задание как директиву к срыву боевой подготовки. Это вредительское задание заключалось в том, что он мне сказал, что по вопросам управления и огневой [подготовки. – *Авт.*], в частности тактикой, заниматься не надо, Вас к этому принуждать никто не будет. Важно чтобы не было поломок или аварий, на которые все набрасываются, и об этом становится известным по многочисленным сводкам и сообщениям по линии Особого отдела, прокуратуры и другим. Отсюда мне стало ясным не только то, что Халепский хочет создать впечатление о внешнем благополучии в мотомехвойсках и скрыть серьезнейшие недочеты, но прямо направить дело к вредительству и срыву боевой готовности мотомехчастей.

Вопрос: ...Назовите всех известных вам участников военно-фашистского заговора.

Ответ: Помимо перечисленных уже мною лиц, Якир в разговоре со мной сказал, что лично им вовлечены к участию в этом заговоре наиболее близко стоящие и верные ему лица, назвав при этом Сидоренко – командира 6-го стрелкового корпуса, Гермониуса – командира 17-го стрелкового корпуса, Кучинского – бывш. нач. штаба у Якира, ныне начальника Академии Генерального штаба РККА и Бутырского – комдива, начальника штаба КВО.

Всех этих лиц я знаю лично. Сидоренко в партии и армии случайный человек, выдвиженец Якира, сын крупного московского миллионера. Ранее он был секретарем у Гамарника. Гермониус – бывш. паж «ея Величества», сын белогвардейского генерала, находящегося сейчас в белоэмиграции в Париже. Кучинский – бывш. офицер. Бутырский – тоже бывш. офицер и троцкист.

Помимо них Якир мне говорил о наличии у него сообщников по заговору среди политработников всеармейского масштаба, которых Якир по фамилии не называл.

Вопрос: Вы указали, что вы были в 1935 году привлечены Якир[ом] к участию в военно-фашистском заговоре. Вы к этому моменту являлись участником к.-р. террористической троцкистской организации и входили в ее военный центр. Скажите, кому принадлежит инициатива разговора на эту тему?

Ответ: Инициатива привлечения меня к участию в заговоре принадлежит Якиру, начавшего со мной разговор с выяснения моих политических позиций...

Тот факт, что я так решительно ввел его в курс своей троцкистской деятельности, объясняется тем, что троцкисты уже давно делали ставку на Якира, являвшегося выдвиженцем Троцкого, симпатизировавшего троцкистам и настроенного оппозиционно против Ворошилова...

Поэтому когда Якир начал со мной разговор, я с самого начала понял, что он ищет организационного контакта с троцкистами для совместной борьбы с существующим руководством.

Вопрос: О ком из своих сообщников по к.-р. троцкистской деятельности вы говорили Якиру?

Ответ: По этому вопросу я назвал ему Путну, Дрейцера и Охотникова, указав ему на то, что я с ними связан по троцкистской подпольной организации.

Вопрос: Вы информировали Якира об имевшемся у вас задании совершения теракта над тов. Ворошиловым?

Ответ: Нет, об этом я не сказал ему.

Вопрос: Почему? Вы же знали его враждебное отношение к тов. Ворошилову?

Ответ: Это я, конечно, знал, но поскольку в разговоре со мной он прямо этого вопроса не касался, ему об этом террористическом задании я не сказал.

Вопрос: Кому вы сообщили из соучастников к.-р. троцкистской организации о состоявшемся разговоре с Якиром по поводу заговора?

Ответ: Встретившись в 1936 году в Москве с Примаковым у него на квартире, я сообщил ему о предложении Якира принять участие в заговоре, передав ему подробно содержание моего разговора с ним. Примаков ответил мне, что об этом ему известно и что он разговаривал тоже об этом с Якиром.

Вопрос: Какие указания вам дал Якир?

Ответ: Сформулировав передо мной основную цель заговора – захват власти путем вооруженного восстания, Якир мне дал указание быть готовым самому и готовить к этому соединение.

[...]

Вопрос: Что вы конкретно сделали в осуществление этих указаний?

Ответ: Конкретно сделать мне ничего не удалось, т. к. в связи с арестом меня НКВД, вторично Якира мне увидеть не удалось, т. к. он к этому времени только возвращался из заграницы.

Вопрос: Вы получили от Якира указание о привлечении новых кадров?

Ответ: В принципе такое указание было, но Якир неоднократно подчеркивал, что это нужно делать крайне осторожно, во избежание провала, и каждый раз с ним согласовывать намеченные мною кандидатуры.

Вопрос: Так ведь у вас к этому моменту были уже подготовленные кадры, еще ранее привлеченные вами к к.-р. троцкистской деятельности. Перечислите этих лиц.

Ответ: [...]

У меня был только один случай, когда я вовлек к участию в организации.

Осенью 1935 года ко мне на квартиру зашел Савко – зам. нач. ПУОКРа Харьковского военного округа. Он знал меня как бывш. троцкиста, начал спрашивать о моих настроениях. Когда я его спросил, почему его это интересует, он ответил, что он знает, что я не отошел от троцкизма, от Дрейцера. После этого я понял, что он ищет контакта с троцкистами, предложил ему принять участие в работе организации, начать сколачивать троцкистов в своем округе, на что он дал свое согласие.

Вопрос: Что сделал конкретно Савко?

Ответ: Я больше не встречался с ним.

Вопрос: В начале допроса вы говорили о вредительстве, проводимом организацией. Дайте по этому вопросу исчерпывающие показания.

Ответ: Говоря о вредительстве, я имел в виду вредительство, проводимое по линии автобронетанковых войск.

...Обращает на себя серьезное внимание то, что в результате вредительских действий, исходящих из АБТУ, отсутствуют средства связи на танках Т-26 и БТ, что исключает возможность управления частями, управления огнем в бою. Безусловно, вредительским является мотор на Т-26, который на среднем переходе совершенно выдыхается.

...Очень серьезным вопросом в области эксплуатации танков является то, что буквально сотни танков разрушаются на стрельбищных полях, т. к. в течение нескольких месяцев в году, ежедневно – через каждые 15 минут танк поворачивается по 2 раза на 180°. Чтобы избежать этой массовой порчи танков достаточно на стрельбищных полях оборудовать поворотные круги (по примеру ж. д. в депо).

Халепский, несмотря на сделанное ему по этому вопросу мотивированное предложение, своего согласия на это не дал, ссылаясь на то, что подобный метод (без поворотных кругов) дает попутную тренировку водителю на крутых поворотах. Абсурдность этого довода совершенно очевидна, поскольку в условиях боевых действий, танку никогда не придется делать именно таких эволюций (180°) .

Шмидт

Заявление Д. А. Шмидта от 5 июня 1937 г.

Следователю НКВД лейтенанту Петерсу.

Как я уже раньше показывал, что, получив задание по террору, я не имел задачи вербовать людей. Что же касается вопроса, почему я не совершил покушения на народного комиссара т. Ворошилова, несмотря на то, что много раз видел народного комиссара, подходил к нему с докладом. Мне на это трудно ответить. Одно я могу сказать, что не в состоянии был это преступление совершить. Это все было до того момента, когда я был введен в состав военного заговора. А получив от Якира другие задачи: т. е. руководить частью во время вооруженного восстания, то эти две задачи несовместимы.

От Якира же я задания по террору не получал, а ждал указаний, какую конкретно работу проводить к подготовке, какие непосредственно задачи предстоят мне для выполнения. С Дрейцером я потерял к этому времени связь, после его посещения в мае 1935 г.

Показаниями прошлого и этого года я исчерпал все что знал. Что упустил, отвечу.

Дм. Шмидт

ПРИЛОЖЕНИЕ 2

ИЗ ПРОТОКОЛА ДОПРОСА *проф. Н. В. УСТРЯЛОВА*
от 14 июля 1937 г.

Николай Васильевич Устрялов родился в 1890 году. Профессор юридических наук. С 1917 по 1918 год состоял в партии кадетов. С 1918 по 1920 год работал у Колчака в качестве помощника директора «Русского бюро печати» (ОСВАГА). С 1920 по 1935 год проживал в Харбине, потом вернулся в СССР, работал в качестве профессора экономической географии Московского института инженеров транспорта. Сформулировал и пропагандировал концепцию «бонапартизма». Арестован 6 июня 1937 года.

«...**Вопрос:** Расскажите, когда точно и каким образом вы встречались с Тухачевским?

Ответ: Осенью (если не ошибаюсь, в сентябре) (1936 г. – *Авт.*) ко мне пришла моя двоюродная сестра Шапошникова (она преподавала детям Тухачевского русский язык) и сказала, что Тухачевский хотел бы меня повидать и спросил, когда я могу с ним встретиться, – я ответил через Шапошникову согласием и просил передать, что готов хотя бы сегодня встретиться с Тухачевским...

Вопрос: Вы до приглашения Тухачевского были когда-либо с ним связаны?

Ответ: Нет. Но я о нем много слышал, читал написанную о нем зарубежную литературу и в моих мыслях Тухачевский не раз смутно выплывал (во время расцвета моих термидорианских и бонапартистских теорий) как подходящая кандидатура в русские Наполеоны. Свои произведения, печатавшиеся в Китае, я посылал и Тухачевскому (также я их посылал руководителям ВКП(б) и руководителям Наркоматов), и мне было интересно его повидать и побеседовать.

Вопрос: Где вы с ним встретились?

Ответ: Вечером, в тот день, когда я дал согласие на встречу, – ко мне Тухачевский прислал машину, и я приехал к нему на квартиру, где-то в районе Мясницкой (точного адреса не помню). Встретил он меня лично и повел в одну из комнат. Кроме нас, никого не было. После первых приветствий и нескольких фраз о том, что он доволен преподаванием моей кузины – Шапошниковой, Тухачевский, отметив, что он знаком с некоторыми моими книжками, – выразил удовлетворение по поводу появления в "Правде" моего отзыва о новой Советской Конституции. Появление моего имени в советской прессе должно означать, что это имя мало-помалу перестает быть одиозным. Затем беседа, по инициативе Тухачевского, перешла на общеполитические темы.

Вопрос: Изложите содержание этой беседы.

Ответ: Я постараюсь дословно изложить нашу беседу – поскольку она мне осталась памятной. Тухачевский вначале коснулся основных проблем нашей политики и интересовался моей точкой зрения. Я ответил, что, по моему мнению, в данной исторической обстановке внешняя политика Советского государства ведется по единственно возможному для нее курсу, если иметь в виду ориентацию на мир. Я почувствовал, что мой собеседник не разделяет этой точки зрения. В очень осторожных, скупых, окольных выражениях он стал говорить, что ориентация на мир требовала бы некоторого смягчения наших отношений с Германией, ныне отравляющих всю международную атмосферу.

Я немедленно заметил, что отнюдь не мы виноваты в напряженности этих отношений. Я твердо убежден, что, покуда фашизм в Германии у власти, никакие улучшения наших отношений невозможны.

Экспансия на Восток – краеугольный камень внешнеполитической программы Гитлера. "Да, но на востоке Германии лежит Польша, – бросил реплику Тухачевский. – Территориальные вопросы допускают различные варианты решений". Из дальнейших, весьма, впрочем, осторожных его высказываний, получилось, что он мыслил себе совсем иной рисунок европейского равновесия, нежели тот, который существует теперь. В его словах воскресла известная концепция так называемой «германской ориентации», о которой так много говорилось и писалось в свое время.

Было совершенно очевидно, за чей счет мыслилось в таком случае урегулирование спорных территориальных проблем. "Не каждая польская

571

кампания кончалась Рижским договором – был ведь в истории "Венский конгресс""[1].

Этот афоризм моего собеседника был более чем ясным намеком.

Я: "Но ведь наши противоречия с Германией не исчерпываются территориальными проблемами. Нельзя упустить из виду глубочайшие противоположности социально-политических режимов".

Тухачевский: "Да, конечно, но режимы развиваются, эволюционируют. В политике нужна гибкость. Всякий конфликт есть начало соглашения".

Я: "Однако есть основные, фундаментальные установки, которые составляют сущность политического строя. У нас эти установки определены программой правящей партии".

Тухачевский: "Да, но, кроме программы, есть люди. Партия – это люди. В партии есть реальные политики, и им принадлежит будущее".

Из дальнейших его высказываний явствовало, что он не только "теоретизирует", но и уже нащупал кое-какую почву под ногами. "Реальные политики" в партии не фикция, а реальность. Не фикция – и слова о новом курсе по отношению к Германии.

Из этих слов, несколько отрывочных, но все же достаточно ясных, мне нетрудно было понять основные политические устремления моего собеседника. Мне оставалось задать ему лишь один вопрос о конкретной внутриполитической программе тех "реальных политиков" в партии, о которых он упоминал. На этот вопрос Тухачевский ответил, что их внутриполитическая программа исходит из необходимости сгладить остроту противоречий между Советским государством и внешним миром, хотя бы даже за счет некоторого отступления от проводимой ныне партией политической линии. Поскольку такое смягчение противоречий диктуется обстановкой – на него нужно идти.

После этого ответа я окончательно понял, что под кличкой "реальных политиков" Тухачевский имеет в виду правую партийную оппозицию, бухаринско-рыковскую группу.

Наша беседа на этом закончилась. Хозяин высказал пожелания видеть мое имя на страницах советской прессы и выслушать как-нибудь в другой раз мое мнение по поводу мыслей, им высказанных. Он добавил, что бла-

---

[1] Рижский мирный договор (1921) положил конец советско-польской войне. Венский конгресс (1814–1815) завершил войны европейских держав с Наполеоном. В частности, по условиям конгресса Варшавское герцогство было поделено между Россией, Пруссией и Австрией.

годарит меня за мои реплики, но что в то же время, основываясь на моих печатных работах, он рассчитывает встретить с моей стороны внимательное отношение к высказанным им мыслям. На этом мы расстались. Эта беседа своим содержанием была для меня полной неожиданностью.

Привлекала внимание, парадоксальная в моих глазах, установка на международную переориентацию Советского государства. Фразы о Германии и особенно о Польше, были произнесены моим собеседником с большой внутренней убежденностью. Чувствовалось, что они не случайны, что они продуманы и что за ними – не личное только мнение одного Тухачевского.

Вопрос: У вас были еще встречи с Тухачевским?

Ответ: Тухачевский меня к себе не приглашал, я с ним больше не встречался. Однако беседа Тухачевского о "реальных политиках" в партии заставила меня призадуматься и в общениях со своими знакомыми искать подтверждения изложенных Тухачевским соображений.

...

...Вскоре я узнал гораздо более конкретные вещи, заставившие меня думать о возможных кардинальных изменениях в руководстве ВКП(б) и всей проводимой Советским государством политики: я узнал о непосредственной связи между группой Бухарина – Рыкова и Тухачевского.

Вопрос: От кого вы это узнали?

Ответ: Об этом мне при встрече в конце 1936 года рассказал один японец.

Вопрос: О каком японце идет речь? Где вы с ним встретились?

Ответ: Вскоре после напечатания моей статьи "Самопознание социализма" в декабрьском номере (1936 год) "Известий" мне позвонило по телефону неизвестное лицо с просьбой о свидании, передав при этом привет от "харбинских знакомых"... После некоторых колебаний я изъявил согласие на встречу, и мы договорились встретиться в тот же день около десяти часов вечера в Лосинке, неподалеку от Института НКПС. В назначенное время я пришел в условленное место. В начале одиннадцатого к институту подошла машина. Из нее вышел закутанный в шубу человек, по внешности японец. Подойдя ко мне и назвав меня по фамилии, японец отрекомендовался фамилией Накамура, заявил, что он является корреспондентом одной из токийских газет, что он следует транзитом из Японии в Европу и задержался на несколько дней в Москве.

...

573

Вопрос: Где и о чем вы с ним разговаривали?

Ответ: Накамура пригласил меня к себе в автомобиль и в течение примерно полутора часов разъезжал со мной между Москвой и Лосинкой, и все время беседовали. Вначале он говорил о моей статье в "Известиях", спросил, давно ли я сотрудничаю в этой газете и знаком ли я с Бухариным и его друзьями, на что я ответил отрицательно. Он интересовался далее, в каких кругах я вращаюсь, и снова говорил о среде бухаринско-рыковской группы, называя ее группой реальных политиков, гораздо более дальновидных и более снабженных социальной опорой, нежели недавно провалившаяся группа Зиновьева–Каменева. На мою реплику, что теперь едва ли можно серьезно говорить о роли бухаринско-рыковской группы, он заметил, что эта группа, по его мнению, вовсе не так слаба, как кажется, и что у нее имеются немало явных и тайных сторонников в различных звеньях советского аппарата. Затем он спросил меня о настроениях советской интеллигенции и о собственной моей оценке политического положения. Я вкратце сообщит ему свою точку зрения.

Вопрос: Что вы сообщили Накамура?

Ответ: Я изложил Накамура свою оценку существующего в стране положения под уклоном зрения моей теории "бонапартизма", – я говорил, что революция неуклонно устремляется по бонапартистскому пути, развивается этот бонапартизм особого порядка – прежде всего как принцип безграничного единовластия вождя.

Затем я обратил внимание Накамура на такие мероприятия правительства, как установление званий, орденов, введение института маршалов, восстановление казачества и т. д. ... Появление "знатных людей" как бы подчеркивало создание новой знати, т. е. опять-таки наводит мысль на аналогию с эпохой Бонапарта. Я говорил, что казнь зиновьевцев – есть первое в истории русской революции применение якобинских методов борьбы с революционерами: мокрая гильотина – вместо сухой. В таком же духе я дал оценку и другим событиям внутренней жизни страны.

Вопрос: Как реагировал Накамура на изложенные вами вопросы?

Ответ: Как бы в ответ на эти "бонапартистские нотки" моих замечаний, мой собеседник неожиданно для меня перешел к теме Красной Армии и отметил, что, по его сведениям, у правых есть сторонники и в ее среде, точнее, в среде ее верхушки, правые вовсе не так бессильны, как я полагаю. Японцы имеют насчет этого достоверную информацию не только собственную, но и почерпнутую из союзного им источника, столь же, как они, заинтересованного в борьбе с Коминтерном. Есть основание утверждать, что надежды и планы правых вовсе не беспочвенны. И чтобы не быть голословным, он даже может назвать одно имя, представляющееся в этом отношении достаточно веским: по его данным, "господин Тухачевский" связан тесными политическими симпатиями с группой правых коммунистов. А Тухачевский – имя импонирующее: его хорошо знают политические круги всех иностранных государств, и еще русская эмиграция прочила его в "русские Наполеоны". Вместе с тем, как один из маршалов, он популярен в СССР.

На мой вопрос моему собеседнику, как же мыслит он политическую программу такого право-военного блока, он развил мне ряд соображений...

В случае политического успеха, правительство бухаринско-рыковской группы в корне изменило бы курс советской политики в сторону сближения с пожеланиями иностранных государств. В частности, Япония ожидает от этого правительства прекращения работы Коминтерна в Китае и предоставления Японии полной свободы рук в Китае. Вместе с тем Япония рассчитывает на значительное расширение различных концессий в пределах советского Дальнего Востока, а возможно, даже и на полюбовное соглашение о продаже ей на приемлемых условиях северной части Сахалина. Все это радикально смягчит нынешнюю напряженность отношений между Японией и СССР.

На мой вопрос о позиции такого правительства в сфере европейской внешней политики Накамура ответил, что должно произойти резкое улучшение советско-германских отношений. Изменение режима монополии внешней торговли вызовет оживление торговых связей между обеими странами, германскую торговую экспансию в СССР. Территориально-политические трудности могут быть разрешены в значительной мере за счет Польши. Свертывание деятельности Коминтерна идет навстречу основным установкам Гитлера. Словом, здесь можно ожидать решительной перемены всей современной международной ситуации и установления мирового равновесия на новых основах. Советский Союз прочно войдет в общество "нормальных" государств, ведущих политику здорового национального эгоизма...»

...

Допросили:

Зам. нач. 4-го отдела ГУГБ ст. майор госуд. безопасности (подпись неразборчива).

Пом. нач. 10 отделения 4-го отдела ГУГБ лейт. гос. безоп. И. Илюшенко.

ПРИЛОЖЕНИЕ 3

ИЗ СТЕНОГРАММЫ
**выступления И. В. Сталина на расширенном заседании
Военного Совета при наркоме обороны
2 июня 1937 г.**

Это – подлинная, неправленая стенограмма знаменитой речи Сталина на расширенном заседании Военного Совета 2 июня 1937 года. Она достаточно велика, но мы приводим ее полностью, без сокращений, потому что этот документ превосходно передает колорит эпохи, а колорит эпохи – это тоже захватывающе интересно...

Сталин: Товарищи, в том, что военно-политический заговор существовал против Советской власти теперь, я надеюсь, никто не сомневается. Факт, такая уйма показаний самих преступников и наблюдения со стороны товарищей, которые работают на местах, такая масса их, что, несомненно, здесь имеет место военно-политический заговор против Советской власти, стимулировавшийся и финансировавшийся германскими фашистами.

Ругают людей: одних мерзавцами, других – чудаками, третьих – помещиками.

Но сама по себе ругань ничего не дает. Для того чтобы это зло с корнем вырвать и положить ему конец, надо его изучить, спокойно изучить, изучить его корни, вскрыть и наметить средства, чтобы впредь таких безобразий ни в нашей стране, ни вокруг нас не повторялось.

Я и хотел как раз по вопросам такого порядка несколько слов сказать.

Прежде всего, обратите внимание, что за люди стояли во главе военно-политического заговора. Я не беру тех, которые уже расстреляны, я беру тех, которые недавно еще были на воле. Троцкий, Рыков, Бухарин –

это, так сказать, политические руководители. К ним я отношу также Рудзутака, который также стоял во главе и очень хитро работал, путал все, а всего-навсего оказался немецким шпионом. Карахан, Енукидзе. Дальше идут: Ягода, Тухачевский – по военной линии, Якир, Уборевич, Корк, Эйдеман, Гамарник – 13 человек. Что это за люди? Это очень интересно знать. Это – ядро военно-политического заговора, ядро, которое имело систематические сношения с германскими фашистами, особенно с германским рейхсвером, и которое приспосабливало всю свою работу к вкусам и заказам со стороны германских фашистов. Что это за люди?

Говорят, Тухачевский помещик, кто-то другой попович. Такой подход, товарищи, ничего не решает, абсолютно не решает. Когда говорят о дворянах как о враждебном классе трудового народа, имеют в виду класс, сословие, прослойку, но это не значит, что некоторые отдельные лица из дворян не могут служить рабочему классу. Ленин был дворянского происхождения – вы это знаете?

Голос: Известно.

Сталин: Энгельс был сыном фабриканта – непролетарские элементы, как хотите. Сам Энгельс управлял своей фабрикой и кормил этим Маркса. Чернышевский был сын попа – неплохой был человек. И наоборот, Серебряков был рабочий, а вы знаете, каким мерзавцем он оказался. Лившиц был рабочим, малограмотным рабочим, а оказался – шпионом.

Когда говорят о враждебных силах, имеют в виду класс, сословие, прослойку, но не каждое лицо из данного класса может вредить. Отдельные лица из дворян, из буржуазии работали на пользу рабочему классу и работали неплохо. Из такой прослойки, как адвокаты, скажем, было много революционеров. Маркс был сын адвоката, не сын батрака и не сын рабочего. Из этих прослоек всегда могут быть лица, которые могут служить делу рабочего класса не хуже, а лучше, чем чистокровные пролетарии. Поэтому общая мерка, что это не сын батрака – это старая мерка, к отдельным лицам не применимая. Это не марксистский подход.

Это не марксистский подход. Это, я бы сказал, биологический подход, не марксистский. Мы марксизм считаем не биологической наукой, а социологической наукой. Так что эта общая мерка, совершенно верная в отношении сословий, групп, прослоек, она не применима ко всяким отдельным лицам, имеющим непролетарское или не крестьянское происхождение. Я не с этой стороны буду анализировать этих людей.

Есть у вас еще другая, тоже неправильная ходячая точка зрения. Часто говорят: в 1922 году такой-то голосовал за Троцкого. Тоже неправильно. Человек мог быть молодым, просто не разбирался, был задира. Дзержинский голосовал за Троцкого, не только голосовал, а открыто Троцкого поддерживал при Ленине против Ленина. Вы это знаете? Он не был человеком, который мог бы оставаться пассивным в чем-либо. Это был очень активный троцкист и весь ГПУ он хотел поднять в защиту Троцкого. Это ему не удалось. (Дзержинский выступал на стороне Троцкого в 1918 году по вопросу о Брестском мире. – *Авт.*). Андреев был очень активным троцкистом в 1921 году.

Голос с места: Какой Андреев?

Сталин: Секретарь ЦК, Андрей Андреевич Андреев. Так что видите, общее мнение о том, что такой-то тогда-то голосовал, или такой-то тогда-то колебался, тоже не абсолютно и не всегда правильно.

Так что эта вторая ходячая, имеющая большое распространение среди вас и в партии вообще точка зрения, она тоже неправильна. Я бы сказал, не всегда правильна и очень часто она подводит.

Значит, при характеристике этого ядра и его членов, я также эту точку зрения, как неправильную, не буду применять.

Самое лучшее судить о людях по их делам, по их работе. Были люди, которые колебались, потом отошли, отошли открыто, честно и в одних рядах с нами очень хорошо дерутся с троцкистами. Дрался очень хорошо Дзержинский, дерется очень хорошо т. Андреев. Есть и еще такие люди. Я бы мог сосчитать десятка два-три людей, которые отошли от троцкизма, отошли крепко и дерутся с ним очень хорошо. Иначе и не могло быть, потому что на протяжении истории нашей партии факты показали, что линия Ленина, поскольку с ним начали открытую войну троцкисты, оказалась правильной. Факты показали, что впоследствии после Ленина линия ЦК нашей партии, линия партии в целом оказалась правильной. Это не могло не повлиять на некоторых бывших троцкистов. И нет ничего удивительного, что такие люди, как Дзержинский, Андреев и десятка два-три бывших троцкистов разобрались, увидели, что линия партии была правильна и перешли на нашу сторону.

Скажу больше. Я знаю некоторых нетроцкистов, они не были троцкистами, но и нам от них большой пользы не было. Они по-казенному голосовали за партию. Большая ли цена такому ленинцу? И наоборот, были люди, которые топорщились, сомневались, не все признали правильным и не было у них достаточной доли трусости, чтобы скрыть свои колебания, они голосовали против линии партии, а потом перешли на нашу сторону.

Стало быть, и эту вторую точку зрения, ходячую и распространенную, я отвергаю как абсолютную.

Нужна третья точка зрения при характеристике лидеров этого ядра заговора. Это точка зрения характеристики людей по их делам за ряд лет.

Перехожу к этому. Я пересчитал 13 человек. Повторяю: Троцкий, Рыков, Бухарин, Енукидзе, Карахан, Рудзутак, Ягода, Тухачевский, Якир, Уборевич, Корк, Эйдеман, Гамарник. Из них 10 человек шпионы. Троцкий организовал группу, которую прямо натаскивал, поучал: давайте сведения немцам, чтобы они поверили, что у меня, Троцкого, есть люди. Делайте диверсии, крушения, чтобы мне, Троцкому, японцы и немцы поверили, что у меня есть сила. Человек, который проповедовал среди своих людей необходимость заниматься шпионажем, потому что мы, дескать, троцкисты, должны иметь блок с немецкими фашистами, стало быть, у нас должно быть сотрудничество, стало быть, мы должны помогать так же, как они нам помогают в случае нужды. Сейчас от них требуют помощи по части информации, давайте информацию. Вы помните показания Радека, вы помните показания Лившица, вы помните показания Сокольникова – давали информацию. Это и есть шпионаж. Троцкий – организатор шпионов из людей, либо состоявших в нашей партии, либо находящихся вокруг нашей партии – обер-шпион.

Рыков. У нас нет данных, что он сам информировал немцев, но он поощрял эту информацию через своих людей. С ним очень тесно были связаны Енукидзе и Карахан, оба оказались шпионами. Карахан с 1927 года и с 1927 года Енукидзе. Мы знаем, через кого они доставляли секретные сведения, через кого доставляли эти сведения – через такого-то человека из германского посольства в Москве. Знаем. Рыков знал все это. У нас нет данных, что он сам шпион.

Бухарин. У нас нет данных, что он сам информировал, но все его друзья, ближайшие друзья: Уборевич, особенно Якир, Тухачевский, занимались систематической информацией немецкого генерального штаба.

Остальные. Енукидзе, Карахан – я уже сказал. Ягода – шпион, и у себя в ГПУ разводил шпионов. Он сообщал немцам, кто из работников ГПУ имеет такие-то пороки. Чекистов таких он посылал за границу для отдыха. За эти пороки хватала этих людей немецкая разведка и завербовывала, возвращались они завербованными. Ягода говорил им: я знаю, что вас немцы завербовали, как хотите, либо вы мои люди, личные и работаете так, как я хочу, слепо, либо я передаю в ЦК, что вы – германские шпионы. Так он поступил с Гаем – немецко-японским шпионом. Он сам это признал. Эти люди признаются. Так он поступил с Воловичем – шпион немецкий, сам признается. Так он поступил с Паукером – шпион немецкий, давнишний, с 1923 года. Значит, Ягода. Дальше. Тухачевский. Вы читали его показания.

Голоса: Да, читали.

Сталин: Он оперативный план наш, оперативный план – наше святое святых передал немецкому рейхсверу. Имел свидание с представителями немецкого рейхсвера. Шпион? Шпион. Для благовидности на Западе этих жуликов из западноевропейских цивилизованных стран называют информаторами, а мы-то по-русски знаем, что это просто шпион. Якир – систематически информировал немецкий штаб. Он выдумал себе эту болезнь печени. Может быть, он выдумал себе эту болезнь, а может быть, она у него действительно была. Он ездил туда лечиться. Уборевич – не только с друзьями, с товарищами, но он отдельно сам лично информировал. Карахан – немецкий шпион. Эйдеман – немецкий шпион. Карахан – информировал немецкий штаб, начиная с того времени, когда он был у них военным атташе в Германии. Рудзутак. Я уже говорил о том, что он не признает, что он шпион, но у нас есть все данные. Знаем, кому он передавал сведения. Есть одна разведчица опытная в Германии, в Берлине. Вот когда вам, может быть, придется побывать в Берлине – Жозефина Гензи, может быть, кто-нибудь из вас знает. Она красивая женщина. Разведчица старая. Она завербовала Карахана. Завербовала на базе бабской части. Она завербовала Енукидзе. Она помогла завербовать Тухачевского. Она же держит в руках Рудзутака. Это очень опытная разведчица, Жозефина Гензи. Будто бы она сама датчанка на службе у германского рейхсвера. Красивая, охотно на всякие предложения мужчин идет, а потом гробит. Вы может быть, читали статью в «Правде» о некоторых коварных приемах вербовщиков? Вот она одна из отличившихся на этом поприще разведчиц германского рейхсвера. Вот вам люди. Десять определенных шпионов и трое организаторов и потакателей шпионажа в пользу германского рейхсвера. Вот они, эти люди.

Могут спросить, естественно, такой вопрос – как это так, эти люди, вчера еще коммунисты, вдруг сами стали оголтелым орудием в руках германского шпионажа? А так, что они завербованы. Сегодня от них требуют – дай информацию. Не дашь, у нас есть уже твоя расписка, что ты завербован, опубликуем. Под страхом разоблачения они дают информацию. Завтра требуют: нет, этого мало, дай больше и получи деньги, дай расписку. После этого требуют – начинайте заговор, вредительство. Сначала вредительство, диверсии, покажите, что вы действуете на нашу сторону. Не покажете – разоблачим, завтра же передаем агентам советской власти, у вас головы летят. Начинают они диверсии. После этого говорят – нет, вы как-нибудь в Кремле попытайтесь что-нибудь устроить или в Московском гарнизоне и вообще займите командные посты. И эти начинают стараться, как только могут. Дальше и этого мало. Дайте реальные факты, чего-нибудь стоящие. И они убивают Кирова. Вот, получайте, говорят. А им говорят – идите дальше, нельзя ли все правительство снять. И они организуют через Енукидзе, через Горбачева, Егорова, который был тогда начальником школы ВЦИК, а школа стояла в Кремле, Петерсона. Им говорят: организуйте группу, которая должна арестовать правительство. Летят донесения, что есть группа, все сделаем, арестуем и прочее. Но этого мало – арестовать, перебить несколько человек, – а народ, а армия? Ну, значит, они сообщают, что у нас такие-то командные посты заняты, мы сами занимаем большие командные посты: я, Тухачевский, и он, Уборевич, а здесь Якир. Требуют – а вот насчет Японии, Дальнего Востока как? И вот начинается кампания, очень серьезная кампания. Хотят Блюхера снять. И там же есть кандидатура. Ну уж, конечно, Тухачевский. Если не он, так кого же? Почему снять? Агитацию ведет Гамарник, ведет Аронштам. Так они ловко ведут, что подняли почти все окружение Блюхера против него. Более того, они убедили руководящий состав военного центра, что надо снять. Почему, спрашивается, объясните, в чем дело? Вот он выпивает. Ну, хорошо. Ну, что еще? Вот он рано утром не встает, не ходит по войскам. Еще что? Устарел, новых методов работы не понимает. Ну, сегодня не понимает, завтра поймет, опыт старого бойца не пропадает. Посмотрите, ЦК встает перед фактом всякой гадости, которую говорят о Блюхере. Путна бомбардирует, Аронштам бомбардирует нас в Москве, бомбардирует Гамарник. Наконец, созываем совещание. Когда он приезжает, видимся с ним. Мужик как мужик, неплохой. Мы его не знаем, в чем тут дело. Даем ему произнести речь – великолепно. Проверяем его и таким порядком. Люди с мест сигнализировали, созываем совещание в зале ЦК.

Он, конечно, разумнее, опытнее, чем любой Тухачевский, чем любой Уборевич, который является паникером, и чем любой Якир, который в военном деле ничем не отличается. Была маленькая группа. Возьмем Котовского, он никогда ни армией, ни фронтом не командовал. Если люди не знают своего дела, мы их обругаем – подите к черту, у нас не монастырь. Поставить людей на командную должность, которые не пьют и воевать не умеют – нехорошо. Есть люди с 10-летним командующим опытом, из них сыпется песок, но их не снимают, наоборот, держат. Мы тогда Гамарника ругали, а Тухачевский его поддерживал. Это единственный случай сговоренности. Должно быть, немцы донесли, приняли все меры. Хотели поставить другого, но не выходит.

Ядро, состоящее из 10 патентованных шпионов и 3 патентованных подстрекателей шпионов. Ясно, что сама логика этих людей зависит от германского рейхсвера. Если они будут выполнять приказания германского рейхсвера, ясно, что рейхсвер будет толкать этих людей сюда. Вот подоплека заговора. Это военно-политический заговор. Это собственноручное сочинение германского рейхсвера. Я думаю, эти люди являются марионетками и куклами в руках рейхсвера. Рейхсвер хочет, чтобы у нас был заговор и эти господа взялись за заговор. Рейхсвер хочет, чтобы эти господа систематически доставляли им военные секреты. Рейхсвер хочет, чтобы существующее правительство было снято, перебито, и они взялись за это дело, но не удалось. Рейхсвер хотел, чтобы в случае войны было все готово, чтобы армия перешла к вредительству с тем, чтобы армия не была готова к обороне, этого хотел рейхсвер и они это дело готовили. Это агентура, руководящее ядро военно-политического заговора в СССР, состоящее из 10 патентованных шпионов и 3 патентованных подстрекателей – шпионов. Это агентура германского рейхсвера. Вот основное. Заговор этот имеет, стало быть, не столько внутреннюю почву, сколько внешние условия, не столько политику по внутренней линии в нашей стране, сколько политику германского рейхсвера. Хотели из СССР сделать вторую Испанию и нашли себе, и завербовали шпиков, орудовавших в этом деле. Вот обстановка.

Тухачевский особенно играл благородного человека, на мелкие пакости неспособного, воспитанного человека. Мы его считали неплохим военным, я его считал неплохим военным. Я его спрашивал: как вы могли в течение 3 месяцев довести численность дивизии до 7 тысяч человек. Что это? Профан, не военный человек. Что за дивизия в 7 тысяч человек? Это либо дивизия без артиллерии, либо это дивизия с артиллерией без прикрытия. Вообще это не дивизия, это срам. Как может быть такая дивизия? Я у Тухачевского спрашивал: как вы, человек, называющий себя знатоком этого дела, как вы можете настаивать, чтобы численность дивизии довести до 7 тысяч человек и вместе с тем требовать, чтобы у нас дивизия была 60... 40 гаубиц и 20 пушек, чтобы мы имели столько-то танкового вооружения, такую-то артиллерию, столько-то минометов? Здесь одно из двух, либо вы должны всю эту технику к черту убрать и одних стрелков поставить, либо вы должны эту технику поставить. Он мне говорит: «Товарищ Сталин, это увлечение». Это не увлечение, это вредительство, проводимое по заказам германского рейхсвера.

Вот ядро, и что оно собой представляет? Голосовали ли они за Троцкого? Рудзутак никогда не голосовал за Троцкого, а шпиком оказался. Енукидзе никогда не голосовал за Троцкого, а шпиком оказался. Вот ваша точка зрения – кто за кого голосовал.

Помещичье происхождение. Я не знаю, кто там еще есть из помещичьей семьи, кажется, только один Тухачевский. Классовое происхождение не меняет дела. В каждом отдельном случае нужно судить по делам. Целый ряд лет люди имели связь с германским рейхсвером, ходили в шпионах. Должно быть, они часто колебались и не всегда вели свою работу. Я думаю, мало кто из них вел свое дело от начала до конца. Я вижу, как они плачут, когда их привели в тюрьму. Вот тот же Гамарник. Видите ли, если бы он был контрреволюционером от начала до конца, то он не поступил бы так, потому что я бы на его месте, будучи последовательным контрреволюционером, попросил бы сначала свидания со Сталиным, сначала уложил бы его, а потом бы убил себя. Так контрреволюционеры поступают. Эти же люди были ничто иное, как невольники германского рейхсвера, завербованные шпионы, и эти невольники должны были катиться по пути заговора, по пути шпионажа, по пути отдачи Ленинграда, Украины и т. д. Рейхсвер как могучая сила берет себе в невольники, в рабы слабых людей, а слабые люди должны действовать, как им прикажут. Невольник есть невольник. Вот что значит попасть в орбиту шпионажа. Попал ты в это колесо, хочешь ты или не хочешь, оно тебя завернет и будешь катиться по наклонной плоскости. Вот основа. Не в том, что у них политика и прочее, никто их не спрашивал о политике. Это просто люди идут на милость.

Колхозы. Да какое им дело до колхозов? Видите, им стало жалко крестьян. Вот этому мерзавцу Енукидзе, который в 1918 году согнал крестьян и восстановил помещичье хозяйство, ему теперь стало жалко крестьян. Но так как он мог прикидываться простачком и заплакать, этот верзила (смех), то ему поверили.

Второй раз, в Крыму, когда пришли к нему какие-то бабенки, жены, так же как и в Белоруссии, пришли и поплакали, то он согнал мужиков, вот этот мерзавец согнал крестьян и восстановил какого-то дворянина. Я его еще тогда представлял к исключению из партии, мне не верили, считали, что я, как грузин, очень строго отношусь к грузинам. А русские, видите ли, поставили перед собой задачу защищать «этого грузина». Какое ему дело, вот этому мерзавцу, который восстанавливал помещиков, какое ему дело до крестьян?

Тут дело не в политике, никто его о политике не спрашивал. Они были невольниками в руках германского рейхсвера.

Те командовали, давали приказы, а эти в поте лица выполняли. Этим дуракам казалось, что мы такие слепые, что ничего не видим. Они, видите ли, хотят арестовать правительство в Кремле. Оказалось, что мы кое-что видели. Они хотят в Московском гарнизоне иметь своих людей и вообще поднять войска. Они полагали, что никто ничего не заметит, что у нас пустыня Сахара, а не страна, где есть население, где есть рабочие, крестьяне, интеллигенция, где есть правительство и партия. Оказалось, что мы кое-что видели.

И эти невольники германского рейхсвера сидят теперь в тюрьме и плачут. Политики! Руководители!

Второй вопрос – почему этим господам так легко удавалось завербовать людей. Вот мы человек 300–400 по военной линии арестовали. Среди них есть хорошие люди. Как их завербовали?

Сказать, что это способные, талантливые люди, я не могу. Сколько раз они поднимали открытую борьбу против Ленина, против партии при Ленине и после Ленина и каждый раз были биты. И теперь подняли большую кампанию и тоже провалились. Не очень уж талантливые люди, которые то и дело проваливались, начиная с 1921 года и кончая 1937 годом, не очень талантливые, не очень гениальные.

Как это им удалось так легко вербовать людей? Это очень серьезный вопрос. Я думаю, что они тут действовали таким путем. Недоволен человек чем-либо, например, недоволен тем, что он бывший троцкист или зиновьевец и его не так свободно выдвигают, либо недоволен тем, что он человек неспособный, не управляется с делами, и его за это снижают, а он себя считает очень способным. Очень трудно иногда человеку понять меру своих сил, меру своих плюсов и минусов. Иногда человек думает, что он гениален и поэтому обижен, когда его не выдвигают.

Начинали с малого, с идеологической группки, а потом шли дальше. Вели разговоры такие: вот, ребята, дело какое. ГПУ у нас в руках, Ягода в руках, Кремль у нас в руках, так как Петерсон с нами, Московский округ, Корк и Горбачев тоже у нас. Все у нас. Либо сейчас выдвинуться, либо завтра, когда придем к власти, остаться на бобах. И многие слабые, нестойкие люди думали, что это дело реальное, черт побери, оно будто бы даже выгодное. Этак прозеваешь, за это время арестуют правительство, захватят Московский гарнизон и всякая такая штука, а ты останешься на мели. (*Веселое оживление в зале.*)

Точно так рассуждает в своих показаниях Петерсон. Он разводит руками и говорит: дело это реальное, как тут не завербоваться? (*Веселое оживление в зале.*)

Оказалось, дело не такое уж реальное. Но эти слабые люди рассуждают именно так: как бы, черт побери, не остаться позади всех. Давай-ка скорее прикладываться к этому делу, а то останешься на мели.

Конечно, так можно завербовать только нескольких людей. Конечно, стойкость тоже дело наживное, от характера кое-что зависит, но и от самого воспитания. Вот эти малостойкие, я бы сказал, товарищи, они и послужили материалом для вербовки. Вот почему этим мерзавцам так легко удавалось малостойких людей вовлекать. На них гипнозом действовали: завтра все будет у нас в руках, немцы с нами, Кремль с нами, мы изнутри будем действовать, они извне. Вербовали таким образом этих людей.

Третий вопрос – почему мы так странно прошляпили это дело? Сигналы были. В феврале был Пленум ЦК. Все-таки как-никак дело это наворачивалось, а вот все-таки прошляпили, мало кого мы сами открыли из военных. В чем тут дело? Может быть, мы малоспособные люди или совсем уже ослепли? Тут причина общая. Конечно, армия не оторвана от страны, от партии, а в партии вам известно, что эти успехи несколько вскружили голову, когда каждый день успехи, планы перевыполняются, жизнь улучшается, политика будто бы неплохая, международный вес нашей страны растет бесспорно, армия сама внизу и в средних звеньях, отчасти в верхних звеньях, очень здоровая и колоссальная сила, все это дело идет вперед, поневоле развинчивается, острота зрения пропадает, начинают люди думать: какого рожна еще нужно? Чего не хватает? Политика неплохая, Рабоче-Крестьянская Красная Армия за нас, международный вес нашей страны растет, всякому из нас открыт путь для того, чтобы двигаться вперед, неужели же еще при этих условиях кто-нибудь будет думать о контрреволюции? Есть такие мыслишки в головах. Мы-то не знали, что это ядро уже завербовано германцами и они даже при желании отойти от пути контрреволюции, не могут отойти, потому что живут под страхом того, что их разоблачат и они головы сложат. Но общая обстановка, рост наших сил, поступательный рост и в армии, и в стране, и в партии, вот они у нас притупили чувство политической бдительности и несколько ослабили остроту нашего зрения. И вот в этой-то как раз области мы и оказались разбитыми.

Нужно проверять людей, и чужих, которые приезжают, и своих. Это значит, надо иметь широко разветвленную разведку, чтобы каждый партиец и каждый не партийный большевик, особенно органы ОГПУ, рядом с органами разведки, чтобы они свою сеть расширяли и бдительнее смотрели. Во всех областях разбили мы буржуазию, только в области разведки оказались битыми как мальчишки, как ребята. Вот наша основная слабость. Разведки нет, настоящей разведки. Я беру это слово в широком смысле слова, в смысле бдительности и в узком смысле слова также, в смысле хорошей организации разведки. Наша разведка по военной линии плоха, слаба, она засорена шпионажем. Наша разведка по линии ПУ возглавлялась шпионом Гаем и внутри чекистской разведки у нас нашлась целая группа хозяев этого дела, работавшая на Германию, на Японию, на Польшу сколько угодно, только не для нас. Разведка – это та область, где мы впервые за 20 лет потерпели жесточайшее поражение.

И вот задача состоит в том, чтобы разведку поставить на ноги. Это наши глаза, это наши уши. Слишком большие победы одержали, товарищи, слишком лакомым куском стал СССР для всех хищников. Громадная страна, великолепные железные дороги, флот растет, производство хлеба растет, сельское хозяйство процветает и будет процветать, промышленность идет в гору. Это такой лакомый кусок для империалистических хищников, что он, этот кусок, обязывает нас быть бдительными. Судьба, история доверили этакое богатство, эту великолепную и великую страну, а мы оказались спящими, забыли, что этакое богатство, как наша страна, не может не вызывать жадности, алчности, зависти и желания захватить эту страну. Вот Германия первая серьезно протягивает руку. Япония вторая, заводит своих разведчиков, имеет свое повстанческое ядро. Те хотят получить Приморье, эти хотят получить Ленинград. Мы это прозевали, не понимали. Имея эти успехи, мы превратили СССР в богатейшую страну и вместе с тем в лакомый кусок для всех хищников, которые не успокоятся до тех пор, пока не испробуют всех мер к тому, чтобы отхватить от этого куска кое-что. Мы эту сторону прозевали. Вот почему у нас разведка плоха, и в этой области мы оказались битыми как ребятишки, как мальчишки.

Но это не все, разведка плохая. Очень хорошо. Ну, успокоение пошло. Факт. Успехи одни. Это очень большое дело – успехи, и мы все стремимся к ним. Но у этих успехов есть своя теневая сторона – самодовольство ослепляет. Но есть у нас и другие такие недостатки, которые, помимо всяких успехов или неуспехов, существуют и с которыми надо распроститься.

Вот тут говорили о сигнализации, сигнализировали. Я должен сказать, что сигнализировали очень плохо с мест. Плохо. Если бы сигнализировали больше, если бы у нас было поставлено дело так, как этого хотел Ленин, то каждый коммунист, каждый беспартийный считал бы себя обязанным, о недостатках, которые замечает написать свое личное мнение. Он так хотел. Ильич к этому стремился, ни ему, ни его птенцам на удалось это дело наладить. Нужно, чтобы не только смотрели, наблюдали, замечали недостатки и прорывы, замечали врага, но и все остальные товарищи чтобы смотрели на это дело. Нам отсюда не все видно. Думают, что центр должен все знать, все видеть. Нет, центр не все видит, ничего подобного. Центр видит только часть, остальное видят на местах. Он посылает людей, но он не знает этих людей на 100%, вы должны их проверять. Есть одно средство настоящей проверки – это проверка людей на работе, по результатам их работы. А это только местные люди могут видеть.

Вот т. Горячев рассказывал о делах головокружительной практики. Если бы мы это дело знали, конечно, приняли бы меры. Разговаривали о том, о сем, что у нас дело с винтовкой плохое, что наша боевая винтовка имеет тенденцию превратиться в спортивную.

Голос: Махновский обрез.

Сталин: Не только обрез, ослабляли пружину, чтобы напряжения не требовалось. Один из рядовых красноармейцев сказал мне, что плохо дело, поручили кому следует рассмотреть. Один защищает Василенко, другой не защищает. В конце концов выяснилось, что он действительно грешен. Мы не могли знать, что это вредительство. А кто же он, оказывается? Оказывается, он шпион. Он сам рассказал. С какого года, товарищ Ежов?

Ежов: С 1926 года.

Сталин: Конечно, он себя троцкистом называет, куда лучше ходить в троцкистах, чем просто в шпионах.

Плохо сигнализируете, а без ваших сигналов ни военком, ни ЦК ничего не могут знать. Людей посылают не на 100% обсосанных, в центре таких людей мало. Посылают людей, которые могут пригодиться. Ваша обязанность проверять людей на деле, на работе, и если неувязки будут, вы сообщайте. Каждый член партии, честный беспартийный гражданин СССР не только имеет право, но обязан о недостатках, которые он замечает, сообщать. Если будет правда, хотя бы на 5%, то и это хлеб. Обязаны посылать письма своему наркому, копию в ЦК. Как хотите. Кто сказал, что обязывают только наркому писать? Неправильно.

Я расскажу один инцидент, который был у Ильича с Троцким. Это было, когда Совет Обороны организовывался. Это было, кажется, в конце 1918 или 1919 года.

Троцкий пришел жаловаться: получаются в ЦК письма от коммунистов, иногда копии посылаются ему, как наркому, а иногда даже и копии не посылаются и письма посылаются в ЦК через его голову. «Это не годится». Ленин спрашивает: почему? «Как же так, я нарком, я тогда не могу отвечать». Ленин его отбрил, как мальчишку, и сказал: «Вы не думайте, что вы один имеете заботу о военном деле. Война – это дело всей страны, дело партии». Если коммунист по забывчивости или почему-либо прямо в ЦК напишет, то ничего особенного в этом нет. Он должен жаловаться в ЦК. Что же вы думаете, что ЦК уступит вам свое дело? Нет. А вы потрудитесь разобрать по существу эту жалобу. Вы думаете, вам ЦК не расскажет? Расскажет. Вас должно интересовать существо этого письма – правильно оно или нет. Даже и копии можно наркому не посылать. Разве вам когда Ворошилов запрещал письма писать в ЦК?

Голоса: Нет, никогда.

Сталин: Кто из вас может сказать, что вам запрещали писать письма в ЦК?

Голоса: Нет, никто.

Сталин: Поскольку вы отказываетесь писать в ЦК и даже наркому не пишете о делах, которые оказываются плохими, то вы продолжаете старую троцкистскую линию. Борьба с пережитками троцкизма в головах должна вестись и ныне, надо отказаться от этой троцкистской практики. Член партии, повторяю, беспартийный, у которого болит сердце о непорядках – а некоторые беспартийные лучше пишут, честнее, чем другие коммунисты, – обязаны писать своим наркомам, писать заместителям наркомов, писать в ЦК о делах, которые им кажутся угрожающими. Вот, если бы это правило выполнялось – а это ленинское правило, – вы не найдете в Политбюро ни одного человека, который бы что-нибудь против этого сказал. Если бы вы это правило проводили, мы гораздо раньше разоблачили бы это дело.

Вот это насчет сигналов.

Еще недостаток, в отношении проверки людей сверху. Не проверяют. Мы для чего организовали Генеральный штаб? Для того, чтобы он проверял командующих округами. А чем он занимается? Я не слыхал, чтобы Генеральный штаб проверял людей, чтобы Генеральный штаб нашел у Уборевича что-нибудь и раскрыл все его махинации. Вот тут выступал один товарищ и рассказывал насчет кавалерии, как тут дело ставили. Где же был Генеральный штаб. Вы что думаете, что Генеральный штаб для украшения существует? Нет, он должен проверять людей на работе сверху. Командующие округами не Чжан Цзо-лин, которому отдали округ на откуп...

Голоса: А это было так.

Сталин: Такая практика не годится. Конечно, не любят иногда, когда против шерсти гладят, но это не большевизм. Конечно, бывает иногда, что идут люди против течения и против шерсти гладят. Но бывает и так, что не хотят обидеть командующего округом. Это не правильно, это гибельное дело. Генеральный штаб существует для того, чтобы он изо дня в день проверял людей, давал бы ему советы, поправлял. Может, какой командующий округом имеет мало опыта, просто сам сочинил что-нибудь, его надо поправить и прийти ему на помощь. Проверить как следует.

Так могли происходить все эти художества – на Украине Якир, здесь, в Белоруссии, Уборевич.

И вообще нам не все их художества известны, потому что люди эти были предоставлены самим себе, и что они там вытворяли, Бог их знает!

Генштаб должен знать все это, если он хочет действительно практически руководить делом. Я не вижу признаков того, чтобы Генштаб стоял на высоте с точки зрения подбора людей.

Дальше. Не обращали достаточно внимания, по-моему, на дело назначения на посты начальствующего состава. Вы смотрите, что получается. Ведь очень важным вопросом является, как расставить кадры. В военном деле принято так: есть приказ, должен подчиниться. Если во главе этого дела стоит мерзавец, он может все запутать. Он может хороших солдат, хороших красноармейцев, великолепных бойцов направить не туда, куда нужно, не в обход, а навстречу врагу. Военная дисциплина строже, чем дисциплина в партии. Человека назначили на пост, он командует, он главная сила, его должны слушаться все. Тут надо проявлять особую осторожность при назначении людей.

Я сторонний человек, и то заметил недавно. Каким-то образом дело обернулось так, что в механизированных бригадах, чуть ли не везде, стоят люди непроверенные, нестойкие. Почему это, в чем дело? Взять хотя бы Абашидзе, забулдыга, мерзавец большой, я слышал краем уха об этом. Почему-то обязательно надо дать ему механизированную бригаду. Правильно я говорю, товарищ Ворошилов?

Ворошилов: Он начальник АБТ войск корпуса.

Сталин: Я не знаю, что такое АБТ.

Голос с места: Начальник автобронетанковых войск корпуса.

Сталин: Поздравляю! Поздравляю! Очень хорошо! Почему он должен быть там? Какие у него достоинства? Стали проверять. Оказалось, несколько раз его исключали из партии, но потом восстановили, потому что кто-то ему помогал. На Кавказ послали телеграмму, проверили, оказывается, бывший каратель в Грузии, пьяница, бьет красноармейцев. Но с выправкой! (*Веселое оживление в зале.*)

Стали копаться дальше. Кто же его рекомендовал, черт побери! И представьте себе, оказалось, рекомендовали его Элиава, товарищи Буденный и Егоров. И Буденный, и Егоров его не знают. Человек, как видно, не дурак выпить, умеет быть тамадой (*смех*), но с выправкой! Сегодня он произнесет декларацию за советскую власть, завтра против советской власти, какую угодно! Разве можно такого непроверенного человека рекомендовать. Ну, вышибли его, конечно.

Стали смотреть дальше. Оказалось, везде такое положение. В Москве, например, Ольшанский...

Голос с места: Проходимец!

Голоса с мест: Ольшанский или Ольшевский?

Сталин: Есть Ольшанский и есть Ольшевский. Я говорю об Ольшанском. Спрашивал я Гамарника насчет его. Я знаю грузинских князей, это большая сволочь. Они многое потеряли и никогда с советской властью не примирятся, особенно эта фамилия Абашидзе сволочная, как он у вас попал? Говорят: как так, товарищ Сталин, не может быть. Как не может быть, когда он командует? Поймали за хвост бывшего начальника бронетанкового управления Халепского: не знаю, как он попал, он пьяница, нехороший человек, я его вышиб из Москвы, как он попал? Потом докопались до товарищей Егорова, Буденного, Элиава: говорят, Серго рекомендовал. Оказывается – он осторожно поступил: не подписал...

Голос: Он только просил.

Сталин: У меня нет рекомендации, чтобы вам прочитать...

Егоров: В этот период в Академии находился.

Сталин: Рекомендуется он, как человек с ясным умом, выправкой, волевой (*смех*). Вот и все, а кто он в политике – не знали, а ему доверяют танковые части. Спустя рукава на это дело смотрели. Также не обращали должного внимания на то, что на посту начальника командного управления подряд за ряд лет сидели: Гарькавый, Савицкий, Фельдман, Ефимов. Ну уж, конечно, они старались, но многое не от них все-таки зависит. Нарком должен подписать. У них какая уловка практиковалась? Требуется военный атташе, представляют семь кандидатур: шесть дураков и один свой, он среди дураков выглядит умницей (*смех*). Возвращают бумаги на этих шесть человек – не годятся, а седьмого посылают. У них было много возможностей. Когда представляют кандидатуры шестнадцати дураков и одного умного, поневоле его подпишешь. На это дело нужно обратить особое внимание.

Затем не обращали должного внимания на военные школы, по-моему, на воспитание хорошее, валили туда всех. Это надо исправить, вычистить...

Голос: Десять раз ставили вопрос, товарищ Сталин!

Сталин: Ставить вопросы мало, надо решать.

Голос: Я не имею права.

Сталин: Ставят вопросы не для постановки, а для того, чтобы их решать.

Не обращалось также должного внимания на органы печати Военведа. Я кое-какие журналы читаю, появляются иногда очень сомнительные такие штуки. Имейте в виду, что молодежь наша военная читает журналы и по-серьезному понимает. Для нас, может быть, это не совсем серьезная вещь – журналы, а молодежь смотрит на это дело свято, она читает и хочет учиться, и если дрянь пропускают в печать – это не годится.

Вот такой инцидент, такой случай был. Прислал Кутяков свою брошюру, не печатают. Я на основании своего опыта и прочего знаю, что раз человек пишет, командир, бывший партизан, нужно обратить на него внимание. Я не знаю – хороший он или плохой, но что он путаный, я это знал. Я ему написал, что это дело не выйдет, не годится. Я ему написал, что ленинградцы всякие люди имеются – Деникин тоже ленинградец, есть Милюков – тоже ленинградец. Однако наберется немало людей, которые разочаровались в старом и не прочь приехать. Мы бы их пустили, зачем для этого манифестацию делать всякую? Напишем своим послам, и они их пустят. Только они не хотят, и если даже приедут – они не вояки. Надоела им возня, они хотят просто похозяйничать. Объяснили ему очень спокойно, он доволен остался. Затем, второе письмо – затирают меня. Книгу я написал насчет опыта советско-польской войны.

Голоса: «Киевские Канны».

Сталин: «Киевские Канны», о 1920 годе. И они не печатают. Прочти. Я очень занят, спросил военных. Говорят, дрянная. Клима спросил – дрянная штука. Прочитал все-таки. Действительно, дрянная штука (*смех*). Воспевает чрезвычайно польское командование, чернит чрезмерно наше общее командование. И я вижу, что весь прицел в брошюре состоит в том, чтобы разоблачить Конную армию, которая там решала дело тогда и поставить во главу угла 28-ю, кажется, дивизию.

Голос: 25-ю.

Сталин: У него там дивизий много было. Знаю одно, что там мужики были довольны, что вот башкиры пришли и падаль, лошадей едят, подбирать не приходится. И вот, интересно, что товарищ Седякин написал предисловие к этой книге. Я товарища Седякина мало знаю. Может быть, это плохо, что я его мало знаю, но если судить по этому предисловию, очень подозрительное предисловие. Я не знаю, человек он военный, как он не мог раскусить орех этой брошюры. Печатается брошюра, где запятнали наших командиров, до небес возвели командование Польши. Цель брошюры – развенчать Конную армию. Я знаю, что без нее ни один серьезный вопрос не разрешался на Юго-Западном фронте. Что он свою 28-ю дивизию восхвалял – ну, бог с ним, это простительно, но что польское командование возводил до небес незаслуженно и что он в грязь растоптал наше командование, что он Конную армию хочет развенчать – это неправильно. Как этого товарищ Седякин не заметил? Предисловие говорит – есть недостатки вообще и всякие такие штуки, но в общем интересный, говорит, опыт. Сомнительное предисловие и даже подозрительное.

Голос: Я согласен.

Сталин: Что согласен? Не обращали внимания на печать, печать надо прибрать к рукам обязательно.

Теперь еще один вопрос. Вот эти недостатки надо ликвидировать, я их не буду повторять...

В чем основная слабость заговорщиков и в чем наша основная сила? Вот эти господа нанялись в невольники германского вредительства. Хотят они или не хотят, они катятся по пути заговора, размена СССР. Их не спрашивают, а заказывают, и они должны выполнять.

В чем их слабость? В том, что нет связи с народом. Боялись они народа, старались сверху проводить: там одну точку установить, здесь один командный пост захватить, там другой, там какого-либо застрявшего прицепить, недовольного прицепить. Они на свои силы не рассчитывали, а рассчитывали на силы германцев, полагали, что германцы их поддержат, а германцы не хотели поддерживать. Они думали: ну-ка заваривай кашу, а мы поглядим. Здесь дело трудное, они хотели, чтобы им показали успехи, говорили, что поляки не пропустят, здесь лимитрофы, вот если бы на север, в Ленинград, там дело хорошее. Причем знали, что на севере, в Ленинграде, они не так сильны. Они рассчитывали на германцев, не понимали, что германцы играют с ними, заигрывают с ними. Они боялись народа. Если бы прочитали план, как они хотели захватить Кремль, как они хотели обмануть школу ВЦИК... Одних они хотели обмануть, сунуть одних в одно место, других в другое, третьих – в третье и сказать, чтобы охраняли Кремль, что надо защищать Кремль, а внутри они должны арестовать правительство. Днем, конечно лучше, когда собираются арестовывать, но как это делать днем? «Вы знаете, Сталин какой! Люди начнут стрелять, а это опасно». Поэтому решили лучше ночью (*смех*). Но ночью тоже опасно, опять начнут стрелять.

Слабенькие, несчастные люди, оторванные от народных масс, не рассчитывающие на поддержку народа, на поддержку армии, боящиеся армии и прятавшиеся от армии. Они рассчитывали на германцев и на всякие свои махинации, как бы школу ВЦИК в Кремле надуть, как бы охрану надуть, шум в гарнизоне произвести. На армию они не рассчитывали, вот в чем их слабость. В этом же и наша сила.

Говорят, как же такая масса командного состава выбывает из строя. Я вижу кое у кого смущение, как их заменить.

Голоса: Чепуха, чудесные люди есть.

Сталин: В нашей армии непочатый край талантов. В нашей стране, в нашей партии, в нашей армии непочатый край талантов. Не надо бояться выдвигать людей, смелее выдвигайте снизу. Вот вам испанский пример.

Тухачевский и Уборевич просили отпустить их в Испанию. Мы говорим: «Нет, нам имен не надо. В Испанию мы пошлем людей, мало известных». Посмотрите, что из этого вышло? Мы им говорили: если вас послать, вас заметят, не стоит. И послали людей мало заметных, они же там чудеса творят. Кто такой был Павлов? Разве он был известен?

Голос: Командир полка.

Голос: Командир мехбригады.

Буденный: Командир 6-й дивизии мехполка.

Ворошилов: Там два Павловых: старший лейтенант...

Сталин: Павлов отличился особенно.

Ворошилов: Ты хотел сказать о молодом Павлове?

Голос: Там Гурьев и капитан Павлов.

Сталин: Никто не думал, и я не слыхал о способностях командующего у Берзина. А посмотрите, как он дело наладил. Замечательно вел дело. Штерна вы знаете? Всего-навсего был секретарем у т. Ворошилова. Я думаю, что Штерн не намного хуже, чем Берзин – может быть, не только не хуже, а лучше. Вот где наша сила – люди без имен. «Пошлите – говорят – нас, людей с именами, в Испанию». Нет, давайте пошлем людей без имени, низший и средний офицерский наш состав. Вот сила, она и связана с армией, она будет творить чудеса, уверяю вас. Вот из этих людей смелее выдвигайте, все перекроют, камня на камне не оставят. Выдвигайте людей смелее снизу. Смелее – не бойтесь. (*Продолжительные аплодисменты.*)

Ворошилов: Работать будем до 4 часов.

Голоса: Перерыв устроить, чтобы покурить.

Ворошилов: Объявляю перерыв на 10 минут...

Ворошилов: Нужно будет раздать стенограмму, как у нас было принято.

Блюхер: Нам сейчас, вернувшись в войска, придется начать с того, что собрать небольшой актив, потому что в войсках говорят и больше и меньше, и не так, как нужно. Словом, нужно войскам рассказать, в чем тут дело.

Сталин: То есть пересчитать, кто арестован?

Блюхер: Нет, не совсем так.

Сталин: Я бы на вашем месте, будучи командующим ОКДВА, поступил бы так: собрал бы более высший состав и им подробно доложил. А потом тоже я, в моем присутствии, собрал бы командный состав пониже и объяснил бы более коротко, но достаточно вразумительно, чтобы они поняли, что враг затесался в нашу армию, он хотел подорвать нашу мощь, что это наемные люди наших врагов, японцев и немцев. Мы очищаем нашу армию от них, не бойтесь, расшибем в лепешку всех, кто на дороге стоит. Вот я бы так сказал. Верхним сказал бы шире.

Блюхер: Красноармейцам нужно сказать то, что для узкого круга?

Сталин: То, что для широкого круга.

Ворошилов: Может быть, для облегчения издать специальный приказ о том, что в армии обнаружено такое-то дело? А с этим приказом вышел бы начальствующий состав и прочитал во всех частях.

Сталин: Да. И объяснить надо. А для того, чтобы верхний командный состав и политические руководители знали все-таки, стенограмму раздать.

Ворошилов: Да, это будет очень хорошо. В стенограмме я много цитировал. Тут будет полное представление.

Сталин: Хорошо, если бы товарищи взялись и наметили в каждой определенной организации двух своих заместителей и начали выращивать их как по политической части, так и по командной части.

Ворошилов: Давайте это примем. По партийной линии это принято.

Сталин: Это даст возможность и изучать людей...

Ворошилов: Вот этот самый господинчик Фельдман, я в течение ряда лет требовал от него: дай мне человек 150 людей, которых можно наметить к выдвижению. Он писал командующим, ждал в течение 2 с половиной, почти 3 лет. Этот список есть где-то. Нужно разыскать.

Буденный: Я его видел, там все троцкисты, одни взятые уже, другие под подозрением.

Сталин: Так как половину из них арестовали, то значит, нечего тут смотреть.

Буденный: Не нужно этот приказ печатать, а просто сказать – не подлежит оглашению.

Сталин: Только для армии и затем вернуть его. Стенограмму тоже вернуть. Будет еще вот что хорошо. Вы как собираетесь – в два месяца раз?

Ворошилов: В три месяца раз.

Сталин: Так как у вас открытой критики нет, то хорошо бы критику здесь разворачивать внутри вашего совета, иметь человека от оборонной промышленности, которую вы будете критиковать.

Голоса: Правильно.

Сталин: И от вас будут представители в Совет Оборонной промышленности, человек пять.

Голоса: Правильно.

Сталин: Начиная, может быть, с командира полка, а лучше было бы еще ниже, иметь заместителем.

Ворошилов: Командира дивизии или командира полка, я его назначаю заместителем.

Голоса: Есть такое распоряжение.

Ворошилов: Распоряжение есть. Но мы должны иметь лучших людей, каждый должен найти у себя, и тогда я уже трогать не буду. Я буду знать, что у Кожанова командир подводной лодки N 22 или командир «Червонной Украины» является избранником, которого он будет выращивать. Я его трогать не буду.

Голос: Такое же распоряжение отдано.

Ворошилов: Совсем не такое.

Сталин: Может быть, у вас нет таких людей, которые могут быть заместителями?

Ворошилов: Есть. У нас известная градация по росту. Командир Ефимов, он командир корпуса, он будет искать среди командиров дивизии – но так как командиров дивизии мало и он не может оттуда наметить, он будет искать из командиров батальонов.

Сталин: Не будет боязни, что отменят тех, которые намечены?

Голос: Эта боязнь есть.

Сталин: Поэтому надо искать и выращивать, если будут хорошие люди.

Ворошилов: Значит, в 8 часов у меня в зале заседание.

Сталин: Нескромный вопрос. Я думаю, что среди наших людей, как по линии командной, так и по линии политической, есть еще такие товарищи, которые случайно задеты. Рассказали ему что-нибудь, хотели вовлечь, пугали, шантажом брали. Хорошо внедрить такую практику, чтобы если такие люди придут и сами расскажут обо всем – простить их. Есть такие люди?

Голоса: Безусловно. Правильно.

Сталин: Пять лет работали, кое-кого задели случайно. Кой-кто есть из выжидающих, вот рассказать этим выжидающим, что дело проваливается. Таким людям нужно помочь с тем, чтобы их прощать.

Щаденко: Как прежде бандитам обещали прощение, если он сдаст оружие и придет с повинной *(смех)*.

Сталин: У этих и оружия нет, может быть, они только знают о врагах, но не сообщают.

Ворошилов: Положение их, между прочим, неприглядное. Когда вы будете рассказывать и разъяснять, то надо рассказать, что теперь не один – так другой, так третий, все равно расскажут. Пусть лучше сами придут.

Сталин: Простить надо, даем слово простить, честное слово даем.

Щаденко: С Военного Совета надо начинать. Кучинский и другие...

Кучинский: Товарищ Ворошилов, я к этой группе не принадлежу – к той группе, о которой говорил товарищ Сталин. Я честный до конца.

Ворошилов: Вот и Мерецков. Этот, пролетарий, черт возьми.

Мерецков: Это ложь, тем более что я никогда с Уборевичем не работал и в Сочи не виделся.

Ворошилов: Большая близость с ним у этих людей. Итак, в восемь часов у меня...»

ПРИЛОЖЕНИЕ 4

ПЛАН ПОРАЖЕНИЯ

Это собственноручные показания М. Н. Тухачевского на следствии: 143 рукописные страницы, написанные ровным, четким почерком, с соблюдением всех тогдашних правил грамматики. В показаниях есть ссылки еще на два документа. Один – «План поражения», написанный Уборевичем, другой – показания о вредительской деятельности, который Тухачевский обещал изложить особо. Ни тот, ни другой документ не опубликованы.

«Центр антисоветского военно-троцкистского заговора тщательно изучал материалы и источники, могущие ответить на вопрос: каковы оперативные планы Гитлера, имеющие целью обеспечение господства германского фашизма в Европе?

Основной для Германии вопрос – это вопрос о получении колоний. Гитлер прямо заявил, что колонии, источники сырья, Германия будет искать за счет России и государств Малой Антанты.

Опыт войны 1914–1918 гг. учит Германию тому, что без обеспечения себя основными видами сырья, в особенности железной рудой, нефтью и хлебом, – ей невозможно участвовать в большой и длительной современной войне. Все эти виды сырья на Украине и в Румынии, частично в Чехословакии.

Если подойти к вопросу о возможных замыслах Гитлера в отношении войны против СССР, то вряд ли можно допустить, чтобы Гитлер мог серьезно надеяться на разгром СССР. Максимум, на что Гитлер может надеяться, это на отторжение от СССР отдельных территорий. И такая задача очень трудна и сколько-нибудь серьезно может мыслиться только в войне СССР на два фронта: на западе и на Дальнем Востоке. При этом успехи социалистической экономики СССР из года в год настолько велики, что и эти ограниченные военные цели Германии и Японии станут скоро вообще неосуществимыми.

Итак, немцы должны будут поставить перед собой ограниченную цель войны – отторгнуть часть территорий от СССР и отстоять обладание этой частью территории до конца войны. Немецкие военные теоретики очень высоко ценят такой метод войны, считая творцом его Фридриха Великого (Семилетняя война). Этот вид войны с ограниченной целью очень обстоятельно рассматривает и Клаузевиц. Само собою понятно, что подобного рода война с ограниченной целью ведет свои операции именно на той территории, которой она должна, в конце концов, овладеть. Необходимо поэтому проанализировать возможные театры войны гитлеровской Германии против СССР с экономической точки зрения, т. е. с точки зрения удовлетворения колониальных аппетитов Германии.

Немцы, безусловно, без труда могут захватить Эстонию, Латвию и Литву и с занятого плацдарма начать наступательные действия против Ленинграда, а также Ленинградской и Калининской (западной их части) областей. Финляндия, вероятно, пропустит через свою территорию германские войска. Затруднения, которые немцы встретили бы при этой операции, были бы следующие: во-первых, железнодорожная сеть Эстонии, Латвии и Литвы слишком бедна и отличается слишком малой провозоспособностью, чтобы она могла обслужить действия крупных сил. Потребовалось бы либо вложение крупных капиталов в железные дороги этих стран в мирное время, либо развитие этих дорог во время войны, что сильно сковало бы и осложнило действия германских армий. Во-вторых, СССР не позволил бы Германии безнаказанно занять Прибалтийский театр для подготовки в нем базы для дальнейшего наступления в пределах СССР. Однако с военной точки зрения такая задача может быть поставлена, и вопрос заключается в том, является ли захват Ленинграда, Ленинградской и Калининской областей действительным решением политической и экономической задачи по подысканию сырьевой базы. На этот последний вопрос приходится ответить отрицательно. Ничего, кроме дополнительных хозяйственных хлопот, захват всех этих территорий Германии не даст. Многомиллионный город Ленинград с хозяйственной точки зрения является большим потребителем. Единственно, что дал бы Германии подобный территориальный захват, – это владение всем юго-восточным побережьем Балтийского моря и устранение соперничества с СССР в военно-морском флоте. Таким образом, с военной точки зрения результат был бы большой, зато с экономической – ничтожный. Не могут немцы не учитывать и того, что Ленинград, как центр военной промышленности, уже не играет для нас той решающей роли, которую он играл до переноса военной промышленности к востоку.

Второе возможное направление германской интервенции при договоренности с поляками – это белорусское. Совершенно очевидно, что как овладение Белоруссией, так и Западной областью никакого решения сырьевой проблемы не дает и потому для Германии неинтересно. Белорусский театр военных действий только в том случае получает для Германии решающее значение, если Гитлер поставит перед собой задачу полного разгрома СССР с походом на Москву. Однако я считаю такую задачу совершенно фантастической.

Остается третье, украинское направление. В стратегическом отношении пути борьбы за Украину для Германии те же, что и за Белоруссию, т. е. связано оно с использованием польской территории. В экономическом отношении Украина имеет для Германии исключительное значение. Она решает и металлургическую, и хлебную проблемы. Германский капитал пробивается к Черному морю. Даже одно только овладение Правобережной Украиной и то дало бы Германии и хлеб, и железную руду. Таким образом, Украина является той вожделенной территорией, которая снится Гитлеру германской колонией. В стремлениях к Украине среди германских военных кругов играет немаловажную роль и тот факт, что немцы в 1918 г. оккупировали Украину, но были оттуда выбиты, т. е. стремление к реваншу.

Итак, территорией, за которую Германия, вероятнее всего, будет драться, является Украина. Следовательно, на этом театре войны наиболее вероятно появление главных сил германских армий.

Очень часто имеют предположения, что Германия не захочет значительно удаляться своими армиями от своей территории. Это зависит исключительно от политических задач, которые будут поставлены перед армией. Если этой задачей будет захват советской территории, то германская армия не может не стремиться на эту территорию.

Только в том случае, если политической целью Германии была бы ограниченная задача поддержки Польши в войне с нами, только в этом случае можно допустить, что германские армии не уйдут далеко от своих границ. Но даже и в этом случае надо учитывать принципы германского генерального штаба, доказанные ходом войны 1914–1918 гг., заключающиеся в том, что германский генеральный штаб не занимается политиканством, а бросает свои армии туда, куда потребуют стратегические соображения. Так, например, немцы неоднократно бросали свои войска на территорию Австро-Венгрии для борьбы с Сербией, Румынией и Италией. Поэтому не следует обольщать себя надеждами на то, что немцы не уйдут далеко от своих границ.

Однако вывод, который только что сделан в отношении германских намерений насчет Украины, является относительным. Дело в том, что даже если Германия и поставила бы перед собой задачу вести войну с ограниченной целью, то все же эта война не может не превратиться в большую и длительную войну, причем как минимум создались бы два фронта: белорусский и украинский. СССР слишком силен, чтобы согласиться даже на малейшую территориальную уступку. Длительная же война с СССР, несомненно, может вовлечь в войну с Германией и Францию, и Англию. Другими словами, война, цель которой ограничивается захватом одной только Украины, превращается в войну большую, которая требует все того же предварительного решения сырьевой проблемы.

В силу этого мне представляется весьма вероятным, что Германия до войны с нами постарается захватить Чехословакию и Румынию. Не исключена такая обстановка в Европе, когда ни одна из стран не сможет вовремя поддержать Чехословакию против Германии. Если только нападение Германии на Чехословакию будет поддержано с юга ударом венгерской армии, что весьма вероятно, то участь Чехословакии может быть решена очень быстро. Следует еще учесть, что в Чехословакии орудуют германские фашистские организации, которые могут дезорганизовать оборону страны. Имеются разведывательные данные, говорящие о том, что немцы разрабатывают план захвата Чехословакии в трехдневный срок. Действительно, положение вытянутой с запада на восток Чехословакии, находящейся под ударами с запада, севера, юга и, наконец, изнутри, является чрезвычайно тяжелым. Если даже речь будет идти и не о трехдневном сроке, то во всяком случае о столь же коротком, в который заинтересованные страны могут и не успеть принять какие-либо решительные контрмероприятия.

Что касается войны Германии против Румынии, то со стратегической точки зрения немцы хорошо знают, как можно оккупировать территорию этой страны. Опыт 1916 г. немцами хорошо изучен.

Что же может дать немцам оккупация Чехословакии и Румынии в экономическом отношении? Статистика говорит о том, что Румыния экспортирует ровно столько хлебных злаков, сколько Германия импортирует их в мирное время (до гитлеровских ограничений). Румыния добывает, если память мне не изменяет, 14 миллионов тонн нефти. Румыния и Чехословакия богаты многими металлами. Наконец, утверждение германского капитала в Румынии означало бы его монополию на Балканах, в Турции и выход его опять-таки в Черное море. Только железная руда по-прежнему являлась бы узким местом германского народного хозяйства и требовала бы захвата Криворожья. Не исключена возможность того, что немцы, правильно поставив разведку недр, сумеют найти железную руду и в Румынии. Таким образом, захват Германией Чехословакии и Румынии может обойтись без большой войны, зато для большой войны этот захват значительно упорядочивает сырьевой вопрос в германском народном хозяйстве, уменьшает зависимость Германии от Польши при войне против СССР, и, наконец, исходный базис для войны против СССР со стратегической точки зрения становится гораздо более выгодным.

В конечном счете можно сделать вывод, что независимо от того, будет ли предшествовать войне против СССР война Германии с Чехословакией и Румынией или не будет, все равно главные интересы гитлеровской Германии направлены в сторону Украины. Из этого должен исходить, это должен учитывать наш оперативный план. Однако наш оперативный план этого не учитывает. Он построен все так же, как если бы война ожидалась с одной только Польшей.

Рассмотрим теперь западные наши границы и западные театры войны, исходя из политической задачи "бить противника на его территории".

На ближайший отрезок времени, пока существует Чехословакия и Румыния, "бить противника на его территории" практически означает бить польско-германские силы на польской территории. Со значительной долей вероятности дело будет обстоять именно так. Вряд ли в Прибалтийские страны немцы пошлют более одного-двух экспедиционных корпуса.

Решающее значение операции должны принять тогда, когда с поражением польско-германских сил должна будет пасть буржуазная Польша. Такое сражение может иметь место в районе Кенигсберг – Львов – Краков – Данциг. Каковы же пути движения наших армий для того, чтобы выйти в этот район в наиболее выгодной группировке и с наиболее широкой охватывающей базой?

Стратегически наиболее выгодным путем является быстрый разгром армиями вторжения вооруженных сил Эстонии, Латвии и Литвы с тем, чтобы выход наших главных сил, действующих севернее Полесья, на линию Кенигсберг – Брест – Литовск произошел в условиях, когда эти главные силы будут иметь за собой широкий, охватывающий тыл, обеспечивающий организацию наиболее бесперебойного транспорта и наиболее удобного боевого размещения авиации на аэродромах. Этот вариант, к сожалению, натолкнулся на трудно преодолимые в политическом отношении затруднения, а именно на то, что лимитрофы* могут сохранить нейтралитет. Так как повторение "Бельгии" признается недопустимым, то от этого плана пришлось отказаться. Вот почему не прав Корк, когда говорит, что агрессивная роль прибалтов вредительски затушевывалась. Наоборот, агрессивная политика прибалтов позволила бы нам воспользоваться наилучшим вариантом стратегического решения. Не агрессия, а нейтралитет прибалтов сорвал применение наиболее решительного плана, и отмена последовала не ведомственным военным решением, а решением правительства. Я в дальнейшем еще вернусь к этому варианту, так как в связи с вероятным нападением на нас немцев и огромным значением, которое будет играть Восточная Пруссия, при нашем движении в глубь Польши, а также учитывая то, что мы строим на Балтике большой военно-морской флот, – этот вариант будет иметь в будущем еще более решающее значение.

Нейтралитет прибалтов играет для нас очень опасную роль. Если, скажем, он продолжится даже только две недели, то и тогда он сыграет свою вредную для нас роль. В силу сохраняемого нейтралитета мы должны будем отказаться от наиболее выгодного варианта, и через две недели, если нейтралитет будет прибалтами нарушен, исправить дело будет уже невозможно, т. е. невозможно в процессе стратегического сосредоточения. В ходе операций, конечно, многое можно будет выправить.

Однако, считаясь с политическими требованиями в отношении уважения нейтралитета, надо искать другие, хотя бы и менее выгодные в стратегическом отношении пути.

Севернее Полесья остается один путь: между Латвией и Литвой с севера и самим лесисто-болотистым Полесьем с юга. Этот стратегический коридор, и без того узкий, продольно разбивается как бы еще на две части лесисто-болотистым районом верховья Березины, Налибакской пущей, средним течением Немана и Беловежской пущей. Помимо того, он имеет

---

* Лимитрофы – в 20–30-х гг. XX в. общее название буржуазных государств, образовавшихся на западных окраинах бывшей Российской империи после 1917 г. (Латвия, Литва, Эстония, Польша, Финляндия).

и поперечные преграды: р. Вилия, вернее, течение Немана, Неман и Шора на участке Гродно – Слоним, Нарев, Ясельда, Западный Буг. Однако самым слабым местом "белорусского коридора" являются его выходы на территорию этнографической Польши. Армии, наступающие по этому коридору, будут находиться в этом районе в очень тяжелом положении. Коснусь этих положений. Напрасно стали бы мы ждать, как это делает у нас Генеральный штаб, что немцы первые нарушат нейтралитет Литвы. Это им невыгодно. В этом случае немцы имели бы в Литве слишком плохо обеспеченный путями сообщения тыл. Между прочим, во время одной из полевых поездок, кажется в 1911 г., Мольтке, как это описывает Форстер в своей книге "За кулисами германского генерального штаба", обсуждал вопрос о возможности направить наступление германских армий из В. Пруссии в направлении на Вильно и пришел к выводу о том, что это исключено ввиду слабости железнодорожной сети на территории Литвы. Характерно и то, что Гитлер сам предложил Литве заключить пакт о ненападении. Таким образом, раз немцы не будут нарушать нейтралитет Литвы, то нашим армиям придется своим правым флангом, двигаясь через Гродно и далее на запад, подвергаться опасности удара с севера, из Восточной Пруссии. Но это еще не все. В том случае, если главные силы Белорусского фронта форсируют Неман у Гродно и южнее, немцы могут нарушить нейтралитет Литвы, имеющей каких-нибудь три дивизии, и накоротке выйти в тыл Белорусского фронта в направлении Ковно – Вильно. Если глубокое вторжение в Белоруссию через Литву для немцев было бы опасно с точки зрения организации тыла, то операция с коротким замахом является вполне закономерной.

В дальнейшем Белорусский фронт должен будет искать взаимодействия с Украинским фронтом в направлении Брест-Литовска, стремиться к поражению польско-германских сил на варшавском направлении, обеспечивать свой фланг со стороны В. Пруссии и свой тыл со стороны Ковно – Вильно.

Совершенно очевидно, что решать все эти задачи одновременно невозможно. Командование Белорусским фронтом должно будет наметить определенную последовательность в разрешении этих задач.

Весьма возможно, что прежде всего обстановка заставит приступить к радикальному решению задачи обеспечения своего правого фланга, т. е. к разгрому германских сил в В. Пруссии. В этом случае было бы крайне важно для нас пройти по территории Литвы, что, может быть, можно будет и не считать нарушением нейтралитета, т. к. по договору между Литвой и РСФСР от 1920 года район Молодечно – Лида – Гродно также входит в состав Литвы и, следовательно, Красная Армия уже ходом вещей будет действовать на литовской территории.

Не исключена возможность, что, организовав прочное обеспечение своего правого фланга и тыла путем выставления сильного заслона для обороны, Белорусский фронт атакует противника на главном направлении совместно с Украинским фронтом. Однако в этом, последнем случае главные силы Белорусского фронта будут, во-первых, значительно ослаблены выделением крупных сил на обеспечение своего фланга и тыла, а во-вторых, все же немцы могут нанести поражение флангу и тылу Белорусского фронта путем организации удара из В. Пруссии как непосредственно на юг, так и через Литву на Ковно – Вильно. Эта угроза особенно реальна потому, что В. Пруссия обладает богато развитой железнодорожной сетью, позволяющей в сутки подвозить не менее шести пехотных дивизий. Столько же можно перебрасывать и по шоссейным путям В. Пруссии на автотранспорте.

Наконец, особенно опасным может стать положение Белорусского фронта, если произойдет разрыв между ним и подходящим к району Брест-Литовска Украинским фронтом. Тогда возможна концентрическая атака главных сил Белорусского фронта. Главное командование должно организованно вывести в этот район внутренние фланги обоих фронтов.

Итак, Белорусский фронт при своем выходе на границу этнографической Польши должен расширять полосу своих действий, в то время как тыл его остается все в том же узком коридоре. До прихода Гитлера к власти В. Пруссия являлась для правого фланга Белорусского фронта надежным прикрытием. Так это было и в 1920 году. Но с установлением гитлеровского режима картина резко изменилась. Задачи Белорусского фронта стали неизмеримо сложнее, силы, которые он встретит в решительном сражении, вырастут, вероятно, вдвое, и в то же самое время цели, которые были поставлены фронту, и силы, ему предоставленные, остались без изменения. В этом несоответствии задач и средств кроются большие опасности, грозящие при стечении неблагоприятных условий серьезным поражением армиям Белорусского фронта.

Получается такое положение, что в самый тяжелый момент армиям Белорусского фронта придется наступать раструбом из узкого стратегического коридора. Все преимущества перегруппировок будут на стороне врагов. Кроме того, немцы и поляки будут иметь по сравнению с Белорусским фронтом огромные преимущества в отношении широкого и глубокого размещения авиации, а также в отношении охватывающего и выгодного рассредоточенного расположения тылов. В самом деле, "белорусский коридор" имеет тесно сжатые железнодорожные коммуникации и столь же тесно сжатые шоссейные пути.

Точно так же и скученное размещение авиации, исключающее широкий маневр по передислокации по фронту авиационных соединений, будет иметь следствием больший урон нашей легкой авиации по сравнению с потерями врагов на их аэродромах. Немцы, имея полную возможность рассредоточивать свою авиацию по Восточной Пруссии и Северной Польше, будут иметь преимущества в авиационном маневре.

Наши стесненные коммуникации будут нести от авиации большие потери, будут давать перебои, будут задерживаться с восстановлением разрушений и т. д.

Рассмотрим теперь стратегический путь между лесисто-болотистым Полесьем с севера и границами Румынии и Чехословакии с юга. Этот путь также представляет собой стратегический коридор, вполне доступный для наступления крупных сил, хотя и перерезан поперек целым рядом не слишком крупных речных преград и имеет отдельные районы, неудобные для действий, как, например, Дубненский район.

Нависание над левым флангом Украинского фронта границы Румынии в стратегическом отношении сходно со значением Латвии для Белорусского фронта. Однако дальше идет граница Чехословакии, и в этом отношении удобства глубокого наступления находятся на стороне Украинского фронта. В самом деле, границы Румынии с СССР надежно прикрыты системой укрепленных районов, а северный участок границ Румынии с Польшей горист, неудобен для действий больших войсковых масс и крайне беден железными дорогами. В этом районе сравнительно нетрудно организовать прочную оборону, выставив надежный заслон в сторону Румынии. В 1920 г. Румыния сыграла неприятную роль. Она притягивала к себе встревоженное внимание Главного командования, а это последнее оттягивало к границам Румынии силы из главной группировки Юго-Западного фронта. Во всяком случае организация надежного прикрытия своего фланга и тыла со стороны Румынии является несравнимо более простой задачей, чем прочное обеспечение фланга Белорусского фронта.

При выходе Украинского фронта примерно на линию Брест-Литовск – Львов перед его командованием встанет основная задача нанесения главным силам противника удара совместно с главными силами Белорусского фронта. В этом случае левый фланг будет прикрыт чехословацкой территорией и все внимание войск фронта может быть сосредоточено на главных силах противника. Только в том случае, если по ходу операций к моменту выхода правого фланга Украинского фронта в район Ковель – Люблин образовался бы между ним и Белорусским фронтом разрыв, только в этом случае могла бы создаться угроза удара противника во фланг со стороны Брест-Литовска. Роль Главного командования должна заключаться в том, чтобы не допускать разрыва между фронтами.

Вопрос с размещением авиации и тылов для армий, наступающих в "украинском коридоре", отличается теми же трудностями и неудобствами, с которыми армии встречаются и в "белорусском коридоре". В этом отношении "украинский коридор" имеет только одно преимущество, заключающееся в том, что, когда армии Украинского фронта подойдут в район последнего решающего столкновения, немцы и поляки не будут иметь того охватывающего положения над внешним флангом, какое они имеют со стороны Восточной Пруссии.

Таким образом, театр наступления южнее Полесья является выгодным для наступления к району решающего столкновения в центре Польши. Однако наступление в одном лишь направлении южнее Полесья не может дать решения генеральной операции и генерального сражения. Необходимы согласованные действия обоих фронтов. Вопрос заключается лишь в том, которому из фронтов дать преимущественно решающее значение. При варианте первоочередной ликвидации лимитрофов – все преимущества за белорусским направлением. Эти преимущества сохраняются при условии нейтралитета Германии. Зато при условии нахождения Германии в составе врагов, а с другой стороны, при условии дружественной позиции Чехословакии – все преимущества сосредоточения главных сил переходят к украинскому направлению.

Выгоды украинского направления особенно должны сказаться, если Чехословакия будет участвовать в войне с Германией. Конечно, помощь Чехословакии будет очень небольшой, т. к. ее западная половина будет быстро ликвидирована немцами и венграми. Но тем не менее восточная часть Чехословакии, гористая и неудобная для действий крупных войсковых масс, может упорно обороняться и обеспечивать левый фланг наших армий. Помимо того не исключена возможность наступления чехословаков с самого начала войны на Краков, находящийся очень близко от чешской границы. Если этот крупнейший железнодорожный узел будет хотя бы на время выведен из эксплуатации, то переброски польско-германских сил на украинском направлении будут основательно расстроены и поведут к опозданию окончательного сосредоточения этих сил. При этих условиях, между прочим, не исключена возможность захвата Львова силами армии вторжения. Даже временное овладение этим пунктом и разрушение его крупнейшего железнодорожного узла опять-таки поведут к замедлению сосредоточения главных польско-германских сил.

Надо отметить, что только при условии избрания украинского направления как главного можно в какой-то степени использовать помощь чехословацкой армии. Во всех прочих случаях Чехословакия будет раздавлена совершенно отдельно, не принеся никакой пользы для наступления Красной Армии.

Чтобы сделать анализ стратегического положения более конкретным, необходимо обратиться к рассмотрению возможного соотношения сил сторон.

Польша (цифры привожу по памяти) выставляет по мобилизации 55 пехотных дивизий и еще 6 пехотных дивизий формирует в первые месяцы войны.

Германия утраивает свои 36 пехотных дивизий по мобилизации, т. е. выставляет 108 пехотных дивизий. Помимо того, Германия развернет ландверные[1] дивизии, число и сроки развертывания которых я сейчас не помню. Сверх того, Германия имеет несколько десятков бригад штурмовиков, которые вряд ли годятся для полевой войны, но которые безусловно могут быть использованы для обороны тыла, отдельных участков укреплений и т. п.

Генеральный штаб РККА, исчисляя те силы, которые Германия сможет выдвинуть против СССР, правильно исходит из предпосылок, что Франция может оказаться к началу войны в таком состоянии, что не сможет выполнить своих договорных обязательств и не выступит против Германии.

Предположим также, что Германия не предпринимала агрессии против Чехословакии, хотя на самом деле для нее выгоднее было бы сразу же захватить Чехословакию, чтобы быстро высвободить свои силы и не разбрасывать их на выставление заслонов. Исходя из таких предпосы-

---

[1] Ландвер (*нем.* Landwehr, от Land – страна и Wehr – защита) – категория военнообязанных запаса 2-й очереди и второочередные войсковые формирования. В фашистской Германии (по закону 1935 г.) в ландвере состояли военнообязанные в возрасте 35–45 лет.

лок, положим, что Германия оставит в полосе своих укрепленных районов на французской границе 30 пехотных дивизий, на границах с Чехословакией 7 пехотных дивизий и в резерве главного командования еще 10 пехотных дивизий, не считая ландверных. Допустим, что Польша на чехословацкой границе оставит 5 пехотных дивизий. Тогда Красная Армия может встретить перед собой на польской территории 61 германскую и 50 польских пехотных дивизий, а всего 111 пехотных дивизий.

В авиации мы имеем превосходство над немцами, но, во-первых, потребности Дальнего Востока всегда могут оттянуть часть авиации с запада, во-вторых, как было показано выше, мы по мере углубления в Западную Белоруссию и в Западную Украину будем находиться в невыгодных аэродромных условиях по сравнению с польско-германской авиацией, и, в-третьих, все же в сухопутных операциях практический расчет должен вестись по числу пехотных дивизий, артиллерии и танков.

Наши механизированные соединения, несомненно, сильнее польско-германских, но при этом следует учесть, что и поляки, и немцы непрерывно развивают свои механизированные соединения, вводя на вооружение пушечные танки, что немцы уже сформировали пять механизированных дивизий, примерно соответствующих нашим механизированным корпусам, что поляки формируют механизированные бригады и, наконец, что немцы, а за ними и поляки вводят на вооружение большое число противотанковых пушек в пехотных дивизиях, что резко повышает их способность вести бой с механизированными частями. Таким образом, наше преимущество в механизированных соединениях над немцами и поляками хотя и имеется, но это преимущество не может служить основанием для самоуспокоения по поводу нехватки у нас достаточного числа стрелковых дивизий.

Точно так же не может изменить этого положения и наше преимущество над врагами в отношении конницы. Конница будет нести очень тяжелые потери от авиации и химии противника.

На изложенных выше соображениях о том громадном значении, которое имеет число пехотных дивизий независимо от преимущества в авиации, механизированных соединениях и коннице, потому приходится так подробно останавливаться, что этими вреднейшими и опаснейшими рассуждениями организационный отдел Генерального штаба РККА добивался торможения в развитии числа пехотных дивизий, развертываемых по мобилизации.

Каково же было то реальное число стрелковых дивизий, которое по нашему действующему оперативному плану двигалось в глубину территории Польши для того, чтобы бить противника на его территории. Точно я этого числа не знаю, но приблизительно оно должно быть около девяноста стрелковых дивизий, может быть, на несколько дивизий больше. Остальное число стрелковых дивизий из числа 150, развертываемых по мобилизации, идет на обеспечение Дальнего Востока, границ с Финляндией, Эстонией, Латвией и Румынией, на охрану границ Кавказа и Средней Азии.

Получается странная картина. Наши Белорусский и Украинский фронты должны втянуться в глубину территории Польши, втянуться в самых неблагоприятных обрисованных выше условиях и своими 90, пусть даже 100 стрелковыми дивизиями должны разбить 111 пехотных дивизий противника, на стороне которого остаются все преимущества маневра, использования авиации и организации тыла. К этому еще надо добавить, что поляки, как этому учит опыт 1920 года, дерутся у себя дома очень хорошо.

Клаузевиц считает, что для надежного поражения противника над ним надо иметь, по крайней мере, полуторакратное общее превосходство в силах. Этот коэффициент во всяком случае не преувеличен. Однако возьмем меньшее число потребных стрелковых дивизий, например 140, а не 166 (полуторакратное превосходство). В этом случае число дивизий в РККА должно быть значительно большим. Положим, что на Дальнем Востоке надо иметь не менее 35 стрелковых дивизий (во время войны), на границах с Финляндией – 7, на границах Эстонии и Латвии – 7, на границах с Румынией – 8, на Кавказе – 3, в Средней Азии – 2, в резерве Главного командования – 5 стрелковых дивизий. Тогда общее число потребных для РККА стрелковых дивизий поднимется до 207. На самом деле эта потребность значительно выше. Германия во время войны 1914–1918 гг. подняла число своих пехотных дивизий до 248. Борьба на два фронта требует большого числа войск, и для нас значительно большего, чем для Германии, т. к. наши расстояния и железнодорожные условия не позволяют нам производить те переброски сил с востока на запад и обратно, которые с таким успехом проводили немцы в прошлую империалистическую войну.

Мы же разворачиваем всего только 150 стрелковых дивизий.

К этому нашему недостатку в числе стрелковых дивизий надо еще добавить исключительно слабое развитие артиллерийского и танкового резерва Главного командования для усиления стрелковых дивизий и корпусов на решающих направлениях. Дело в том, что для подготовки атаки против боеспособного, хорошо вооруженного и прочно укрепившегося противника требуется до 80 орудий на один километр фронта атаки. Участие танков не снижает той артиллерийской нормы. Англичане и французы даже при наличии танков количество артиллерии на один километр фронта доводили до 130 и более орудий.

Между тем по условиям ввода в атаку пехоты главный удар стрелковой дивизии не может быть уже двух километров, т. е. своими артиллерийскими средствами стрелковая дивизия может обеспечить лишь до 40 орудий на километр, откуда следует, что для крупных операций требуется удвоение артиллерии дивизий.

Собственной артиллерии стрелковой дивизии хватит только в условиях очень подвижной войны, когда противник не успевает как следует укрепиться.

Так же точно и собственных танков стрелковой дивизии не хватит при выполнении сложных и ответственных наступательных операций. Для усиления войск, действующих на главных направлениях, организуется артиллерийский и танковый резерв Главного командования. Однако этот резерв организован у нас в совершенно недостаточном размере, что не позволяет создать необходимого качественного усиления на участках решающих сражений. Вовсе нет у нас пулеметного резерва Главного командования для усиления стрелковых дивизий, занимающих оборонительные фронты. Французы такой пулеметный резерв имеют.

Как же будут развиваться операции Белорусского и Украинского фронтов в соответствии с ныне действующим планом, если принять во внимание несоответствие между силами и средствами и теми решительными целями, которые ставит этот план?

Положим, что Белорусский фронт получает 55, а Украинский фронт 35 стрелковых дивизий (не считая дивизий, стоящих в укрепленных районах на границе с Румынией). Силы Белорусского фронта закончат свое сосредоточение примерно в 15 дней, а Украинского – в 20 дней.

Значительное наше замедление в перевозках позволяет польско-германским силам упредить нас в сосредоточении и, применяя польскую терминологию, "выпадовыми действиями" дезорганизовать район нашего сосредоточения и заставить нас отнести таковой несколько глубже на нашу территорию. Обратная картина развертывания на наших западных границах большого числа механизированных, кавалерийских и стрелковых соединений в штатах, близких к штатам военного времени, а также размещения в БВО и КВО крупных авиационных сил. Эти мероприятия позволили нам в свою очередь поставить вопрос о том, чтобы сразу же после объявления войны вторгнуться в Западную Белоруссию и на Украину и дезорганизовать район сосредоточения противника, отнеся таковой глубоко в тыл, примерно на линию Гродно – Львов.

Если война вспыхнет неожиданно и поляки не будут иметь в своем распоряжении предмобилизационного периода, то действия наших армий вторжения будут носить еще более решительный характер, т. к. "по польскому плану мобилизации" призываемое в приграничных с нами районах население перебрасывается в тыл для укомплектования расположенных в этнографической Польше частей. Само собой понятно, что быстрые действия армии вторжения, поддержанные сильной авиацией, могут сорвать эти мобилизационные перевозки и поставят мобилизуемую польскую армию в очень тяжелое положение.

Далее, операции вторжения дезорганизуют аэродромную полосу приграничной полосы противника, заставляя его отнести развертывание своей авиации в глубину, сокращая тем самым радиус полезного воздействия его легкой авиации на наши железнодорожные перевозки, осуществляющие стратегическое сосредоточение.

Таким образом, операции вторжения срывают сроки сосредоточения противника, если война началась без предмобилизационного периода, что наносит ощутимый удар по польской мобилизации; наконец, операции вторжения наиболее надежно обеспечивают собственное стратегическое сосредоточение.

Уборевич указывает на то, что вредительством являются операции вторжения, если они имеют разрыв во времени с окончанием сосредоточения главных сил. Это неправильное, ошибочное заключение. Операции вторжения именно потому и предпринимаются, что запаздывает стратегическое сосредоточение и его надо обеспечить заблаговременным вторжением. В зависимости от успехов сосредоточения на том или другом фронте части армий вторжения могут быть поддержаны соединениями из состава главных сил и смогут обеспечить этим последним более удобные рубежи развертывания. Однако же если такое удержание за собой территории противника армиям вторжения и не удастся, то их задачу следует считать выполненной, если они расстроят и оттеснят назад сосредоточение противника и тем самым обеспечат бесперебойность собственного стратегического сосредоточения.

Само собой понятно, что армии вторжения, выполняя свои операции, неизбежно понесут потери. Конница будет быстро таять от воздействия авиации и химии. Вообще конь трудно защитим от авиахимического нападения. Гужевые парки, обозы и прочее будут нести еще большие потери, чем конница. Механизированные соединения будут напряженно расходовать свои моторесурсы. Поэтому ответственнейшей задачей фронтового и Главного командования будет определение того предела использования армий вторжения, который диктуется как интересами окончания сосредоточения, так и состояния войск армии вторжения, т. е. их моральными и физическими силами и материальными ресурсами. Безусловно, неправильный пример использования успеха армии вторжения имел место на стратегической военной игре в январе месяце с. г., когда Белорусский фронт пачками вводил в наступление эшелоны главных сил до окончательного их сосредоточения только для того, чтобы развить частный успех армии вторжения.

Что касается указаний Уборевича на то, что им разрабатывался вредительский план овладения Барановичским укрепленным районом конницей, поддержанной лишь слабо вооруженными механизированными бригадами, без всякого участия пехоты, то это служит лишь примером того, как проводилось вредительство в оперативном плане, но никак не служит доказательством вредности операций вторжения.

В результате операций вторжения в соответствии с нашим оперативным планом мне кажется весьма вероятным, что линия польско-германского развертывания будет оттеснена на рубеж Гродно – Слоним – Лунинец – Львов. Вряд ли полякам удастся отстоять Виленский укрепленный район. Строительство Виленского и Барановичского укрепленных районов поляками относится к тому времени, когда у нас не было армий вторжения.

Наше стратегическое развертывание, может быть, с некоторым опозданием, но примерно к тому же сроку закончится вдоль государственной границы. Поэтому первые крупные сражения произойдут на польской территории. Как же будут развиваться оперативные действия к северу и к югу от Полесья?

Положим, что из 111 пех[отных] польско-германских дивизий 50 будет противопоставлено Белорусскому и 55 Украинскому фронтам, при оставлении 6 пех[отных] дивизий в резерве.

Белорусский фронт, нанеся поражение целому ряду польских частей еще в период операций вторжения, имея некоторый общий перевес в силах, значительный перевес в механизированных соединениях и в авиации и, наконец, находясь примерно в одинаковых условиях театра военных действий с поляками и немцами между Литвой и Полесьем, может быть, и имеет кое-какие шансы на наступление с конечным выходом к границам этнографической Польши. Но зато с подходом к этим границам положение Белорусского фронта резко меняется в худшую сторону. Об этом уже говорилось выше. Тыл Белорусского фронта вытягивается в узком и длинном коридоре, стесняющем маневр войск, размещение авиации и работу коммуникаций.

Основное же затруднение встанет перед командованием Белорусского фронта в смысле выбора направления дальнейших действий. Несомненно, немцы будут оборонять район Гродно-Осовец, прикрывая (пути в Вост[очную] Пруссию и готовя из этой последней удар во фланг и тыл главным силам Белорусского фронта в случае их движения на Белосток и Брест-Литовск.

Оборона немцев в этом районе будет очень прочна, т. к. августовские леса, целая сеть озер между Неманом и Восточной Пруссией, болотистые берега Нарева и Мазурские озера с крепостью Летцен создают исключительные удобства обороны этого района как по фронту, так и на всю его значительную глубину. Если к этим природным условиям, обеспечивающим оборону, добавить еще систему железобетонных укреплений из быстротвердеющего цемента, то прочность германской обороны в этом районе будет исключительно серьезной.

С другой стороны, поляки могут превратить в трудноодолимый оборонительный район систему р. Ясельда с очень широкой и болотистой долиной и Беловежской пущей.

Командующему Белорусским фронтом придется решить вопрос о последовательности действий: преодолеть ли сначала оборону поляков на р. Ясельда и, овладев Брест-Литовском, войти во взаимодействие с армиями Украинского фронта, выставив на это время прочный заслон против Восточной Пруссии, или, наоборот, сначала овладеть хотя бы Мазурскими озерами Вост[очной] Пруссии и лишь после этого обратить главные силы фронта на Брест-Литовск.

Слабым местом первого решения является то, что, удаляясь к Белостоку и Брест-Литовску, Белорусский фронт растягивает свои коммуникации, оставляя их в непосредственной близости от фронта возможного перехода немцев в наступление из В[осточной] Пруссии. Если только немцы коротким ударом овладеют районом Гродно – Волковыск, то пути отхода и подвоза для Белорусского фронта фактически будут отрезаны. Поэтому такое решение заставило бы выделить в заслон против В[осточной] Пруссии столь большие силы, что для выполнения задач, стоящих в главном направлении, потребных там сил уже не оказалось бы.

Второе решение, т. е. первоначальный удар в направлении В[осточной] Пруссии, потребует слишком много времени и войск. Этих войск Белорусский фронт, как и в первом случае, в своем распоряжении не имеет.

Итак, наличных сил Белорусского фронта недостаточно для того, чтобы решить стоящую перед ним задачу поражения польско-германских сил в глубине польской территории. Положение Белорусского, фронта, вышедшего на подступы к Белостоку и на рубеж р. Ясельда, легко может стать угрожающим, если немцы бросят свои резервы через В[осточную] Пруссию в направлении Гродно и Волковыска, а может, и на Вильно через Ковно. Ежедневно, как это уже указывалось выше, ж[елезные] д[ороги] В[осточной] Пруссии могут перебрасывать шесть пехотных дивизий и примерно столько же дивизий можно перебросить на автомобилях по шоссейной сети В[осточной] Пруссии. Использовав это свое колоссальное преимущество, путем ли подачи стратегических резервов или путем временной переброски сил с украинского направления, немцы могут нанести тяжелое поражение Белорусскому фронту.

Останавливаясь на первых двух оперативных вариантах, приведенных в показаниях Уборевича, необходимо заметить, что они отличаются один от другого лишь тем рубежом, на котором польско-германские силы переходят в решительное наступление. По первому варианту немцы переходят в наступление на Лида – Барановичи с целью захвата Минска и Слуцка. Этот вариант Уборевича вытекает из хода стратегической военной игры в апреле 1936 года. В этой игре Уборевич увлекся наступлением в вильно-ковенском направлении, сосредоточив на нем свои главные силы, и получил удар главными польско-германскими силами в свой левый фланг, в минском направлении. Это вполне возможный вариант, однако не основной. Дело в том, что Генеральный штаб РККА в порядке руководства военной игрой предложил германскому командованию нарушить нейтралитет Литвы, что вряд ли будет иметь место на самом деле, и потому Уборевич, ошибочно полагая, что немцы двинут в Литву основную массу своих войск, и сам двинул на Вильно-Ковно свои главные силы и за эту ошибку получил удар во фланг основной группы польско-германских армий.

Что касается указаний Уборевича насчет моих советов о движении главных сил Белорусского фронта севернее или южнее Немана, то должен сказать, что на все случаи оперативной обстановки трудно дать общий совет, надо ли двигать главные силы Белорусского фронта севернее или южнее Немана. Такой вопрос нельзя решать предвзято. Правильным и неправильным может оказаться и то, и другое движение, если оно не будет отвечать конкретно складывающейся обстановке. Решение такого вопроса, между прочим, будет связано и с той задачей, которую поставит перед собой командующий в отношении обеспечения своих действий со стороны В[осточной] Пруссии. Как правильное руководство действиями фронта, так и вредительское обязательно должно учитывать конкретную обстановку.

Второй оперативный вариант Уборевича предусматривает отход польско-германских сил на Белосток – Пружаны и удар главных германских сил из Вост[очной] Пруссии в общем направлении Гродно. Этот вариант весьма вероятный, и я его изложил выше. В стратегической военной игре в январе текущего года Уборевич, увлекшись наступлением в брест-литовском направлении, подставил свой фланг и тыл в районе Гродно под удар немцев из Восточной Пруссии. Положение было выправлено вмешательством главного руководителя военной игры.

Соображения, приводимые Уборевичем, в отношении преимуществ оперативного размещения германской авиации по сравнению с нашей вполне справедливы, как я выше это отметил.

Соображения о вероятности поражения конницы и притом вполне правильны. Нельзя забывать, что теперь имеются и несравнимо более мощные накожные отравляющие вещества.

Совершенно правильны замечания Уборевича в отношении превосходства немцев в отношении моторизованных дивизий и автотранспорта. Мы пока не имеем мотодивизий, хотя оперативная потребность в них очень велика. Не следует помимо оперативных требований упускать из виду и то обстоятельство, что мы практически не умеем ни организовать мотодивизию, ни наладить ее обучение, когда подходим к созданию импровизированных мотосоединений. Необходимо иметь постоянные мотодивизии, учиться вводу их в бой, регулировке движения и т. п. моментам, которых не знают общевойсковые командиры. В отношении автотранспорта основное преимущество немцев заключается в том, что они имеют постоянно существующую организацию фашистского автомобильного корпуса. Этот корпус по несколько раз в год тренируется в массовых перебросках войск и фашистских организаций на далекие расстояния. Мы же хотя и получаем по мобилизации большое количество автотранспорта, но даем ему импровизированную, не сколоченную организацию и не предусматриваем крупных автомобильных соединений. В силу этого мы не имеем опыта в эксплуатации больших автомобильных масс в полевой обстановке.

Обратимся теперь к рассмотрению условий наступления наших армий на Украинском фронте.

Соотношение сил Украинского фронта и действующих против него польско-германских армий, как это показывают приводившиеся выше расчеты, крайне невыгодно для нас. В самом благоприятном для самого Украинского фронта случае против него могут быть выставлены равные ему силы. Это в том случае, если польско-германское командование обратит свои главные силы сначала против Белорусского фронта. Даже в этом, наиболее для него благоприятном случае Украинский фронт вряд ли сможет выполнить поставленную ему задачу войти во взаимодействие с Белорусским фронтом в районе Брест-Литовска, т. к. при равных силах нельзя надеяться на глубокое продвижение по территории противника. В случае же, если польско-германское командование бросит свои главные силы на украинское направление, а этот вариант все равно неизбежен, даже в том случае, если первый удар наносится Белорусскому фронту, положение Украинского фронта становится очень тяжелым. Он не только не сможет выполнить стоящей перед ним задачи войти во взаимодействие с левым флангом Белорусского фронта, но и сам может подвергнуться серьезному поражению.

Из приводившегося выше расчета видно, что против Украинского фронта без труда может быть выставлено 55 польско-германских пех[отных] дивизий, а если к этому добавить и неприятельские резервы, то всего будет около 60 пех[отных] дивизий, т. е. почти двойное превосходство по сравнению с силами Украинского фронта.

Решающее сражение может произойти, учитывая результаты операции вторжения, примерно на полпути между линией наших укрепленных районов и Львовом. В результате атаки превосходящих сил неприятеля Украинский фронт должен будет начать отход и достигнет линии своих укрепленных районов примерно к тому сроку, к которому Белорусский фронт в случае своего успеха может достигнуть линии Гродно — Пружаны. В этом расхождении фронтов, разделенных широкой полосой лесисто-болотистого Полесья, кроется благодаря недостатку в силах огромная опасность последовательного поражения обоих фронтов.

Достигнув рубежа наших укрепленных районов на Украине, польско-германское командование может применить два способа действий. Во-первых, начать методическую подготовку к атаке Летичевского и южной части Житомирского укрепленных районов и, возможно, к вспомогательной атаке Новоград-Волынского укрепленного района.

Овладение этими отдельными участками укрепленных районов требует некоторого времени и крупных артиллерийских средств. На этот период польско-германское командование могло бы перебросить часть своих сил с юга на север для нанесения частного поражения Белорусскому фронту, о чем уже говорилось выше. Во-вторых, польско-германское командование может форсировать овладение укрепленными районами и сразу же начать наступление по Правобережной Украине.

Второй вариант позволяет польско-германскому командованию быстро развить свои операции в направлении Киева и в направлении Криворожья. Воспрепятствовать этому продвижению нам будет очень трудно, т. к. подавляющее превосходство германских и польских сил может обеспечить нанесение армиям Украинского фронта серьезного поражения. В результате этого поражения польско-германские армии могут начать операции по последовательному занятию территории.

Однако оперативный план немцев и поляков вряд ли ограничится только этим. Следует ожидать развития немцами и поляками успеха в направлении примерно на Мозырь – Жлобин, в глубокий тыл Белорусского фронта. Задача эта нелегкая. Придется преодолеть лесисто-болотистые пространства, овладеть Мозырским укрепленным районом, форсировать Припять и т. д., но тем не менее эта задача оперативно вполне разрешима и стратегически чрезвычайно расширяет возможный масштаб поражения наших армий.

Как я показывал уже в первом разделе, во время этой стратегической военной игры в апреле 1936 года я по вопросам оперативного положения наших армий обменивался мнениями с Якиром и Уборевичем. Учитывая директиву Троцкого о подготовке поражения того фронта, где будут действовать немцы, а также указание генерала Рундштедта, что подготовку поражения надо организовать на Украинском фронте, я предложил Якиру облегчить немцам задачу путем диверсионно-вредительской сдачи Летичевского укрепленного района, комендантом которого был участник заговора Саблин. В случае сдачи Летичевского района немцы легко могли обойти Новоград-Волынский и Житомирский укрепленные районы с юга и таким образом опрокинуть всю систему пограничных с Польшей укрепленных районов КВО. Вместе с тем я считал, что если подготовить подрыв железнодорожных мостов на Березине и Днепре, в тылу Белорусского фронта в тот момент, когда немцы начнут обходить фланг Белорусского фронта, то задача поражения будет выполнена еще более решительно. Уборевич и Аппога получили задание иметь на время войны в своих железнодорожных частях диверсионные группы подрывников. Самые объекты подрывов не уточнялись.

Само собой понятно, что подрыв ж[елезно] д[орожных] мостов в тылу Белорусского фронта неизбежно повлечет зашивку и без того перегруженных и сжатых в тесном коридоре коммуникаций, которые благодаря своему положению будут непрерывно находиться под воздействием авиации противника. Учитывая, что подрыв ж[елезно] д[орожных] мостов во время напряженных операций может быть осуществлен не только диверсиями, но и воздушной бомбардировкой, а также выброской парашютистов-подрывников, необходимо принять ряд радикальных мер для того, чтобы обеспечить непрерывность работы ж[елезно] дорожных мостов во все периоды операции. Одним из существенных мероприятий является отрывка еще в мирное время подъездных путей на уровень летних вод реки, заготовка ряжевых или бетонных устоев для наводки простейшими способами двутавровых балок (возможны, кажется, 22-метровые пролеты при двутавровых балках метрового сечения; пока их у нас не изготовляют, но производство их необходимо наладить). Таких запасных мостов на пониженном уровне должно быть, по крайней мере, два около каждого наиболее ответственного моста.

Подъездные пути должны быть отлогого профиля во избежание слишком замедленного движения поезда. У крупных мостов с каждой стороны у начала подъездных путей к временным мостам должны быть организованы разъезды, что позволит избежать излишних задержек в движении. Мосты на пониженном уровне, даже в случае их подрыва, очень быстро восстанавливаются. Помимо того, при наличии у моста зенитных средств противник будет менее настойчив в атаках моста, т. к. он будет видеть резервные возможности в железнодорожной переправе, а сам будет подвергаться напрасным потерям.

У крупных ж[елезно] дорожных мостов придется постоянно держать плотничьи с механизированным инструментом команды, а также запас заготовленных ряжей как для восстановления мостов на пониженном уровне, так и для укрепления каменных устоев в случае, если они дадут трещины от попадания авиабомб в воду. Эти исправления можно будет производить очень быстро.

Помимо того, с обеих сторон крупных железнодорожных мостов необходимо подготовить сильно развитые станции с тем, чтобы можно было перебрасывать войска и грузы на автомобилях от станции до станции в случае повреждения моста. В случае повреждения ряда мостов такие переброски придется делать иногда на значительные расстояния. Отсюда приходится сделать вывод, что вдоль основных ж[елезно] дорожных путей следует прокладывать шоссейные дороги и иметь в важнейших узлах резерв автомобильного транспорта.

Помимо мостов на пониженном уровне в некоторых пунктах необходимо построить ж[елезно] дорожные участки, позволяющие в случае капитального разрушения моста передачу составов на другое направление. Так, например, к Полоцку подходят три железные дороги, а от Полоцка по направлению к фронту идет лишь одна, пересекая у самого города Западную Двину на очень высоком уровне. Подрыв ж[елезно] дорожного моста и систематическое его бомбардирование могут поставить армии, базирующиеся на Полоцк, в очень тяжелое положение. Поэтому совершенно необходимо проложить двухпутный участок Полоцк – Витебск по южному берегу Зап[адной] Двины. Конечно, этот участок надо соединить с Лепелем и далее вести на м. Березино–Минск–Слуцк–Новоград–Волынский–Жмеринка. При наличии такой железной дороги вывод из строя ж[елезно] д[орожной] переправы, например, через Березину у Борисова не мог бы воспрепятствовать подаче эшелонов из Орши в Минск через Лепель, конечно, при условии развития необходимой пропускной и провозной способности этой железной дороги и т. д. Для Белорусского фронта чрезвычайно важна ж[елезно] д[орожная] переправа через Днепр у Жлобина. Поэтому весьма важно до предела развить основную рокаду фронта: Витебск–Орша–Жлобин–Мозырь–Жмеринка. Само собою разумеется, что такие же мероприятия надо провести по линии Украинского фронта. В частности, ж[елезные] дороги, идущие от Днепропетровска и Запорожья на Казатин и Жмеринку, должны быть развиты, т. к. днепровские ж[елезно] д[орожные] мосты этих дорог наиболее удалены от противника и наименее подвергаются опасности ежедневных налетов.

Итак, рассмотрение плана действий Белорусского фронта, построенного на задаче разгромить польско-германские силы на варшавском направлении, говорит о том, что план этот не обеспечен необходимыми силами и средствами. Вследствие этого поражение не исключено даже без наличия какого бы то ни было вредительства. Само собою понятно, что проявление вредительства даже в отдельных звеньях фронтового и армейского управления резко повышает шансы на поражение. Из области реально осуществленной вредительской работы, непосредственно отражающейся на оперативном плане, необходимо отметить в первую очередь ту задержку, которую организационный отдел Генерального штаба РККА (Алафузо) осуществил в вопросе увеличения числа стрелковых дивизий, задержку, которая создает основную оперативную опасность для наших армий на Белорусском и Украинском фронтах. Такая же опасная задержка проведена в вопросе широкого развертывания артиллерийского и танкового резерва Главного командования.

Каковы же те силы, которые нужны Белорусскому фронту для того, чтобы он мог выполнить поставленную ему задачу ведущего, решающего значения? Здесь можно сделать прикидку следующего порядка. Если бы польско-германское командование по ходу обстановки решило главные силы сосредоточить против Белорусского фронта, то против Украинского ему было бы достаточно оставить 30–35 пех[отных] дивизий, т. е. на белорусском направлении могло бы сосредоточиться до 76–81 пех[отных] дивизий (из всех 111). Отсюда ясно, что только для того, чтобы не потерпеть отдельного поражения при настойчивом продвижении в глубь Польши, Белорусский фронт должен иметь, по крайней мере, столько же стр[елковых] дивизий, а для того, чтобы получить возможность нанести противнику поражение, число дивизий, входящих в его состав, должно значительно вырасти.

Конечно, использовать столь большое число стр[елковых] дивизий в полосе до Гродно – Кобрин Белорусскому фронту нелегко. Слишком узок "белорусский коридор", и слишком беден он даже грунтовыми путями. Однако к западу от меридиана Гродно возможности и необходимость использования этих сил значительно возрастают. Наилучшие оперативные условия для использования этих масс создались бы при упомянутом выше варианте первоочередного и стремительного разгрома лимитрофов. При этом варианте и более крупные силы можно было бы концентрически подвести к фронту Тильзит–Гродно–Брест-Литовск. Если же пользоваться только "белорусским коридором", то, по всей вероятности, придется применить оперативное эшелонирование с тем, чтобы в нужную минуту подвести к фронту все эшелоны. Но тыл при этом варианте был бы перенапряжен до крайности и потребовалась бы организация массового автомобильного транспорта и широкой постройки автомобильных дорог.

Каковы же должны быть те силы, которые необходимо предоставить Украинскому фронту для выполнения последним поставленной ему задачи? Как видно было из сделанных выше подсчетов, польско-германское командование может выставить против Украинского фронта около 60 пех[отных] дивизий. Надо оговориться, что эти расчеты могут касаться лишь 1937 г., не позже, т. к., несомненно, в 1938 г. германская армия, выставляемая по мобилизации, значительно вырастет; даже в 1937 г. за счет ландверных дивизий германская армия будет несколько сильнее, чем это выше взято в расчет. Очевидно, что, имея против себя около 60 пех[отных] дивизий, Украинский фронт также должен их иметь не меньше 60. На самом деле, учитывая активные задачи, стоящие перед фронтом, его силы должны быть значительно большими.

Итак, из сравнительного рассмотрения возможных группировок противника и потребных нашим фронтам сил выяснилось, что без пересмотра основных установок ныне действующего оперативного плана Белорусскому фронту требуется около 80 дивизий, а Украинскому – около 60, а всего 140 стр[елковых] дивизий. Рассмотрим, как могли бы развиваться при наличии таких сил совместные действия Белорусского и Украинского фронтов. При производстве подсчетов предполагалось, что если главный удар немцы будут наносить на Украине, то они выставят на этом направлении до 60 пех[отных] дивизий. Очевидно, что при наличии в составе Украинского фронта также 60 стрелковых дивизий можно предположить бои с переменным успехом на территории противника между Полесьем и румынской границей. Может быть, даже Украинский фронт будет иметь преимущественный успех, т. к., вероятно, он будет сильнее германо-поляков в отношении механизированных соединений. В этом случае на белорусском направлении германо-поляки смогут выставить около 50 пех[отных] дивизий. Совершенно очевидно, что Белорусский фронт при наличии 80 стр[елковых] дивизий может нанести польско-германским армиям поражение и постепенно установит оперативное взаимодействие с Украинским фронтом в районе Брест-Литовска.

Возьмем другой вариант, когда польско-германское командование бросает против Белорусского фронта до 80 пех[отных] дивизий, оставляя на украинском направлении до 30–35 пех[отных] дивизий. Совершенно очевидно, что Украинский фронт своими 60 дивизиями нанесет польско-германским армиям поражение и, содействуя Белорусскому фронту в общем направлении на Брест-Литовск, в конце концов оттянет на себя часть неприятельских сил, обеспечит наступление своего северного соседа, и в дальнейшем оба фронта, находясь во взаимодействии и имея общее превосходство в силах над противником, нанесут ему общее поражение.

Итак, расчеты, безусловно, доказывают, что Белорусский и Украинский фронты, имеющие в своем составе около 90 стр[елковых] дивизий, подвергаются опасности последовательного поражения при выполнении ими активных задач, которые ставятся им оперативным планом. Эти задачи посильны будут этим фронтам только в том случае, если Германия не выступит на стороне Польши. При войне против нас Германии и Польши и при наличии в составе Белорусского и Украинского фронтов около 90 стр[елковых] дивизий активные наступательные задачи по поражению противника на его территории для этих фронтов заведомо непосильны.

С другой стороны, расчеты показывают, что эти задачи могут быть выполнены при условии увеличения состава обоих фронтов до 140 стр[елковых] дивизий.

Трудности в выполнении этого необходимейшего условия нашего боевого успеха заключаются в двух направлениях: в формировании кадров и накапливании материальной части для новых 50 стр[елковых] дивизий, разворачиваемых по мобилизации, и в развитии железнодорожных и шоссейных путей для своевременного сосредоточения дополнительных сил к границам. Однако, несмотря на запущенность того и другого вопроса, они являются вполне разрешимыми, и за их разрешение необходимо взяться немедленно и с величайшей энергией.

Необходимо, чтобы все стр[елковые] дивизии были одинаково вооружены. Опыт войны 1914–1918 гг. показал, что в ходе войны все равно дивизии разделяются как бы на два класса: на наступательные и оборонительные. Наступательные дивизии сильнее вооружены артиллерией и имеют более мощные тыловые службы, способные обеспечить маневр дивизии. Оборонительные дивизии сильно оснащаются пулеметами, зато в артиллерийском отношении слабее и тылы имеют в сокращенном составе. Очевидно, часть новых дивизий можно будет сформировать как оборонительные дивизии. Это облегчит формирование с точки зрения потребности в материальной части артиллерии.

В отношении количественных показателей нашего командного состава запаса эти формирования особых трудностей не встретят. В качественном отношении уровень командиров запаса очень низок, но, будучи призваны в армию, эти командиры быстро повысят уровень своей подготовки.

Ускорение сосредоточения достижимо путем внеочередной автоблокировки ж[елезно] д[орожных] линий, осуществляющих стратегические перевозки. Проводя автоблокировку и развивая соответствующим образом разъезды, можно добиться почти удвоения провозной способности ж[елезной] дороги.

Это мероприятие можно провести очень быстро. Помимо того, необходимо, конечно, строить и новые ж[елезные] дороги.

Ускорения сосредоточения можно достигнуть и путем расположения парков, обозов и проч[его] тылового имущества частей, подлежащих переброске в тех укрепленных районах, в направлении которых они направляются по плану оперативных перевозок. При тщательной организации хозяйства и при условии разрешения командирам дивизий инспектировать имущество, принадлежащее их дивизиям, необходимый порядок может быть соблюден.

Мне кажется, что даже эти два мероприятия помогут уложить стратегические перевозки в нужные сроки. Если к этому прибавить постройку новых железных дорог, то, быть может, сроки сосредоточения удастся даже сократить, что крайне желательно и даже, более того, совершенно необходимо.

Начавшееся строительство автострад на Минск и Киев также должно быть использовано для ускорения сосредоточения путем применения автотранспорта.

После всего вышеизложенного, где было обосновано положение, что мы не имеем на сегодняшний день достаточных сил, чтобы выполнить задачи, поставленные оперативным планом, встает, естественно, следующий вопрос: каковы же должны быть те задачи, которые оперативно следует поставить Белорусскому и Украинскому фронтам, учитывая те силы, которые они реально могут получить в 1937 году?

Должен прямо сказать, что этот вопрос мною ни разу не прорабатывался. Опять-таки повторяю, что если в войне будет участвовать одна Польша, то действующий оперативный план соответствует наличным силам и средствам. Потребуется только принять действительные меры обеспечения фронта со стороны Восточной Пруссии. Что же касается плана действий против соединенных польско-германских сил, то на этот вопрос ответить гораздо труднее. Я думаю, что надо серьезно проработать этот вопрос, однако сейчас постараюсь высказать общие соображения на эту тему.

Операции вторжения должны остаться в силе. Они обеспечивают выигрыш времени, дезорганизуя районы намечаемого противником сосредоточения. Помимо того, операции вторжения сразу же переносят военные действия на территорию врага. Наконец, в случае вынужденного отхода войска армии вторжения, усиленные необходимыми техническими средствами, будут капитально разрушать за собой железные дороги и шоссе, что будет влиять на расстройство тыла противника. Более того, армии вторжения могут захватить значительную часть пограничной территории противника, например, для белорусского направления вполне возможен захват района Вильно – Лида – Барановичи. Эти действия армии вторжения должны быть поддержаны войсками главных сил с тем, чтобы неприятель не мог без серьезных боев возвращать свою территорию. В упорных боях противник будет углубляться по двум описанным выше коридорам: белорусскому и украинскому со всеми проистекающими отсюда трудностями и неудобствами, т. е. ослаблением своих сил на обеспечение флангов в сторону соседних государств, сужением площади размещения авиации, затруднениями в организации маневра войсковых соединений, в перенапряжении работы коммуникаций и пр. Наши армии, наоборот, приближаясь к своим базам, будут получать преимущества в маневрировании, в использовании авиации и в работе тылов. Помимо того, Белорусский и Украинский фронты, отходя к основным железнодорожным заходам на нашей территории, получают возможность как взаимной поддержки, так и поддержки со стороны Главного командования, в то время как фронты польско-германских армий, все более разделяемые Полесьем и отрывающиеся от своей хорошо налаженной железнодорожной сети, все более и более лишаются возможности поддерживать друг друга, и потому в конце концов может наступить момент, когда Главное командование сможет принять решение о нанесении одному из фронтов противника (южнее или севернее Полесья) отдельного поражения. Для этого потребуется накопить крупный резерв Главного командования. Полагаю, что такой вариант возможен, т. к. польско-германские силы в свою очередь не обладают достаточным превосходством над силами Белорусского и Украинского фронтов для совершения глубокого наступления (111 дивизий против 30–100 дивизий) и будут, конечно, ослаблены и истощены этим глубоким наступлением. В такой обстановке при наличии достаточного резерва Главного командования, поданного в нужный момент на один из контрфронтов и направленного в наиболее ослабленный фронт противника, может оказаться возможным последовательное поражение противника сначала на одном направлении, а далее на другом. Повторяю, что этот вариант мною совершенно не проработан, и я здесь пока высказываю лишь самые предварительные соображения.

Вновь возвращаясь к варианту первоочередного разгрома прибалтов, хочу сказать, что именно этот вариант особенно благоприятствует вести активную оборону на территории врага. Захват территории Эстонии, Латвии и Литвы и захват армией вторжения Белорусского фронта территории Западной Белоруссии до линии Гродно – Слоним позволил бы нашим армиям, опираясь на свою охватывающую базу, упорно обороняться, а в случае наступления противника – ставить его в труднейшее положение, когда ему придется развивать свои действия по эксцентрическим направлениям.

Между прочим, этот вариант станет совершенно необходимым, когда нами будет построен на Балтике большой линейный флот. Такой флот во время войны не может базироваться ни в Кронштадте, ни на Лужской губе. Ему потребуются базы в открытом море, и эти базы имеются на территории Эстонии и Латвии: Ревель, Рига, Виндава, Либава. Вопроса о Финляндии я в разрезе анализа плана первоочередного поражения лимитрофов касаться не буду, т. к. война с Финляндией представляет для нас совершенно самостоятельную проблему, в достаточной степени сложную.

Ожидая с наибольшей вероятностью наступления главных германских сил на украинском направлении, ни в каком случае не следует считать исключенным наступление немецких армий как на белорусском направлении, так и на территории прибалтов. Оперативный план должен предусматривать и отдельные, частные варианты.

Что касается нашего стратегического положения, в случае если Германия еще до войны с нами захватит Чехословакию и Румынию, то этот вопрос требует специального изучения, и в первую очередь требует такой постановки агентурной работы, чтобы мы действительно знали обо всех конкретных мероприятиях германского генерального штаба, направленных к подготовке этого захвата.

Система укрепленных районов, построенная от Карельского перешейка через Полоцк до Летичева и Тирасполя включительно, в общем и целом вполне отвечает интересам развертывания армии. В связи с увеличением германской угрозы я думаю, что следовало бы построить Слуцкий укрепленный район в Белоруссии, а на Украине крайне важно было бы развить Летичевский укрепленный район в глубину и закрыть промежуток между ним и Житомирским укрепленным районом. Летичевское направление является наиболее решительным для немцев. С проломом на этом направлении дальнейшие действия немцев и поляков по развитию успеха на Правобережье становятся значительно более легкими. В связи с возможностью решительных действий германских армий необходимо возвратить Киевскому и Мозырскому укрепленным районам их прежнее крупное значение и внимание, которое за последние годы понемногу забыли.

Каковы же были основные вредительские мероприятия, разработанные центром антисоветского военно-троцкистского заговора, которые должны были использовать наши затруднения на фронтах сражений с германскими и польскими армиями в целях поражения наших красных армий.

Я уже показывал, что, изучив условия возможного развертывания операций немцев и поляков против БВО и КВО во время апрельской военно-стратегической игры 1936 года и получив незадолго до этого установку от германского генерального штаба через генерала Рундштедта на подготовку поражения на Украинском театре военных действий, я обсудил все эти вопросы сейчас же после игры с Якиром и Уборевичем, а в общих чертах и с прочими членами центра. Было решено оставить в силе действующий оперативный план, который заведомо не был обеспечен необходимыми силами. Наступление Белорусского фронта с приближением, а тем более с переходом этнографической границы Польши должно было стать критическим и с большой долей вероятности опрокидывалось ударом немцев или из В[осточной] Пруссии в направлении Гродно или через Слоним на Минск.

Украинский фронт в первую очередь или после нанесения удара немцами на севере также, по всей вероятности, потерпит неудачу в столкновении со значительно превосходными силами польских и германских армий.

В связи с такой обстановкой на Уборевича была возложена задача так разрабатывать оперативные планы Белорусского фронта, чтобы расстройством ж[елезно] д[орожных] перевозок, перегрузкой тыла и группировкой войск еще более перенапрячь уязвимые места действующего оперативного плана.

На Якира были возложены те же задачи, что и на Уборевича, но, кроме того, через Саблина он должен был организовать диверсионно-вредительскую сдачу Летичевского укрепленного района.

И Уборевич, и Якир должны были в течение лета разработать через штабы БВО и КВО практические мероприятия, вытекающие из этих вре-

627

дительских установок. Что успели сделать штабы БВО и КВО во исполнение этого задания, мне неизвестно, так как (о чем я уже показывал раньше) в связи с арестом ряда видных участников заговора летом 1936 г. Центром заговора решено было временно прекратить всякую практическую работу. Об отдельных вопросах вредительских разработок, известных мне, я покажу дальше. В связи с временным прекращением работ заговора я не согласовывал с генералом Кестрингом намеченных центром заговора оперативных мероприятий по подготовке поражения наших армий, это согласование я должен был сделать по окончании практических оперативных разработок в БВО и КВО.

Каменев С. С. должен был разработать по своей линии мероприятия, направленные к тому, чтобы дезорганизовать противовоздушную оборону железных дорог в БВО и КВО и тем внести расстройство как в стратегическое сосредоточение армий, так и в работу последующих снабженческих и оперативных перевозок.

Из отдельных вредительских мероприятий, подготовлявшихся в штабах БВО и КВО, мне известны нижеследующие: разработка плана снабжения с таким расчетом, чтобы не подвозить для конных армий объемистого фуража со ссылкой на то, что фураж есть на месте, в то время как такового заведомо на месте не хватает, а отступающий противник уничтожает и остатки. Засылка горючего для авиации и механизированных соединений не туда, где это горючее требуется. Слабая забота об организации оперативной связи по тяжелым проводам, что неизбежно вызовет излишнюю работу раций и раскрытие мест стоянки штабов. Недостаточно тщательная разработка и подготовка вопросов организации станций снабжения и грунтовых участков военной дороги. Размещение ремонтных организаций с таким расчетом, чтобы кругооборот ремонта затягивался. Плохая организация службы ВНОС, что будет затруднять своевременный вылет и прибытие к месту боя истребительной авиации.

Что касается Дальнего Востока, то оперативный план последнего центром военного заговора не обсуждался в целом. Дальним Востоком специально занимался Гамарник. Он почти ежегодно ездил в ОКДВА и непосредственно на месте давал указания и решал многие вопросы.

Мне известно, что Путна и Горбачев в их бытность на Дальнем Востоке стремились дезорганизовать систему управления в ОКДВА. В дальнейшем эту работу проводил Лапин. Эти работники стремились расшатать суборди[нацию] в ОКДВА путем дискредитации командования.

Лапин усиленно пропагандировал в ОКДВА теорию о том, что действия крупно организованными массами, состоящими из разных родов войск, для ОКДВА не годятся. На Дальнем Востоке нужна, мол, особая горно-таежная тактика, которая тянула боевую подготовку армии в сторону тактических форм малой войны. Лапину удалось в этом отношении кое-что протащить в жизнь. Лапин не обеспечит непрерывную боевую готовность авиации ОКДВА на аэродромах, что было бы очень просто сделать, если бы он добивался введения сменных экипажей на самолеты.

Дальневосточный театр войны крайне слабо обеспечен от воздействия японцев через КНР в направлении Читы и кругобайкальской железной дороги. В этом отношении ни ОКДВА, ни Гамарник не ставили вопросов о необходимости прокладки ж[елезно] д[орожного] пути от Байкала, хотя бы до Улан-Батора. В случае нападения на нас японцев наше положение в направлении КНР будет чрезвычайно тяжелым.

С точки зрения организационной Гамарником было проведено на Дальнем Востоке решение о расформировании строительных частей после объявления мобилизации для целей пополнения кадровых частей. Это, конечно, неправильно, т. к. строительные части выгоднее развернуть как второочередные дивизии, а кадровые части содержать в штатах, более близких к военному времени, чтобы до минимума сократить потребность в подвозе пополнений. Наши силы на Дальнем Востоке крайне слабы, и надо использовать всякую дополнительную возможность к увеличению числа войсковых соединений.

Показания о вредительской работе будут изложены мною дополнительно».

СПИСОК ЛИТЕРАТУРЫ

Абрамов Н. Дело Тухачевского: новая версия. // Новое время. 1989. № 13.

Авторханов А. Технология власти. М., 1991.

Архивы раскрывают тайны. Международные вопросы: события и люди. М., 1991.

Ахтамзян А. Внешнее сотрудничество СССР и Германии в 1920–1923 гг. // Новая и новейшая история. 1990. № 5.

Баландин Р., Миронов С. Заговоры и борьба за власть. М., 2003.

Безыменский Л. Германские авантюры с Гитлером и без него. М., 1964.

Бобренев В., Рязанцев В. Палачи и жертвы. М., 1993.

Бойцов В. Секретные лаборатории рейхсвера в России // Армия. 1991. № 2, 3.

Ветераны внешней разведки России. М., 1995.

Викторов Б. Как мы реабилитировали «заговорщиков». Записки военного прокурора // Кровавый маршал. СПб., 1997.

Волков А., Славин С. Адмирал Канарис – «железный» адмирал. Смоленск. 1998.

Волкогонов Д. Триумф и трагедия. Политический портрет Сталина. Т. 1, 2. М., 1989.

Волкогонов Д. Троцкий. Политический портрет. М., 1992.

Выступление наркома обороны К. Е. Ворошилова на пленуме ЦК ВКП(б). 23 февраля – 5 марта 1937 г. // Военно-исторический архив. 1997. Вып. 1.

Галкин А. Германский фашизм. М., 1988.

Гиленсен В. Вальтер Николаи – глава германской военной разведки во время Первой мировой войны. // Новая и новейшая история. 1998. № 2, 3.

Голинков Д. Крушение антисоветского подполья в СССР.

Горлов С., Ермаченков Е. Военно-учебные центры рейхсвера в Советском Союзе // Военно-исторический журнал. 1993. № 6–8.

Горлов С. Совершенно секретно: Москва–Берлин. 1920–1933. М., 1999.

СПИСОК ЛИТЕРАТУРЫ

Горлов С. Советско-германское военное сотрудничество. М., 1993. (Кандидатская диссертация).

Гуль Р. Красный маршал. Берлин, 1932.

Дьяков Ю., Бушуева Т. Фашистский меч ковался в СССР. Красная Армия и рейхсвер. Тайное сотрудничество 1922–1933 гг. Неизвестные документы. М., 1992.

Емельянов Ю. Записки о Бухарине.

Жуков Ю. Иной Сталин. М., 2003.

Жуков Ю. Следствие и судебные процессы по делу об убийстве Кирова. // Вопросы истории. 2000. № 2.

Жуков Ю. Тайны «Кремлевского дела» 1935 года и судьба Авеля Енукидзе // Вопросы истории. 2000. № 9.

Захаров В. Военные аспекты взаимоотношений СССР и Германии. 1921 г. – июнь 1941 г. М., 1992.

Захаров В. «Политика советского государства по отношению к Германии в военной области и ее влияние на обороноспособность СССР». Диссертация.

Зданович А. «Ц-Мо» информирует Берлин // Армия. 1991. № 1.

Загар А. Гестапо – Мюллер. Ростов н/Д, 1997.

Иосиф Сталин в объятиях семьи: сб. документов. М., 1993.

Иссерсон Г. Судьба полководца. // Кровавый маршал. СПб., 1997.

Казаринов О. Обратная сторона войны. М., 2006.

Кантор Ю. Война и мир Михаила Тухачевского. М., 2005.

Карелл П. Заговор против Тухачевского // Кровавый маршал. СПб., 1997.

Кен О. Чехословакия в политике Москвы. 1931–1936 гг. // Россия – XXI. 1997. № 1–2.

Кирилина А. Неизвестный Киров. СПб., 2001.

Коваль В. Правда о заговоре против Гитлера. Киев, 1960.

Колвин И. Двойная игра. М., 1960.

Колесников В. Тайная миссия Нидермайера // Служба безопасности. 1993. № 3–4.

Кондрашов С. «Привет маршалу Ворошилову» // Новое время. 1993. № 33.

Константинов С. Своими руками // Независимое военное обозрение. 1996. 11 июля.

Коэн С. Бухарин. Политическая биография. 1888–1938. М., 1998.

Кун М. Бухарин: его друзья и враги. М., 1992.

Лесков В. Сталин и заговор Тухачевского. М., 2003.

Мартиросян А. 22 июня. Правда генералиссимуса. М., 2005.

Мартиросян А. Заговор маршалов. М., 2003.

Мартиросян А. Трагедия 22 июня. Блицкриг или измена? М., 2006.

Мельников Д. Заговор 20 июля 1944 года в Германии. М., 1965.

Мильштейн М. А. Заговор против Гитлера. М., 1962.

Минаков С. Сталин и его маршал. М., 2004.

Млечин Л. Иосиф Сталин, его маршалы и генералы. М., 2004.

Млечин Л. Русская армия между Троцким и Сталиным. М., 2002.

Норд Л. Воспоминания о М. Н. Тухачевском // Возрождение (Париж). 1957. № 63–68.

Назаров М. Миссия русской эмиграции. М., 1994. Т. 1.

Они не молчали. М., 1991.

Орлов Б. В поисках союзников: командование Красной Армии и проблемы внешней политики СССР в 30-х гг. // Вопросы истории. 1990. № 4.

Открывая новые страницы. Международные вопросы: события и люди. М., 1989.

Очерки истории российской внешней разведки. М., 1996. Т. 2. М., 1997. Т. 3.

Павлов В. Г. «Сезам, откройся!» Тайны разведывательных операций. М., 1999.

Письма Сталина Молотову. 1925–1936 гг.: сб. документов. М., 1995.

Поварцов С. Причина смерти – расстрел. М., 1996.

Показания Тухачевского М. Н. от 1 июня 1937 года // Кровавый маршал. СПб., 1997.

Протоколы допроса командующего ЗапОВО Д. Г. Павлова на следствии и в суде // Неизвестная Россия. М., 1992.

Пфафф И. Прага и дело о военном заговоре // Военно-исторический журнал. 1988. № 9–11.

Пыхалов И. Великая оболганная война. М., 2005.

Раппопорт В., Геллер Ю. Измена Родине. М., 1995.

Реабилитация. Политические процессы 30–50-х годов. М., 1991.

Роговин В. 1937 год. М., 1996.

Роговин В. Власть и оппозиция. М., 1993.

Роговин В. Мировая революция и мировая война. М., 1998.

Роговин В. Партия расстрелянных. М., 1997.

Роговин В. Сталинский неонэп. М., 1995.

Руге В. Гинденбург. Портрет германского милитариста. М., 1981.

Руге В. Как Гитлер пришел к власти. М., 1985.

Сахаров В. Военные аспекты взаимоотношений СССР и Германии. 1921 г. – июнь 1941 г. М., 1992.

Смирнов Г. Правда о кровавом маршале // Кровавый маршал. СПб., 1997.

Солонин М. Бочка и обручи, или Когда началась Великая Отечественная война. М., 2004.

Справка о проверке обвинений, предъявленных в 1937 году судебными и партийными органами тт. Тухачевскому, Якиру, Уборевичу и другим военным деятелям в измене родине, терроре и военном заговоре // Военно-исторический архив. Вып. 1–2. 1997.

Сталинское политбюро в 30-е годы: сб. документов. М., 1995.

Старков Б. Дела и люди сталинского времени. СПб., 1995.

Статистика антиармейского террора // Военно-исторический архив. Вып. 2. М., 1997.

Сувениров О. Трагедия РККА. 1937–1938. М., 1998.

Суворов В. Очищение. М., 1998.

Судебный отчет о бухаринско-троцкистском процессе. 2–12 марта 1938 года. М., 1997.

Тинченко Я. Голгофа русского офицерства в СССР. 1930–1931 годы. М., 2000.

Трудные вопросы истории. М., 1991.

Уоллер Д. Невидимая война в Европе. Смоленск, 2001.

Уборевич И. Письмо к Г. Орджоникидзе // Факел. М., 1990.

Фалиго Р. Коффер Р. Всемирная история разведывательных служб. М., 1997.

Фест И. Адольф Гитлер. Пермь. 1993.

Финкер К. Заговор 20 июля 1944 г. М., 1976.

Хлевнюк О. Сталин и Орджоникидзе. Конфликты в Политбюро в 30-е годы. М., 1993.

Царев О. Костелло Д. Роковые иллюзии. М., 1995.

Чертопруд С. Охота на фюрера. М., 2004.

Черушев Н. «Невиновных не бывает». Чекисты против военных. 1918–1953.

Чуев Ф. Сто сорок бесед с Молотовым. М., 1992.

Щербаков А. Наполеон. Как стать великим. СПб., 2005.

Ширер У. Взлет и падение Третьего рейха. М., 1991.

Шрейдер М. НКВД изнутри: записки чекиста. М., 1995.

Хорев А. Как судили Тухачевского // Красная звезда. 1991. 17 апр.

Энциклопедия Третьего рейха. М., 1996.

Якупов Н. Трагедия полководцев. М., 1992.

СОДЕРЖАНИЕ

Елена Прудникова, Александр Колпакиди

ДВОЙНОЙ ЗАГОВОР.
ТАЙНЫ СТАЛИНСКИХ РЕПРЕССИЙ

Ответственный за выпуск:
С. З. Кодзова
Редактор: В. Д. Чаленко
Корректоры: О. В. Смушко, Л. С. Самойлова
Дизайн и оформление: И. И. Кучма
Иллюстрация на обложке: С. А. Григорьева
Верстка: А. Б. Ирашина

Подписано в печать 15.02.07.
Формат 60x90^1/$_{16}$. Гарнитура «Times».
Печать офсетная. Бумага офсетная.
Уч.-изд. л. 34,5. Усл.-печ. л. 40,0.
Изд. № ОП-07-0099-ЗИБ. Доп. тираж 3 000 экз.Заказ № 236.

ЗАО «ОЛМА Медиа Групп»
129075, Москва, Звездный бульвар, 23

Отпечатано в типографии ОАО ПФ «Красный Пролетарий»
127473, Москва, ул. Краснопролетарская, 16

Издательский Дом «Нева» представляет

проект

Александра БУШКОВА

КОРРУМПИРОВАННАЯ
РОССИЯ

А. КОНСТАНТИНОВ

«Пресскучно живут честные люди!
Воры же во все времена
устраиваются
великолепно...»
М. Булгаков

Коррумпированная
РОССИЯ

Коррупция родилась не вчера, и корни этого явления уходят в далекое прошлое. Еще древние законодатели пытались искоренить ее силовыми методами, но безрезультатно. Коррупция живет и процветает.

В России взятки брали всегда, но масштабы сегодняшних злоупотреблений служебным положением уже угрожают национальной безопасности страны. Государство не может излечить само себя, потому что те, кто должны это делать, сами являются носителями болезни.

Андрей Константинов и журналисты Агенства Журналистских Расследований в своей новой книге впервые исследуют проблемы российской коррупции.

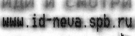